C言語［完全］入門

松浦健一郎／司ゆき 著

SB Creative

本書に関するお問い合わせ

この度は小社書籍をご購入いただき誠にありがとうございます。小社では本書の内容に関するご質問を受け付けております。本書を読み進めていただきます中でご不明な箇所がございましたらお問い合わせください。なお、お問い合わせに関しましては下記のガイドラインを設けております。恐れ入りますが、ご質問の際は最初に下記ガイドラインをご確認ください。

ご質問の前に

小社Webサイトで「正誤表」をご確認ください。最新の正誤情報をサポートページに掲載しております。

▶ **本書サポートページ**

URL https://isbn2.sbcr.jp/11682/

上記ページの「正誤情報」のリンクをクリックしてください。なお、正誤情報がない場合、リンクをクリックすることはできません。

ご質問の際の注意点

・ご質問はメール、または郵便など、必ず文書にてお願いいたします。お電話では承っておりません。

・ご質問は本書の記述に関することのみとさせていただいております。従いまして、○○ページの○○行目というように記述箇所をはっきりお書き添えください。記述箇所が明記されていない場合、ご質問を承れないことがございます。

・小社出版物の著作権は著者に帰属いたします。従いまして、ご質問に関する回答も基本的に著者に確認の上回答いたしております。これに伴い返信は数日ないしそれ以上かかる場合がございます。あらかじめご了承ください。

ご質問送付先

ご質問については下記のいずれかの方法をご利用ください。

▶ **Webページより**

上記のサポートページ内にある「この商品に関する問い合わせはこちら」をクリックすると、メールフォームが開きます。要綱に従って質問内容を記入の上、送信ボタンを押してください。

▶ **郵送**

郵送の場合は下記までお願いいたします。

〒105-0001
東京都港区虎ノ門2-2-1
SBクリエイティブ　読者サポート係

■本書内に記載されている会社名、商品名、製品名などは一般に各社の登録商標または商標です。本書中では®、™マークは明記しておりません。

■本書の出版にあたっては正確な記述に努めましたが、本書の内容に基づく運用結果について、著者およびSBクリエイティブ株式会社は一切の責任を負いかねますのでご了承ください。

©2022　本書の内容は著作権法上の保護を受けています。著作権者・出版権者の文書による許諾を得ずに、本書の一部または全部を無断で複写・複製・転載することは禁じられております。

はじめに

本書はプログラミング言語のC（シー）について詳しく解説した入門書です。C言語に関する広く深い知識を、じっくりと確実に身につけたい方に向いています。初めてC言語を学ぶ方はもちろん、一度C言語を学んだ方が理解を深めるためにもお使いいただけます。他の言語に慣れていて、次はC言語を習得しようという方にもおすすめです。

本書では極力易しく、詳しく、端折らずに説明を行いました。かなりの分量がありますが、**意外に速く読み進められる**と思います。無理なく読めるところまで進んで、続きは必要になったときに読んでも構いません。気になる章だけを拾い読みすることも可能ですが、前の章で学んだ知識を後の章で活用するので、最初の章から読むのがおすすめです。もし本書を読み進む中で分からないことが出てきたら、焦らずに前の章に戻ってみてください。

本書でC言語を学ぶときには、**覚えることよりも、理解すること**を重視してください。根幹となる仕組みを理解していれば、もし記法を忘れてしまっても、もう一度本書を読んだり、自分が書いたプログラムを見返せば、すぐに思い出せます。苦労して暗記する必要はありません。**忘れることは気にせずに、理解することに注力**してください。

● 本書の特長

プログラミングにおける上達の早道は、色々なライブラリを揃えることや、既存のプログラムを切り貼りすることではなく、**言語の基本機能をよく理解して使いこなす**ことです。そこで本書では、基本的な文法について分かりやすく、詳しく解説しました。**すぐに使える書き方のパターンを紹介しつつ、内部の仕組みにまで踏み込んで説明**しています。これによって、記法を覚えるだけではなく、自信を持ってプログラムが書けるようになることを狙いました。

本書に掲載している多数のプログラム例は、演習問題としても活用できます。プログラム例に先立って、必要な文法やライブラリについて紹介し、これからどんなプログラムを書くのかを提示しました。**提示された情報を使ってプログラムを書いてから、解答例としてプログラム例を確認**することで、プログラミングの演習をしながら本書を読み進められます。一方で、最初はプログラム例を確認するだけにして、実力を試したくなったときに演習問題として使うのもおすすめです。

C言語の特長は、コンピュータのハードウェアに密着した処理ができることと、高速に動作するプログラムが作れることです。一方でC言語は、C++（シープラスプラス）やObjective-C（オブジェクティブ・シー）といった他のプログラミング言語の基盤になっていることも特長です。Cを学んだら、次はC++を学びたいという方も多いでしょう。そこで本書では、CからC++に進むためのヒントを随所に記載しています。

Cプログラミングにおいては、プログラムを「こう書くべき」「こう書かないべき」という議論がよく発生します。色々な説があって迷いますが、本書ではおすすめの書き方の一例を紹介します。メジャーな説については、その説の起源・理由・利点・欠点なども述べます。

● 本書の構成

本書は基礎編・応用編・実践編から構成されています。基礎編と応用編では、Cの文法やライブラリについて詳細に解説します。Cの言語仕様については、本書の執筆時点における最新の仕様（C17）に対応し、次世代の仕様（C23）にも言及しています。昔のC言語には無かった機能も数多く紹介するので、以前にC言語を学んだ方にも、新しく有用な知識を手に入れていただけるでしょう。

実践編では、基礎編と応用編で学んだ知識を活用して、実用的なプログラムを開発するための手法を解説します。C言語らしいプログラミングが味わえる題材として、仕事に役立つツール、ゼロから作るAI（人工知能）、インタラクティブなプログラムを取り上げます。この実践編は各章が独立しているので、気になる章から読んでいただけます。

本書に掲載したプログラムは、Windows/macOS/Linuxのいずれにも対応しています。開発環境には、広く使われているGCC（Windows/Linux）とClang（macOS）を選びました。本書のプログラムはGCC/Clangで動作を確認しましたが、本書で学ぶ知識はCの言語仕様に基づいているので、他の開発環境を使う際にも活用していただけます。

かなり読み応えがあるボリュームと内容に仕上がった本書ですが、カラーの紙面を活かして、できるだけ軽快に読み進められるように工夫しました。カラフルな図解を豊富に使って、C言語の仕組みを分かりやすく解説しています。本文については、用語・記法・演習問題・コメント・入力方法などを色分けしてあるので、関心があるポイントに注目して読むのもおすすめです。言語のキーワードやライブラリの関数名などについては、発音の例をカタカナで示しました。実際に発音することを通じて、記憶や理解が進むことや、他の技術者との間でコミュニケーションがスムーズになることを狙っています。

仕事・学業・趣味などでC言語をお使いの方が、本書を通じてC言語の知識や技術を磨き、目標を達成されることを心から願っています。本書を通じて、どんな課題をクリアできたか、C言語をどんなふうに使いこなせるようになったかといったことを、書籍レビューなどを通じてお知らせいただけたら、とても嬉しいです。

松浦健一郎　司ゆき

著者Webサイト「ひぐぺん工房」
https://higpen.jellybean.jp/
本書のQ&Aも掲載しています。

Contents

基礎編

Chapter 1 C言語を学ぶための準備

section 01 そもそもプログラミングとは何か 18
プログラムを動かすコンピュータの仕組み 18
CPUが実行できるのは機械語だけ 21
機械語を扱いやすくしたアセンブリ言語 21
高水準言語を支えるコンパイラとインタプリタ 22
section 02 C言語の特長を理解する 26
50年以上の歴史を持つC言語 26
C言語の特長と向いている用途 28
色々なプログラミング言語がC言語を基盤にしている 30
C言語の仕様は何度も改訂されている 32
section 03 開発環境を導入する 35
Cプログラムが動くまでの道のり 35
エラーと警告の違い 38
手に馴染むテキストエディタを選ぼう 40
Cコンパイラをインストールする 43

Chapter 2 Cプログラミングを始めよう

section 01 最初のCプログラムを実行する 54
プログラムを入力してみよう 54
プログラムをコンパイルして実行する 57
サンプルファイルの使用方法 61
section 02 Cプログラムの基本形を読み解く 66
必要な機能を取り込むインクルード 66
実行の開始地点になるmain関数 68
関数は引数を受け取って戻り値を返す 69
main関数の中には好きな処理を書ける 70
section 03 最初のプログラムを改造してみよう 74
出力する文字列を変更する 74
エスケープシーケンスで特殊な文字を表す 75
日本語の文字列を出力する 77

プログラムにコメントを書く 80
複数行のコメント 81
コメントアウト 82
section 04 エラーや警告が出たときの対処法 85
問題の箇所をピンポイントで直す 85
エラーの対処法が提案されている場合 86
エラーで指摘された箇所に誤りがある場合 87
エラーで指摘された箇所以外に誤りがある場合 88
リンクエラーの場合 89
一見問題がない箇所に誤りがある場合 91
警告で指摘された箇所に誤りがある場合 92
警告で指摘された箇所以外に誤りがある場合 92
警告を解消しないと実行時に問題が生ずる場合 93

Chapter 3 まずは書いた値をそのまま出力しよう

section 01 整数を書いてみよう 96
整数を書いて出力する 96
複数の変換指定を書く 98
16進数の整数を書く 99
8進数の整数を書く 100
section 02 浮動小数点数を書いてみよう 102
浮動小数点数を書いて出力する 102
浮動小数点数には誤差がある 104
指数表記で大きな値や小さな値を表す 106
section 03 printf関数を使いこなそう 109
色々な値を混ぜて出力する 109
printf関数における変換指定のまとめ 112

Chapter 4 Cプログラミングの醍醐味は式の計算

section 01 式を計算して結果を出力する 116
算術演算子で四則演算を行う 116
演算子の優先順位を知って式を簡潔に書く 120
型変換を使って適切な計算結果を得る 124
section 02 2進数を操作するビット演算子とシフト演算子 130
2進数は16進数を使うと記述しやすい 131
0と1を反転する~演算子 132
特定のビットを取り出す&演算子 135

特定のビットを1にする|演算子 138
特定のビットを反転する^演算子 140
乗算の代わりに使える<<演算子 142
除算の代わりに使える>>演算子 145
section 03 環境によるプログラムの動作の違いに注意する 148
未定義の動作は何でも起こり得る 148
左シフトにおける未定義の動作 151
未規定の動作は一通りに絞れない 153
引数の評価順序における未規定の動作 155
処理系定義の動作はドキュメントを確認しよう 157
右シフトにおける処理系定義の動作 158

Chapter 5 後で必要な値は変数に格納しておく

section 01 変数は宣言してから使う 164
変数の宣言には型と変数名を書く 164
変数の初期化は宣言と同時に値を格納する 167
メモリは番号付きの区画が並んだ棚のようなもの 169
変数はメモリの読み書きを簡単にする機能 171
宣言と定義は異なる 173
変数の有効範囲は宣言した場所によって変わる 174
section 02 整数型と浮動小数点型には多くの種類がある 180
サイズが異なる色々な整数型 180
符号付き整数型と符号なし整数型 182
整数型における暗黙の変換 184
サイズが異なる色々な浮動小数点数型 186
色々な型の整数定数や浮動小数点定数を書く 190
section 03 変数の値を変更する 192
代入演算子で変数に値を格納する 192
複合代入演算子で計算と代入を同時に行う 194
代入演算子や複合代入演算子を使った式の値 196
section 04 キーボードから値を入力する 198
整数を入力する 198
複数の値を入力する 200
浮動小数点数を入力する 201
section 05 値を変更できない定数を宣言する 204
constで値の変更を禁止する 204
マクロで名前を値に置き換える 206
列挙型で関連する定数をまとめて宣言する 207
列挙型に名前を付ける 209

Chapter 6 選択文でプログラムの流れを変える

section 01 演算子を使って条件を書く 212
比較演算子で2つの値を比べる 212
論理演算子で複雑な条件を書く 215
真偽値を表すブーリアン型 218
section 02 条件に応じて分岐するif文 221
「もしも」のif 221
「さもなければ」のelse 223
「そうではなくて、もしも」のelse if 225
section 03 条件演算子で分岐を簡潔に書く 228
section 04 値に応じて分岐するswitch文 230
caseごとにbreakを書くのが基本 230
break文を書かないと次のcaseに落ちていく 233
if文とswitch文の使い分け 235

Chapter 7 繰り返し文で処理を反復する

section 01 インクリメントとデクリメントで+1と-1を簡潔に書く 238
インクリメントとデクリメントには前置と後置がある 238
前置と後置は必要な式の値に応じて使い分ける 241
インクリメントとデクリメントは副作用をもたらす 242
section 02 for文で大部分の繰り返しは書ける 245
for文には初期化節・条件式・反復式の3つを書く 245
繰り返し文がネストした多重ループ 248
条件式を工夫して色々な処理をする 249
条件式を省略すると無限ループになる 251
for文を使ってプログラムを読み解く力を鍛える 253
section 03 while文は条件式だけの繰り返しに向く 258
while文には条件式だけを書く 258
do while文は繰り返しを少なくとも1回は実行する 260
while文やdo while文で無限ループを書く 262
while文はfor文と同じ処理を書ける 263
section 04 繰り返し文の流れを変えるbreak文・continue文・goto文 266
break文で繰り返し文を終了する 266
continue文で次の繰り返しに進む 268
goto文で多重ループを終了する 269
goto文でエラーを処理する 273
section 05 カンマ演算子で複数の式をまとめて書く 278

Chapter 8 配列を使って多数の値を管理する

section 01 配列は複数の要素から構成されている 282
通常の変数だけでは多数の値を扱うのが不便 282
配列は要素数を指定して宣言する 283
配列の要素は添字を指定して読み書きする 285
配列と繰り返しを組み合わせる 287
配列の要素数に名前を付ける 289
配列の要素はメモリ上に隙間なく並ぶ 292
section 02 配列を初期化して宣言と同時に値を格納する 297
要素数を省略して初期化する 297
要素数を指定して初期化する 298
添字を指定して初期化する 298
section 03 配列をコピーする2種類の方法 300
要素ごとにコピーする 300
メモリを丸ごとコピーする 301
section 04 多次元配列で表や行列などを表現する 303
多次元配列では複数の要素数や添字を指定する 303
多次元配列の代わりに1次元配列を使う 305
section 05 実行時に要素数を決める可変長配列 307

Chapter 9 文字と文字列を操作する

section 01 文字の正体は文字コード 312
文字を書いてみよう 312
1文字を表す文字型 315
キーボードから文字を入力する 316
1文字を入出力するための関数 318
section 02 文字列の正体は文字の配列 321
文字列を書いてみよう 321
文字列の末尾にはヌル文字がある 323
文字配列の宣言と初期化 326
キーボードから文字列を入力する 328
section 03 文字列を操作する 332
文字列の長さを調べる 332
文字列をコピーする 334
文字列を比較する 337
文字列を操作する標準ライブラリ関数のまとめ 341

応用編

Chapter 10 何度も使う処理は関数にまとめる

section 01 独自の関数を定義して呼び出す……344
関数を定義する……344
定義した関数を呼び出す……348
定義がない関数を宣言して呼び出す……352
関数の途中で呼び出し元に戻る……355
関数の呼び出しはスタックを使って実現される……357
section 02 関数に配列を渡す……361
関数には配列の先頭アドレスだけが渡される……361
配列の要素数を渡す……364
配列の末尾を表す値を入れておく……365
配列をその場で作れる複合リテラル……367
関数で呼び出し元の配列を変更する……368
section 03 関数に文字列を渡す……372
文字列の長さを調べる関数……372
文字列をコピーする関数……373
section 04 変数は宣言の方法で有効範囲と生存期間が変わる……376
関数内で宣言した変数のスコープはブロックの末尾まで……376
関数外で宣言した変数のスコープはファイルの末尾まで……379
関数が終わっても生存し続ける変数を宣言する……383

Chapter 11 関数をさらに使いこなす

section 01 だんだん問題を小さくして解く再帰呼び出し……390
再帰呼び出しで階乗を求める……390
再帰呼び出しで最大公約数を求める……392
section 02 可変長引数を使って任意個の引数を受け取る……395
section 03 関数の呼び出しを効率化するインライン関数と関数マクロ……398
インライン関数で呼び出しを省略する……399
マクロを関数の代わりに使う……402
section 04 総称選択を使って呼び出す関数を切り替える……407

Chapter 12 構造体で関連する値を一括して扱う

section 01 独自の構造体を定義して利用する 414
構造体を定義する 415
構造体型の変数を宣言する 417
typedef宣言を使ってstructを省略する 419
メンバを指定して初期化する 421
構造体を変数に代入する 422
section 02 構造体を関数と組み合わせる 425
構造体を関数の引数にする 425
構造体をその場で作れる複合リテラル 426
構造体を関数の戻り値にする 428
section 03 構造体を配列にする 431
構造体型の配列を宣言する 431
構造体型の配列から情報を検索する 433
section 04 メンバの配置を左右するパディングとアライメント 436
各メンバの後にはパディングが入ることがある 436
アライメントを取得する 441
アライメントを指定する 444
section 05 同じメモリを複数の型で操作できる共用体 448
共用体を定義する 448
共用体を使ってエンディアンを調べる 450
共用体を使ってエンディアンを変換する 452
section 06 ビット単位で値を詰め込めるビットフィールド 455

Chapter 13 ポインタはアドレスを使って対象を指し示す

section 01 ポインタを宣言してアドレスを格納する 460
ポインタの仕組み 460
メモリのアドレスを取得する 464
ポインタを宣言してアドレスを格納する 465
ポインタが指すメモリを読み書きする 467
何も指していないヌルポインタ 469
section 02 ポインタを使って配列を操作する 472
ポインタで配列を指す 472
ポインタと間接演算子で配列の要素を読み書きする 473
ポインタと添字演算子で配列の要素を読み書きする 476
ポインタを変化させて配列の要素を読み書きする 477
ポインタの引数で配列を受け取る 479

section 03 ポインタを使って文字列を操作する……481
ポインタで文字列の長さを調べる……481
ポインタで文字列をコピーする……483
section 04 ポインタを使って構造体を操作する……485
ポインタで構造体を指す……485
メンバのアドレスを取得する……488

Chapter 14 ポインタでメモリを自在に操作する

section 01 コマンドライン引数でプログラムの実行時に値を渡す……492
コマンドライン引数の個数と内容を取得する……492
コマンドライン引数を利用するプログラム……494
section 02 ポインタを指すポインタ……497
ポインタを指すポインタを宣言する……497
ポインタを指すポインタを利用する……500
section 03 動的メモリ確保で取得するメモリのサイズを実行時に決める……503
メモリを確保して解放する……503
配列用のメモリを確保する……507
構造体用のメモリを確保する……508
section 04 動的に確保したメモリのサイズを変える……511
確保したメモリのサイズを変更する……511
個数が不明な入力をメモリに格納する……515
文字数が不明な入力をメモリに格納する……518
section 05 関数ポインタで柔軟な処理を実現する……522
関数ポインタを使って関数を呼び出す……522
関数ポインタを配列にする……524
関数ポインタを標準ライブラリで活用する……527

Chapter 15 ファイルを読み書きする

section 01 テキストファイルの入出力……532
ファイルを開いて閉じる……532
ファイルから文字列を読み込む……537
ファイルの末尾まで読み込む……539
ファイルに文字列を書き込む……541
コマンドライン引数でファイルを指定する……543
section 02 文字単位のファイル入出力……546
ファイルから文字を読み込む……546
ファイルに文字を書き込む……548

section 03 バイナリファイルの入出力 550
ファイルを1バイトずつ読み込む 550
ファイルを複数バイトまとめて読み書きする 552
section 04 書式付きのファイル入出力 555
書式を指定してファイルに書き込む 555
書式を指定してファイルから読み込む 557
個数が分からない値を読み込む 559

Chapter 16 プログラムを分割する

section 01 別のソースファイルで定義した関数を呼び出す 564
同じソースファイルに書いた関数を呼び出す 564
別のソースファイルに書いた関数を呼び出す 565
各ソースファイルを個別にコンパイルする 566
ヘッダファイルに関数の宣言を書く 568
インクルードガードでヘッダファイルの重複を防止する 573
section 02 複数のソースファイルで変数を共有する 577
同じソースファイルに書いた変数を使う 577
別のソースファイルに書いた変数を使う 578
ヘッダファイルに変数の宣言を書く 580
section 03 ソースファイルの内部だけで使う関数や変数を作成する 583
ソースファイルの内部だけで使う関数を定義する 583
ソースファイルの内部だけで使う変数を宣言する 585
変数を宣言する方法のまとめ 588

実践編

Chapter 17 仕事の自動化に役立つプログラムを作る

section 01 プログラムを設計する 594
何を作るのかを決める 594
必要な技術について調べる 595
完成までの段階を分ける 597
section 02 ファイルの一覧を出力する 599
サブディレクトリを処理する 601
section 03 拡張子ごとに集計する 605
section 04 結果をソートする 612

Chapter 18 ゼロからのプログラミングでAIの仕組みを学ぶ

section 01 プログラムを設計する 620
何を作るのかを決める 620
必要な技術について調べる 622
完成までの段階を分ける 623
section 02 入力データのCSVファイルを読み込む 625
section 03 k-meansでクラスタリングする 632
section 04 SVGとHTMLで可視化する 640

Chapter 19 インタラクティブなプログラムを作る

section 01 プログラムを設計する 648
必要な技術について調べる 648
何を作るのかを決める 650
完成までの段階を分ける 651
cursesを導入する 652
section 02 迷路を作る 654
迷路を塗る 654
迷路を掘る 658
section 03 迷路を解く 664
section 04 迷路を歩く 670
迷路に色を付けて表示する 670
プレイヤーを操作して迷路を歩く 675

サンプルファイルの使い方

サンプルファイルは、下記のWebページよりダウンロードすることができます。

https://www.sbcr.jp/support/4815610049/

ダウンロード

『C言語[完全]入門』サンプルファイル

2022.05.27

対象書籍

C言語[完全]入門

以下のリンクから、サンプルファイルをダウンロードしていただけます。
ファイルはZIP形式で圧縮しておりますので、展開してご利用ください。

サンプルファイル ： CSample.zip

CSample.zipをクリック

サンプルファイルの各フォルダには、本書内に掲載したサンプルプログラム、またはプログラムの実行に必要なファイルなどが収録されています。サンプルファイルはZIP形式で圧縮されているので、ダウンロード後は、任意のフォルダに展開してご利用ください。

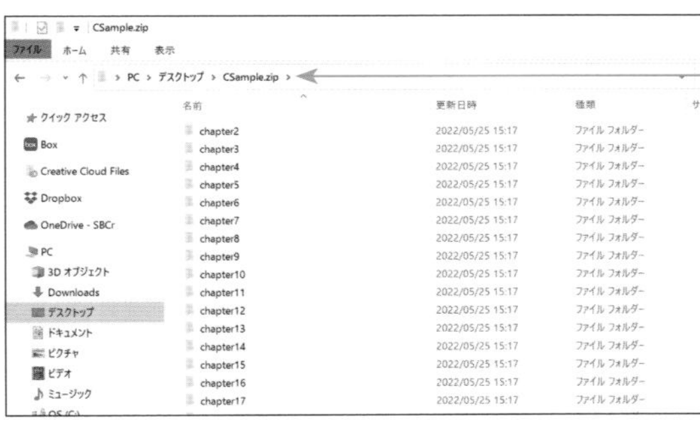

CSample.zipを任意のフォルダに展開

基礎編 Chapter1

C言語を学ぶための準備

C言語を学ぶための準備をしましょう。まずは、C言語を学ぶとどんなメリットがあるのかを考えます。何のためにC言語を学ぶのかをイメージできると、どこに力を入れて学ぶべきか、どこまで学べば自分にとってのゴールなのかもイメージしやすくなります。
最初は「プログラミングとは何か」を知るところから始めましょう。次に、他のプログラミング言語と比べたときのC言語の特長や、仕様の変遷について学びます。C言語にはどんな長所があって、どんな場面で活躍するのかを知りましょう。
続いて、Cプログラムを書いて動かすための開発環境を導入します。Cプログラムが動く仕組みについて学んでから、開発に必要なテキストエディタを準備し、Cコンパイラをインストールします。

本章の学習内容

①プログラミングとは何か
②機械語とアセンブリ言語
③コンパイラとインタプリタ
④C言語の歴史と特長
⑤Cプログラムの実行手順
⑥開発環境の導入

section 01

そもそもプログラミングとは何か

「プログラミングとは何か」を詳しく知っておくことは、C言語を学ぶ上でとても有用です。プログラムを動かすコンピュータの仕組みや、機械語やアセンブリ言語といった基本的なプログラミング言語、そしてC言語などの高水準言語を実現するコンパイラやインタプリタについて学びましょう。

プログラムを動かすコンピュータの仕組み

プログラムとは、コンピュータで実行するための命令を記述したものです。プログラムを書く（作成する）ことを**プログラミング**と呼び、プログラミングをする人のことを**プログラマ**と呼びます。そして、プログラムを書くために使う言語のことを、**プログラミング言語**と呼びます。C言語はプログラミング言語の一種です。

▼プログラミング

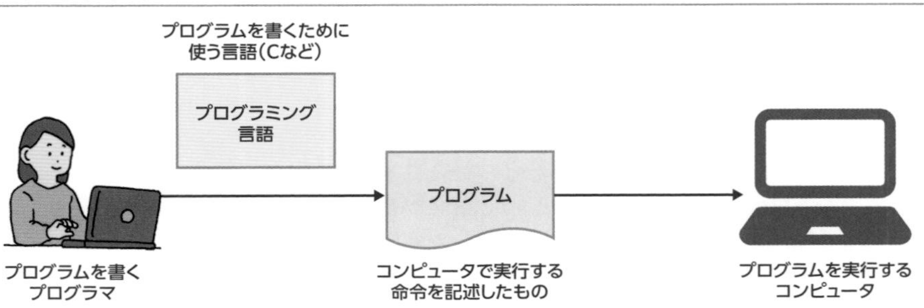

さて、コンピュータはどのようにプログラムを実行するのでしょうか。コンピュータがプログラムを実行する仕組みを知っておくと、C言語のプログラムが動作する仕組みを理解する上でとても助けになるので、詳しく学んでみましょう。

私たちが使っているコンピュータ（パソコン）は、数多くの装置から構成されています。これらの装置の中でも、プログラムの実行に特に関係が深いのは以下の装置です。

● CPU

プログラムに書かれた命令を実行する装置です。CPUはCentral Processing Unit（セントラル・プロセッシング・ユニット）の略で、日本語では中央処理装置や中央演算処理装置と呼びます。パソコンで使われているCPUの例としては、Intel（インテル）のCore（コア）、AMDのRyzen（ライゼン）、Apple（アップル）のM1などがあります。

● メモリ

プログラムやデータを一時的に格納するための装置です。メインメモリ、主記憶装置、一次記憶装置とも呼ばれます。コンピュータにはメインメモリ以外のメモリ、例えばグラフィックス用のビデオメモリなども搭載されていますが、単にメモリといえばメインメモリを指すことが多いです。本書でもメインメモリのことを、簡単にメモリと呼ぶことにします。一般にパソコンで使われているメモリは、電源を切ると記憶内容が消えてしまいます。長期間にわたって保存しておきたいプログラムやデータは、次に紹介するストレージに格納します。

● ストレージ

プログラムやデータを永続的に格納するための装置です。補助記憶装置、外部記憶装置、二次記憶装置とも呼ばれます。ストレージとは記憶装置一般のことなので、メモリもストレージの一種なのですが、単にストレージといえばHDD（ハードディスクドライブ）やSSD（ソリッドステートドライブ）などを指すことが多いです。これらのストレージはメモリとは違い、電源を切っても記憶内容が消えません。一方で、メモリに比べるとプログラムやデータを読み書きする速度は遅いので、実行するプログラムや処理するデータは、いったんメモリに読み込んでから使うのが一般的です。

▼コンピュータの構成

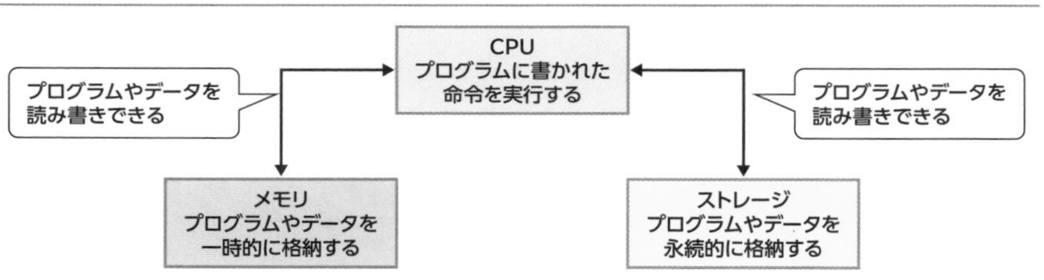

プログラムやデータは、ファイルとしてストレージに保存されています。コンピュータがプログラムを実行する際には、まずストレージからメモリにプログラムを読み込みます。このプログラムに書かれた命令をCPUが解釈し、命令の内容にしたがって計算を行うことにより、プログラムを実行します。

▼プログラムの実行(1)

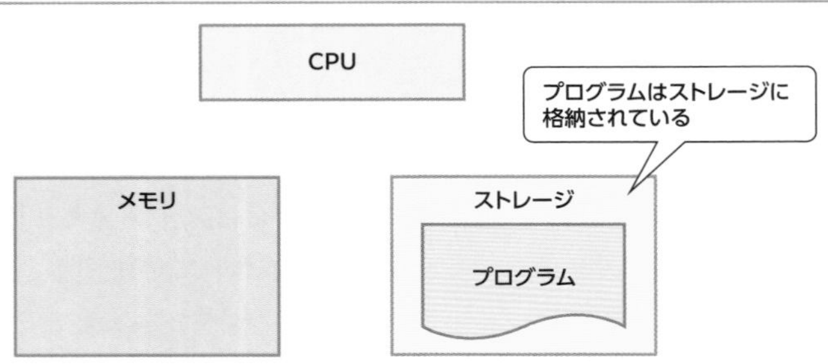

▼プログラムの実行(2)

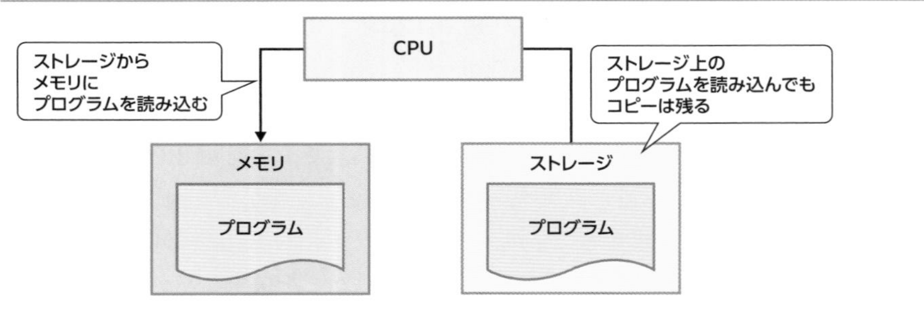

▼プログラムの実行(3)

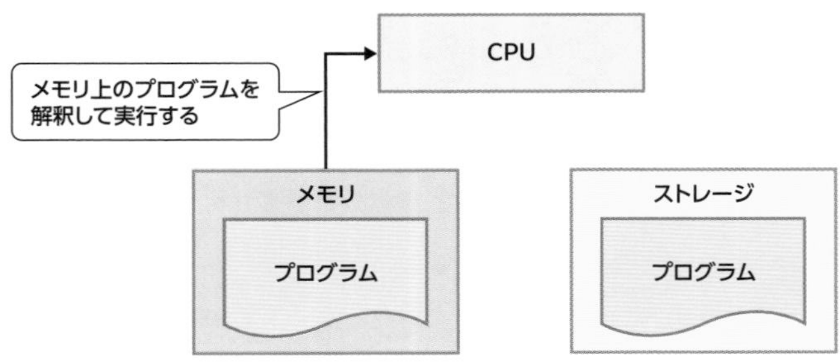

ところで、CPUが直接に解釈して実行できるのは、次に紹介する機械語で書かれたプログラムだけです。

❖CPUが実行できるのは機械語だけ

機械語（きかいご）は、CPUが直接実行できる命令で構成されたプログラミング言語で、マシン語とも呼ばれます。機械語の命令は一般に16進数の数値で表します。例えば、転送（データのコピー）は16進数のb8（10進数の184に相当）、加算（足し算）は16進数の83（10進数の131に相当）といった具合です。

▼機械語

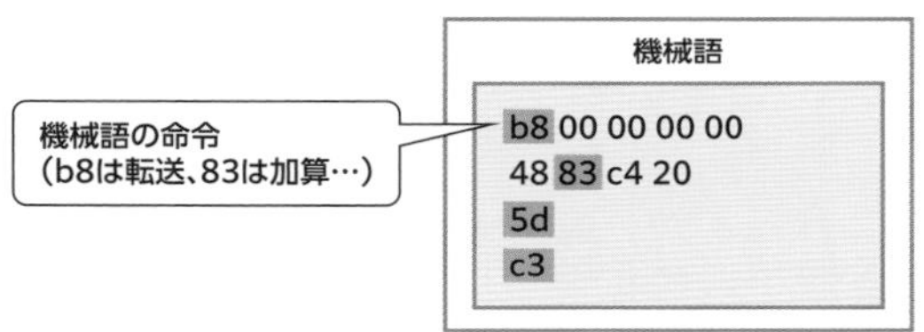

実際のCPUでは、命令と数値の対応が複雑です。同じ転送や加算の命令にも多くの種類があり、種類ごとに別の数値が割り当てられています。また、複数の命令に同じ数値が割り当てられていることもあります。例えば加算を表す83は、減算（引き算）にも割り当てられています。加算と減算は、上記の図で83の次にあるc4（に含まれる一部のビット）で区別します。

機械語の仕様はCPUごとに決まっています。例えばIntelのCoreやAMDのRyzenは、いずれもx86やx64という仕様に基づいているため、x86やx64向けの機械語プログラムは、どちらのCPUでも実行できます。一方、AppleのM1はARM（アーム）という仕様に基づいているため、x86やx64向けの機械語プログラムをそのまま実行することはできませんが、ソフトウェアを使ってプログラムを変換することで実行を可能にしています。

さて、機械語でプログラミングをすることも可能ですが、機械語プログラムは数値の列なので、読むのも書くのもあまり楽ではありません。そこで、機械語をプログラマにとって読み書きしやすい記法にした、アセンブリ言語を使います。

❖機械語を扱いやすくしたアセンブリ言語

アセンブリ言語とは、機械語の命令に対してニーモニックと呼ばれる記号や単語を割り当てたプログラミング言語です。例えば、転送はb8の代わりにmov（ムーブ、

moveの略、移動する)、加算は83の代わりにadd(アッド、加算する)といった具合です。ニーモニックは英語に由来しているので、数値に比べると読み書きしやすく、習得しやすくなっています。アセンブリ言語のプログラムは、アセンブラと呼ばれるソフトウェアを使って、比較的簡単に機械語プログラムに変換し、実行できます。

▼アセンブリ言語

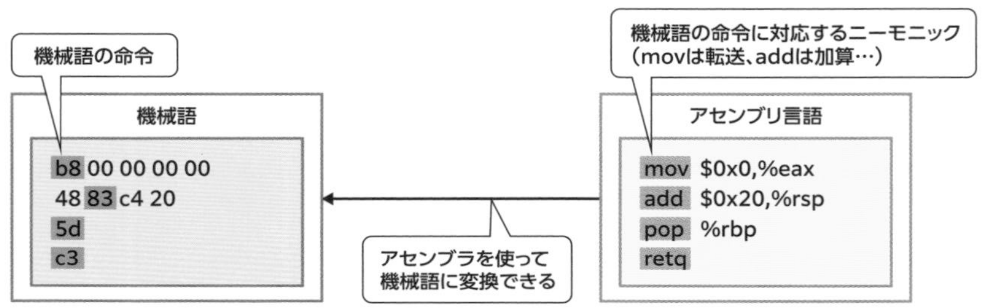

かつては機械語やアセンブリ言語を使ってプログラミングすることが一般的でした。現在のようにC言語などを利用してプログラミングを行うには、コンピュータの性能が不足していたからです。例えば、今ではC言語やC++などを使って開発するゲームのプログラムなども、アセンブリ言語を使って書かれていました。ちなみに、C言語を使って書かれた最初のアーケードゲームは、アタリゲームズ社が1984年に発売した「マーブルマッドネス」だと言われています。

機械語やアセンブリ言語では、加算や減算といった計算を行う命令や、メモリの読み書きといった操作を行う命令などを並べて、プログラムを作成します。上手に命令を並べることによって、非常に高速に動作するプログラムを書けることが魅力です。しかし、個々の命令がとても単純なので、複雑で大規模なプログラムを作成するのは手間がかかります。

そこで登場するのが、コンパイラとインタプリタです。

高水準言語を支えるコンパイラとインタプリタ

機械語やアセンブリ言語などの、ハードウェアを直接操作するようなプログラミング言語のことを、低水準言語(低級言語)と呼びます。一方、人間にとって分かりやすく記述できるプログラミング言語のことを、高水準言語(高級言語)と呼びます。BASIC、C、C++、Java、JavaScript、Objective-C、PHP、Python、Rubyなどの、現在使われているプログラミング言語の多くは、いずれも高水準言語です。

コンピュータの性能が向上すると、機械語やアセンブリ言語のような低水準言語に代わって、C言語のような高水準言語が広く使われるようになりました。しかし、CPUが直接に実行できるのは機械語プログラムだけなので、高水準言語で書かれたプログラムはそのままでは実行できません。高水準言語のプログラムを実行するには、コンパイラまたはインタプリタと呼ばれるソフトウェアを使います。

コンパイラは高水準言語で書かれたプログラムを解析し、機械語プログラムを生成します。この処理をコンパイルと呼びます。コンパイルには多少の時間がかかりますが、生成した機械語プログラムはCPUが直接に実行できるので、高速に動作するのが特長です。本書で学ぶC言語は、一般にコンパイラ方式を採用しています。

▼コンパイラ

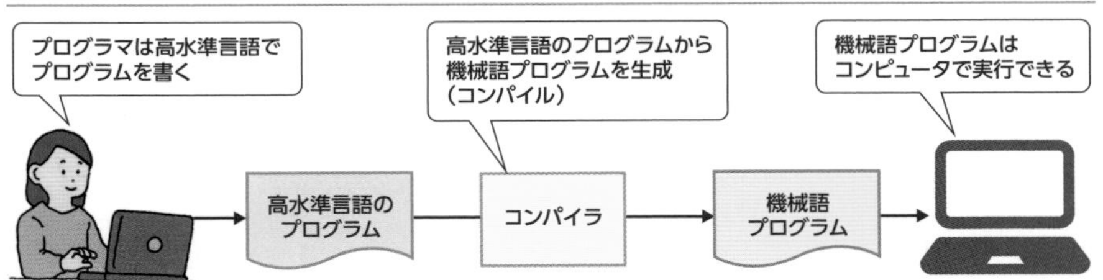

インタプリタはコンパイラとは異なり、機械語プログラムを生成するのではなく、高水準言語のプログラムを解釈しながら実行します。実行速度はコンパイラ方式より遅い傾向がありますが、プログラムをコンパイルせず即座に実行できるため、使い勝手が良いのが特長です。なお、一般にインタプリタ自体は機械語プログラムです。

▼インタプリタ

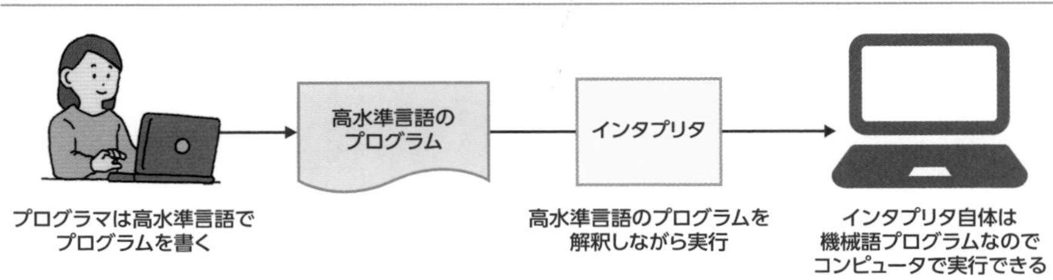

コンパイラとインタプリタの違いを、母国語（日本語など）だけを読める人が、外国語（英語など）の文章を読むことに例えて説明してみます。コンピュータ（CPU）は人に、機械語は母国語に、高水準言語は外国語に、プログラムを実行する速度は文章を読む速度に例えます。

コンパイラの動作は、あらかじめ外国語の文章の全体を、母国語の文章に翻訳しておくことに例えられます。辞書を引いたり文法を調べたりしながら翻訳するのは時間がかかりますが、いったん翻訳を終えてしまえば、あとは母国語の文章だけを読めば済むので、速く読めます。

▼コンパイラの動作

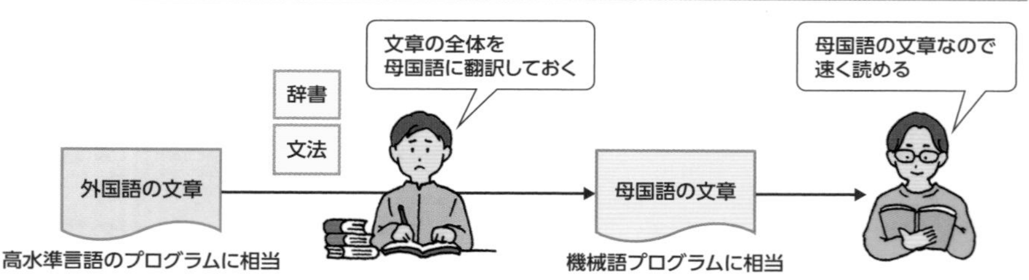

インタプリタの動作は、その場で辞書を引いたり文法を調べたりしながら、外国語の文章を読むことに例えられます。あらかじめ全体を翻訳しておく必要がなく、すぐに読み始められますが、母国語の文章を読むことに比べると、読む速度は遅くなる傾向があります。

▼インタプリタの動作

コンパイラとインタプリタの違いがイメージできたでしょうか。コンパイラやインタプリタのように、プログラミング言語で書かれたプログラムを実行するための仕組みのことを、**処理系**（しょりけい）または**言語処理系**と呼びます。プログラミング言語によって、コンパイラ方式を採用した処理系、インタプリタ方式を採用し

た処理系、両方の方式を組み合わせた処理系などがあります。

言語によっては、コンパイラが高水準言語のプログラムから機械語プログラムを生成するのではなく、**中間コード**(中間表現)と呼ばれるデータを生成する場合があります。CPUは中間コードをそのまま実行することはできないので、インタプリタを使って実行します。機械語プログラムに比べると実行速度が遅い傾向がありますが、高水準言語のプログラムを直接に解釈しながら実行するのに比べれば、高速に動作することが期待できます。例えばJavaはこの方式を採用しており、コンパイラが生成したJavaバイトコードと呼ばれる中間コードを、Java仮想マシンと呼ばれるインタプリタが実行します。また例えばPythonでは、インタプリタの内部で自動的に中間コードを生成した上で、実行しています。

▼中間コード

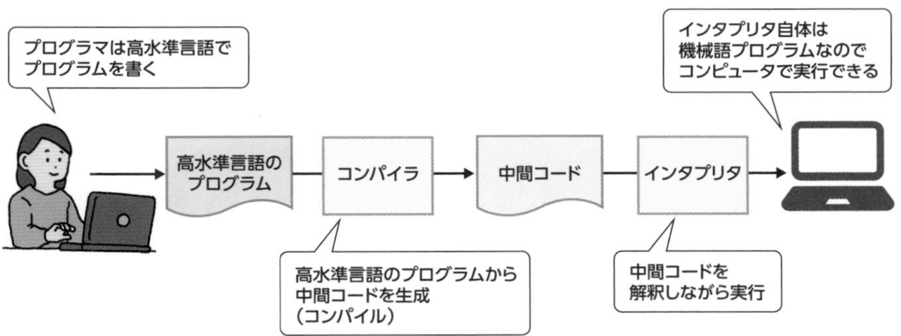

C言語の場合にはコンパイラ方式が主流です。コンパイラが機械語プログラムを生成するので、実行速度の速さが期待できます。次はいよいよ、C言語の特長について学びます。

section 02 C言語の特長を理解する

C言語を学ぶと、どんな利益が得られるのでしょうか。C言語を学んだら、どんな場面で使えばよいのでしょうか？

これらを知るために、C言語はどんなプログラミング言語なのか、どんな点が優れているのか、どんな用途があるのかを学びましょう。C言語の特長を知れば、学ぶと何が嬉しいのか、何に使えばよいのか、イメージしやすくなります。

まずは、C言語が生まれた経緯について学びます。C言語の生い立ちを知っておくと、C言語が作られた目的や、C言語が向いている用途を理解する助けになります。

❖ 50年以上の歴史を持つC言語

C言語を開発したのは、AT&Tベル研究所のデニス・リッチー氏です。同氏はケン・トンプソン氏らとともに、Unix（ユニックス、商標はUNIXと表記）の開発に携わっていました。Unixは広く普及したOS（オーエス、Operating System、オペレーティングシステム）です。Unix以後、Unixに設計や機能を似せたOSが数多く生まれ、これらはUnix系（あるいはUnixライク）のOSと呼ばれています。LinuxやmacOSもUnix系です。

C言語は次のような経緯で誕生しました。

▼C言語が誕生する経緯

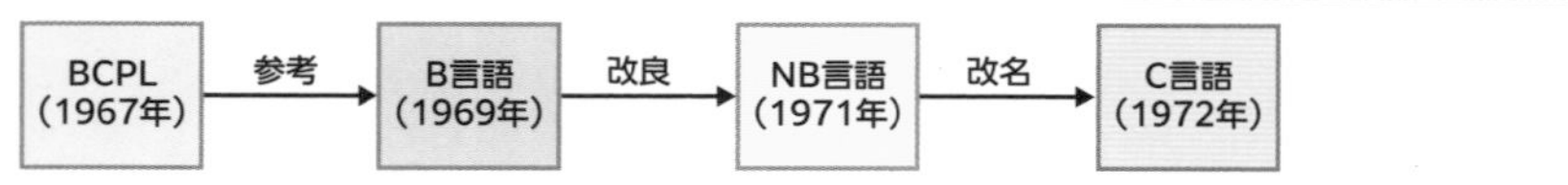

C言語の前にはB言語があり、その前にはBCPL（Basic Combined Programming Language）がありました。BCPLは、Multics（マルティックス）というOS上で動作していたプログラミング言語です。Unix以前にMulticsの開発に携わっていたケン・トンプソン氏は、BCPLを参考に、Unix上で動作するB言語を1969年に作りました。

B言語は、Unix上で動作するツール（各種の作業を支援するソフトウェア）のプログラムを、高水準言語を使って書けるようにするために作られました。当時、UnixはDEC（Digital Equipment Corporation、デック）社のPDP-7というコンピュータで動作しており、Unixの本体はPDP-7用のアセンブリ言語で書かれていました。

PDP-7の後継機種であるPDP-11がベル研究所に導入されると、PDP-11上にUnixやB言語が移植(いしょく、異なるコンピュータで動作するようにプログラムを変更すること)されます。この際にデニス・リッチー氏はB言語を改良して、NB言語(New B、新しいB)を1971年に作りました。

B言語ではコンパイラで中間コードを生成し、インタプリタで中間コードを実行していました。NB言語では実行速度の向上を目的に、コンパイラが機械語プログラムを生成するように改良されます。

1972年にNB言語はC言語に改名され、ついにC言語が誕生しました。その後1973年には、アセンブリ言語で書かれていたUnixの本体が、C言語を使って書き直されます。

さて、このような経緯で生まれたC言語は、どんな性質の言語なのでしょうか。次はC言語の特長と主な用途について学んでみましょう。

column

C言語？ C？

C言語を単に「C」と呼ぶこともありますが、「C言語」のように「言語」を付けて呼ぶことも多いようです。Cは非常に単純な名前なので、C言語と呼ぶことによって、プログラミング言語以外のCという言葉と区別しやすくなります。

そこで、本書でもC言語という呼び名を使うことにしました。「C言語プログラム」や「C言語プログラミング」などについては、プログラミング言語のCを指していることが明確なので、簡単のために「Cプログラム」や「Cプログラミング」と呼びます。

C言語以外のプログラミング言語、例えばC++/Java/Pythonなども、「C++言語」「Java言語」「Python言語」のように「言語」を付けて呼ぶことがあります。しかしCとは違って、プログラミング言語以外の言葉と混同しにくいためか、「言語」を付けずに「C++」「Java」「Python」と呼ぶことが多いようです。

❖C言語の特長と向いている用途

C言語の特長としてまず注目したいのは、高速に動作するプログラムが書けることです。C言語が誕生した1970年頃のコンピュータは、現在に比べると処理速度がとても遅く、使えるメモリもごくわずかでした。そんな状況で生まれたC言語は、処理が簡潔で高速なプログラムや、メモリの消費量が少ないプログラムが書けるプログラミング言語になっています。プログラマの技量やコンパイラの性能によりますが、C言語で書いたプログラムは、アセンブリ言語で書いたプログラムに近い速度で実行できます。

ハードウェアの特性を活かしたプログラムが書けることも、C言語の特長です。C言語はアセンブリ言語と同様に、CPUなどのハードウェアが持つ機能にアクセスして、性能を引き出せます。昔に比べるとコンピュータが速くなった今でも、ハードウェアが備えている高速化のための特別な機能を呼び出すためには、C言語が役立ちます。

こうした特長を持つC言語は、例えば次のような用途に向いています。

● OS本体やOS上で動作するツールの作成

Unix本体やUnix上で動作するツールの作成に使われてきたC言語は、Unix以外のOSも含めて、今でもOS本体やOS上で動作するツールの作成に活用されています。私たちが普段使っているOSやツールの中には、C言語やC++で記述されているものが多くあります。本書のChapter17では、C言語を使って仕事に役立つツールを作成します。

● データの高速な処理

高速なプログラムが書けるC言語は、色々な形式のデータを素早く処理するプログラムを書くのに向いています。例えば画像や音声といったデータは大容量になる場合が多く、処理に時間がかかる傾向があるので、できるだけ高速なプログラムを書きたいものです。このような大容量のデータを処理するプログラムの作成には、C言語やC++がよく使われます。

● AI（人工知能）

AIに関するプログラムは、Pythonなどのプログラミング言語から、既存のライブラリ（色々なプログラムから利用する機能を集めたソフトウェア）を呼び出すことが一般的です。こういったAIのライブラリは、高速な処理を実現するために、C言語やC++などで記述されていることがよくあります。本書のChapter18では、AIのライブラリが提供するような機能を、C言語でゼロから記述することによって、AIの仕組みを学びます。

● プログラミング言語処理系の作成

数多くのプログラミング言語の中には、処理系がC言語で書かれているものが少なくありません。例えばPythonの処理系であるPythonインタプリタ（の代表格であるCPython）は、C言語で書かれています。C言語の処理系であるCコンパイラ自体も、C言語で書かれていることが珍しくありません。C言語は、他の色々なプログラミング言語を実現する基盤として役立っている言語だといえます。C言語を学ぶと、C言語で書かれた処理系のプログラムを読み解いたり、オリジナルの処理系を作成したりすることも可能になります。

● インタラクティブなプログラムの作成

快適なレスポンス（反応）が要求されるインタラクティブ（対話的）なツールやゲームの作成も、C言語が活躍できる分野です。本書のChapter19では、プレイヤーを操作して迷路の中を歩き回り、短い時間で脱出を目指す、ゲームふうのプログラムを作成します。迷路を自動的に生成したり、迷路を自動的に解いたりするような、仕組みが面白い処理についても紹介します。

● アーキテクチャを学ぶ

コンピュータにおけるアーキテクチャとは、ハードウェアの設計や方式のことです。アーキテクチャについて学ぶことで、ハードウェアの特性を理解し、その特性を活かしたプログラムが書けるようになります。このアーキテクチャを学ぶ上で、ハードウェアに密着したプログラムが書けるC言語は、格好の道具です。本書ではC言語で色々なプログラムを書いて動かしながら、コンピュータのアーキテクチャについても学びます。

C言語を学ぶと、ハードウェアの特性を引き出して、高速に動作するプログラムを作成できるようになります。今は昔に比べるとコンピュータが速くなりましたが、大容量のデータを処理するときや、素早いレスポンスが要求されるときには、高速なプログラムが書けるC言語が役立ちます。

コンピュータのアーキテクチャに関する理解が深まることも、C言語を学ぶことの利点です。数多くあるプログラミング言語の中でも、C言語はハードウェアをかなり直接的に操作できる言語なので、C言語を学ぶことを通じて、例えばCPUやメモリの仕組みなども学べます。こういった仕組みを知っていると、色々な局面において、コンピュータを巧みに使いこなせるようになります。

C言語を学ぶときには、ぜひコンピュータが動く仕組みを意識しながら学ぶことと、正確で高速なプログラムを書くことに注力してみてください。C言語の利点を引き出し、C言語を学ぶことをより有意義にできます。

次に紹介するように、C言語を学ぶことは、他の言語を学ぶときにも役立ちます。

❖色々なプログラミング言語がC言語を基盤にしている

C言語は色々なプログラミング言語の基盤になっています。C言語を拡張した言語もあれば、C言語の文法を参考にした言語もあります。C言語で学んだ知識は、これらの言語を学ぶときにも役立ちます。

● C言語を拡張した言語

C++（シー・プラス・プラス）やObjective-C（オブジェクティブ・シー）などは、C言語を拡張した言語の例です。これらの言語は、C言語を基盤にして機能の拡張や変更を行った言語なので、C言語の知識はこれらの言語でも活用できます。むしろ、これらの言語を活用するためには、C言語に対する深い理解が欠かせません。

● C言語の文法を参考にした言語

C言語が広く普及したためか、C言語の文法を参考にしたと思われるプログラミング言語が数多くあります。まだ学んだことがない言語であっても、文法がC言語に近ければ、C言語を学んだ人は短期間で習得できる可能性があります。例えばJavaなどは、C言語とは処理系の仕組みが全く異なりますが、文法はC言語に近い文法になっており、C言語を学んだ人がJavaを学びやすくなっています。

C++は特にC言語との関係が深い言語です。C++はC言語と同じベル研究所において、ビャーネ・ストロヴストルップ氏が1983年に開発しました。C++はC言語と多くの点で互換性を保った上で、オブジェクト指向プログラミングの機能を拡張した言語です。本書をお読みいただいている皆さんの中には、C言語を学んだ後でC++に進む方も少なくないでしょう。

C++は大規模なプログラムの開発や、使いやすいライブラリの記述に向いています。とはいえ、C言語で問題なくプログラムが書けるうちは、C++に移行しなくても大丈夫です。C言語では整理しにくいほどプログラムが大きくなった場合や、使いたいライブラリがC言語向けではなくC++向けに提供されている場合には、C++への移行を検討するとよいでしょう。

さて、C言語から色々な言語が派生する一方で、C言語自体も時代とともに変化してきました。次は、今までにC言語の仕様がどのように改訂されてきたのかを紹介します。

column

プログラムを書く？作る？組む？

プログラムを作成することを、プログラムを「書く」と表現します。一方で、プログラムを「作る」あるいは「組む」と表現することもあります。どの表現も使われていますが、本書では「書く」と表現することにしました。C言語の作者らが執筆した書籍『プログラミング言語C』(原題は『The C Programming Language』)にも、プログラムを「書く」(write)という表現が見られます。

「書く」に似た表現としては、コンパイラが機械語プログラムや中間コードを生成することを、「吐く」と表現することがあります。「吐く」という表現は好みが分かれそうなので、本書では「生成する」という表現を使います。

C言語の仕様は何度も改訂されている

長い歴史を持つC言語は、実は何度も仕様が改訂されてきました。以下は改訂の概要です。

▼C言語の改訂

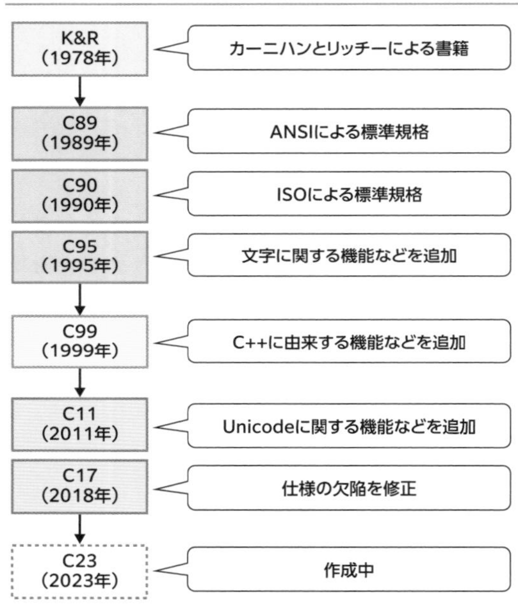

改訂の詳細は次の通りです。

● K&R（1978年）

1978年、ベル研究所のブライアン・カーニハン氏とデニス・リッチー氏は、書籍『プログラミング言語C』を出版しました。後にC89/C90が登場するまで、この書籍がC言語の標準として利用されます。この書籍自体や、この書籍が述べている仕様は、カーニハン（Kernighan）とリッチー（Ritchie）の頭文字を取って、K&R（ケー・アンド・アール）という通称で呼ばれます。

● C89（1989年）

C言語が普及して色々な処理系が登場すると、処理系間に互換でない部分が生じました。そこでANSI（米国規格協会）がC言語の標準規格を作成し、1989年に発行します。年の下2桁を取って、この標準規格はC89と呼ばれます。各処理系が標準規格に沿うことで、処理系間の互換性を高めることが狙いです。K&Rに対するC89の大きな違いは、関数（本書のChapter10で解説）を呼び出す際の安全性を高めるための、プロトタイプという機能を導入したことです。

● C90（1990年）

1990年にISO（国際標準化機構）は、C89を承認します。これはC90と呼ばれますが、言語の仕様としてはC89と同等です。

● C95（1995年）

1995年にISOが行った標準規格の改訂は、C95と呼ばれます。C95では、色々な国の文字を扱うためのマルチバイト文字やワイド文字に関する機能が追加されました。

● C99（1999年）

1999年にISOが発行した標準規格で、C99と呼ばれます。従来の仕様に対して追加された機能の中には、C++に由来する機能も含まれています。このようにC言語とC++は、仕様を改訂するたびに互いの機能を取り込むことによって、C言語とC++の両方を使うプログラマの便宜を図っています。C99で追加されたC++由来の機能としては、//によるコメント（Chapter2）、ブロックの先頭以外における変数宣言（Chapter5）、インライン関数（Chapter11）などがあります。その他の機能としては、可変長配列（Chapter8）などが追加されました。

● C11（2011年）

2011年にISOが発行した標準規格で、C11と呼ばれます。Unicode（ユニコード）文字列に関する機能や、メモリのアライメントに関する機能（Chapter12）などが追加されました。

● C17（2018年）

2017年に作成され、2018年にISOが発行した標準規格で、C17またはC18と呼ばれます。従来の仕様が持つ欠陥の修正を行いました。

● **C23（作成中）**

2023年の発行を目指して作成中の標準規格です。

ANSIやISOが採択したC言語の標準規格のことを、ANSI CやISO C、あるいは標準Cと呼ぶことがあります。最初の標準CであるC89の頃は、パソコン用の入手しやすいCコンパイラが登場したり、企業や大学における教育にC言語が導入された時期だったので、C89の仕様でC言語を学んだ方は多いかと思います。また、C89に基づいた書籍や研修テキストなどもよく見かけます。

本書では執筆時点の最新仕様（C17）に基づいて解説を行い、次世代の仕様（C23）についても言及します。一方で、過去の仕様についても紹介するのでご安心ください。以前にC言語を学んだ方や、他の書籍などでC言語を学んだ方は、本書を読む中で色々な新しい発見があるかと思います。

もちろん、新しい機能を使わなければならないということは全くありません。機能が廃止されない限りは、慣れた機能を使い続けても大丈夫です。本書では新しい機能の特長や効果的な使い方を紹介するので、便利に感じたら使ってみてください。

さて、次はいよいよCプログラミングを始めるために、C言語の開発環境を導入します。

section 03 開発環境を導入する

プログラミング言語で書かれたプログラムを実行するには、処理系が必要です。処理系の多くは、プログラミングに使う各種のソフトウェアと一緒に、開発環境として提供されることが一般的です。ここではCプログラミングを行うために、C言語の開発環境をインストールします。

C言語の開発環境には色々な選択肢がありますが、本書においては、Windows/LinuxではGCC（ジーシーシー）を使い、macOSではClang（クラン）を使います。お手持ちの開発環境、例えばVisual Studio（ビジュアル・スタジオ）やXcode（エックス・コード）などもお使いいただけますが、操作方法やエラーメッセージが本書の説明とは異なったり、本書に掲載した一部のプログラムが動かない可能性があります。ぜひGCCやClangもインストールして、問題があったらすぐに使えるようにしておいてください。

なお、開発環境のインストールや動作確認、プログラムの作成や実行の際には、日本語入力機能をオフにして、半角の英字・数字・記号を入力できる状態にしておいてください。本書におけるほとんどの入力は半角文字です。うっかり全角文字を入力すると、たとえ文字の形が似ていても、半角文字とは別の文字として扱われるので、正常に動作しないことがあります。

まずは、Cプログラムを実行するまでの手順を学びましょう。

❖ Cプログラムが動くまでの道のり

Cプログラムは次のような手順で実行します。ソースファイルが1個の場合と、複数個の場合について示しました。

▼Cプログラムを実行するまでの手順（ソースファイルが1個の場合）

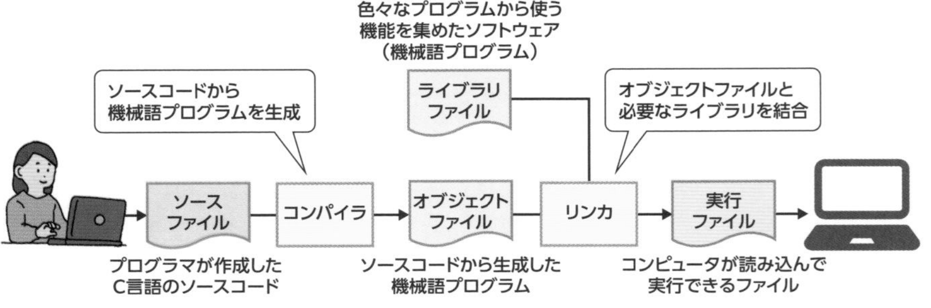

▼Cプログラムを実行するまでの手順（ソースファイルが複数個の場合）

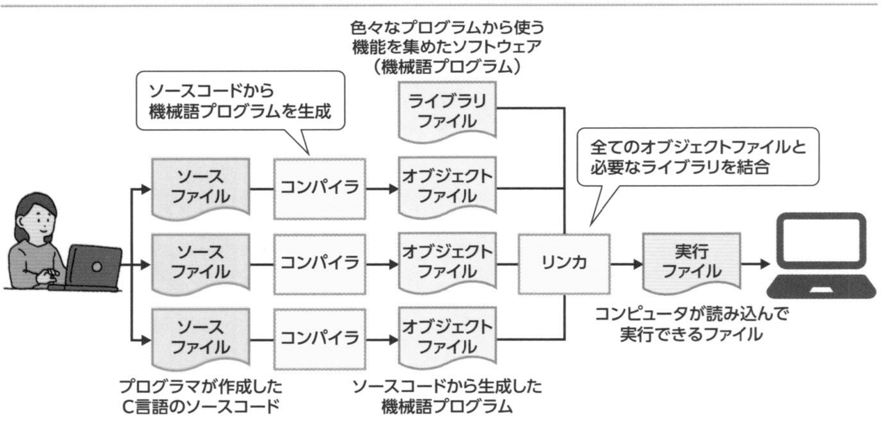

手順の詳細は次の通りです。

● ソースファイルの作成

プログラミング言語で書いたプログラムのテキストをソースコードと呼び、ソースコードを保存したファイルをソースファイルと呼びます。ソースファイルはテキストファイルなので、テキストエディタを使って作成できます。C言語の場合、小規模なプログラムは1個のソースファイルにまとめられますが、大規模なプログラムは複数個のソースファイルに分けるのが一般的です。

● **コンパイル**

コンパイラを使ってソースコードをコンパイルします。コンパイラはソースファイルを読み込んで、オブジェクトファイルと呼ばれる機械語プログラムのファイルを生成します。複数のソースファイルがある場合は、ソースファイルごとにオブジェクトファイルを生成します。このオブジェクトファイルは、まだ実行することができません。

● **リンク**

リンカというソフトウェアを使って、リンクという処理を行います。全てのオブジェクトファイル（1個または複数個）と、必要なライブラリを結合して、1個の実行ファイル（コンピュータが読み込んで実行できるファイル）を生成します。

コンパイルとリンクは個別に行うこともできますが、人間の手間を減らすために、多くの開発環境はコンパイルとリンクを一緒に済ませてくれます。本書で使うGCCやClangについても、1個のコマンドを実行するだけで、コンパイルとリンクをまとめて行えます。一方で、コンパイルとリンクをあえて個別に行う場合もあります（Chapter16）。

ソースファイル、オブジェクトファイル、実行ファイルについては、それぞれ異なる拡張子が付いていて、ファイルの種類を見分けられるようになっています。使われる拡張子はOSや開発環境によって異なりますが、以下がよく見かける例です。

▼C言語に関するファイルの拡張子

種類	拡張子の例
ソースファイル	.c
オブジェクトファイル	.o、.obj
実行ファイル	なし、.exe

上記において、.cはC言語、.oや.objはobject（オブジェクト）、.exeはexecutable（実行可能）に由来すると思われます。

column

プログラム？ソースコード？

「プログラム」は「ソースコード」よりも意味が広い言葉です。ソースコード自体も、ソースコードを機械語にコンパイルしたものも、プログラムです。本書では、基本的にプログラムという言葉を使い、ソースコードであることを特に強調したい場合にはソースコードという言葉を使います。

C言語において「プログラムを書く」というのは、「ソースコードを書く」ということです。どちらの表現も使われていますが、本書では「プログラムを書く」と表現することにしました。書籍『プログラミング言語C』にも、「プログラムを書く」(write programs)という表現が見られます。

「プログラムを書く」という作業には、ソースコードを記述するだけではなく、処理の方法を設計したり、動作を確認したり、問題を修正したりといった、幅広い作業が含まれています。本書には「…というプログラムを書いてみてください」という課題が多く出てきますが、その際にはぜひ「どんな方法を使えば目的が達成できるのか？」という設計をしながら、課題に取り組んでみてください。

❖エラーと警告の違い

コンパイルやリンクに関連して、エラーや警告についても知っておきましょう。コンパイルやリンクの作業中に問題が発生すると、コンパイラやリンカがエラーや警告を表示します。エラーと警告の違いは次の通りです。

● エラー（error）

プログラムに誤りがあるため、正常にコンパイルやリンクができない場合に表示されます。コンパイル時のエラーをコンパイルエラー、リンク時のエラーをリンクエラーと呼びます。コンパイルエラーはプログラムがC言語の文法に沿っていない場合などに発生し、リンクエラーはプログラムが使おうとした機能が見つからない場合などに発生します。コンパイルエラーが発生した場合、オブジェクトファイルは生成されません。また、リンクエラーが発生した場合、実行ファイルは生成されません。したがって、プログラムを実行するためには、エラーは必ず解消する必要があります。

● 警告（warning）

ウォーニングまたはワーニングとも呼ばれます。「プログラムに潜在的な誤りがある」と推測される場合に表示されます。警告が発生してもコンパイルやリンクは行われるため、オブジェクトファイルや実行ファイルは生成されます。したがって、警告を解消しなくてもプログラムは実行できますが、プログラムが問題を抱えている可能性が少なくないので、エラーとあわせて警告も全て解消することをおすすめします。

エラーと警告の違いについて、以下の図にまとめました。

▼エラーと警告の違い（コンパイル）

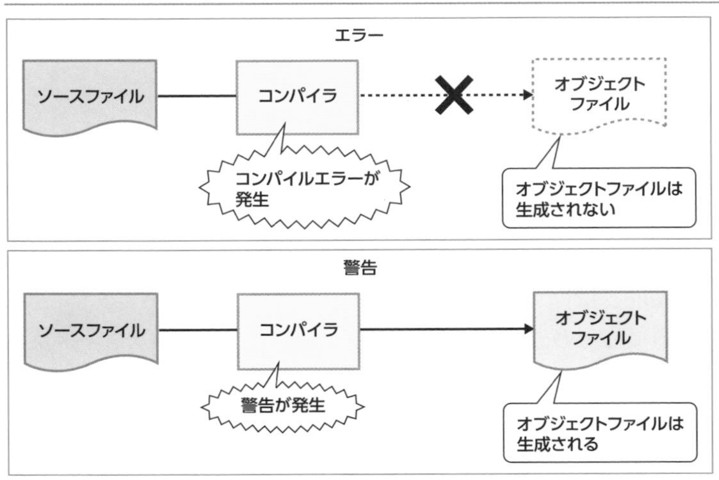

▼エラーと警告の違い（リンク）

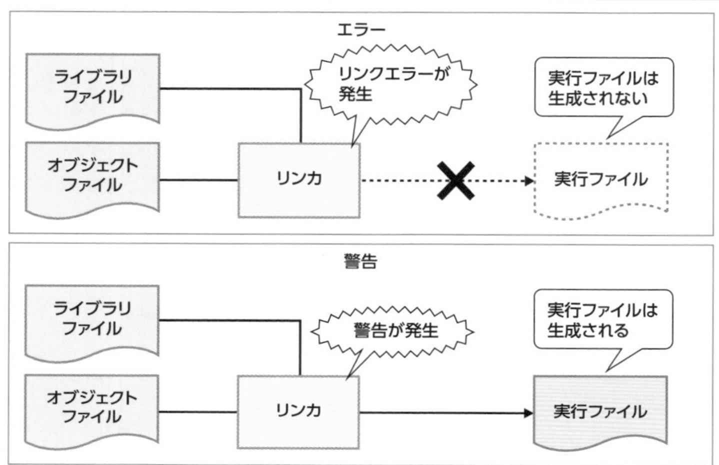

エラーや警告のメッセージは開発環境によって異なる上に、英語で表示されることも珍しくありません。プログラミングを学びたての頃は、メッセージを読まずに闇雲にプログラムの誤りを探してしまいがちですが、それはおすすめではありません。本書では代表的なエラーや警告のパターンについて、問題箇所の探し方と対処法を紹介します（Chapter2）。

Cプログラムを実行するまでの手順が分かったところで、次はソースコードを書くためのテキストエディタを準備しましょう。

❖手に馴染むテキストエディタを選ぼう

Cプログラムのソースコードは、一般的なテキストエディタで書けます。もし現在使い慣れているテキストエディタがあれば、そのテキストエディタを使っても構いません。

特に決まったテキストエディタがなければ、OSに付属しているテキストエディタでも大丈夫です。例えばWindowsではメモ帳、macOSではテキストエディット、Linuxではvi（ヴィーアイ、ブイアイ）やvim（ヴィム）などが使えます。

macOSのテキストエディットは、フォントの種類や色といった書式の情報を含むリッチテキストと、書式の情報を含まないプレーンテキストの両方に対応しています。ソースコードを書くときには、プレーンテキストとして作成してください。

メニューの「フォーマット」から「標準テキストにする」を選ぶと、プレーンテキストになります。

▼Windowsのメモ帳

hello.c - メモ帳

ファイル(F) 編集(E) 書式(O) 表示(V) ヘルプ(H)

```
#include <stdio.h>
int main(void) {
        puts("Hello!");
}
```

行 1、列 1 | 100% | Unix (LF) | UTF-8

▼macOSのテキストエディット

▼Linuxのvim

Ubuntu

```
1 #include <stdio.h>
2 int main(void) {
3     puts("Hello!");
4 }
5
```

1,1 All

他の選択肢としては、例えばVisual Studio Code（ビジュアル・スタジオ・コード）のように、プログラミング用の機能が充実したテキストエディタもあります。Visual Studio CodeはWindows/macOS/Linuxのいずれにも対応しています。

▼Visual Studio Code

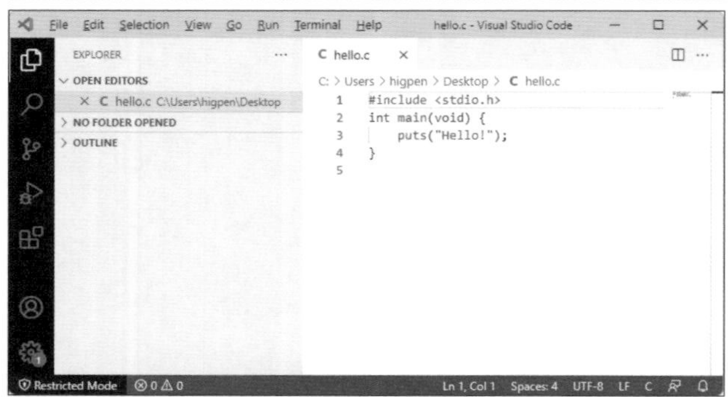

テキストエディタを選ぶときには、UTF-8（ユーティーエフ・エイト）と呼ばれる文字エンコーディングに対応した製品を選んでください。本書で利用するCコンパイラ（GCCとClang）が、UTF-8で書かれたソースコードを想定しているためです。UTF-8というのは、Unicode（ユニコード）と呼ばれる文字コードに対する文字エンコーディングの一種で、広く使われています。

UTF-8には「BOMなし」と「BOMあり」がありますが、「BOMなし」を使うのがおすすめです。BOM（ボム）はByte Order Mark（バイト・オーダー・マーク）の略で、Unicodeの文字エンコーディングを判別するために、ファイルの先頭に付加する数バイトのデータのことです。BOMなしのUTF-8は、古くから使われている文字コードであるASCII（アスキー）との互換性があるので、ASCIIだけに対応したツールでも正常に扱えることが多い、という利点があります。

なお、開発環境によってはUTF-8以外の文字コードや文字エンコーディング、例えばShift_JIS（シフト・ジス）などを想定している場合があります。開発環境が想定していない文字コードや文字エンコーディングを使うと、コンパイルエラーが発生したり、実行時に文字化けしたりすることがあります。

もし、お手持ちの開発環境を使った際にこういった問題が起きたら、その開発環境が対応する文字コードや文字エンコーディングを使って、ソースファイルを保存し直してみてください。ソースコードを英数字と記号だけを使って書く場合には、こういった問題はおそらく発生しませんが、ソースコードが日本語の文字を含む場合には注意が必要です。

次はいよいよ、Cコンパイラのインストールです。

column

文字コードと文字エンコーディング

文字コードと文字エンコーディングは近い概念なのですが、少し意味が異なります。コンピュータで文字を扱うために、文字に対して割り当てた数値のことを、文字コードと呼びます。この数値をコンピュータで実際に扱うデータ(バイト列)にする方法のことを、文字エンコーディングと呼びます。

❖Cコンパイラをインストールする

最初に、本書で使うGCCとClangの概要を紹介します。本書でこれらのCコンパイラを選んだのは、広く使われていて、C言語の新しい仕様に対応しており、インストールもしやすいためです。Windows/macOS/Linuxといった複数のOSに対応していることも利点です。

● GCC(ジーシーシー)

GCCはFSF(Free Software Foundation、フリーソフトウェア財団)が中心となって開発しているコンパイラです。GCCはGNU Compiler Collection(グニュー・コンパイラ・コレクション)の略称で、過去にはGNU C Compiler(グニュー・Cコンパイラ)を意味していました。GCCはC言語以外に、C++、Objective-C、Objective-C++、Fortran(フォートラン)、Ada(エイダ)、Go(ゴー)、D(ディー)といった言語にも対応しています。GCCは色々なOS上で動作し、多様なCPU向けの実行プログラムを作成できます。

● Clang(クラン)

ClangはAppleが中心となって開発しているコンパイラです。イリノイ大学が開発したLLVM(エルエルヴィーエム)と呼ばれる、コンパイラの基盤となるソフトウェアを利用しています。ClangはC言語以外に、C++、Objective-C、Objective-C++、OpenCL(オープン・シーエル)、CUDA(クーダ)といった言語にも対応しています。ClangはGCCを置き換えられるようなコンパイラを目指しており、macOSではGCCに代わってClangが標準のコンパイラに採用されています。

本書では、WindowsとLinuxではGCCを使い、macOSではClangを使います。macOSでGCCを使うことも可能なのですが、GCCに代わってClangが標準となっており、インストールも簡単なので、macOSではClangを使うことにしました。GCCとClangはほぼ同じ方法で操作できるので、ご安心ください。

続いてWindows/macOS/Linuxへのインストール方法を、OS別に紹介します。お使いのOSに関する説明を読んで、Cコンパイラをインストールしてください。いずれのCコンパイラも無償で利用できます。なお本書では、以下のOSを使って動作を確認しました。

▼本書で使用したOS

種別	製品
Windows	Windows 11 Home 21H2
macOS	macOS Monterey 12.3 (Apple M1)
Linux	Ubuntu on Windows 20.04/22.04 LTS

●Windowsへのインストール

GCCはUnix系のOS用ですが、GCCをWindows用に移植した製品もあり、その中の一つがMinGW（ミン・ジーダブリュー）です。MinGWはMinimalist GNU for Windows（Windows用の最小限のGNU）を意味しています。本書ではMinGWから派生した、MinGW-w64という製品を使います。MinGW-w64の特長は、32ビット用と64ビット用のいずれの実行ファイルも作成できることです。

MinGW-w64にはインストーラが存在しますが、インストール中のダウンロード処理に失敗することがあるため、本書ではインストーラを使わずにインストールする手順を紹介します。以下の手順では、インストールするGCCのバージョンは8.1.0、インストール先はc:¥mingw64としました。バージョンやインストール先の変更は可能ですが、特別な理由がなければ、以下の通りにインストールしてください。

まずはMinGW-w64をダウンロードします。

1 Webブラウザで MinGW-w64のダウンロードページを開き、下方にある「MinGW-W64 GCC-8.1.0」を見つけて、「x86_64-posix-seh」をクリックします。

MinGW-w64のダウンロードページ

URL https://sourceforge.net/projects/mingw-w64/files/

▼MinGW-w64のダウンロード

2 ダウンロードが開始します。ダウンロードしたファイルは、Windowsの「ダウンロード」フォルダに保存してください。WebブラウザのChrome（クローム）やEdge（エッジ）を使った場合は、自動で「ダウンロード」フォルダに保存されます。

次は、ダウンロードしたMinGW-w64のファイルを展開するために、7-Zipというツールをインストールします。

1 Webブラウザで7-Zipのページを開き、一覧表の「64ビット x64」の左にある「ダウンロード」をクリックします。

7-Zipのページ
URL https://7-zip.opensource.jp/

▼7-Zipのダウンロード

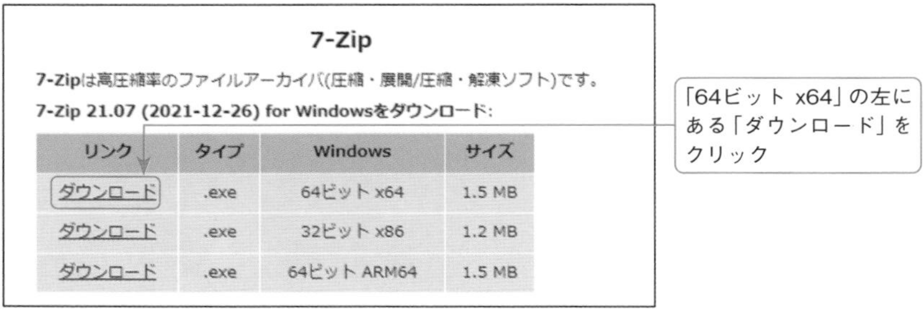

リンク	タイプ	Windows	サイズ
ダウンロード	.exe	64ビット x64	1.5 MB
ダウンロード	.exe	32ビット x86	1.2 MB
ダウンロード	.exe	64ビット ARM64	1.5 MB

2 ダウンロードしたファイルを開いて実行します。

3 ユーザアカウント制御のダイアログが出現し、「この不明な発行元からのアプリがデバイスに変更を加えることを許可しますか？」と表示された場合は、「はい」をクリックしてください。

4 インストーラが起動したら、「Install」をクリックしてインストールを開始します。

▼7-Zipのインストールを開始

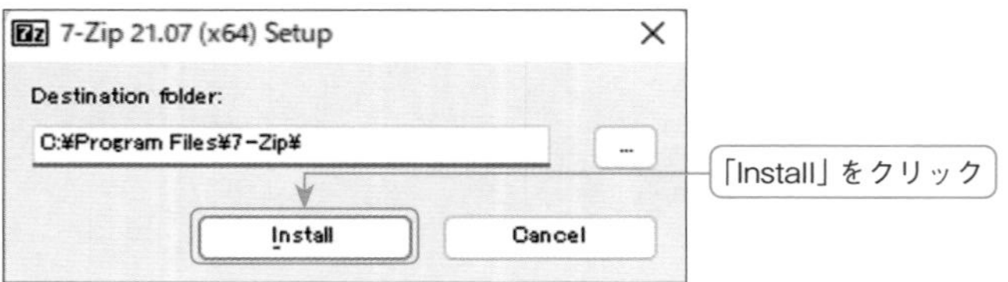

5 インストールが完了したら、「Close」をクリックしてインストーラを閉じます。

▼7-Zipのインストールを終了

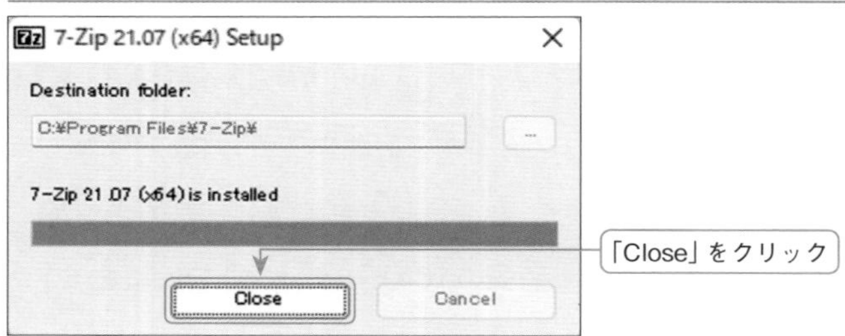

続いては、インストールした7-Zipを使って、MinGW-w64のファイルを展開します。

1 Windowsのスタートメニューで「7-Zip」を検索し、表示された「7-Zip File Manager」をクリックして起動します。
2 7-Zip File Managerで、ダウンロードしたMinGW-w64のファイル（本書の執筆時点では「x86_64-8.1.0-release-posix-seh-rt_v6-rev0.7z」）を見つけて、ダブルクリックします。
3 「mingw64」が表示されたら、「コピー」をクリックします。

▼コピーの開始

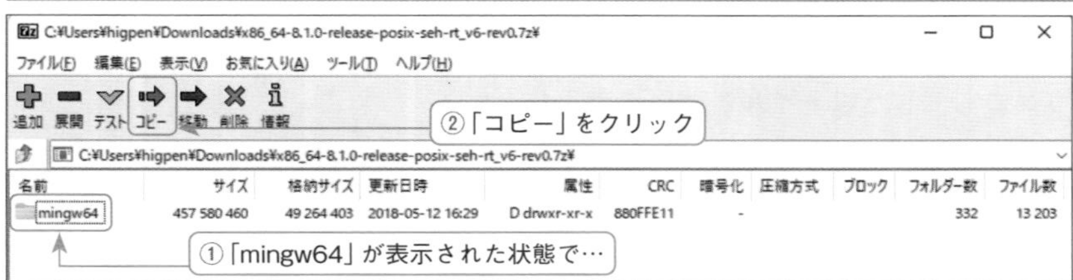

❹「コピー先」に「c:¥」を入力した後に、「OK」をクリックします。

▼コピー先の指定

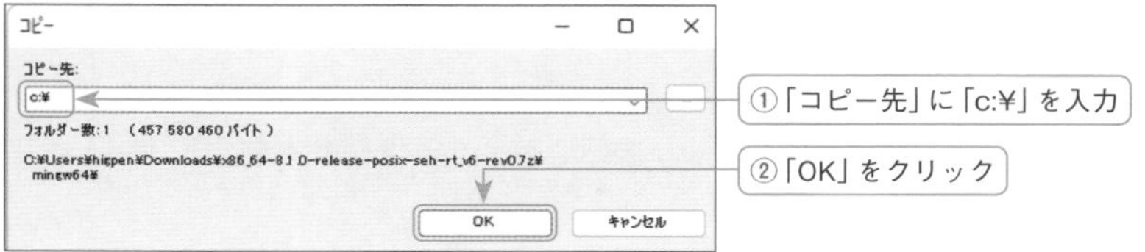

❺コピーが完了したら、7-Zip File Managerのウィンドウを閉じます。

MinGW-w64の展開に成功したら、次のように動作を確認します。

❶スタートメニューで「cmd」と入力し、表示された「コマンド プロンプト」をクリックして、コマンドプロンプトを起動します。

❷コマンドプロンプトで「**set path=c:¥mingw64¥bin;%path%**」と Enter キーを入力し、コンパイラのパス（ファイルの場所）を設定します。

❸続いて「**gcc -v**」と Enter キーを入力し、コンパイラのバージョンを表示します。「gcc version 8.1.0」のように、インストールしたGCCのバージョンが表示されたら成功です。

▼バージョンの表示（Windows）

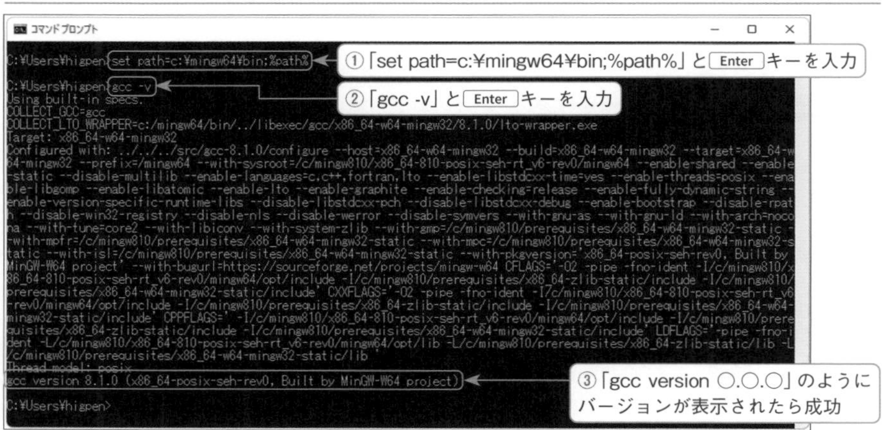

コマンドプロンプトは引き続き使うので、開いたままで大丈夫です。閉じた場合には、再度コマンドプロンプトを起動して、上記の「set path=…」を実行してくだ

さい。もしCコンパイラのバージョンが表示されなかったら、途中でエラーが発生していないかどうかに注意しながら、インストールし直してみてください。

次のように設定すると、「set path=…」を毎回実行する必要がなくなります。この設定は一度だけで済みます。

1. スタートメニューで「環境」と入力し、表示された「環境変数を編集（コントロールパネル）」をクリックします。
2. 「環境変数」ダイアログ（ウィンドウ）が開くので、「○○のユーザ環境変数」（○○はユーザ名）の中にある「Path」をダブルクリックします。
3. 「環境変数名の編集」ダイアログが開くので、「新規」をクリックし、「**c:¥mingw64¥bin**」と入力します。
4. 「環境変数名の編集」ダイアログの「OK」をクリックして、ダイアログを閉じます。
5. 「環境変数」ダイアログの「OK」をクリックして、ダイアログを閉じます。

▼「環境変数」ダイアログ（左）/「環境変数の編集」ダイアログ（右）

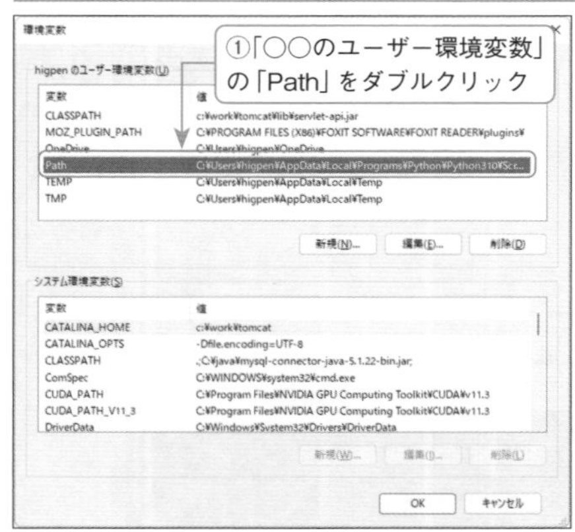

上記の設定が完了したら、次のように動作を確認します。

1. 一度コマンドプロンプトを閉じてから、再びコマンドプロンプトを起動します。
2. 「**gcc -v**」とEnterを入力して、コンパイラのバージョンが表示されたら成功です。

もしCコンパイラのバージョンが表示されなかったら、上記の設定をし直してみてください。

●macOSへのインストール

macOSではGCCの代わりにClangを使います。Clangは、Command line tools for Xcode（Xcode用のコマンドラインツール）という開発環境に含まれています。この開発環境は次のようにインストールします。

1 ターミナルを起動します。ターミナル（terminal.app）は、⌘（command、コマンド）キーとSpace（スペース）キーの同時押しでSpotlight（スポットライト）検索を起動し、「terminal」と入力すると見つかります。Launchpad（ローンチパッド、ランチパッド）の「その他」から起動することもできます。

▼Spotlightでターミナルを検索

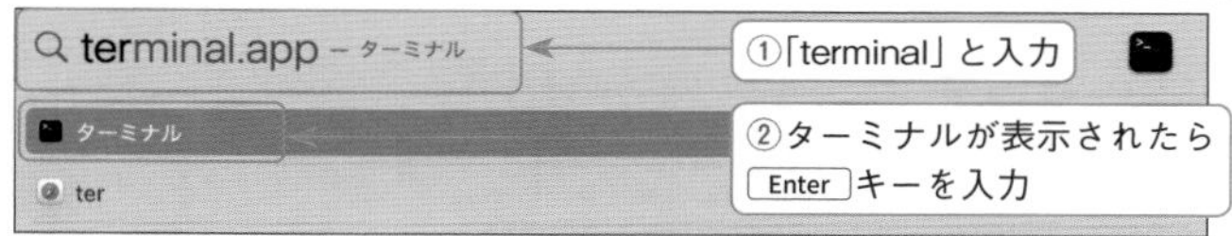

2 ターミナルで「**xcode-select --install**」とEnter（エンター）キーを入力します。

▼ターミナルからインストーラを起動

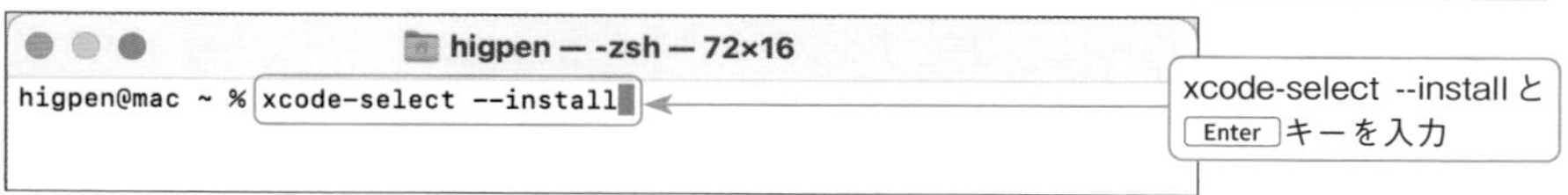

3 コマンドライン・デベロッパツールをインストールするかどうかを尋ねるダイアログが表示されるので、「インストール」をクリックします。

▼インストールの開始

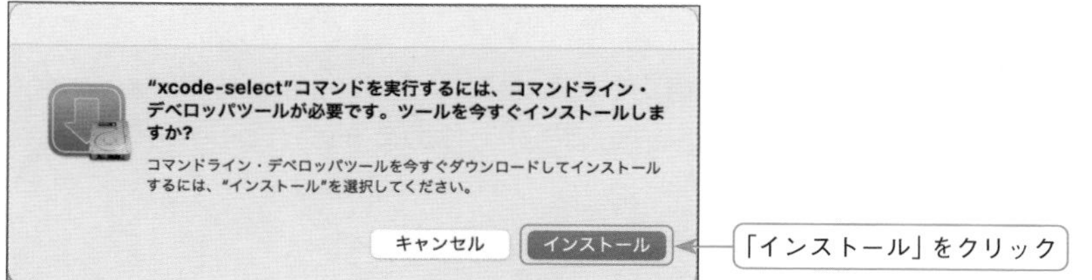

❹使用許諾契約が表示されるので、内容を確認し、同意できるならば「同意する」をクリックします。

▼使用許諾契約

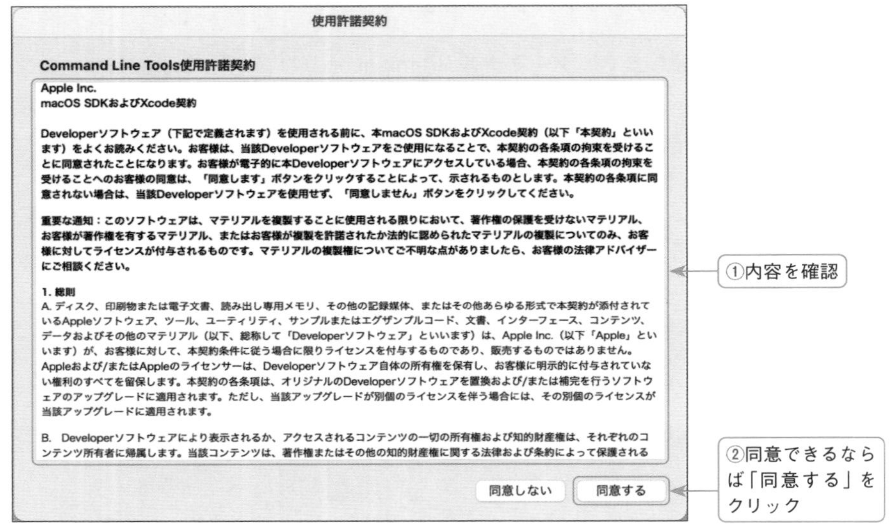

❺ソフトウェアのダウンロードとインストールが進行します。「ソフトウェアがインストールされました」と表示されたら、「完了」をクリックします。

▼インストールの完了

❻ターミナルで「**gcc -v**」と Enter キーを入力します。「Apple clang version ○.○.○」あるいは「Apple LLVM version ○.○.○」のように、Cコンパイラのバージョンが表示されたら成功です。

▼バージョンの表示(macOS)

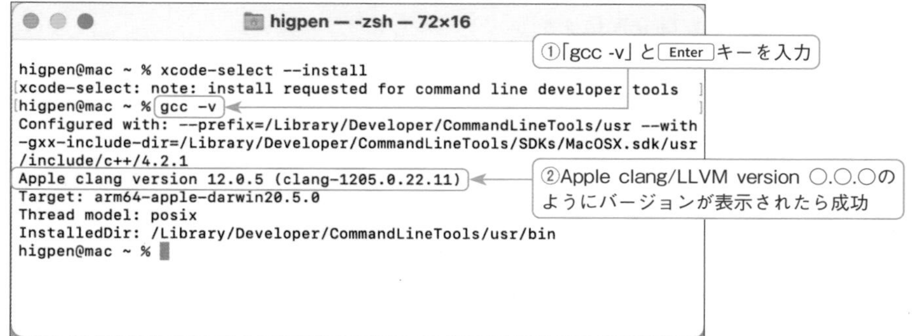

もしインストールの途中でエラーが発生したり、Cコンパイラのバージョンが表示されなかったら、再度上記の手順を実行してみてください。

通常、gccコマンドはGCCのCコンパイラを起動しますが、macOSの場合はClangのCコンパイラを起動します。以後、本書ではgccコマンドを使ってコンパイルなどの作業を行います。Windows/LinuxではGCCが起動し、macOSではClangが起動しますが、特に断らない限り、GCCとClangの違いについては意識しなくても大丈夫です。

●Linuxへのインストール

LinuxではGCCがあらかじめインストールされている可能性が高いです。インストール作業をする前に、とりあえずターミナル(端末)で「**gcc -v**」とEnter(エンター)キーを入力してみてください。「gcc version ○.○.○」のようにCコンパイラのバージョンが表示されたら、そのまま使っても構いません。

バージョンが表示されない場合には、GCCをインストールします。インストール方法はLinuxのディストリビューション(配布形態)によって異なりますが、例えばUbuntu(ウブンツ)の場合には、次の手順でインストールできます。

1. 「**sudo apt update**」とEnterキーを入力して、リポジトリ(ファイルの保管場所)の一覧を更新します。
2. 「**sudo apt upgrade -y**」とEnterキーを入力して、インストール済みのファイルを更新します。この作業には時間がかかることがあります。なお「**-y**」は、作業中の質問に対して自動的に「はい」と回答するオプションです。

3「**sudo apt install -y build-essential**」と Enter キーを入力して、GCCを含む主要な開発環境をインストールします。

4「**gcc -v**」と Enter キーを入力して、動作を確認します。「gcc version ○.○.○」のように、Cコンパイラのバージョンが表示されたら成功です。

▼バージョンの表示（Linux）

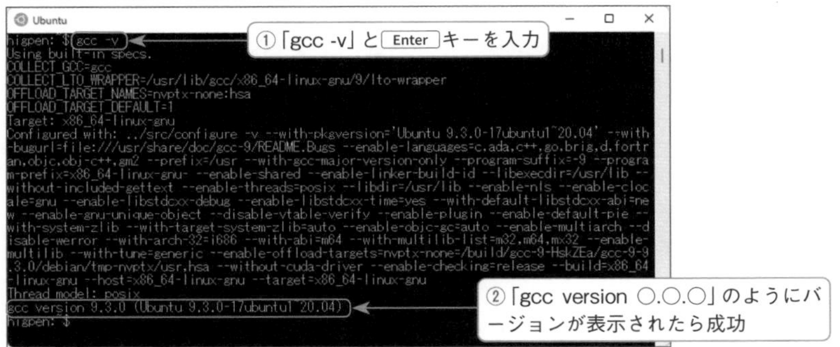

もしインストールの途中でエラーが発生したり、Cコンパイラのバージョンが表示されなかったら、再度上記の手順を実行してみてください。

本章ではC言語を学ぶための準備として、プログラミングとは何かを知り、C言語の特長を学び、Cコンパイラをインストールしました。次章ではいよいよ、最初のCプログラムを作成して実行します。

基礎編 Chapter2

Cプログラミングを始めよう

最初のCプログラムを書いて、動かしましょう。プログラムを入力し、コンパイルして、実行してみます。
次はCプログラムの基本形を学びます。最初のプログラムを題材に、インクルードやmain関数などの書き方と働きを知ります。
続いては、最初のプログラムを改造してみます。プログラムを改造することで、「プログラムをどう書くとどう動くのか」という理解を深めることができます。プログラムに日本語を書くときの注意点も紹介します。
最後は、エラーや警告が出たときの対処法を、多くの具体例に基づいて説明します。

本章の学習内容

①Cプログラムのコンパイルと実行の方法
②インクルード
③関数の仕組みとmain関数
④文字列とエスケープシーケンス
⑤日本語を含むプログラムの扱い方
⑥コメント
⑦エラーや警告への対処法

section 01

最初のCプログラムを実行する

Cプログラムを書いて、動かしてみましょう。プログラムの内容については後で学ぶことにして、まずは入力・コンパイル・実行の操作を体験します。

❖プログラムを入力してみよう

最初は**画面に「Hello!」（こんにちは！）と出力**するだけの、とても簡単なプログラムを書いてみましょう。テキストエディタを起動して、次のプログラムを入力してみてください。

▼hello.c

```
#include <stdio.h>
int main(void) {
    puts("Hello!");
}
```

上記のプログラムを入力する際には、次のような点に注意してください。

●大文字と小文字

Cプログラムでは英字の大文字と小文字が区別されます。プログラムをよく見て、大文字と小文字を正確に入力してください。上記のプログラムにおいて、例えば1行目のincludeは、"include"のように全て小文字で入力してください。例えば"INCLUDE"や"Include"のように入力すると、プログラムが正しく動きません。また、上記のプログラムは全て半角文字で書かれているので、日本語入力機能はオフにして、半角の英字・数字・記号を入力してください。

●括弧（かっこ）

Cプログラムでは色々な括弧が使われますが、これらの括弧は形をよく見て、正しく区別して入力してください。上記のプログラムでは、<と>（山括弧）、(と)（丸括弧）、{と}（波括弧、中括弧）が使われています。なお、<と>は不等号としても使われます。

● インデント

3行目の「puts」(プット・エス)の前にある空白は、プログラムを見やすくするための字下げ(行頭を下げること)で、インデントと呼ばれます。行頭にインデントを入れることを、行を「インデントする」ともいいます。インデントは Tab (タブ)キーを使って入力してみてください。3行目の行頭で Tab キーを1回押すと、テキストの入力位置を示すカーソルが、右に数文字分まとめて移動します。 Space (スペース)キーを数回押してインデントを入力することもできますが、 Tab キーを使った方がキーを押す回数が少なくて済むので、 Tab キーを使うのがおすすめです。

● タブ幅(タブサイズ)

タブ幅(Tab キーを1回押すごとにカーソルが右に移動する量)は、テキストエディタによって異なります。本書に掲載したプログラムでは、タブ幅を半角4文字分としました。これはCプログラムでよく使われるタブ幅の一つで、書籍『プログラミング言語C』の第2版などで使われています。お使いのテキストエディタによっては、タブ幅が半角8文字分などの場合もありますが、プログラムの動作には影響がないので、気にしなくても大丈夫です。テキストエディタの設定でタブ幅を変更できる場合は、見やすいタブ幅に変更してみてください。

▼ タブ幅の比較(Visual Studio Code)

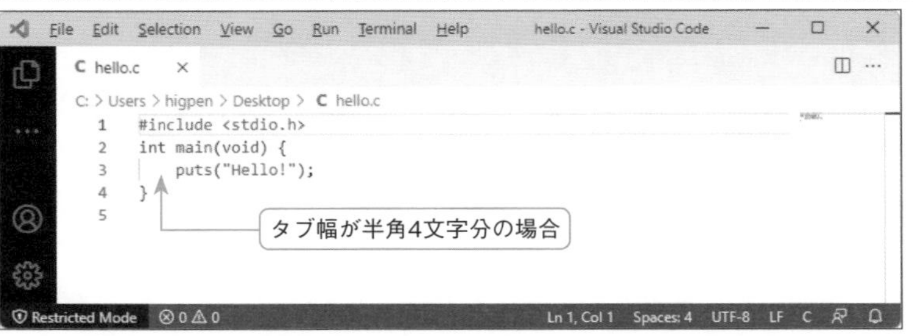

他の入門書などでC言語を学んだことがある方は、上記のプログラムを見て、「以前に学んだことと何か少し違う」と思うかもしれません。気になりそうな点について、以下に補足します。

● printfとputs

上記のプログラムでは、画面に「Hello!」と出力するために、puts（プット・エス）という機能を使っています。printf（プリント・エフ）という機能を使う例が多いのですが、文字列を出力する場合にはputsの方がプログラムが簡単に書けて、実行速度も速くなる可能性が高いので、ここではputsを使いました。printfについてはChapter3で紹介します。

● return文の省略

プログラムの主要な処理は、main（メイン）に続く{と}の間に書きます。mainの末尾には「return 0;」というreturn（リターン）文を書くことがありますが、上記のプログラムでは省略しています。C99以降では、return文を実行せずにmainの末尾に達した場合、「return 0;」を実行したのと同じ結果になるため、mainの末尾における「return 0;」は省略しても構いません。プログラムが簡潔になるので、本書ではmainの末尾における「return 0;」を省略しています。return文についてはChapter10で解説します。

プログラムが入力できたら、「hello.c」というファイル名で保存してください。このファイルが今回のソースファイルです。

ファイルの保存先は自由に選べますが、保存先によってコンパイルと実行の操作方法が変わります。最初のプログラムについては、Windows/macOSについてはデスクトップに、Linuxについてはホームディレクトリ（/home/ユーザ名）に保存してみてください。コンパイルと実行の方法が理解できたら、他の保存先に変更しても構いません。

ファイルを保存する際の文字コード（文字エンコーディング）は、ASCIIまたはUTF-8にしてください。ただし、最初のプログラムにはASCIIに含まれる文字だけを使っている（半角の英字・数字・記号のみを使い、全角の日本語文字などは使っていない）ので、おそらく大部分のテキストエディタにおいて、デフォルトの設定でファイルを保存しても大丈夫です。

ソースファイルを無事に保存できたら、次はいよいよコンパイルです。

❖プログラムをコンパイルして実行する

コンパイルや実行の方法はOSごとに異なりますが、主要な部分は共通です。そこで最初に、共通の操作方法を紹介します。以下はGCC/Clangを使う場合の操作方法なので、GCC/Clang以外のコンパイラを使う場合には、コンパイラのマニュアルなどで操作方法を確認してください。

コンパイルは次のように、gccコマンドを使って行います。リンクも自動的に行われます。保存したソースファイルをgccコマンドに処理させると、実行ファイルが生成されます。-oオプションを付けると、生成する実行ファイルの名前を指定できます。

なお、macOSではGCCではなくClangを使いますが、以下の通りにgccコマンドを使えば大丈夫です。gccコマンドによって、Windows/LinuxではGCCが起動しますが、macOSではClangが起動します。

実行ファイル名を指定してコンパイル

```
gcc -o 実行ファイル名 ソースファイル名
```

実行ファイル名の指定を省略したい場合には、次のように入力します。この場合の実行ファイル名は、ソースファイル名に関わらず、Windowsでは「a.exe」に、macOS/Linuxでは「a.out」になります。

なお、GCC/Clang以外のコンパイラでは、ソースファイル名の拡張子を変更したものを、実行ファイル名にする場合があります。例えばhello.cをコンパイルすると、hello.exeが生成されるといった具合です。

実行ファイル名を指定しないでコンパイル

```
gcc ソースファイル名
```

プログラムをコンパイルしたときに、何も表示されなければ成功です。もしエラーや警告が表示されたら、プログラムを修正して、再度コンパイルしてください。代表的なエラーや警告への対処法は、本章の最後で紹介します。

修正とコンパイルを行う際には、テキストエディタとコマンドプロンプトやターミナルの間を何度も行き来するので、キーボードショートカットを利用してウィンドウを素早く切り替えると、作業を効率化できます。例えば、Windowsの場合はAlt＋Tabキー（AltキーとTabキーの同時押し）で、macOSの場合は⌘＋Tabキーで、それぞれウィンドウを切り替えることが可能です。

以下、OSごとにコンパイルと実行の方法を説明します。

●Windowsにおけるコンパイルと実行

Windowsの場合は、プログラムをデスクトップに「hello.c」というファイル名で保存してください。そして、次の図のようにコンパイルと実行を行います。

▼Windowsにおけるコンパイルと実行

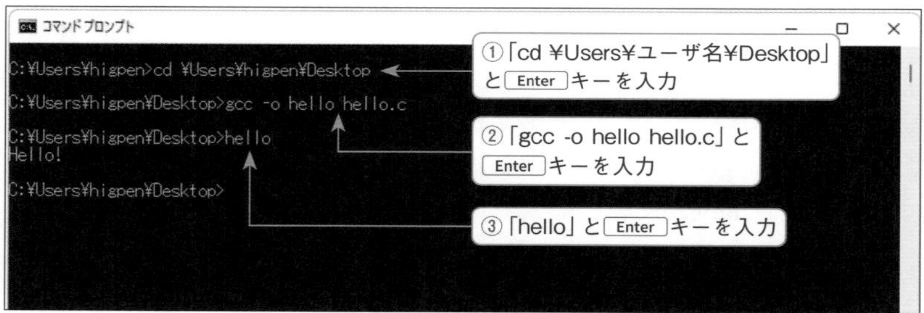

操作の詳細は次の通りです。なお、デスクトップを標準以外の場所に配置している場合は、お使いの配置に合わせてドライブやフォルダを指定してください。

1. スタートメニューで「cmd」を入力して、コマンドプロンプトを開き、「**set path=c:¥mingw64¥bin;%path%**」とEnterキーを入力します。インストール時に開いたコマンドプロンプトを、終了せずに開いたままにしている場合は、続けて使っても構いません。以下の操作は、このコマンドプロンプトで行います。
2. プロンプト（入力を促す文字列）が「C:」かどうかを確認します。「C:」ではない場合には「c:」とEnterキーを入力し、Cドライブをカレントドライブ（作業対象のディスクドライブ）にします。プロンプトが「C:」に変化したら成功です。
3. 「**cd ¥Users¥ユーザ名¥Desktop**」とEnterキーを入力し、デスクトップをカレントディレクトリ（作業対象のディレクトリ）にします。「Desktop」はデスクトップを表すフォルダです。「ユーザ名」の部分には、お使いのユーザ名（本書の例ではhigpen）を指定してください。プロンプトが「C:¥Users¥ユーザ名¥Desktop>」に変化したら成功です。

4 「**gcc -o hello hello.c**」と Enter キーを入力して、プログラムをコンパイル（およびリンク）します。エラーや警告が表示されずに、再びプロンプトが表示されたら成功です。

5 「**hello**」と Enter キーを入力して、生成された実行ファイル（hello.exe）を実行します。「Hello!」と出力されたら成功です。

●macOSにおけるコンパイルと実行

macOSの場合は、プログラムをデスクトップに「hello.c」というファイル名で保存してください。そして、次の図のようにコンパイルと実行を行います。

▼macOSにおけるコンパイルと実行

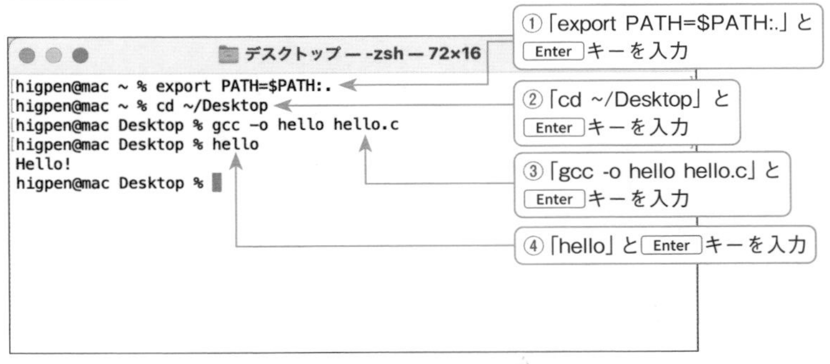

操作の詳細は次の通りです。

1 ターミナルを起動します。インストール時に開いたターミナルが残っている場合は、続けて使っても構いません。以下の操作は、このターミナルで行います。

2 「**export PATH=$PATH:.**」と Enter キーを入力し、パス（実行ファイルの探索先）にカレントディレクトリ（作業対象のディレクトリ）を追加します。これは下記の5において、「./hello」の「./」を省略するための設定です。なお、この設定を「.zprofile」などの設定ファイルに書くと、毎回設定する必要がなくなります。

3 「**cd ~/Desktop**」と Enter キーを入力し、デスクトップをカレントディレクトリ（作業対象のディレクトリ）にします。~（チルダ）はユーザのホームディレクトリを表します。プロンプトが「…Desktop %」に変化したら成功です。上記の実行例では、プロンプトにユーザ名(higpen)とコンピュータ名(mac)も表示されています。

4「**gcc -o hello hello.c**」とEnterキーを入力して、プログラムをコンパイル(およびリンク)します。エラーや警告が表示されずに、再びプロンプトが表示されたら成功です。

5「**hello**」とEnterキーを入力して、生成された実行ファイル(hello)を実行します。「Hello!」と出力されたら成功です。もし実行できない場合は、「**./hello**」とEnterキーを入力してみてください。

●Linuxにおけるコンパイルと実行

Linuxの場合は、プログラムをホームディレクトリ(/home/ユーザ名)に「hello.c」というファイル名で保存してください。そして、次の図のようにコンパイルと実行を行います。

▼Linuxにおけるコンパイルと実行

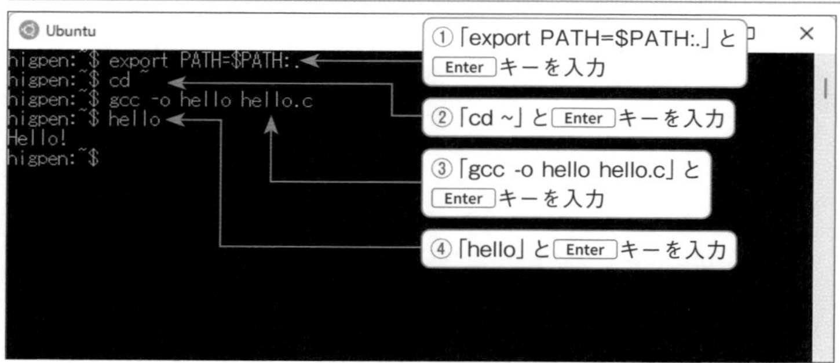

操作の詳細は次の通りです。

1 ターミナル(端末)を起動します。インストール時に開いたターミナルが残っている場合は、続けて使っても構いません。以下の操作は、このターミナルで行います。

2「**export PATH=$PATH:.**」とEnterキーを入力し、パス(実行ファイルの探索先)にカレントディレクトリ(作業対象のディレクトリ)を追加します。これは下記の5において、「./hello」の「./」を省略するための設定です。この設定を「.bash_profile」などの設定ファイルに書くと、毎回設定する必要がなくなります。

3 「**cd ~**」とEnterキーを入力し、ホームディレクトリをカレントディレクトリにします。~（チルダ）はユーザのホームディレクトリを表します。プロンプトが「…~$」に変化したら成功です。上記の実行例では、プロンプトにユーザ名（higpen）も表示されています。

4 「**gcc -o hello hello.c**」とEnterキーを入力して、プログラムをコンパイル（およびリンク）します。エラーや警告が表示されずに、再びプロンプトが表示されたら成功です。

5 「**hello**」とEnterキーを入力して、生成された実行ファイル（hello）を実行します。「Hello!」と出力されたら成功です。もし実行できない場合は、「**./hello**」とEnterキーを入力してみてください。

❖サンプルファイルの使用方法

ここで、本書のサンプルファイルを利用する方法を紹介します。本書に掲載したプログラムは、本書のサンプルファイルに収録されています。プログラムを入力するのが大変なときや、入力したプログラムが上手く動かないときには、サンプルファイルを活用してください。本書のサンプルファイルは、以下のURLよりダウンロード可能です。

サンプルファイルのダウンロードページ

URL https://www.sbcr.jp/support/4815610049/

特に、入力したプログラムが動かない原因が分からないときには、まずサンプルファイルに収録されたプログラムを、そのまま実行してみてください。収録されたプログラムが正しく動いたら、入力したプログラムとの差分をとって、どこが違っていたのかを調べてみてください。

プログラムの差分をとるには、ファイルを比較するツールを使うのが便利です。OSに標準で付属するツールとしては、Windowsのコマンドプロンプトから使えるfc、macOS/Linuxのターミナルから使えるdiffがあります。fcやdiffは次のように使います。

ファイルの比較（Windows）

```
fc /n ファイルA ファイルB
```

ファイルの比較（macOS/Linux）

```
diff ファイルA ファイルB
```

日本語が含まれているファイルをfcで処理すると、表示が文字化けする場合があります。WinMerge（https://winmerge.org/）などの、ファイルを比較するツールをインストールして使うのもよいでしょう。またテキストエディタによっては、ファイルを比較する機能を備えている場合もあります（例えばVisual Studio Codeなど）。

以下ではOS別に、サンプルファイルの使用方法を説明します。なお、本書のサンプルファイルはZIPで圧縮されています。ファイルをダウンロードした後に、任意のフォルダへ展開してください。

●Windowsにおける使用方法

サンプルファイルをデスクトップに展開した場合について、本章のhello.cを例に、コンパイルと実行の方法を説明します。

1. スタートメニューで「cmd」を入力してコマンドプロンプトを開き、「**set path=c:¥mingw64¥bin;%path%**」とEnterキーを入力します。以前に開いたコマンドプロンプトが残っている場合は、続けて使っても構いません。以下の操作は、このコマンドプロンプトで行います。
2. プロンプトが「C:」ではない場合には「**c:**」とEnterキーを入力し、Cドライブをカレントドライブにします。プロンプトが「C:」に変化したら成功です。
3. 「**cd ¥Users¥ユーザ名¥Desktop¥CSample¥chapter2**」とEnterキーを入力し、本章（Chapter2）のフォルダをカレントディレクトリにします。ユーザ名の部分には、お使いのユーザ名を指定してください。プロンプトが「C:¥Users¥ユーザ名¥Desktop¥CSample¥chapter2>」に変化したら成功です。
4. 「**gcc -o hello hello.c**」とEnterキーを入力して、プログラムをコンパイルします。エラーや警告が表示されずに、再びプロンプトが表示されたら成功です。
5. 「**hello**」とEnterキーを入力して、生成された実行ファイル（hello.exe）を実行します。「Hello!」と出力されたら成功です。

他のプログラムをコンパイルおよび実行する場合には、フォルダ名やファイル名を変更した上で、上記③～⑤の操作を行ってください。フォルダが同じ場合には、③の操作は省略できます。

●macOSにおける使用方法

サンプルファイルをデスクトップに展開した場合について、本章の「hello.c」を例に、コンパイルと実行の方法を説明します。

① ターミナルを起動します。以前に開いたターミナルが残っている場合は、続けて使っても構いません。以下の操作は、このターミナルで行います。
② 「**export PATH=$PATH:.**」と Enter キーを入力し、パスにカレントディレクトリを追加します。
③ 「**cd ~/Desktop/CSample/chapter2**」と Enter キーを入力し、本章（Chapter2）のフォルダをカレントディレクトリにします。プロンプトが「…chapter2 %」に変化したら成功です。
④ 「**gcc -o hello hello.c**」と Enter キーを入力して、プログラムをコンパイルします。エラーや警告が表示されずに、再びプロンプトが表示されたら成功です。
⑤ 「**hello**」と Enter キーを入力して、生成された実行ファイル（hello）を実行します。「Hello!」と出力されたら成功です。もし実行できない場合は、「**./hello**」と Enter キーを入力してみてください。

他のプログラムをコンパイルおよび実行する場合には、フォルダ名やファイル名を変更した上で、上記③～⑤の操作を行ってください。フォルダが同じ場合には、③の操作は省略できます。

●Linuxにおける使用方法

サンプルファイルをホームディレクトリに展開した場合について、本章の「hello.c」を例に、コンパイルと実行の方法を説明します。

① ターミナルを起動します。以前に開いたターミナルが残っている場合は、続けて使っても構いません。以下の操作は、このターミナルで行います。
② 「**export PATH=$PATH:.**」と Enter キーを入力し、パスにカレントディレクトリを追加します。

③「**cd ~/CSample/chapter2**」とEnterキーを入力し、本章（Chapter2）のフォルダをカレントディレクトリにします。プロンプトが「…~/CSample/chapter2$」に変化したら成功です。
④「**gcc -o hello hello.c**」とEnterキーを入力して、プログラムをコンパイルします。エラーや警告が表示されずに、再びプロンプトが表示されたら成功です。
⑤「**hello**」とEnterキーを入力して、生成された実行ファイル（hello）を実行します。「Hello!」と出力されたら成功です。もし実行できない場合は、「**./hello**」と**Enter**キーを入力してみてください。

他のプログラムをコンパイルおよび実行する場合には、フォルダ名やファイル名を変更した上で、上記③～⑤の操作を行ってください。フォルダが同じ場合には、③の操作は省略できます。

column

プログラムを一括してコンパイルする方法

本書のサンプルファイルに収録されているプログラムは、まとめてコンパイルすることもできます。コンパイルの作業を自動化する、make（メイク）というツールを使います。サンプルファイルには、makeに指示を与えるための**Makefile**（メイクファイル）というファイルが含まれています。

プログラムを一括してコンパイルするには、本書の説明に沿ってGCCやClangをインストールし、サンプルファイルを展開した後に、次のように操作してください。OS別に操作方法を示します。

Windowsにおける操作方法

Windowsの場合は、以下のように操作します。

①コマンドプロンプトで「**cd ¥Users¥ユーザ名¥Desktop¥CSample**」とEnterキーを入力し、「CSample」フォルダをカレントディレクトリにします。プロンプトが「C:¥Users¥ユーザ名¥Desktop¥CSample」に変化したら成功です。
②「**mingw32-make**」とEnterキーを入力して、プログラムをコンパイルします。エラーが表示されずに（警告は表示されます）、再びプロンプトが表示された

ら成功です。「chapter…」フォルダ以下に、各章の実行ファイルが生成されます。

3. 「**mingw32-make clean**」とEnterキーを入力すると、コンパイルで生成したファイルを削除できます。
4. 各章のフォルダをカレントディレクトリにしてから、2や3の操作を行うと、各章ごとにコンパイルや削除を行えます。

macOSにおける操作方法

macOSの場合は、以下のように操作します。

1. ターミナルで「**cd ~/Desktop/CSample**」とEnterキーを入力し、「CSample」フォルダをカレントディレクトリにします。プロンプトが「…CSample %」に変化したら成功です。
2. 「**make**」とEnterキーを入力して、プログラムをコンパイルします。エラーが表示されずに（警告は表示されます）、再びプロンプトが表示されたら成功です。「chapter…」フォルダ以下に、各章の実行ファイルが生成されます。
3. 「**make clean**」とEnterキーを入力すると、コンパイルで生成したファイルを削除できます。
4. 各章のフォルダをカレントディレクトリにしてから、2や3の操作を行うと、各章ごとにコンパイルや削除を行えます。

Linuxにおける操作方法

Linuxの場合は、以下のように操作します。

1. ターミナルで「**cd ~/CSample**」とEnterキーを入力し、「CSample」フォルダをカレントディレクトリにします。プロンプトが「…~/CSample$」に変化したら成功です。
2. 「**make**」とEnterキーを入力して、プログラムをコンパイルします。エラーが表示されずに（警告は表示されます）、再びプロンプトが表示されたら成功です。「chapter…」フォルダ以下に、各章の実行ファイルが生成されます。
3. 「**make clean**」とEnterキーを入力すると、コンパイルで生成したファイルを削除できます。
4. 各章のフォルダをカレントディレクトリにしてから、2や3の操作を行うと、各章ごとにコンパイルや削除を行えます。

section 02

Cプログラムの基本形を読み解く

最初のプログラムが動いたところで、プログラムの内容を学びましょう。以下に最初のプログラム(hello.c)を、行番号を付けて再掲します。この短いプログラムの中に、C言語の重要な機能がいくつも使われています。これらの機能について、プログラムを読み解きながら学びます。

▼hello.c (再掲、行番号付き)

```
1   #include <stdio.h>
2   int main(void) {
3       puts("Hello!");
4   }
```

必要な機能を取り込むインクルード

1行目の#include(インクルード)は、指定したファイルを読み込むための命令です。この命令は、プリプロセッサ指令と呼ばれるものの一種です。

▼hello.c (1行目)

```
#include <stdio.h>
```

プリプロセッサというのは、コンパイルの前処理を行うソフトウェアのことです。本書で使用しているGCC/Clangを含めて、多くの処理系では、コンパイラを実行すれば自動的にプリプロセッサも実行されます。プログラマが書いたソースコードは、プリプロセッサによって加工された後に、コンパイラによってコンパイルされます。

▼プリプロセッサ

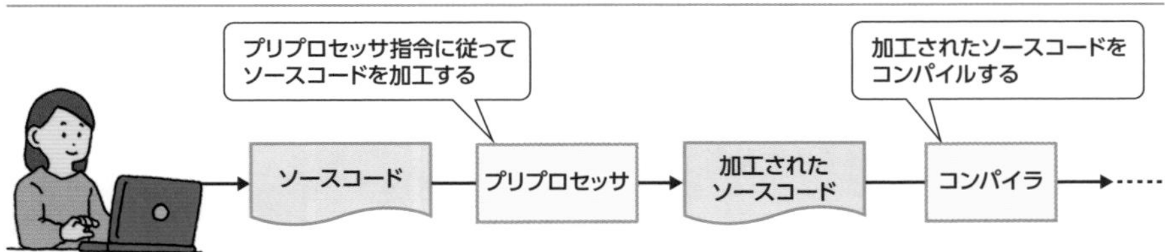

プリプロセッサ指令の特徴は、先頭に#が付いていることです。#includeは次のように書きます。Chapter16では、以下とは別の書き方も紹介します。

インクルード

```
#include <ファイル>
```

#includeを書くと、プリプロセッサは指定されたファイルを読み込み、その内容を#includeが書かれた位置に挿入します。「hello.c」の場合には、1行目の#includeの位置に、指定した「stdio.h」の内容が挿入されます。このように#includeを使って、指定したファイルの内容をソースコードに取り込むことを、ファイルを「インクルードする」と呼ぶことがあります。

▼インクルード

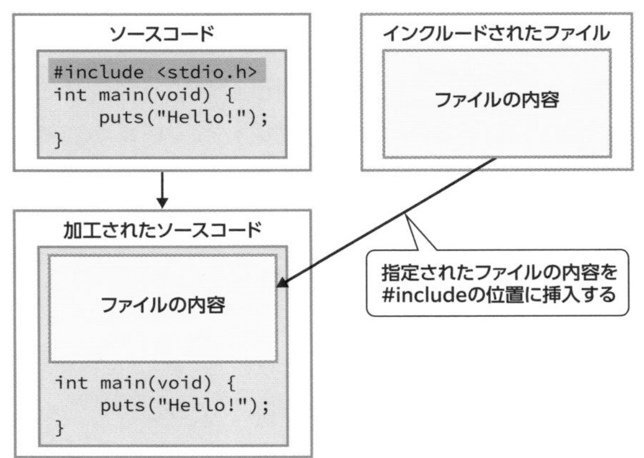

#includeでは任意のファイルを指定できますが、ヘッダファイル（拡張子.h）を指定することが多いです。ヘッダファイルというのは、プログラムから外部の変数（Chapter5）や関数（Chapter10）などを使うときに必要な、各種の情報が記述されたファイルです。ヘッダファイルを読み込むことによって、プログラムの外部にある変数や関数などが使えるようになります。

ヘッダファイルは自分で作成することもできますが（Chapter16）、処理系が提供する既存のヘッダファイルを使うことの方が多いかもしれません。処理系は数多くのライブラリ（色々なプログラムから利用する機能を集めたソフトウェア）を提供しており、ライブラリにはヘッダファイルも含まれています。ライブラリの機能を利用するためには、その機能に対応するヘッダファイルを読み込んでおく必要があります。hello.cでは、処理系が提供している既存のヘッダファイルの一つである、stdio.hを読み込んでいます。

stdio.hはCプログラムでよく利用するヘッダファイルの一つです。stdio.hのstdioは、標準入出力(standard input/output)を表します。標準入出力というのは、プログラムが標準で(特別な準備をしなくても)利用できる入出力の経路のことです。代表的な標準入力はキーボードからの入力で、標準出力は画面への出力です。今回のプログラムでは、画面に文字列を出力するputs関数を利用するために、stdio.hを読み込んでいます。

❖実行の開始地点になるmain関数

2行目のmain(メイン)は、Cプログラムの実行開始地点となる関数です。関数(かんすう)というのは、何らかの機能を提供する処理を、再利用しやすい形にまとめたものです。一般にCプログラムは、いくつかの関数から構成されています。その中でもmain関数は、Cプログラムを実行した際に一番最初に実行される、特別な関数です。メインという名前の通り、main関数にはプログラムの主要な処理を書くことがよくあります。小さなプログラムの場合には、全ての処理をmain関数に書くことも珍しくありません。

▼hello.c (2行目)

```
int main(void) {
```

main関数は次のように書きます。Chapter14では、以下とは別の書き方も紹介します。

main関数

```
int main(void) {
    処理
    …
}
```

main関数の本体は{(波括弧開き)で始まり、}(波括弧閉じ)で終わります。hello.cの場合、main関数の本体は2行目の{から始まり、4行目の}で終わります。

▼hello.c（4行目）

```
}
```

関数の本体（{と}の間）には、関数で行う処理を複数行にわたって書けます。hello.cの場合には、3行目（putsの行）がmain関数で行う処理です。

❖関数は引数を受け取って戻り値を返す

関数の仕組みについて、もう少し学びましょう。関数というと、数学における関数を思い浮かべる方も多いかと思います。数学の関数には、入力として値を受け取り、出力として値を返す働きがあります。例えばy=2xという関数（一次関数の一種）は、入力（x）として受け取った値の、2倍の値を出力（y）として返します。

プログラミングにおける関数も、数学の関数に似た働きをします。C言語の関数は、入力として**引数**（ひきすう）を受け取って、指定された処理を行い、出力として**戻り値**（もどりち）を返します。関数を実行することは、関数を「呼び出す」と表現します。

▼関数

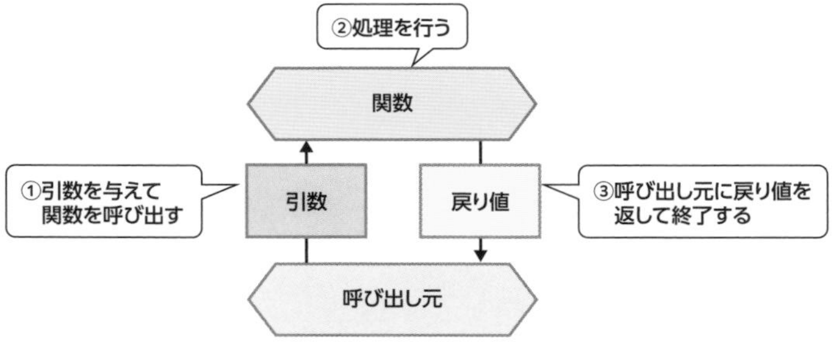

Chapter10で再び詳しく解説しますが、関数は次のように記述します。このように、関数の戻り値型、関数名、引数、そして関数が行う処理を記述することを、**関数の定義**と呼びます。プログラマが新しく関数を作成したいときには、関数を定義する必要があります。

関数の定義

```
戻り値型 関数名(引数, …) {
	処理
	…
}
```

上記の関数の定義と、hello.cの2行目を見比べてみてください。hello.cの場合、戻り値型は「int」、関数名は「main」、引数は「void」であることが分かります。

mainの前に書かれているint（イント）は、main関数が返す戻り値の型を表します。型（かた）とは、値の種類を表す概念です。intはinteger（インテジャー）の略で、整数を表します。つまり、main関数は戻り値として、呼び出し元に整数を返します。

main関数の戻り値は、プログラムの処理が問題なく終わったかどうかを、プログラムを実行する環境（OSなど）に知らせるために使います。main関数は慣例として、処理に問題がなかったときには0を返し、問題があったときには0以外の値（エラーコードなど）を返すことになっています。

戻り値を返す関数にはreturn（リターン）文を書く必要がありますが、main関数についてはreturn文を省略できます。hello.cのようにreturn文を省略した場合、main関数は呼び出し元に0を返します。return文の詳細はChapter10で学びます。

mainに続く(と)の間に書かれているvoid（ヴォイド）は、空（から）という意味の言葉です。引数をvoidと書いた場合、引数がないことを表します。

つまりhello.cのmain関数は、引数は受け取らずに、戻り値として整数の0を返します。main関数が引数を受け取る場合や、0以外を返す場合については、Chapter14で解説します。

main関数の中には好きな処理を書ける

関数の本体（{と}の間）には、その関数で行う任意の処理を書くことができます。hello.cのmain関数には次のように書きました。

▼hello.c（3行目）

```
    puts("Hello!");
```

行の先頭には1個のタブが入っています。このように行頭を字下げすることをインデントと呼びます。インデントを入れなくてもプログラムは問題なく動きますが、プログラムを見やすくするために、一般的にインデントを入れます。

関数で行う処理は、文(ぶん)またはステートメントと呼ばれるプログラムの断片から構成されています。文にはいくつかの種類があり、上記のputsを使った例は式文(しきぶん)に分類されます。式文は式の後に;(セミコロン)を付けて文にしたものです。なお、;の後はプログラムを見やすくするために改行することが多く、hello.cでも改行していますが、改行は必須ではありません。

puts(プット・エス)は標準ライブラリ関数の一つで、stdio.hで宣言されています。標準ライブラリ関数というのは、C言語の処理系が標準で提供している関数群のことです。puts関数は次のように呼び出します。

puts関数

```
puts(文字列)
```

文字列とは、0文字以上の文字を並べたものです。複数の文字を並べることが多いですが、0文字でも、1文字だけでも構いません。プログラムに文字列を書くときには、次のように"(ダブルクォートまたはダブルクォーテーション)で囲みます。この記法は文字列リテラルと呼ばれます。

一般にリテラルというのは、プログラムに書いた値(データ)のことです。C言語ではプログラムに書いた値のことを、値の種類に応じて、リテラルまたは定数(ていすう)と呼びます。

文字列リテラル

```
"文字列"
```

hello.cではputs関数を呼び出しましたが、一般に関数は次のように呼び出します。関数によって、引数がないもの、1個のもの、2個以上のものがあります。次のChapter3で紹介するprintf関数のように、引数が任意個のものもあります。引数が2個以上の場合には、,(カンマまたはコンマ)で区切って書きます。

関数の呼び出し(引数なし)

```
関数名()
```

関数の呼び出し（引数1個）

```
関数名(引数)
```

関数の呼び出し（引数2個以上）

```
関数名(引数A, 引数B, …)
```

これでhello.cの内容を読み解くことができました。さらに理解を深めるため、次はプログラムを改造してみましょう。

column

コーディングスタイル

インデントの入れ方のように、動作には影響しないけれども、プログラム（ソースコード）を見やすくすることを目的とした書き方の規則や指針のことを、**コーディングスタイル**（プログラミングスタイル）と呼びます。空白や改行の入れ方、括弧の位置、変数名や関数名の付け方なども、コーディングスタイルに含まれます。適切なコーディングスタイルを使うことで、プログラムを理解しやすくしたり、エラーを防止したりする効果が期待できます。

コーディングスタイルには個人差がありますが、もし職場で指定がある場合や、顧客から要望を受けた場合には、そのコーディングスタイルに従いましょう。コーディングスタイルに関するルールは、**コーディング規約**（コーディングルール、コーディング標準）と呼ばれることがあります。自分のコーディングスタイルにこだわりすぎず、仕事などで必要があれば、いつでも別のコーディングスタイルを採用できるようにしておくことがおすすめです。色々なコーディングスタイルについて、それぞれの良さを見つけて活かせるのが理想的です。

特に指定や要望がないときには、自分が扱いやすいコーディングスタイルを採用するとよいでしょう。もし初めてCプログラミングを学んでいる場合には、本書のコーディングスタイルを一例として参考にしてみてください。コーディングスタイルについて述べた書籍としては、書籍『プログラミング言語C』の著者の一人であるブライアン・カーニハンが、ベル研究所のP.J.プラウガーとの共著で1974年に出版した『プログラム書法』（原題は『The Elements of Programming Style』）などがあります。

column

コーディングとプログラミング

コーディングとプログラミングという言葉は、少し異なる意味で使われます。コーディングとは、プログラム（ソースコード）を記述する作業のことです。それに対してプログラミングとは、プログラムを設計し構築する作業のことです。コーディングはプログラミングで行う作業の一部だといえます。プログラミングはコーディング以外に、設計、テスト、デバッグ（プログラムの誤りを見つけて修正すること）といった作業も含みます。

column

クォート？クォーテーション？

「'」や「"」といった引用符は、クォートまたはクォーテーションと呼ばれます。英語では、クォート（quote）またはクォーテーション・マーク（quotation mark）と呼ばれます。英語でクォーテーションというと、引用符ではなく引用文を指すようです。

C言語の仕様書ではクォートと呼んでいるので、本書でもクォートと呼ぶことにしました。'はシングルクォート（シングルクォーテーション）、"はダブルクォート（ダブルクォーテーション）です。

section 03 最初のプログラムを改造してみよう

最初のプログラム(hello.c)を改造することを通じて、プログラムに対する理解を深めましょう。まずはプログラムの文字列を変更して、色々な文字列を出力してみます。

出力する文字列を変更する

元のプログラムでは「Hello!」と出力しますが､別の文字列を出力してみましょう。**hello.cの3行目にある「Hello!」の部分を、「Hello World!」に書き換え**てみてください。「Hello World!」(ハロー・ワールド)というのは､書籍『プログラミング言語C』で提示された有名な例題です。C言語以外のプログラミング言語においても、入門向けのプログラム例として使われることがよくあります。

▼hello2.c

```
#include <stdio.h>
int main(void) {
    puts("Hello World!");
}
```

上記のプログラムを「hello2.c」のファイル名で保存し、コンパイルして実行してください。Windowsではコマンドプロンプトを、macOS/Linuxではターミナルを使って、最初のプログラム(hello.c)と同様に操作します。helloの部分はhello2に変えてください。

次の実行例では、プロンプト(ユーザの入力を促す文字列)を>で示しています。最後に「Hello World!」と出力されれば成功です。

▼実行例

```
> gcc -o hello2 hello2.c
> hello2
Hello World!
```

上手く出力できましたか。次はエスケープシーケンスという記法を使って、もっと複雑な文字列を出力してみましょう。

❖エスケープシーケンスで特殊な文字を表す

エスケープシーケンスは、通常では記述しにくい文字を書くための記法です。エスケープシーケンスを使うと、例えば改行やタブといった特殊な文字を、文字列の中に含められます。以下はよく使うエスケープシーケンスの例です。

▼エスケープシーケンスの例

記法	意味
\n	改行
\t	タブ
\'	シングルクォート(シングルクォーテーション)
\"	ダブルクォート(ダブルクォーテーション)
\\	バックスラッシュ(環境によっては円記号)
\0	ヌル文字

上記のように、エスケープシーケンスは\(バックスラッシュ)から始まります。環境によっては¥(円記号)で表示される場合があります(Windowsのコマンドプロンプトやメモ帳など)。

キーボードから\を入力する際には、日本語入力機能をオフにしておいてください。そして、\キー(\が刻印されているキー)または¥キー(¥が刻印されているキー)を押します。macOSにおいては、option(オプション)+¥キー(optionキーと¥キーの同時押し)で\を入力します。

上記の\'は、'(シングルクォート)で囲まれた文字の中に「'」を書くときに使います。同様に\"は、"(ダブルクォート)で囲まれた文字列の中に「"」を書くときに使います。

\\は、\(バックスラッシュ)を書くために使います。\だけを書くと、\という文字ではなく、エスケープシーケンスの1文字目として扱われてしまうためです。

\0はヌル文字と呼ばれていて、文字列の終端を表すために使います。文字列についてはChapter9で詳しく解説します。

エスケープシーケンスを使ってみましょう。次の実行例のように、「Hello(改行)World!」と出力するプログラム(newline.c)を書いてみてください。

▼実行例

```
> gcc -o newline newline.c
> newline
Hello
World!
```

以下はプログラム例です。改行を表すエスケープシーケンス(\n)を使います。

▼newline.c

```
#include <stdio.h>
int main(void) {
    puts("Hello\nWorld!");
}
```

エスケープシーケンスを使わない方法もあります。**puts関数を2行並べて、「Hello(改行) World!」と出力**するプログラム(newline2.c)を書いてみてください。実行例は次の通りです。

▼実行例

```
> gcc -o newline2 newline2.c
> newline2
Hello
World!
```

以下はプログラム例です。文末の;(セミコロン)を忘れないように注意してください。

▼newline2.c

```
#include <stdio.h>
int main(void) {
    puts("Hello");
    puts("World!");
}
```

次は日本語の文字列を出力してみましょう。

column

バックスラッシュと円記号

\と¥が混在しているのは、歴史的な経緯により、ASCIIにおいて\と¥に同じ文字コード（10進数で92、16進数で5c）が割り当てられているためです。同じ文字コードなので、ASCIIの\と¥は同じ文字として扱われます。画面に\と¥のどちらが表示されるのかは、環境（フォントの設定など）によって変わります。

一方でUnicodeにおいては、ASCIIにおける\・¥とは別の文字コード（10進数で165、16進数でa5）が、¥に割り当てられています。C言語のエスケープシーケンスで使うのはASCIIの\・¥であり、Unicodeの¥ではありません。うっかりUnicodeの¥を使うとプログラムが正しく動かないので、注意が必要です。入力のポイントは、日本語入力機能をオフにしておくことです。以下は日本語キーボードを使った場合の、OS別の入力方法です。

Windowsにおける入力方法

\キーまたは¥キーを押すと、ASCIIの\・¥が入力されます。コマンドプロンプトに表示されるのは「¥」です。

macOSにおける入力方法

¥キーを押すとUnicodeの¥が入力されます。ASCIIの\・¥を入力するにはoption＋¥キーを押します。ターミナルに「\」が表示されれば成功です。

Linuxにおける入力方法

環境によって操作や表示が異なります。Ubuntu on Windowsの場合は、\キーまたは¥キーを押すと、ASCIIの\・¥が入力されます。ターミナルに表示されるのは「¥」です。

日本語の文字列を出力する

最初のプログラム（hello.c）を改造して、**「こんにちは！」と出力**するプログラムを書いてみてください。以下はプログラム例です。

▼japanese.c

```
#include <stdio.h>
int main(void) {
    puts("こんにちは！");
}
```

日本語の文字など、ASCII以外の文字を含むプログラムは、ファイルを保存する際に注意が必要です。本書で使うGCC/Clang向けには、ソースファイルをUTF-8で保存してください。

ファイルの文字コードや文字エンコーディングを指定する方法は、テキストエディタによって異なります。お使いのテキストエディタにおける操作方法を確認してください。例えばWindowsのメモ帳やmacOSのテキストエディットでは、ファイルを保存する際に文字コード（文字エンコーディング）を選択できます。

▼Windowsのメモ帳におけるファイルの保存

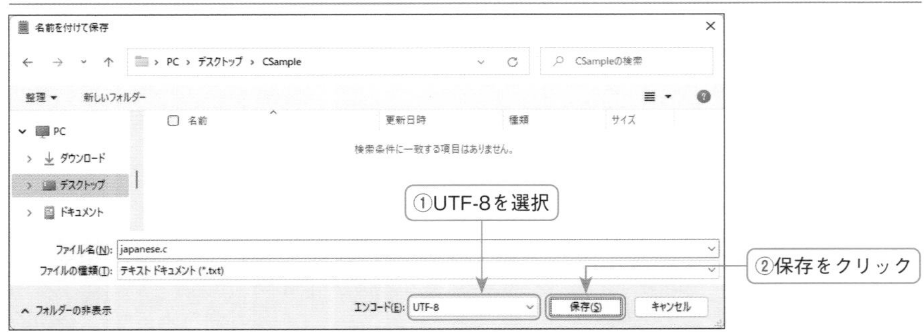

▼macOSのテキストエディットにおけるファイルの保存

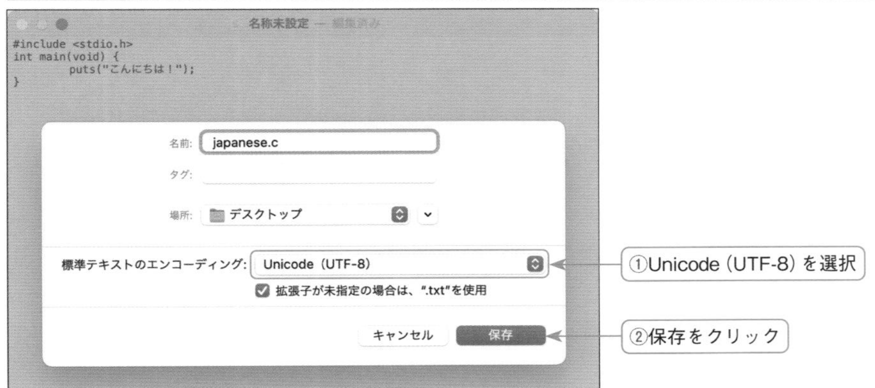

Linuxなどで使うvi（vim）では、「**:set fileencoding=utf-8**」とEnterキーを入力すると、ファイルを保存する際の文字エンコーディングをUTF-8に設定できます。Visual Studio Codeの場合には、設定の「Files:Encoding」の項目で、ファイルの文字エンコーディングを選択できます（デフォルトはUTF-8です）。

ソースファイルを保存したら、次はコンパイルです。macOS/Linuxの場合には、今までと同じ方法でコンパイルしてください。Windowsの場合、日本語を含むソースファイルをコンパイルする際には、次のように「**-fexec-charset=cp932**」というオプションを付けます。

日本語を含むソースファイルのコンパイル（Windows）

```
gcc -o 実行ファイル名 ソースファイル名 -fexec-charset=cp932
```

前述のプログラム（japanese.c）を、次のようにコンパイルし、実行してみてください。

▼実行例（Windows）

```
> gcc -o japanese japanese.c -fexec-charset=cp932
> japanese
こんにちは！
```

▼実行例（macOS/Linux）

```
> gcc -o japanese japanese.c
> japanese
こんにちは！
```

このようにASCII以外の文字（日本語の文字など）を含むプログラムは、ファイルの保存やコンパイルに注意が必要です。以下に注意点をまとめます。

- **ソースファイルはUTF-8で保存する**
- **Windowsではコンパイル時に「-fexec-charset=cp932」を付ける**

本書に掲載したプログラム例の大部分は、文字コードに関するトラブルを避けるため、日本語の文字を使わずに、ASCIIで表現できる文字だけで書かれています。もしプログラムを改造して、日本語の文字を含める場合には、上記に注意してください。

色々な文字列を出力する方法を学んできました。次は少し話題を変えて、プログラムにコメント(注釈)を書いてみます。

column

GCCと文字コード

GCCの「**-fexec-charset**」オプションは、プログラムが実行時に出力する文字コードを指定します。「**-fexec-charset=cp932**」は、出力する文字コードを、WindowsのコマンドプロンプトにおけるデフォルトのCP932(Shift_JISの拡張)にします。GCCにはUTF-8のソースファイルを与えますが、ソースファイル中の日本語をそのままコマンドプロンプトに出力すると、文字コードが食い違って文字化けします。そこで上記のオプションを使い、CP932に変換してから出力します。

ソースファイルをShift_JIS(あるいはその拡張)で保存すると、上記のオプションを付けなくてもコマンドプロンプトで日本語を出力できますが、別の問題が発生します。Shift_JISでは日本語の文字を2バイトで表現しますが、文字コードの2バイト目に\(バックスラッシュ)の文字コード(10進数で92、16進数で5c)が含まれていると、GCCが正しく処理できません。

このような問題が起きる文字としては、例えば「構」「能」「表」「予」といったものがあり、他にも多数あります。試しに「構造」「性能」「表現」「予定」といった文字列を出力するプログラムを書いて、ソースファイルをShift_JISで保存し、GCCで「**-fexec-charset=cp932**」を付けずにコンパイルしてみてください。エラーや警告が出たり、実行時に文字列が出力されなかったり、文字化けしたりします。

❖プログラムにコメントを書く

コメントというのは、人間が読むための注釈のことです。コンパイラはコメントの部分を無視するので、C言語の文法とは関係なく、自由な内容を書けます。コメントはプログラムの説明を記述するためや、プログラムの一部を無効にする(コメントアウトする)ために使います。コメントアウトについては後述します。

1行のコメントは、2個の/(スラッシュ)を使って次のように書きます。このコメントはBCPLやC++における記法でしたが、C99以降はC言語でも使えるようになりました。//から行末までがコメントになります。以下では見やすくするために、//

とコメントの間に空白を入れましたが、この空白は無くても構いません。

//によるコメント

```
// コメント
```

上記の記法を使って、最初のプログラム(hello.c)に対し、コメントを書いてみてください。**putsの前の行に、「あいさつを出力する」というコメント**を書きます。

▼comment.c

```
#include <stdio.h>
int main(void) {
    // あいさつを出力する
    puts("Hello!");
}
```

プログラムをコンパイルし、実行してみてください。コンパイラはコメントを無視するので、コメントを書いても、動作は元のプログラムと変わりません。

▼実行例

```
> gcc -o comment comment.c
> comment
Hello!
```

次のように、/*と*/を使ってコメントを書くこともできます。この記法はC99よりも前から使えます。以下では見やすくするために、/*の後と*/の前に空白を入れましたが、これらの空白は無くても構いません。

/*と*/によるコメント

```
/* コメント */
```

複数行のコメント

1行のコメントを書くときには、/*と*/よりも、//を使った方がおそらく便利でしょう。一方で、/*と*/は間に改行を入れても構わないため、次のような複数行のコメントも書けます。以下では見やすさのために、/*の後と*/の前に改行を入れましたが、これらの改行は無くても構いません。

/*と*/による複数行のコメント

```
/*
コメント
…
*/
```

複数行のコメントを書くには、次のように//のコメントを並べる方法もあります。どちらでも使いやすい方法を選んでください。

//による複数行のコメント

```
// コメント
// …
```

/*と*/を使って、最初のプログラム(hello.c)に対し、複数行のコメントを書いてみてください。**mainの前に、「最初のプログラム」と「あいさつを出力する」という2行のコメント**を書きます。

▼comment2.c

```
#include <stdio.h>
/*
最初のプログラム
あいさつを出力する
*/
int main(void) {
    puts("Hello!");
}
```

プログラムをコンパイルし、実行してみてください。やはり、動作は元のプログラムと変わりません。

▼実行例

```
> gcc -o comment2 comment2.c
> comment2
Hello!
```

❖コメントアウト

コメントの記法を使って、プログラムの一部をコメントにすることにより、動作を無効にする手法があります。この手法のことをコメントアウトと呼びます。1行のプログラムをコメントアウトするには、次のように//を使うのが便利でしょう。

//によるコメントアウト

```
// プログラム
```

複数行のプログラムをコメントアウトするには、//を複数行並べるか、次のように/*と*/を使います

/*と*/によるコメントアウト

```
/*
プログラム
…
*/
```

上記の方法は、コメントアウトする範囲に/*と*/によるコメントが含まれている場合には使えません。この場合には、次のようにプリプロセッサ指令の#if（イフ）と#endif（エンド・イフ）を使って、指定した範囲のプログラムを無効にする（コンパイルの対象外にする）方法もあります。

#ifと#endifによるプログラムの無効化

```
#if 0
プログラム
…
#endif
```

最初のプログラム（hello.c）について、putsの行をコメントアウトしてみてください。上記で紹介したどの方法を使っても構いません。次のプログラム例では//を使いました。

▼comment3.c

```
#include <stdio.h>
int main(void) {
    //puts("Hello!");
}
```

プログラムをコンパイルし、実行してみてください。putsの行が無効になって、何も出力されなければ成功です。

▼実行例

```
> gcc -o comment3 comment3.c
> comment3
> ← 何も出力されずにプロンプトに戻る
```

テキストエディタによっては、選択した範囲を簡単な操作でコメントアウトしたり、逆にコメントアウトを解除(アンコメント)できる場合があります。これらの機能を利用するのもおすすめです。

最初のプログラムを改造してきましたが、順調に動きましたか。もしかすると、見知らぬエラーや警告に悩まされたかもしれません。次はエラーや警告に対処する方法を紹介します。

column

コメントの書き方

コメントに何を書くか、コメントをどの程度書くかは、プログラマによって異なり、状況によっても異なります。もし職場でコメントに関するルールがあれば、それに従いましょう。特にルールがない場合には、例えば次のような書き方をおすすめします。

コメントは、自分がプログラムの内容を思い出すのに役立つように書くのがおすすめです。何をどの程度書けばよいのかは、プログラマによって異なり、同じプログラマでも熟練度によって変わってきます。プログラミングを学び始めた頃は、学んだことをコメントで書き残しておくと、学習の助けになる可能性があります。一方で、ある程度プログラミングに習熟したら、ポイントを絞ってコメントを書いた方が、便利に感じるかもしれません。

プログラムの開発中には、コメントを書くのは最小限にしておくのがおすすめです。画面に表示できる行数には上限があるので、コメントを書きすぎてしまうとプログラムが画面外に追い出されてしまい、作業の効率を落とす可能性があるためです。プログラムの全体が画面内に表示されていると、とても効率よく開発できます。

また、プログラムを色々と変更している間にコメントを書くと、プログラムを変更したときにコメントも変更しなければならないため、作業が増えてしまいます。ある程度プログラムが仕上がってから、自分が後で内容を思い出すために、あるいは他のプログラマに内容を伝えるために、もし必要になったらコメントを書くとよいでしょう。

section 04 エラーや警告が出たときの対処法

コンパイルの際には色々なエラーや警告が発生します。慣れないうちはエラーや警告の意味が分からず、解消に苦労するかもしれません。できるだけ楽にエラーや警告を解消できるように、おすすめの対処法を紹介します。

問題の箇所をピンポイントで直す

エラーや警告に対処する際に重要なことは、闇雲にプログラムに手を加えるのではなく、エラーや警告のメッセージを頼りに、問題の箇所をピンポイントで見つけて直すことです。エラーや警告の表示はコンパイラによって異なりますが、GCCやClangの場合には次のような形式で表示されます。

エラーや警告の形式

```
ファイル名:行番号:桁番号: error（エラー）またはwarning（警告）: 内容
```

以下はエラーメッセージの例です。メッセージは英語で表示されますが、()内に日本語の意味を記載しました。errorと表示されているので、エラーであることが分かります。エラーによっては、fatal error（致命的なエラー）と表示される場合もあります。

▼エラーメッセージ

```
error.c:2:1: error: unknown type name 'intt'; did you mean 'int'?
（error.c:2行目:1桁目: エラー : 未知の型名intt、intという意味？）
```

エラーや警告のメッセージは英語で表示される上に、内容を理解するにはC言語に関する知識が必要なので、最初は難解に感じるかもしれません。メッセージの内容については、C言語の文法を学んだ上で、何度か同じメッセージを見ると、次第に理解できるようになってきます。もしメッセージの内容が分からなくても、ファイル名・行番号・桁番号は必ず参照して、プログラムの該当する箇所を確認してください。

エラーや警告のメッセージを、そのままWebで検索したり、自動翻訳で日本語にしてみる方法もあります。必ずしも的確な情報が得られるとは限りませんが、同じようなエラーや警告に遭遇している例を調べることで、ヒントが見つかることもあります。

以下は警告メッセージの例です。warningと表示されているので、警告であることが分かります。

▼警告メッセージ

```
warning.c:2:1: warning: return type defaults to 'int' …
（warning.c:2行目:1桁目: 警告: 戻り値型をデフォルトのintにした）
```

もし数多くのエラーや警告が一度に表示されて、どれから解決したらよいのか迷ったときには、上の方に表示されたものから解消するのがおすすめです。ある箇所にあるプログラムの誤りは、以後のプログラムに影響を与えることがよくあります。そのため、上の方に表示された（プログラムの先頭に近い）エラーや警告を解消すると、以後の関連するエラーや警告をまとめて解消できる場合があります。

ここからは最初のプログラム（hello.c）を題材に、エラーや警告への対処法を、いくつかのパターンに分類して紹介します。誤りがあるプログラムと、エラーや警告のメッセージを示すので、メッセージを頼りにプログラムの誤りを発見し、解消する練習をしてみてください。

❖エラーの対処法が提案されている場合

手始めは次のプログラムです。エラーや警告の箇所を探しやすいように、行番号を付記してあります。

▼error.c

```
#include <stdio.h>
intt main(void) {
    puts("Hello!");
}
```

プログラムをコンパイルすると、以下のエラーメッセージが表示されます。エラーが発生した行の内容と位置も表示されるので、注目してください。なお、以下のエラーの他に警告も表示されます。

▼エラーメッセージ（Windows/Linux/macOS）

```
error.c:2:1: error: unknown type name 'intt'; did you mean 'int'?
（error.c:2行目:1桁目: エラー： 未知の型名intt、intという意味？）
 intt main(void) {
 ^~~~
 int
```

このエラーは、2行目で「int」と書くべきところを、「intt」と書いたことが原因です。エラーメッセージの「did you mean …?」（…という意味？）の部分に、対処法（intに直す）が提案されていることに注目してください。この提案に沿ってプログラムを修正すれば、エラーを解消できます。なお、型についてはChapter4で解説します。

❖エラーで指摘された箇所に誤りがある場合

エラーメッセージを参考に、次のプログラムの誤りを見つけてください。

▼error2.c

```
#include <stdioh>
int main(void) {
    puts("Hello!");
}
```

以下はWindows/Linuxにおいて、GCCでコンパイルしたときのエラーメッセージです。

▼エラーメッセージ（Windows/Linux）

```
error2.c:1:10: fatal error: stdioh: No such file or directory
（error2.c:1行目:10桁目: 致命的なエラー： stdioh: ファイルまたはディレクトリがない）
 #include <stdioh>
          ^~~~~~~~
```

以下はmacOSにおいて、Clangでコンパイルしたときのエラーメッセージです。

▼エラーメッセージ(macOS)

```
error2.c:1:10: fatal error: 'stdioh' file not found
(error2.c:1行目:10桁目: 致命的なエラー: stdiohというファイルが見つからない)
#include <stdioh>
         ^~~~~~~~
```

対処法までは示されていませんが、エラーメッセージが指摘した箇所に誤りがあるので、比較的解消しやすいエラーだといえます。このエラーは、1行目でファイル名を「stdio.h」と書くべきところを、.(ドット、ピリオド)を落として「stdioh」と書いたことが原因です。

❖エラーで指摘された箇所以外に誤りがある場合

エラーメッセージを参考に、次のプログラムの誤りを見つけてください。

▼error3.c

```
1  #include <stdio.h>
2  int main(void)
3      puts("Hello!");
4  }
```

▼エラーメッセージ(Windows/Linux)

```
error3.c:3:2: error: expected declaration specifiers before 'puts'
(error3.c:3行目:2桁目: エラー: putsの前には宣言の指定子があるべき)
  puts("Hello!");
  ^~~~
error3.c:4:1: error: expected declaration specifiers before '}' token
(error3.c:4行目:1桁目: エラー: トークン「}」の前には宣言の指定子があるべき)
 }
 ^
error3.c:5: error: expected '{' at end of input
(error3.c:5行目: エラー:「{」があるべきだったが入力の末尾に達した)
```

▼エラーメッセージ（macOS）

```
error3.c:3:2: error: expected function body after function declarator
（error3.c:3行目:2桁目: エラー： 関数の宣言子の後には関数の本体があるべき）
        puts("Hello!");
        ^
error3.c:4:1: error: extraneous closing brace ('}')
（error3.c:4行目:1桁目: エラー： 無関係な波括弧閉じ「}」）
}
^
```

これはエラーメッセージが分かりにくい例です。エラーメッセージが示している行に誤りがあるのではなく、別の行に誤りがあります。エラーの原因は、2行目の末尾にあるべき「{」（波括弧開き）がないことです。このような括弧に関する誤りは、括弧がない行に対するエラーではなく、別の行に対するエラーになることが多いので、注意が必要です。

括弧に関する誤りがあると、この例のように多数のエラーが表示される場合がよくあります。括弧に関する誤りの特徴は、「expected …」（…があるべき）というエラーが発生することです。これは括弧の対応や種類が誤っていると、文法の要素が「あるべき場所にない」という問題につながるためです。「expected …」というエラーが発生していて、指摘された行に誤りが見つからなかったら、括弧の対応や種類の誤りを疑ってみてください。

テキストエディタによっては、括弧開きと括弧閉じの対応を表示してくれる機能があります。この機能を活用すると、括弧の誤りを見つけたり、誤りを防止したりできます。

❖リンクエラーの場合

エラーメッセージを参考に、次のプログラムの誤りを見つけてください。

▼error4.c

```
#include <stdio.h>
int Main(void) {
    puts("Hello!");
}
```

▼エラーメッセージ(Windows)

```
C:/Program Files/mingw-w64/…: undefined reference to `WinMain'
(C:/Program Files/mingw-w64/…: WinMainへの参照が未定義である)
collect2.exe: error: ld returned 1 exit status
(collect2.exe: エラー: ld(リンカ)が終了ステータス1を返した)
```

▼エラーメッセージ(Linux)

```
/usr/bin/ld…: undefined reference to `main'
(/usr/bin/ld…: mainへの参照が未定義である)
collect2: error: ld returned 1 exit status
(collect2: エラー: ld(リンカ)が終了ステータス1を返した)
```

▼エラーメッセージ(macOS)

```
Undefined symbols for architecture arm64:
(arm64アーキテクチャの未定義シンボル:)
  "_main", referenced from:
  (以下で参照されている_main:)
     implicit entry/start for main executable
     (主要な実行ファイルの暗黙のエントリ(開始地点))
ld: symbol(s) not found for architecture arm64
(ld(リンカ): arm64アーキテクチャのシンボルが見つからない)
clang: error: linker command failed with exit code 1 (use -v to see invocation)
(clang: エラー: リンカコマンドが終了コード1で失敗した(呼び出しを確認するには-vを使用せよ))
```

今までに見てきたエラーメッセージとは、形式が違うことにお気づきでしょうか。このエラーはコンパイルエラーではなくリンクエラーです。エラーメッセージに含まれている「ld」は、リンカのコマンドです。

環境によってエラーメッセージは異なりますが、いずれも「main(プログラムを実行するときの開始地点)が未定義である」と述べています。このエラーは、2行目で「main」と書くべきところを、「Main」と書いたことが原因です。

なおWinMainは、Windows用のアプリケーションを実行したときの開始地点です。MinGW-w64の場合、プログラムにはmainまたはWinMainが必要であり、mainもWinMainもないときには「WinMainが未定義である」というエラーを表示します。

❖一見問題がない箇所に誤りがある場合

メッセージを参考に、次のプログラムの誤りを見つけてください。GCC（Windows/Linux）ではエラーが、Clang（macOS）では警告が表示されます。

▼error5.c

```
1   #include <stdio.h>
2   int main(void) {
3       puts("Hello!");
4   }
```

▼エラーメッセージ（Windows/Linux）

```
error5.c:3:1: error: stray '\343' in program
（error5.c:3行目:1桁目: エラー: あるべきでない場所に文字「\343」がある）
……("Hello!");
^
```

▼警告メッセージ（macOS）

```
error5.c:3:1: warning: treating Unicode character as whitespace
[-Wunicode-whitespace]
（error5.c:3行目:1桁目: 警告: Unicode文字を空白として扱う [-Wunicode-white
spaceオプション]）
   puts("Hello!");
^~
```

一見するとプログラムに誤りがないように見えますが、実は3行目の行頭がタブではなく、2個の全角空白になっています。GCCの場合にはエラーになります。

Clangの場合は警告を出した上で、全角空白を空白として扱ってコンパイルを続行するため、実行ファイルが生成されます。この警告を出すかどうかを設定するコンパイラのオプション（-Wunicode-whitespace）も、メッセージで紹介されています。このプログラムの場合は警告があっても正しく実行できますが、警告が出ていると実行時に問題が発生することも珍しくありません。エラーとあわせて警告も必ず解消しておきましょう。

タブ・半角空白・全角空白などの空白文字は、見た目では区別がつきません。テキストエディタによっては、これらの文字を区別して表示する機能があるので、必要に感じたら利用してみてください。

❖警告で指摘された箇所に誤りがある場合

ここからはコンパイラが警告を出すプログラムの例です。警告メッセージを参考に、次のプログラムの誤りを見つけてください。

▼warning.c

```
1   #include <stdio.h>
2   main(void) {
3       puts("Hello!");
4   }
```

▼警告メッセージ(Windows/Linux)

```
warning.c:2:1: warning: return type defaults to 'int' …
 (warning.c:2行目:1桁目: 警告: 戻り値型をデフォルトのintにした)
 main(void) {
 ^~~~
```

▼警告メッセージ(macOS)

```
warning.c:2:1: warning: type specifier missing, defaults to 'int' …
 (warning.c:2行目:1桁目: 警告: 型指定子がないので、デフォルトのintにした)
main(void) {
^
```

警告の原因は、2行目においてmainの前に「int」がないことです。C99よりも前の仕様では、関数の戻り値型を省略でき、省略した場合はintになりました。C99以降では、関数の戻り値型がintであっても、省略せずに書く必要があります。

❖警告で指摘された箇所以外に誤りがある場合

警告メッセージを参考に、次のプログラムの誤りを見つけてください。

▼warning2.c

```
int main(void) {
    puts("Hello!");
}
```

▼警告メッセージ（Windows/Linux）

```
warning2.c:2:2: warning: implicit declaration of function 'puts' …
（warning2.c:2行目:2桁目: 警告: puts関数に対する暗黙の宣言）
  puts("Hello!");
  ^~~~
```

▼警告メッセージ（macOS）

```
warning2.c:2:2: error: implicit declaration of function 'puts' is
invalid in C99 …
（warning2.c:2行目:2桁目: 警告: puts関数に対する暗黙の宣言はC99では無効）
        puts("Hello!");
        ^
```

警告の原因は、プログラムの1行目に「#include <stdio.h>」がないことです。このように「implicit declaration」（暗黙の宣言）に関する警告やエラーが出たときには、変数名や関数名（putsなど）が正しいかどうかと、必要な「#include」があるかどうかを確かめてみてください。

❖警告を解消しないと実行時に問題が生ずる場合

警告メッセージを参考に、次のプログラムの誤りを見つけてください。

▼warning3.c

```
#include <stdio.h>
int main(void) {
    puts('Hello!');
}
```

▼警告メッセージ（Windows/Linux）

```
warning3.c:3:7: warning: character constant too long for its type
（warning3.c:3行目:7桁目: 警告: 文字定数が型に対して長すぎる）
  puts('Hello!');
       ^~~~~~~~
```

▼警告メッセージ(macOS)

```
warning3.c:3:7: warning: multi-character character constant …
（warning3.c:3行目:7桁目: 警告: 複数の文字による文字定数）
        puts('Hello!');
             ^
warning3.c:3:7: warning: character constant too long for its type
（warning3.c:3行目:7桁目: 警告: 文字定数が型に対して長すぎる）
```

C言語では文字と文字列は異なります(Chapter9)。警告の原因は、文字列を"(ダブルクォート)で囲むべきなのに、'(シングルクォート)で囲んだことです。警告メッセージのcharacter constant(文字定数)という表記から、文字定数に関する誤りだと分かります。

この警告が出ていても実行ファイルは生成されますが、実行すると問題が起きます。問題の内容は環境によって異なり、プログラムが終了しなかったり、Segmentation Fault(セグメンテーション違反)によって強制終了したりします。プログラムが終了しなくなった場合には、Windows/Linuxでは[Ctrl]+[C]キー([Ctrl]キーと[C]キーの同時押し)、macOSでは[control]+[C]キー([control]キーと[C]キーの同時押し)を入力してみてください。

警告が出ている場合には、実行ファイルが生成されても、このように実行時に問題が起きる場合があります。エラーとあわせて、警告も解消しておくことを強くおすすめします。

さて、ここまででエラーや警告について、代表的な対処法のパターンを学びました。もし未知のエラーや警告が発生しても、まずはファイル名・行番号・桁番号を確認し、ぜひ落ち着いて対処してください。

本章では最初のCプログラムを作成して実行するとともに、Cプログラムの仕組みを学びました。また、コンパイルやリンクの際に発生するエラーや警告に関して、代表的な対処法を知りました。次章では色々な値を出力するプログラムを書きます。

基礎編 Chapter3

まずは書いた値をそのまま出力しよう

プログラムを書くときには、狙い通りに動いているかどうかを確かめながら、少しずつ書き進めることをおすすめします。プログラムの動作を確認する方法としては、計算結果などの値を画面に出力（表示）してみるのが、シンプルで効果的な方法です。

そこで本章では、値を出力する方法を学びます。まずはプログラムに整数や浮動小数点数といった値を書いて、そのまま出力してみます。整数や浮動小数点数のさまざまな記法や、printf関数の色々な使い方についても学びます。

本章の学習内容

①整数（10進数・16進数・8進数）の記法と出力方法
②浮動小数点数の記法と出力方法
③浮動小数点数の誤差
④printf関数の書式文字列と変換指定

section 01

整数を書いてみよう

式というと、例えば「2+3」のように、2や3のような値と、+のような演算子（えんざんし、演算を表す記号）を組み合わせたものが思い浮かびます。一方で、2や3のような単独の値も、式の一種です。これから式の計算を学ぶにあたって、最も簡単な式である単独の値を記述したり、画面に出力したりすることから始めましょう。

まずは整数からです。整数は小数部分がない数値です。例えば、0、123、-456といった数値は、いずれも整数です。プログラムの中に書かれた整数データのことを、整数定数（C++では整数リテラル）と呼びます。0、123、-456のような数値は、このまま整数定数としてプログラムに書けます。

整数を書いて出力する

C言語で整数を画面に出力するには、次のようなprintf（プリント・エフ）関数を使います。後述するように、printf関数は整数以外にも、色々な種類の値を出力することができます。puts関数（Chapter2）が出力できるのは文字列だけですが、printf関数は整数・浮動小数点数・文字列といった、色々な種類の値を組み合わせて出力できます。プログラムはputs関数の方が簡潔に書けるので、文字列だけを出力する場合はputs関数を使い、文字列以外も出力する場合はprintf関数を使うとよいでしょう。

printf関数

```
printf(書式文字列, 式, …)
```

printf関数を使うには、puts関数と同様にstdio.hのインクルードが必要です。プログラムの冒頭などに、次のように記述しておきます。

stdio.hのインクルード

```
#include <stdio.h>
```

printfの「f」は、format（フォーマット、形式）を意味します。printf関数は、書式文字列（しょしきもじれつ）で指定された形式に沿って、式の値を出力します。複数の式を,(カンマ)で区切って指定し、複数の式の値を一度に出力することもできます。

書式文字列には色々な機能があります。例えば1個の整数を出力する場合には、次のように書きます。以下で整数の部分には、値が整数になる式が書けます。

整数の出力

```
printf("…%d…", 整数)
```

上記の「%d」のように、書式文字列内の%(パーセント)で始まる記述のことを、変換指定(へんかんしてい)と呼びます。%dは整数を10進数で出力するための変換指定で、%dの「d」はdecimal(デシマル、10進法)に由来すると思われます。printf関数は、変換指定の部分に式の値を埋め込んで、画面に出力します。

上記の「…」の部分には、好きな文字列を書けます。例えば「"curry %d yen\n"」という書式文字列を使うと、%dの部分に整数を埋め込んで「curry ○○ yen」(カレー○○円)のように出力し、改行することができます。\nは改行を表すエスケープシーケンスです(Chapter2)。出力後に自動で改行するputs関数とは違い、printf関数ではエスケープシーケンスを使って改行します。

整数を出力してみましょう。printf関数を使って、**「curry 400 yen(改行)」と「doria 350 yen(改行)」を出力**するプログラムを書いてみてください。整数の400と350は、変換指定の%dを使って埋め込みます。

▼int.c

```
#include <stdio.h>
int main(void) {
    printf("curry %d yen\n", 400);
    printf("doria %d yen\n", 350);
}
```

上記でファイル名の「int」は、C言語における整数の型です(Chapter4)。プログラムをコンパイルし、実行してみてください。次のように出力されれば成功です。

▼実行例

```
> gcc -o int int.c
> int
curry 400 yen  ← カレー400円
doria 350 yen  ← ドリア350円
```

上記では書式文字列ごとに変換指定を1個だけ書きましたが、次に学ぶように、複数の変換指定を書くことも可能です。

❖ 複数の変換指定を書く

書式文字列の中には、複数の変換指定を書けます。例えば次のように書くと、変換指定Aの部分に式Aの値、変換指定Bの部分に式Bの値が、それぞれ埋め込まれます。変換指定や式の個数がさらに増えた場合も同様です。

printf関数（複数の変換指定）

```
printf("…変換指定A…変換指定B…", 式A, 式B)
```

複数の整数を出力する場合には、次のように変換指定の%dを使います。1番目の%dに整数A、2番目の%dに整数Bが埋め込まれます。整数Aや整数Bは式でも構いません。

複数の整数を出力

```
printf("…%d…%d…", 整数A, 整数B)
```

上記の方法を使って、**「curry R:400 L:500 yen（改行）」と「doria R:350 L:450 yen（改行）」を出力**するプログラムを書いてみてください。整数は変換指定の%dを使って埋め込みます。

▼int2.c

```
#include <stdio.h>
int main(void) {
    printf("curry R:%d L:%d yen\n", 400, 500);
    printf("doria R:%d L:%d yen\n", 350, 450);
}
```

▼実行例

```
> gcc -o int2 int2.c
> int2
curry R:400 L:500 yen  ← カレー レギュラー:400円 ラージ:500円
doria R:350 L:450 yen  ← ドリア レギュラー:350円 ラージ:450円
```

ここまでは10進数の整数を書いてきましたが、次で紹介するように、16進数の整数も書けます。

❖16進数の整数を書く

整数定数としては、前述のような10進数の他に、16進数や8進数も書けます。まずは16進数の整数定数を書いてみましょう。

16進数は、16のべき乗で桁数が増える数値です。0〜9までの数字と、a〜fまたはA〜Fの英文字を使って書きます。プログラミングでは10進数を使うことが多いですが、アドレス（メモリ上の位置）や文字コードを表現する際などには、16進数もよく使います。16進数の整数定数は、先頭に0x（ゼロとエックスの小文字）または0X（ゼロとエックスの大文字）を付けて書きます。どちらの書き方でも動作は同じです。なお、「x」や「X」はhexadecimal（ヘキサデシマル、16進法）に由来すると思われます。

16進数の整数定数

```
0x…  ← 小文字のxを使用
0X…  ← 大文字のXを使用
```

整数を16進数で出力するには、次のように変換指定の%xまたは%Xを使います。%xを使うと小文字のa〜fで、%Xを使うと大文字のA〜Fで出力します。複数個の%xや%Xを書いたり、他の変換指定（%dなど）と混在させることも可能です。

整数を16進数で出力

```
printf("…%x…", 整数)  ← 小文字のa〜fで出力
printf("…%X…", 整数)  ← 大文字のA〜Fで出力
```

上記の方法を使って、**16進数のabcdefを、16進数と10進数で出力するプログラム**を書いてみてください。変換指定の%x、%X、%dを使います。

▼hex.c

```
#include <stdio.h>
int main(void) {
    printf("%x\n", 0xabcdef);
    printf("%X\n", 0xabcdef);
    printf("%d\n", 0xabcdef);
}
```

▼実行例

```
> gcc -o hex hex.c
> hex
abcdef      ← 16進数で出力(小文字のa～f)
ABCDEF      ← 16進数で出力(大文字のA～F)
11259375  ← 10進数で出力
```

16進数に続いて、次は8進数の整数を書く方法を学びましょう。

❖8進数の整数を書く

今度は8進数を書いてみましょう。8進数は、8のべき乗で桁数が増える数値で、0～7までの数字を使って書きます。10進数や16進数に比べると、プログラミングで8進数を使う機会は少なめですが、Unix系のOSでファイルのモードを変更するchmod(チェンジ・モード)コマンドなどでは、8進数が活用されています。8進数の整数定数は、先頭に0(ゼロ)を付けて書きます。

8進数の整数定数

```
0…
```

整数を8進数で出力するには、次のように変換指定の%o(小文字のオー)を使います。複数個の%oを書いたり、他の変換指定(%dや%xや%Xなど)と混在させることも可能です。なお、oはoctal(オクタル、8進法)に由来すると思われます。

整数を8進数で出力

```
printf("…%o…", 整数)
```

上記の方法を使って、**8進数の755を、8進数、16進数、10進数で出力するプログラム**を書いてみてください。変換指定の%o、%x、%dを使います。8進数で755というのは、chmodコマンドにおいて、実行ファイルに対して設定することが多いモードです。

▼oct.c

```
#include <stdio.h>
int main(void) {
    printf("%o\n", 0755);
    printf("%x\n", 0755);
    printf("%d\n", 0755);
}
```

▼実行例

```
> gcc -o oct oct.c
> oct
755   ← 8進数で出力
1ed   ← 16進数で出力
493   ← 10進数で出力
```

このようにC言語では、10進数・16進数・8進数の整数定数を書けます。一部の処理系（GCCやClangなど）は、独自に2進数の整数定数にも対応しています。

次は浮動小数点数の記法と、画面に出力する方法を学びましょう。

section 02

浮動小数点数を書いてみよう

小数部分がある数値を表現するには、浮動小数点数（ふどうしょうすうてんすう）を使います。浮動小数点数は、数学において連続した量を表す実数（じっすう）を、コンピュータ上で近似的に表現した数値です。コンピュータで実数を表現する色々な方法の中で、浮動小数点数は代表格だといえます。ここでは浮動小数点数の記法と、画面への出力方法を学びましょう。

浮動小数点数を書いて出力する

プログラムの中に書かれた浮動小数点数データのことを、浮動小数点定数（C++では浮動小数点リテラル）と呼びます。例えば0.0、1.23、-45.6といった数値は、このまま浮動小数点定数としてプログラムに書けます。

C言語の仕様書では、浮動小数点定数をfloating constants（浮動する定数）と呼んでいます。日本語では、浮動小数点定数・浮動小数点数定数・浮動小数定数・浮動定数などの表記が見られます。

さて、C言語で浮動小数点数を画面に出力するには、printf関数において変換指定の%fまたは%Fを使います。%fと%Fの違いは、無限大を表すinfinity（インフィニティ）やinf、不正な計算の結果を表すnan（ナン、not a numberの略）の出力方法で、%fは小文字で出力し、%Fは大文字で出力します。なお、「f」はfloating point number（浮動小数点数）またはfixed-point notation（固定小数点表記）に由来すると思われます。

浮動小数点数の出力

```
printf("…%f…", 浮動小数点数)   ← infinity/inf/nanを小文字で出力
printf("…%F…", 浮動小数点数)   ← INFINITY/INF/NANを大文字で出力
```

上記の方法を使って、**「pi=3.14（改行）」を出力**するプログラムを書いてみてください。浮動小数点数の3.14は、変換指定の%fを使って埋め込みます。下記でファイル名の「double」は、C言語における浮動小数点数の型です（Chapter4）。

▼double.c

```
#include <stdio.h>
int main(void) {
    printf("pi=%f\n", 3.14);
}
```

▼実行例

```
> gcc -o double double.c
> double
pi=3.140000  ← パイ(円周率)=3.140000
```

上記のように、デフォルトでは小数点以下6桁まで出力されます。小数点以下の桁数を指定するには、次のような変換指定を使います。「.小数点以下の桁数」の部分には、.(ドット)と整数を書きます。なお、「」(カギ括弧)は説明のために付けたもので、プログラムには書きません(以後も同様です)。また、fの代わりにFを使うこともできます。

小数点以下の桁数を指定

```
%「.小数点以下の桁数」f
```

上記の方法を使って、**「pi=3.14(改行)」を小数点以下2桁まで出力**するプログラムを書いてみてください。

▼double2.c

```
#include <stdio.h>
int main(void) {
    printf("pi=%.2f\n", 3.14);
}
```

▼実行例

```
> gcc -o double2 double2.c
> double2
pi=3.14  ← パイ(円周率)=3.14
```

次は浮動小数点数を扱う上でぜひ知っておきたい、誤差について学びましょう。

❖浮動小数点数には誤差がある

浮動小数点数と本来の値との間には、誤差が生じることがあります。例えば、0.1のように簡単な値にも、誤差があります。プログラムを使って実験してみましょう。**0.1を小数点以下20桁まで出力**するプログラムを書き、実行してみてください。なお、下記でファイル名の「prec」は、precision（精度）の略です。

▼prec.c

```
#include <stdio.h>
int main(void) {
    printf("%.20f\n", 0.1);
}
```

▼実行例

```
> gcc -o prec prec.c
> prec
0.10000000000000000555  ←0.1との間に誤差がある
```

上記のような誤差は、浮動小数点数の仕組みに起因しています。C言語における浮動小数点数は、大部分の環境においてIEEE 754（アイ・トリプル・イー 754）という仕様に基づいています。IEEE 754は色々な浮動小数点数の形式を定めていますが、C言語で主に使うのは、次のような32ビットと64ビットの浮動小数点数です。これらの浮動小数点数は、符号・指数（しすう）・仮数（かすう）で値を表現します。

● 32ビット浮動小数点数

単精度（たんせいど）とも呼ばれます。1ビットの符号、8ビットの指数、23ビットの仮数、の合計32ビットで値を表現します。10進数で7.22桁程度の精度があります。C言語のfloat（フロート）型に対応します。

▼32ビット浮動小数点数

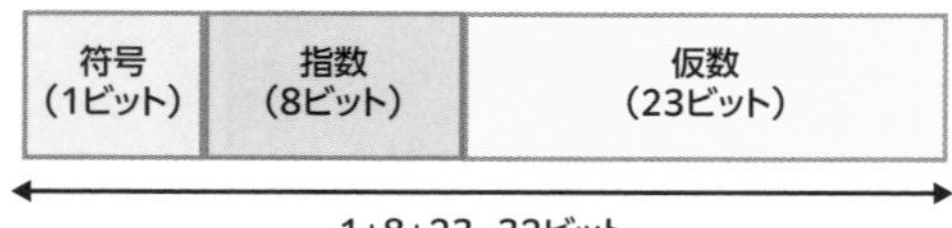

● 64ビット浮動小数点数

倍精度（ばいせいど）とも呼ばれます。1ビットの符号、11ビットの指数、52ビットの仮数、の合計64ビットで値を表現します。10進数で15.95桁程度の精度があります。C言語のdouble（ダブル）型に対応します。

▼64ビット浮動小数点数

上記の32ビット・64ビットのいずれも、仮数に「2の指数乗」を掛けて符号を付けた値が、浮動小数点数の値になります。この「2の指数乗」というのがポイントで、整数を2のべき乗で割った（指数が負のべき乗を掛けた）値は正確に表せます（誤差が生じません）が、それ以外の値については誤差が生じます。

実験してみましょう。例えば、**0.5、0.25、0.125、0.0625を小数点以下20桁まで出力**するプログラムを書き、実行してみてください。これらの値は1を2のべき乗で割った値なので、誤差が生じず正確に表せます。

▼prec2.c

```
#include <stdio.h>
int main(void) {
    printf("%.20f\n", 0.5);
    printf("%.20f\n", 0.25);
    printf("%.20f\n", 0.125);
    printf("%.20f\n", 0.0625);
}
```

▼実行例

```
> gcc -o prec2 prec2.c
> prec2
0.50000000000000000000  ← 1/2  = 1×2^-1
0.25000000000000000000  ← 1/4  = 1×2^-2
0.12500000000000000000  ← 1/8  = 1×2^-3
0.06250000000000000000  ← 1/16 = 1×2^-4
```

次は大きな値や小さな値を表すときに役立つ、指数表記について学びます。

❖指数表記で大きな値や小さな値を表す

浮動小数点数は非常に大きな値や非常に小さな値を表せます。これは前述のように、浮動小数点数が指数と仮数を使って値を表現しているためです。有効な桁数は仮数によって制限されますが、指数の範囲が広いので、32ビットの場合は1.2×10^{-38} ～ 3.4×10^{38}程度、64ビットの場合は2.2×10^{-308} ～ 1.8×10^{308}程度という、非常に幅広い値を表せます。

浮動小数点数を使って、6.02×10^{23}（アボガドロ定数）や、6.63×10^{-34}（プランク定数）のような、物理定数（物理学で用いる定数）を表してみましょう。これらの値を記述するには、次のような指数表記を使うと便利です。

指数表記の浮動小数点定数

```
仮数e指数   ← 小文字のeを使用
仮数E指数   ← 大文字のEを使用
```

「e」や「E」はexponent（指数）を表します。eとEはどちらを書いても動作に違いはありません。「仮数」の部分には6.02や6.63のような浮動小数点数を書き、「指数」の部分には23や-34のような整数を書きます。仮数に「10の指数乗」を掛けた値が、浮動小数点数の値になります。

上記の方法を使って、**6.02×10^{23}と6.63×10^{-34}を出力**するプログラムを書いてみてください。プランク定数に関しては、小数点以下36桁まで表示します。下記でファイル名の「exp」は、exponentの略です。

▼exp.c

```
#include <stdio.h>
int main(void) {
    printf("%f\n", 6.02e23);
    printf("%.36f\n", 6.63e-34);
}
```

▼実行例

```
> gcc -o exp exp.c
> exp
601999999999999995805696.000000              ← 6.02×10^23
0.000000000000000000000000000000000663     ← 6.63×10^-34
```

上記ではいずれの値も桁数が多く、値が読みにくくなっています。このような場合には、次のように変換指定の%eまたは%Eを使って、指数表記で出力するとよいでしょう。「e」はexponential notation（指数表記）に由来すると思われます。

指数表記で浮動小数点数を出力

```
printf("…%e…", 浮動小数点数)  ← 指数を表す文字などを小文字で出力
printf("…%E…", 浮動小数点数)  ← 指数を表す文字などを大文字で出力
```

上記の方法を使って、**6.02×10^{23}と6.63×10^{-34}を指数表記で出力**するプログラムを書いてみてください。小数点以下2桁まで出力します。

▼exp2.c

```
#include <stdio.h>
int main(void){
    printf("%.2e\n", 6.02e23);
    printf("%.2e\n", 6.63e-34);
}
```

▼実行例

```
> gcc -o exp2 exp2.c
> exp2
6.02e+23   ← 6.02×10^23
6.63e-34   ← 6.63×10^-34
```

上記の方法を使えば、大きな値や小さな値を見やすく表示できます。さらに、次のように変換指定の%gまたは%Gを使えば、指数表記を使わない出力（%fや%Fに相当）と、指数表記を使った出力（%eや%Eに相当）を、自動的に切り替えることもできます。

指数表記を使うかどうかを自動的に切り替えて浮動小数点数を出力

```
printf("…%g…", 浮動小数点数)  ← 指数を表す文字などを小文字で出力
printf("…%G…", 浮動小数点数)  ← 指数を表す文字などを大文字で出力
```

上記の方法を使って、**3.14、6.02×10^{23}、6.63×10^{-34}について指数表記を自動的に切り替えて出力**するプログラムを書いてください。変換指定の%gと%Gは、表示する桁数も自動的に調整してくれるので、小数点以下の桁数は指定しないでみてください。

▼exp3.c

```
#include <stdio.h>
int main(void) {
    printf("%g\n", 3.14);
    printf("%g\n", 6.02e23);
    printf("%g\n", 6.63e-34);
}
```

▼実行例

```
> gcc -o exp3 exp3.c
> exp3
3.14        ← 3.14
6.02e+23    ← 6.02×10^23
6.63e-34    ← 6.63×10^-34
```

上記のように、3.14は末尾の0が除去されて出力され、6.02×10^{23}や6.63×10^{-34}は指数表記で出力されるので、とても見やすい結果が得られています。目的に応じて、%f・%F・%e・%E・%g・%Gといった変換指定の中から、便利なものを選んで使ってみてください。

次は、printf関数で色々な変換指定を混在させたり、出力の桁数を指定したりする方法を学びます。

section 03 printf関数を使いこなそう

printf関数の書式文字列には、色々な変換指定（%d・%x・%X・%o・%f・%F・%e・%E・%g・%Gなど）を混在させることができます。この方法を使うと、例えば整数・浮動小数点数・文字列といった、色々な種類の値を混ぜて出力することが可能です。

色々な値を混ぜて出力する

printf関数を使って、次のような金属元素の表を出力してみましょう。金（gold）、銀（silver）、銅（copper）・鉄（iron）について、名前（name）・番号（number）・密度（density）を出力します。

▼金属原素の名前・番号・密度

name	number	density
gold	79	19.32
silver	47	10.49
copper	29	8.94
iron	26	7.87

goldなどの文字列、79などの整数、19.32などの浮動小数点数は、それぞれ変換指定を使って出力できます。文字列については、次のように変換指定の%sを使います。「s」はstring（ストリング、文字列）に由来すると思われます。

文字列の出力

```
printf("…%s…", 文字列)
```

なお、変換指定を使わずに、次のように文字列を出力することも可能です。puts関数とは違い、printf関数は出力後に自動で改行しないので、以下は改行せずに文字列を出力したいときに便利です。

変換指定を使わずに文字列を出力

```
printf(文字列)
```

今回は文字列・整数・浮動小数点数を混ぜて出力したいので、変換指定を使います。書式文字列に複数の変換指定を混在させて、**金属元素の名前・番号・密度を出力**するプログラムを書いてみてください。密度については小数点以下2桁まで出力します。下記でファイル名の「format」は、書式のことです。

▼format.c

```
#include <stdio.h>
int main(void) {
    printf("name number density\n");
    printf("%s %d %.2f\n", "gold", 79, 19.32);
    printf("%s %d %.2f\n", "silver", 47, 10.49);
    printf("%s %d %.2f\n", "copper", 29, 8.94);
    printf("%s %d %.2f\n", "iron", 26, 7.87);
}
```

▼実行例

```
> gcc -o format format.c
> format
name number density   ← 名前 番号 密度
gold 79 19.32         ← 金
silver 47 10.49       ← 銀
copper 29 8.94        ← 銅
iron 26 7.87          ← 鉄
```

上記の実行例において、名前・番号・密度の桁を揃えて出力すれば、もっと見やすくなりそうです。桁を揃えるには、次のような変換指定を使って、出力の桁数を調整します。

最小の桁数を指定（右詰め）

```
%「最小の桁数」s                        ← 文字列
%「最小の桁数」d                        ← 整数
%「最小の桁数」「.小数点以下の桁数」f  ← 浮動小数点数
```

上記は右詰め（右寄せ）の場合です。左詰め（左寄せ）の場合には、下記のように先頭に-（マイナス）を付けます。

最小の桁数を指定（左詰め）

```
%-「最小の桁数」s                          ← 文字列
%-「最小の桁数」d                          ← 整数
%-「最小の桁数」「.小数点以下の桁数」f      ← 浮動小数点数
```

左詰め・右詰めいずれの場合でも、「最小の桁数」には整数を指定します。指定した桁数に満たない部分は、半角空白で埋められます。指定した桁数を超える場合には、そのままの桁数で(指定した桁数を超えて)出力されます。

桁数の指定を使って、下記の実行例のように、**名前・番号・密度の桁を揃えて出力**するプログラムを書いてみてください。名前は左詰めで6桁、番号は右詰めで6桁、密度は右詰めで7桁にします。列名(name、number、density)についても、変換指定の%sを使って出力すると、桁を揃えやすいでしょう。

▼実行例

```
> gcc -o format2 format2.c
> format2
name   number density  ← 名前 番号 密度
gold       79   19.32  ← 金
silver     47   10.49  ← 銀
copper     29    8.94  ← 銅
iron       26    7.87  ← 鉄
```

以下はプログラム例です。密度については変換指定を「%7.2f」として、全体を7桁、小数点以下を2桁で出力しています。

▼format2.c

```
#include <stdio.h>
int main(void) {
    printf("%-6s %6s %7s\n", "name", "number", "density");
    printf("%-6s %6d %7.2f\n", "gold", 79, 19.32);
    printf("%-6s %6d %7.2f\n", "silver", 47, 10.49);
    printf("%-6s %6d %7.2f\n", "copper", 29, 8.94);
    printf("%-6s %6d %7.2f\n", "iron", 26, 7.87);
}
```

次は、これまでに登場した色々な変換指定についてまとめます。

❖printf関数における変換指定のまとめ

今までに学んできたように、printf関数には色々な変換指定があります。まだ使っていない変換指定も含めて、ここでまとめて紹介します。これらは覚える必要はなく、どんな機能があったかという概要を知っておき、必要になったときに見返せば大丈夫です。あるいは、後で読んでも構いません。

変換指定は次のような構成です。先頭の%と末尾の「値の種類」以外は、いずれも必要なものだけを指定すればよく、不要なものは省略できます。

変換指定

```
%「フラグ」「最小の桁数」「.精度」「値の長さ」「値の種類」
```

上記の各項目について説明します。

● %（必須）

変換指定は%（パーセント）で始まります。printf関数で普通の%を出力したいときは、%%のように2個続けて書きます。

● フラグ（省略可能）

下記のフラグを指定すると、出力の動作を変更できます。「#」を指定した場合の動作は、値の種類によって異なります。例えば値の種類がxまたはX（整数の16進数）のときに#を指定すると、値の前に0xまたは0Xを出力します。

▼フラグ

記法	動作
-	左詰めで出力（デフォルトは右詰め）
+	プラスの符号を出力（デフォルトでは出力しない）
#	代替の形式で出力（値の種類に応じて動作が異なる）
0	最小の桁数未満の部分に0を出力（整数・浮動小数点数で右詰めの場合）

● 最小の桁数（省略可能）

出力する最小の桁数です。出力が最小の桁数に満たない部分には、半角空白（フラグで0を指定した場合は0）を出力します。最小の桁数は整数で指定します。整数の代わりに「*」を書くと、桁数をprintf関数の引数で指定できます。

● **精度（省略可能）**

精度は出力する値の種類によって働きが変わり、例えば浮動小数点数の場合は、小数点以下の桁数を表します。精度は.に続けて、整数で指定します。整数の代わりに「*」を書くと、精度をprintf関数の引数で指定できます。

● **値の長さ（省略可能）**

値の詳細な種類を変更するための記述で、**長さ修飾子**（ながさしゅうしょくし）と呼ばれます。長さ修飾子の働きは値の種類によって異なります。例えば、バイト数が少ない整数を出力するためのhhやh、バイト数が多い整数を出力するためのlやll、バイト数が多い浮動小数点数を出力するためのLなどがあります。より詳しい情報は、処理系のマニュアルなどを調べてみてください。

● **値の種類（必須）**

出力する値の種類です。正式には**変換指定子**と呼びます。以下に一覧を示します。表の最後にある「n」は、printf関数の引数に対して、これまでに出力した文字数を書き込むという、特殊な働きをします。

▼値の種類（変換指定子）

記法	出力する値の種類
c	文字
s	文字列
dまたはi	符号付き整数（10進数）
u	符号なし整数（10進数）
o	符号なし整数（8進数）
xまたはX	符号なし整数（16進数）
fまたはF	浮動小数点数（10進数）
eまたはE	浮動小数点数（10進数、指数表記）
aまたはA	浮動小数点数（16進数、C99以降）
gまたはG	浮動小数点数（10進数、値と精度に応じて表記を切り替え）
p	ポインタ（Chapter13）
n	これまでに出力した文字数を書き込む

整数や浮動小数点数の値を書いたり、printf関数を使って画面に出力したりする方法について、詳しく学んできました。これらの知識は理解することが重要で、記憶しておかなくても構いません。もし忘れても、必要になったときに調べれば大丈夫です。心配せずに先へ進んでください。

本章では、整数・浮動小数点数・文字列といった値を画面に出力する方法を学びました。また、printfの変換指定を使い、値を見やすく揃えて表示する方法についても学びました。次章では式を使った計算を行いましょう。

基礎編 Chapter4

Cプログラミングの醍醐味は式の計算

C言語には数多くの機能がありますが、最もよく使う機能は式の計算かもしれません。Cプログラムでは、さまざまな場所に式を書けます。そのため、色々な式を正しく書けるようになると、プログラミングがとてもスムーズになります。
本章では、値と演算子を組み合わせた式を書く方法や、式の値を計算して結果を出力する方法を学びます。これらの方法を学ぶと、C言語をさまざまな計算に活用できるようになります。ハードウェアの制御や通信などで利用する、ビット演算やシフト演算についても、2進数の知識とあわせて詳しく学びます。
さらに、環境に応じてCプログラムの動作が変化することについても学びます。同じプログラムでも環境によって結果が異なる場合があることを知っておくと、多様な環境でC言語を活用できます。

本章の学習内容

①算術演算子を使った計算
②演算子の優先順位
③暗黙の変換とキャスト
④ビット演算子・シフト演算子を使った計算
⑤未定義・未規定・処理系定義の動作

section 01 式を計算して結果を出力する

値と演算子(えんざんし)を組み合わせた式を書いて、色々な計算をしてみましょう。演算子は演算(計算)を表す記号です。C言語には数多くの演算子がありますが、まずは基本的な算術演算子を使ってみます。そして、式を簡潔に書くために重要な演算子の優先順位や、適切な計算結果を得るために必要な型変換についても学びます。

❖算術演算子で四則演算を行う

算術演算子(さんじゅつえんざんし)は、四則演算(加減乗除)などを行うための演算子です。算数や数学でも使われるので、馴染み深い演算子だといえます。ただし、一部の演算子については、C言語では算数や数学とは異なる記号が使われているので、注意してください。

以下は四則演算に関する算術演算子です。このように演算の対象(以下のAとB)が2個の演算子のことを、二項演算子(にこうえんざんし)と呼びます。項(こう)というのは、演算の対象のことです。下記のAとBには、「123」や「4.56」といった値を書いてもよいし、値や演算子を組み合わせた式を書いても構いません。

▼算術演算子(四則演算)

演算子	記号の名称	機能	使い方	演算の結果
+	プラス	加算(足し算)	A+B	AとBの和
-	マイナス	減算(引き算)	A-B	AとBの差
*	アスタリスク	乗算(掛け算)	A*B	AとBの積
/	スラッシュ	除算(割り算)	A/B	AをBで割った商
%	パーセント	剰余(割り算の余り)	A%B	AをBで割った余り

上記で紹介した%以外の算術演算子は、これまでに学んだ整数や浮動小数点数に加えて、真偽値(Chapter6)や文字(Chapter9)などの型にも適用できます。これらの型は算術型(さんじゅつがた)と呼ばれます。なお、+と-はポインタ(Chapter13)にも適用が可能です。

一方、%は整数・真偽値・文字だけに適用できます。浮動小数点数の剰余を求めるには、標準Cライブラリのfmod（エフ・モッド）関数を使います。

+や-の記号は、以下のような符号に関する算術演算子としても使われます。このように演算の対象（以下のA）が1個の演算子のことを、単項演算子（たんこうえんざんし）と呼びます。

▼算術演算子（符号）

演算子	記号の名称	機能	使い方	演算の結果
+	プラス	正号（正の符号）	+A	Aと同じ値
−	マイナス	負号（負の符号）	−A	Aの符号を逆にした値

算術演算子を使ってみましょう。**整数の3と2に対して+、-、*、/、%を適用し、結果を「3+2=5」のように出力**するプログラムを書いてみてください。

▼arith.c

```
#include <stdio.h>
int main(void) {
    printf("3+2=%d\n", 3+2);
    printf("3-2=%d\n", 3-2);
    printf("3*2=%d\n", 3*2);
    printf("3/2=%d\n", 3/2);
    printf("3%%2=%d\n", 3%2);
}
```

上記でファイル名の「arith」は、arithmetic（算術）の略です。3%2を表示する部分について、「3%%2」と記述していることに注意してください。printf関数の書式文字列を使って%を出力するには、変換指定の%と区別するために、%%と書く必要があります。プログラムの実行結果は次の通りです。

▼実行例

```
> gcc -o arith arith.c
> arith
3+2=5  ← 加算
3-2=1  ← 減算
3*2=6  ← 乗算
3/2=1  ← 除算
3%2=1  ← 剰余
```

上記で3/2の結果が1.5ではなく、「1」であることに注目してください。このような整数同士の除算は、結果も整数になります。結果の値は、本来の値を丸めて整数にした値になります。丸め(まるめ)とは、値の端数を何らかの方法で処理して、別の値に変換する操作のことです。日常の計算でも馴染み深い、切り捨て・切り上げ・四捨五入などは、いずれも丸めの手法です。

除算における丸めについて実験してみましょう。**3/2、3/-2、-3/2、-3/-2を計算し、結果を「3/2=1」のように出力**するプログラムを書いてみてください。

▼arith2.c

```
#include <stdio.h>
int main(void) {
    printf(" 3/ 2=%2d\n",  3/ 2);
    printf(" 3/-2=%2d\n",  3/-2);
    printf("-3/ 2=%2d\n", -3/ 2);
    printf("-3/-2=%2d\n", -3/-2);
}
```

上記のプログラムでは、結果を見やすくするために、空白を入れたり、最小の桁数を指定したりしています。実行結果は次の通りです。

▼実行例

```
> gcc -o arith2 arith2.c
> arith2
 3/ 2= 1  ← 1.5を丸めて 1に
 3/-2=-1  ← -1.5を丸めて-1に
-3/ 2=-1  ← -1.5を丸めて-1に
-3/-2= 1  ← 1.5を丸めて 1に
```

C99以降では、除算の結果は本来の値に対して「0への丸め」(ゼロへのまるめ)を行い、結果を整数にします。0への丸めでは、正数(正の数)・負数(負の数)ともに、値が0に近づくように変換します。上記の実行結果のように、例えば1.5は1に、-1.5は-1にします。1.5よりも1は0に近く、-1.5よりも-1は0に近いことに注目してください。C99より前では、結果を処理系定義(本章にて後述)の方向に丸めます。

上記では負数(負の数)を使った除算を行いましたが、負数を使った剰余についても調べてみましょう。3%2(3を2で割った余り)が1になるのは分かりやすいのですが、3%-2、-3%2、-3%-2の結果はどうなるのでしょうか。**3%2、3%-2、-3%2、-3%-2を計算し、結果を「3%2=1」のように出力**するプログラムを書いてみてください。

▼arith3.c

```
#include <stdio.h>
int main(void) {
    printf(" 3%% 2=%2d\n",  3% 2);
    printf(" 3%%-2=%2d\n",  3%-2);
    printf("-3%% 2=%2d\n", -3% 2);
    printf("-3%%-2=%2d\n", -3%-2);
}
```

整数Aと整数Bについて剰余を求めるとき、「(A/B)*B+(A%B)」はAに等しくなります。つまり剰余A%Bは、「A-(A/B)*B」で求まります。次のように、AとBの符号に応じて剰余の符号も変化することに注意してください。

▼実行例

```
> gcc -o arith3 arith3.c
> arith3
 3% 2= 1  ← 3-( 3/ 2)* 2 =  3-( 1)* 2 =  3-2 = 1
 3%-2= 1  ← 3-( 3/-2)*-2 =  3-(-1)*-2 =  3-2 = 1
-3% 2=-1  ← -3-(-3/ 2)* 2 = -3-(-1)* 2 = -3+2 = -1
-3%-2=-1  ← -3-(-3/-2)*-2 = -3-( 1)*-2 = -3+2 = -1
```

整数同士の演算について詳しく見てきました。今度は、浮動小数点数に算術演算子を適用してみましょう。**1.2と3.4に対して+、-、*、/を適用し、結果を「1.2 + 3.4 = 4.6」のように出力**するプログラムを書いてみてください。

▼arith4.c

```
#include <stdio.h>
int main(void) {
    printf("1.2 + 3.4 = %g\n", 1.2+3.4);
    printf("1.2 - 3.4 = %g\n", 1.2-3.4);
    printf("1.2 * 3.4 = %g\n", 1.2*3.4);
    printf("1.2 / 3.4 = %g\n", 1.2/3.4);
}
```

上記のプログラムでは、結果を見やすくするために空白を入れています。また、変換指定には%gを使ったので、末尾の不要な0が除去されて、出力が簡潔になります。

▼実行例

```
> gcc -o arith4 arith4.c
> arith4
1.2 + 3.4 = 4.6        ← 加算
1.2 - 3.4 = -2.2       ← 減算
1.2 * 3.4 = 4.08       ← 乗算
1.2 / 3.4 = 0.352941   ← 除算
```

整数同士の演算と、浮動小数点数同士の演算を行いました。整数と浮動小数点数を組み合わせた演算もできるのですが、これは後ほど型変換とあわせて解説します。先に、演算子の優先順位について学びましょう。

column

標準ライブラリ

ライブラリとは、プログラムを作成する際によく使う機能をまとめたソフトウェアのことです。そして、プログラミング言語の処理系が標準で備えているライブラリのことを、標準ライブラリと呼びます。C言語にも標準ライブラリがあり、標準Cライブラリと呼ばれています。今までに使ったputs関数やprintf関数も、標準Cライブラリの一部です。

❖演算子の優先順位を知って式を簡潔に書く

演算子には優先順位（ゆうせんじゅんい）があります。優先順位とは、例えば「A○B△C」のように演算子の○と△が隣接しているときに、○と△のどちらを先に計算するのかを決めるための順位のことです。○と△の優先順位を比べて、優先順位が高い演算子を先に計算し、優先順位が低い演算子を後で計算します。

優先順位の概念は、算数や数学でも馴染み深いものです。例えば「2+3*4」という式があったときに、+と*のどちらを先に計算するでしょうか。加算（足し算）と乗算（掛け算）では乗算を優先するので、「2+(3*4)」のように計算し、結果は14になります。C言語でも同様に、加算よりも乗算を優先するので、算数や数学と同じ結果になります。

もし優先順位とは異なる順序で計算したい場合は、算数や数学と同様に、先に計算したい部分を()(丸括弧)で囲みます。例えば「2+3*4」において、2+3を先に計算したい場合は、「(2+3)*4」のように書きます。

+と*の優先順位を確認してみましょう。**2+3*4と(2+3)*4を計算して結果を出力**するプログラムを書いてみてください。下記でファイル名の「prec」は、precedence(優先順位)の略です。

▼prec.c

```
#include <stdio.h>
int main(void) {
    printf("2+3*4=%d\n", 2+3*4);
    printf("(2+3)*4=%d\n", (2+3)*4);
}
```

▼実行例

```
> gcc -o prec prec.c
> prec
2+3*4=14      ← 3*4が先に計算される
(2+3)*4=20    ← ()内が先に計算される
```

算術演算子以外にも、C言語には数多くの演算子があります。全ての演算子について、以下に優先順位をまとめました。表の上にあるほど優先順位が高く(1が最高)、下にあるほど優先順位が低くなります(15が最低)。優先順位が同じ演算子については、この表では本書で解説する順に並べました。

▼演算子の優先順位

優先順位	結合性	演算子	機能	本書のChapter
1	左結合	++	後置インクリメント	7
		--	後置デクリメント	7
		[]	配列の添字	8
		()	関数呼び出し	10
		(…){…}	複合リテラル	10
		.	メンバアクセス	12
		->	ポインタによるメンバアクセス	13
2	右結合	+	正号	4
		-	負号	4
		(…)	キャスト	4
		~	ビット否定	4
		sizeof	サイズ取得	5
		!	論理否定	6
		++	前置インクリメント	7
		--	前置デクリメント	7
		_Alignof	アライメント要件	12
		&	アドレス取得	13
		*	間接参照	13
3	左結合	*	乗算	4
		/	除算	4
		%	剰余	4
4	左結合	+	加算	4
		-	減算	4
5	左結合	<<	左シフト	4
		>>	右シフト	4
6	左結合	<	比較(より小さい)	6
		>	比較(より大きい)	6
		<=	比較(以下)	6
		>=	比較(以上)	6

<table>
<tr><th>優先順位</th><th>結合性</th><th>演算子</th><th>機能</th><th>本書のChapter</th></tr>
<tr><td rowspan="2">7</td><td rowspan="2">左結合</td><td>==</td><td>比較（等しい）</td><td>6</td></tr>
<tr><td>!=</td><td>比較（等しくない）</td><td>6</td></tr>
<tr><td>8</td><td>左結合</td><td>&</td><td>ビット論理積</td><td>4</td></tr>
<tr><td>9</td><td>左結合</td><td>^</td><td>ビット排他的論理和</td><td>4</td></tr>
<tr><td>10</td><td>左結合</td><td>|</td><td>ビット論理和</td><td>4</td></tr>
<tr><td>11</td><td>左結合</td><td>&&</td><td>論理積</td><td>6</td></tr>
<tr><td>12</td><td>左結合</td><td>||</td><td>論理和</td><td>6</td></tr>
<tr><td>13</td><td>右結合</td><td>?:</td><td>条件（三項）</td><td>6</td></tr>
<tr><td rowspan="12">14</td><td rowspan="12">右結合</td><td>=</td><td>代入</td><td>5</td></tr>
<tr><td>+=</td><td>複合代入（加算）</td><td>5</td></tr>
<tr><td>-=</td><td>複合代入（減算）</td><td>5</td></tr>
<tr><td>*=</td><td>複合代入（乗算）</td><td>5</td></tr>
<tr><td>/=</td><td>複合代入（除算）</td><td>5</td></tr>
<tr><td>%=</td><td>複合代入（剰余）</td><td>5</td></tr>
<tr><td><<=</td><td>複合代入（左シフト）</td><td>5</td></tr>
<tr><td>>>=</td><td>複合代入（右シフト）</td><td>5</td></tr>
<tr><td>&=</td><td>複合代入（ビット論理積）</td><td>5</td></tr>
<tr><td>^=</td><td>複合代入（ビット排他的論理和）</td><td>5</td></tr>
<tr><td>|=</td><td>複合代入（ビット論理和）</td><td>5</td></tr>
<tr><td>15</td><td>左結合</td><td>,</td><td>カンマ</td><td>7</td></tr>
</table>

上記の表に示した結合性（けつごうせい）は、優先順位とあわせて知っておきたい概念です。結合性は、例えば「A○B△C」のように演算子の○と△が隣接していて、しかも○と△の優先順位が等しいときに、○と△のどちらを先に計算するのかを決めます。左結合（ひだりけつごう）の場合には左側にある○を先に、右結合（みぎけつごう）の場合には右側にある△を先に計算します。

例えば「2-3+4」のような式において、-と+は優先順位が同じなので、結合性に基づいて計算の順序を決めます。-と+は左結合なので、「(2-3) +4」のように計算し、結果は3になります。これは算数や数学と同じ結果です。仮に-と+が右結合ならば、「2- (3+4)」のように計算し、結果は-5になります。

-と+の結合性を確認してみましょう。**2-3+4を計算して結果を出力**するプログラムを書いてみてください。

▼prec2.c

```
#include <stdio.h>
int main(void) {
    printf("2-3+4=%d\n", 2-3+4);
}
```

▼実行例

```
> gcc -o prec2 prec2.c
> prec2
2-3+4=3   ← 2-3が先に計算される
```

演算子の優先順位や結合性を理解すると、式を簡潔に書いたり、式を正しく理解したりできます。先ほどの優先順位と結合性の表を覚えていると便利ですが、必要になったときに調べるのでも大丈夫です（先ほどのページに付箋を貼って、すぐに開けるようにしておくとよいでしょう）。また「比較はビット演算よりも優先順位が高い」とか、「代入はカンマ以外の全ての演算よりも優先順位が低い」といったように、自分がよく使うポイントに注目して覚えるのもおすすめです。

次は、意図した通りの計算結果を得るために重要な、型変換について学びます。

❖型変換を使って適切な計算結果を得る

型（かた）は値の種類を表す概念です。例えば整数を表す整数型（せいすうがた）、浮動小数点数を表す浮動小数点数型（ふどうしょうすうてんすうがた）などがあります。C言語には数多くの型があり、整数型や浮動小数点数型についても、それぞれ複数の型があります（Chapter5）。

型変換（かたへんかん）というのは、ある型の値を別の型の値に変換することです。型変換には、必要な場面で自動的に型変換が行われる**暗黙の変換**（あんもくのへんかん）と、プログラマが明示的に型変換を行う**キャスト**があります。キャスト（cast）という言葉には、演劇などで「役を割り当てる」という意味がありますが、C言語のキャストは、値に対してプログラマが指定した型を割り当てます。

ところで、今までに整数同士や浮動小数点数同士の計算を学びましたが、整数と浮動小数点数の両方を使った計算はまだ試していませんでした。整数と浮動小数点数が混在する計算は、暗黙の変換やキャストを学ぶのに適した題材なので、実際に色々な計算をしながら型変換について学んでみましょう。

例えば、88円の商品を1割引で買ったときの価格を求めてみましょう。**88に0.9を乗算した結果を出力**するプログラムを書いてください。結果は浮動小数点数になるので、printf関数の変換指定には%gや%fを使います。

▼conv.c

```
#include <stdio.h>
int main(void) {
    printf("%g\n", 88*0.9);
}
```

上記でファイル名の「conv」は、conversion(変換)の略です。変換指定は%gを使いました。

▼実行例

```
> gcc -o conv conv.c
> conv
79.2  ← 結果は浮動小数点数
```

上記のように、整数と浮動小数点数を乗算した結果は、浮動小数点数になります。整数と浮動小数点数に算術演算子(+、-、*、/、%)を適用すると、整数が浮動小数点数に変換されてから計算が実行され、計算の結果も浮動小数点数になります。これは暗黙の変換の一種で、算術変換(さんじゅつへんかん)とも呼ばれます。

▼暗黙の変換(算術変換)

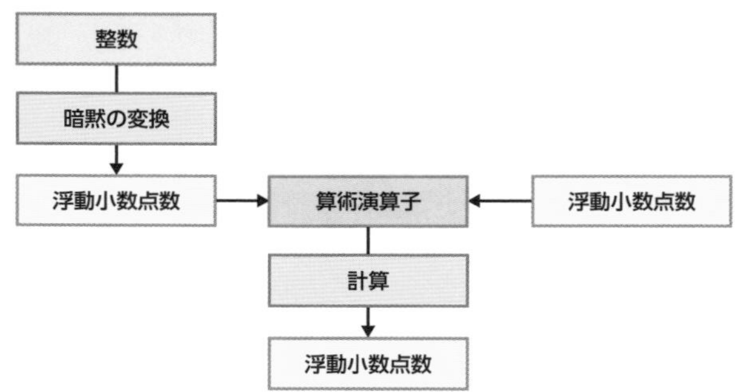

今度はキャストを使ってみましょう。キャストを行うには、次のようなキャスト演算子を書きます。C言語の文法では、+や*などの算術演算子と同様に、キャスト演算子も演算子の一種です。

▼キャスト演算子

```
(型)式
```

式の前に、型の名前を( )(丸括弧)で囲んで書きます。キャストを行うと、式の値の型を、指定した型の値に変換できます。

キャストを使って、先ほど求めた価格(79.2)を整数に変換してみましょう。**88に0.9を乗算した結果を整数に変換して出力**するプログラムを書いてください。型にはint(イント)を指定します。intはinteger(インテジャー、整数)の略で、C言語における整数型の一つです。結果は整数になるので、printf関数の変換指定には%dを使います。

▼conv2.c

```
#include <stdio.h>
int main(void) {
    printf("%d\n", (int)(88*0.9));
}
```

キャストは乗算よりも演算子の優先順位が高いので、「88*0.9」という式を( )で囲んで、「(int)(88*0.9)」のように書いていることに注意してください。この式は次のように計算を行います。

```
(int)(88*0.9) → (int)79.2 → 79
```

もし「(int)88*0.9」とすると、「(int)88」を先に計算(変換)します。88を整数に変換した後に0.9を乗算するので、意図した結果になりません。

```
(int)88*0.9 → ((int)88)*0.9 → 88*0.9 → 79.2
```

プログラムの実行結果は次の通りです。浮動小数点数を整数に変換するときには、0への丸めが行われます。正数・負数ともに、変換の結果は0に近づきます。例えば79.2は79に、-79.2は-79に変換されます。

▼実行例

```
> gcc -o conv2 conv2.c
> conv2
79  ← 結果は整数
```

上記では浮動小数点数を整数に変換しましたが、今度は逆に、整数を浮動小数点数に変換してみましょう。試験の平均点を求めるときなどに使える処理です。**85、90、95、100の平均を計算して出力**するプログラムを書いてください。まずは単純に、4個の整数を合計してから、4で割ってみます。

▼conv3.c

```
#include <stdio.h>
int main(void) {
    printf("%d\n", (85+90+95+100)/4);
}
```

▼実行例

```
> gcc -o conv3 conv3.c
> conv3
92  ← 結果は整数
```

前述のように、整数同士の除算は結果も整数になります。上記で平均を小数点以下まで求めるには、結果を浮動小数点数にする必要があります。先ほど学んだ暗黙の変換を利用してみましょう。**85、90、95、100を合計した後に、4.0で割った結果を出力**するプログラムを書いてみてください。結果は浮動小数点数になるので、printf関数の変換指定には%gや%fを使います。

▼conv4.c

```
#include <stdio.h>
int main(void) {
    printf("%g\n", (85+90+95+100)/4.0);
}
```

上記において、「(85+90+95+100)」は整数で、4.0は浮動小数点数です。整数と浮動小数点数の間に算術演算子を適用すると、次のように整数が浮動小数点数に変換されてから計算が実行され、結果は浮動小数点数になります。

```
(85+90+95+100)/4.0
→ 370/4.0
→ 370.0/4.0
→ 92.5
```

▼実行例

```
> gcc -o conv4 conv4.c
> conv4
92.5  ← 結果は浮動小数点数
```

一方、キャストを使って結果を浮動小数点数にすることもできます。**85、90、95、100を合計した後に、浮動小数点数に変換してから、4で割った結果を出力**するプログラムを書いてみてください。変換にはキャストを使い、型にはdouble（ダブル）を指定します。doubleはC言語における浮動小数点数型の一つで、倍精度浮動小数点数（ばいせいどふどうしょうすうてんすう、double-precision floating-point number）を表します。

▼conv5.c

```
#include <stdio.h>
int main(void) {
    printf("%g\n", (double)(85+90+95+100)/4);
}
```

キャストは除算よりも演算子の優先順位が高いので、「(double)」の方が「/4」よりも先に計算されることに注意してください。「(double)(85+90+95+100)/4」という式は、次のように計算されます。

```
(double)(85+90+95+100)/4
→ ((double)(85+90+95+100))/4
→ ((double)370)/4
→ 370.0/4
→ 370.0/4.0
→ 92.5
```

▼実行例

```
> gcc -o conv5 conv5.c
> conv5
92.5  ← 結果は浮動小数点数
```

もし「/4」を先に計算してから、「(double)」で浮動小数点数に変換すると、結果は92と92.5のどちらになるでしょうか。結果を予想してから、**85、90、95、100を合計して4で割った後に、浮動小数点数に変換した結果を出力**するプログラムを書いてみてください。

▼conv6.c

```
#include <stdio.h>
int main(void) {
    printf("%g\n", (double)((85+90+95+100)/4));
}
```

▼実行例

```
> gcc -o conv6 conv6.c
> conv6
92  ← 結果は浮動小数点数だが、92.5ではない
```

結果は92.5ではなく、92になります。次のように、整数同士の除算である「(85+90+95+100)/4」を計算した時点で、小数点以下の0.5が失われて92になっているためです。この92を浮動小数点数に変換しても、92.0にしかなりません。上記のプログラムでは、変換指定に%gを使ったので、「.0」は省略して92を出力します。

```
(double)((85+90+95+100)/4)
→ (double)(370/4)
→ (double)92
→ 92.0
```

このように整数と浮動小数点数が混在する計算を行うときには、結果の型に注意してください。そして暗黙の変換やキャストを利用して、狙った通りの計算結果が得られるように、式を組み立ててみてください。

次は、整数を2進数として操作するビット演算子とシフト演算子について学びます。

section 02 2進数を操作するビット演算子とシフト演算子

ビット演算子やシフト演算子は算術演算子の一種です。いずれの演算子も、整数を2進数として操作するために使います。これらの演算子は、ハードウェアの制御や通信などを行うプログラムで活躍するほか、乗算・除算・剰余などの計算を高速化するためにも役立ちます。

開発するプログラムの種類によって、ビット演算子やシフト演算子を駆使する場合と、あまり使わない場合があります。もし先を急いでいるならば、このセクションは後で読んでも構いません。もし多少の余裕があるならば、これらの演算子や、2進数・8進数・10進数・16進数の関係について、このセクションで学んでみてください。C言語に限らず、コンピュータのハードウェアやソフトウェアを理解する上で、広範に役立つ知識が得られます。

さて、ビット演算子には次の4種類があります。~は単項演算子で、&、|、^は二項演算子です。整数に対して、ビット単位の論理演算を行います。

▼ビット演算子

演算子	記号の名称	機能	使い方	演算の結果
~	チルダ	否定(NOT)	~A	Aの否定
&	アンパサンド	論理積(AND)	A&B	AとBの論理積
|	バーティカルバー	論理和(OR)	A|B	AとBの論理和
^	ハット	排他的論理和(XOR)	A^B	AとBの排他的論理和

一方、シフト演算子には次の2種類があります。いずれも二項演算子です。整数を指定したビット数だけシフトする(ずらす)演算を行います。「ずらす」というのがどんな操作なのか、詳しくは後述します。

▼シフト演算子

演算子	記号の名称	機能	使い方	演算の結果
<<	小なり(2個)	左シフト	A<<B	Aを左にBビットシフトした値
>>	大なり(2個)	右シフト	A>>B	Aを右にBビットシフトした値

ビット演算子とシフト演算子は、整数に対して適用できます。浮動小数点数に対しては適用できません。

❖2進数は16進数を使うと記述しやすい

ビット演算子やシフト演算子は整数を2進数として扱うので、これらの演算子を使うには2進数の知識が必要です。以下の対応表で、2進数・8進数・10進数・16進数の関係を確認してみましょう。

▼2進数、8進数、10進数、16進数の対応表

2進数	8進数	10進数	16進数	説明
0	0	0	0	
1	1	1	1	
10	2	2	2	2進数の桁数が増える
11	3	3	3	
100	4	4	4	2進数の桁数が増える
101	5	5	5	
110	6	6	6	
111	7	7	7	
1000	10	8	8	2進数と8進数の桁数が増える
1001	11	9	9	
1010	12	10	a	10進数の桁数が増える
1011	13	11	b	
1100	14	12	c	
1101	15	13	d	
1110	16	14	e	
1111	17	15	f	
10000	20	16	10	2進数と16進数の桁数が増える

桁数が増えるタイミングに注目してください。2進数は2のべき乗(2、4、8…)ごとに、8進数は8のべき乗(8、64、512…)ごとに、10進数は10のべき乗(10、100、1000…)ごとに、16進数は16のべき乗(16、256、4096…)ごとに、それぞれ桁数が増えます。

2進数・8進数・16進数については、桁数が増えるタイミングが一致します。2進数が3桁増えるごとに8進数が1桁増え、2進数が4桁増えるごとに16進数が1桁増えます。見方を変えると、2進数の3桁を8進数の1桁で、2進数の4桁を16進数の1桁で表せるということです。

2進数は桁数が多くなりがちなので、8進数や16進数で記述することがありますが、おすすめなのは16進数です。コンピュータでは8・16・32といったビット数の値をよく使いますが、これらは4の倍数なので、16進数ならば切りが良い値になるためです。8ビット(8桁の2進数)は2桁の16進数で、16ビット(16桁の2進数)は4桁の16進数で、32ビット(32桁の2進数)は8桁の16進数で、それぞれ表せます。

▼2進数を16進数で表す

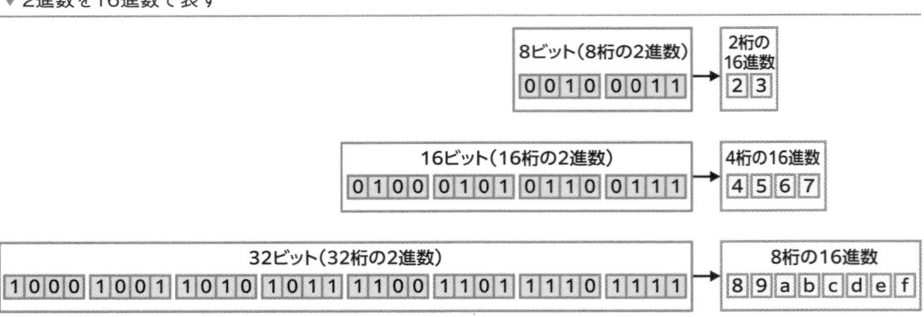

以下では簡単なプログラムを書きながら、ビット演算子やシフト演算子の使い方を学びます。先ほどの対応表を見ながら、問題を解いてみてください。

0と1を反転する~演算子

~は否定(ひてい)を計算する演算子で、使い方は「~A」です(Aは整数)。否定はNOT(ノット)とも呼ばれます。~は入力された値から、ビット単位で0を1に、1を0に反転した出力を求めます。

▼~演算子によるビットの計算

入力	出力
0	1
1	0

~を使ってみましょう。**0の否定を計算して出力**するプログラムを書いてみてく

ださい。結果は16進数で表示すると分かりやすいので、printf関数の変換指定には%xを使います。

▼not.c

```
#include <stdio.h>
int main(void) {
    printf("%x\n", ~0);
}
```

▼実行例

```
> gcc -o not not.c
> not
ffffffff   ← 2進数で11111111111111111111111111111111(32桁の1)
```

結果はffffffffで、2進数では32桁の1になります。C言語では環境によって整数のビット数が異なりますが、上記では32ビットの整数が使われています。32ビットで整数の0を表すと、32桁の0になります。これに~を適用して、各桁を0から1に反転すると、32桁の1になるというわけです。0と、その否定である16進数のffffffffを、2進数とともに以下の表に示しました。分かりやすくするために、2進数は4桁(16進数の1桁に相当)ごとに区切っています。

▼0の否定

16進数	2進数
00000000	0000 0000 0000 0000 0000 0000 0000 0000
ffffffff	1111 1111 1111 1111 1111 1111 1111 1111

次は~を使った問題です。16進数の0f0f00ffをビット単位で反転すると、どんな値になるでしょうか。結果を予想してから、**0x0f0f00ffの否定を計算して出力**するプログラムを書いてみてください。

▼not2.c

```
#include <stdio.h>
int main(void) {
    printf("%x\n", ~0x0f0f00ff);
}
```

▼実行例

```
> gcc -o not2 not2.c
> not2
f0f0ff00   ← 0f0f00ffをビット単位で反転した値
```

16進数の0は2進数の0000なので、反転すると2進数の1111、16進数のfになります。逆に、16進数のfは2進数の1111なので、反転すると2進数の0000、16進数の0になります。したがって、~で16進数の0はfに、fは0になります。

▼0f0f00ffの否定

16進数	2進数
0f0f00ff	0000 1111 0000 1111 0000 0000 1111 1111
f0f0ff00	1111 0000 1111 0000 1111 1111 0000 0000

もう少し難しい例を考えてみましょう。16進数の01234567をビット単位で反転すると、どんな値になるでしょうか。結果を予想してから、**0x01234567の否定を計算して出力**するプログラムを書いてみてください。

▼not3.c

```
#include <stdio.h>
int main(void) {
    printf("%x\n", ~0x01234567);
}
```

▼実行例

```
> gcc -o not3 not3.c
> not3
fedcba98   ← 01234567をビット単位で反転した値
```

以下の表で2進数を見比べると、確かにビット単位で0と1が反転されていることが分かります。

▼01234567の否定

16進数	2進数
01234567	0000 0001 0010 0011 0100 0101 0110 0111
fedcba98	1111 1110 1101 1100 1011 1010 1001 1000

❖特定のビットを取り出す&演算子

&は論理積(ろんりせき)を計算する演算子で、使い方は「A&B」です(AとBは整数)。論理積はAND(アンド)とも呼ばれます。&は2個の入力から、次のように出力を求めます。入力が両方とも1の場合だけ出力が1になる、と考えると覚えやすいでしょう。

▼&演算子によるビットの計算

入力A	入力B	出力
0	0	0
0	1	0
1	0	0
1	1	1

&は値から特定のビットを取り出す目的に使えます。値の中の特定のビットだけを残して、他のビットを0にできます。例えば、16進数の01234567から、3と4の部分だけを取り出してみましょう。**0x01234567と0x000ff000の論理積を計算して出力**するプログラムを書いてみてください。

▼and.c

```
#include <stdio.h>
int main(void) {
    printf("%08x\n", 0x01234567&0x000ff000);
}
```

出力を見やすくするために、printf関数の変換指定には%08xを使いました。この変換指定は8桁の16進数を出力します。8桁に満たない部分には0を詰めて、8桁に揃えます。

▼実行例

```
> gcc -o and and.c
> and
00034000  ←3と4の部分だけを残して、他の部分を0にした
```

16進数の01234567と000ff000を、2進数とともに以下の表に示しました。各ビットに論理積を適用すると、00034000が得られます。

▼01234567と000ff000の論理積

16進数	2進数
01234567	0000 0001 0010 0011 0100 0101 0110 0111
000ff000	0000 0000 0000 1111 1111 0000 0000 0000
00034000	0000 0000 0000 0011 0100 0000 0000 0000

同様に、**16進数の01234567の中から1と5の部分だけを取り出して出力**するプログラムを書いてみてください。01234567と、どんな値の論理積を求めればよいでしょうか。

▼and2.c

```
#include <stdio.h>
int main(void) {
    printf("%08x\n", 0x01234567&0x0f000f00);
}
```

1と5の部分をfとし、他の部分を0とした0f000f00を使って論理積を求めることで、次のように1と5を取り出せます。なお、ここでは分かりやすくするために、16進数の1桁ごとに取り出しましたが、本来は2進数の1桁ごと、つまりビット単位で任意の部分を取り出すことが可能です。

▼実行例

```
> gcc -o and2 and2.c
> and2
01000500   ← 1と5の部分だけを残して、他の部分を0にした
```

16進数の01234567と0f000f00を以下の表に示しました。各ビットに論理積を適用すると、01000500が得られます。

▼01234567と0f000f00の論理積

16進数	2進数
01234567	0000 0001 0010 0011 0100 0101 0110 0111
0f000f00	0000 1111 0000 0000 0000 1111 0000 0000
01000500	0000 0001 0000 0000 0000 0101 0000 0000

一方で、&は2のべき乗(2、4、8、16…)で割ったときの剰余を求める目的にも

使えます。%を使っても構わないのですが、一般に&の方が高速に実行できます。2のべき乗以外の剰余については、%を使って求めます。

「2^n」(2のn乗)で割ったときの剰余を求めるには、「2^n-1」を使った論理積を計算します。例えば、「4 (2^2)」で割った余りを求めるには、「4-1=3」を使った論理積を計算します。**4、5、6、7を4で割った余りを論理積を使って計算し出力**するプログラムを書いてみてください。printf関数の変換指定は%dを使って、結果を10進数で表示します。

▼and3.c

```
#include <stdio.h>
int main(void) {
    printf("%d\n", 4&3);
    printf("%d\n", 5&3);
    printf("%d\n", 6&3);
    printf("%d\n", 7&3);
}
```

▼実行例

```
> gcc -o and3 and3.c
> and3
0  ← 4を4で割った余り
1  ← 5を4で割った余り
2  ← 6を4で割った余り
3  ← 7を4で割った余り
```

同様に、**10、20、30、40を8で割った余りを論理積を使って計算し出力**するプログラムを書いてみてください。8で割った余りを求めるには、どんな値で論理積を求めればよいでしょうか。

▼and4.c

```
#include <stdio.h>
int main(void) {
    printf("%d\n", 10&7);
    printf("%d\n", 20&7);
    printf("%d\n", 30&7);
    printf("%d\n", 40&7);
}
```

上記のように、「8 (2^3)」で割った余りを求めるには、「8-1=7」を使った論理積を計算します。実行結果は次の通りで、正しく剰余が求められています。

▼実行例

```
> gcc -o and4 and4.c
> and4
2  ← 10を8で割った余り
4  ← 20を8で割った余り
6  ← 30を8で割った余り
0  ← 40を8で割った余り
```

正数を「2^n」で割ったときの剰余は、&と%の計算結果が一致します。一方、負数を「2^n」で割ったときの剰余については、&と%の計算結果が一致しない(符号が異なる)ので、注意が必要です。

❖特定のビットを1にする|演算子

|は**論理和**(ろんりわ)を計算する演算子で、使い方は「A|B」です(AとBは整数)。論理和は**OR**(オア)とも呼ばれます。|は2個の入力から、次のように出力を求めます。入力が両方とも0の場合だけ出力が0になる、と考えると覚えやすいでしょう。

▼|演算子によるビットの計算

入力A	入力B	出力
0	0	0
0	1	1
1	0	1
1	1	1

|は値の中にある特定のビットを1にする目的に使えます。特定のビットだけを1にして、他のビットは元の値のまま保つことができます。例えば、**16進数の01234567の2と6の部分を論理和を使ってfにして出力**するプログラムを書いてみてください。printfの変換指定は%08xを使います。

▼or.c

```
#include <stdio.h>
int main(void) {
    printf("%08x\n", 0x01234567|0x00f000f0);
}
```

▼実行例

```
> gcc -o or or.c
> or
01f345f7   ← 2と6の部分をfにして、他のビットは元の値のまま
```

16進数の01234567と00f000f0を、2進数とともに以下の表に示しました。各ビットに論理和を適用して、結果の01f345f7が得られることを確認してみてください。

▼01234567と00f000f0の論理和

16進数	2進数
01234567	0000 0001 0010 0011 0100 0101 0110 0111
00f000f0	0000 0000 1111 0000 0000 0000 1111 0000
01f345f7	0000 0001 1111 0011 0100 0101 1111 0111

同様に、**16進数の01234567の最上位ビット（最も左側のビット）を1にして出力**するプログラムを書いてみてください。論理和を使って最上位ビットだけを1にし、他のビットは元の値のまま保ちます。どんな値で論理和を求めればよいでしょうか。

▼or2.c

```
#include <stdio.h>
int main(void) {
    printf("%08x\n", 0x01234567|0x80000000);
}
```

▼実行例

```
> gcc -o or2 or2.c
> or2
81234567   ← 最上位ビットを1にし、他のビットは元の値のまま
```

16進数の01234567と80000000を、2進数とともに以下の表に示しました。最上位ビットが1になり、他のビットは元のままなので、結果は81234567になります。

▼01234567と80000000の論理和

16進数	2進数
01234567	0000 0001 0010 0011 0100 0101 0110 0111
80000000	1000 0000 0000 0000 0000 0000 0000 0000
81234567	1000 0001 0010 0011 0100 0101 0110 0111

❖特定のビットを反転する^演算子

^は排他的論理和（はいたてきろんりわ）を計算する演算子で、使い方は「A^B」です（AとBは整数）。排他的論理和はXOR（エックスオア）とも呼ばれます。XORはexclusive or（エクスクルーシブ・オア、排他的論理和）を表します。

^は2個の入力から、次のように出力を求めます。入力が同じ場合は0になり、入力が異なる場合は1になる、と考えると覚えやすいでしょう。

▼^演算子によるビットの計算

入力A	入力B	出力
0	0	0
0	1	1
1	0	1
1	1	0

^は値の中にある特定のビットを反転（0を1に、1を0に）する目的に使えます。特定のビットだけを反転して、他のビットは元の値のまま保つことができます。例えば、**16進数の01234567について、奇数（1、3、5、7）の部分を排他的論理和で反転して出力**するプログラムを書いてみてください。

▼xor.c

```
#include <stdio.h>
int main(void) {
    printf("%08x\n", 0x01234567^0x0f0f0f0f);
}
```

▼実行例

```
> gcc -o xor xor.c
> xor
0e2c4a68  ← 1、3、5、7の部分を反転し、他のビットは元の値のまま
```

16進数の01234567と0f0f0f0fを、2進数とともに以下の表に示しました。各ビットに排他的論理和を適用して、結果の0e2c4a68が得られることを確認してください。

▼01234567と0f0f0f0fの排他的論理和

16進数	2進数
01234567	0000 0001 0010 0011 0100 0101 0110 0111
0f0f0f0f	0000 1111 0000 1111 0000 1111 0000 1111
0e2c4a68	0000 1110 0010 1100 0100 1010 0110 1000

排他的論理和には、同じ排他的論理和を2回適用すると、元の値に戻るという性質があります。先ほどの問題で求めた、01234567と0f0f0f0fの排他的論理和である0e2c4a68を使って、実験してみましょう。**16進数の0e2c4a68と0f0f0f0fの排他的論理和を出力**するプログラムを書いてください。元の01234567に戻れば成功です。

▼xor2.c

```
#include <stdio.h>
int main(void) {
    printf("%08x\n", 0x0e2c4a68^0x0f0f0f0f);
}
```

▼実行例

```
> gcc -o xor2 xor2.c
> xor2
01234567  ← 元の01234567に戻った
```

排他的論理和には、同じ値同士の排他的論理和は0になるという性質もあります。これは機械語やアセンブリ言語において、0の値を作るために使うことがあります。**16進数の01234567と01234567の排他的論理和を出力**するプログラムを書い

て、結果が0になることを確かめてみてください。

▼xor3.c

```
#include <stdio.h>
int main(void) {
    printf("%08x\n", 0x01234567^0x01234567);
}
```

▼実行例

```
> gcc -o xor3 xor3.c
> xor3
00000000  ← 結果が0になった
```

❖乗算の代わりに使える<<演算子

<<は左シフトを行う演算子で、使い方は「A<<B」です(AとBは0以上の整数)。AをBビット(2進数でB桁)左にずらした値を計算します。AとBは0以上である(負数ではない)ことに注意してください。

<<を使ってみましょう。**16進数の1234を、左に0、4、8、12、16ビットシフトした結果を出力**するプログラムを書いてみてください。

▼lshift.c

```
#include <stdio.h>
int main(void) {
    printf("%08x\n", 0x1234<<0);
    printf("%08x\n", 0x1234<<4);
    printf("%08x\n", 0x1234<<8);
    printf("%08x\n", 0x1234<<12);
    printf("%08x\n", 0x1234<<16);
}
```

出力を見やすくするために、printf関数の変換指定には%08xを使って、8桁の16進数で出力しました。実行すると、次のように元の値を左へずらした値が得られます。空いた右端の部分は0になります。ここでは結果を確認しやすいように、4の倍数でシフトすることによって、16進数で1桁ずつずれるようにしました。

▼実行例

```
> gcc -o lshift lshift.c
> lshift
00001234   ← 左に0ビットシフト(元の値)
00012340   ← 左に4ビットシフト(16進数で1桁左にずらす)
00123400   ← 左に8ビットシフト(16進数で2桁左にずらす)
01234000   ← 左に12ビットシフト(16進数で3桁左にずらす)
12340000   ← 左に16ビットシフト(16進数で4桁左にずらす)
```

さらに値を左にずらすと、どうなるのでしょうか。**16進数の1234を、左に20、24、28ビットシフトした結果を出力**するプログラムを書いてみてください。

▼lshift2.c

```
#include <stdio.h>
int main(void) {
    printf("%08x\n", 0x1234<<20);
    printf("%08x\n", 0x1234<<24);
    printf("%08x\n", 0x1234<<28);
}
```

このプログラムをGCC/Clangでコンパイルすると、次のような警告が表示されます。これは左シフトの結果が、使用している整数型(ここではint)で表せるビット数(この環境では32ビット)を超えてしまう、という警告です。

▼警告メッセージ(GCC)

```
lshift2.c:3:25: warning: result of '4660 << 20' requires 34 bits to represent, but 'int' only has 32 bits [-Wshift-overflow=]
(lshift2.c:3行目:25桁目: 警告:「4660<<20」の結果を表現するために34ビットが必要だが、intは32ビットしかない [-Wshift-overflow=オプション])
  printf("%08x\n", 0x1234<<20);
                         ^~
```

▼警告メッセージ(Clang)

```
lshift2.c:3:25: warning: signed shift result (0x123400000) requires 34
bits to represent, but 'int' only has 32 bits [-Wshift-overflow]
（lshift2.c:3行目:25桁目: 警告: 符号付きシフトの結果（0x123400000）を表現するために
34ビットが必要だが、intは32ビットしかない [-Wshift-overflowオプション]）
        printf("%08x\n", 0x1234<<20);
                         ~~~~~~^ ~~
```

左シフトの結果が、使用している整数型のビット数を超える場合、左端から出た値は捨てられます。上記のように警告は表示されますが、プログラムは実行できるので、実行して確かめてみてください。

▼実行例

```
> gcc -o lshift2 lshift2.c
> lshift2
23400000   ← 左に20ビットシフト(左端から出た1は捨てる)
34000000   ← 左に24ビットシフト(左端から出た12は捨てる)
40000000   ← 左に28ビットシフト(左端から出た123は捨てる)
```

もし左に32ビットシフトすると、左端から出た1234が捨てられて00000000になりそうですが、実は意外な結果になります。これは後ほど本章で、未定義の動作に関連して紹介します。

さて、左シフトは乗算(掛け算)の代わりに使えます。2進数で1桁左にずらすごとに、値を2倍にできます。2桁ずらせば4倍、3桁ずらせば8倍です。CPUによりますが、シフトの方が乗算よりも高速なことはよくあるので、プログラムを速くしたいときに、乗算の代わりにシフトを使うことがあります。

2、4、8といった2のべき乗倍以外の乗算は、シフトと加算(足し算)または減算(引き算)の組み合わせで実現できます。例えば3倍は、2倍+1倍と考えると、「元の値を左に1ビットシフトした値」と「元の値」の加算で表せます。加算や減算は乗算よりも高速なことが珍しくないので、乗算の代わりにシフト・加算・減算を使うと、プログラムを速くできる場合があります。

乗算を左シフト・加算・減算で実現してみましょう。**10進数の100を2、3、4、5、6、7、8、9、10倍した値を出力**するプログラムを書いてください。結果は10進数で出力します。

▼lshift3.c

```
#include <stdio.h>
int main(void) {
    printf("%4d\n", 100);
    printf("%4d\n", 100<<1);
    printf("%4d\n", (100<<1)+100);
    printf("%4d\n", 100<<2);
    printf("%4d\n", (100<<2)+100);
    printf("%4d\n", (100<<2)+(100<<1));
    printf("%4d\n", (100<<3)-100);
    printf("%4d\n", (100<<3));
    printf("%4d\n", (100<<3)+100);
    printf("%4d\n", (100<<3)+(100<<1));
}
```

▼実行例

```
> gcc -o lshift3 lshift3.c
> lshift3
 100  ← 元の値
 200  ← 2倍(左に1ビットシフト)
 300  ← 3倍(左に1ビットシフト + 元の値)
 400  ← 4倍(左に2ビットシフト)
 500  ← 5倍(左に2ビットシフト + 元の値)
 600  ← 6倍(左に2ビットシフト + 左に1ビットシフト)
 700  ← 7倍(左に3ビットシフト - 元の値)
 800  ← 8倍(左に3ビットシフト)
 900  ← 9倍(左に3ビットシフト + 元の値)
1000  ← 10倍(左に3ビットシフト + 左に1ビットシフト)
```

❖除算の代わりに使える>>演算子

>>は右シフトを行う演算子で、使い方は「A>>B」です(Aは整数、Bは0以上の整数)。AをBビット(2進数でB桁)右にずらした値を計算します。Aは負数でも構いませんが、Bは0以上である(負数ではない)必要があります。

>>を使ってみましょう。**16進数の1234を、右に0、4、8、12、16ビットシフトした結果を出力**するプログラムを書いてみてください。

▼rshift.c

```
#include <stdio.h>
int main(void) {
    printf("%08x\n", 0x1234>>0);
    printf("%08x\n", 0x1234>>4);
    printf("%08x\n", 0x1234>>8);
    printf("%08x\n", 0x1234>>12);
    printf("%08x\n", 0x1234>>16);
}
```

右シフトにおいて、右端から出た値は捨てられます。左シフトの場合とは異なり、コンパイルの際に警告は表示されません。

▼実行例

```
> gcc -o rshift rshift.c
> rshift
00001234  ← 右に0ビットシフト(元の値)
00000123  ← 右に4ビットシフト(16進数で1桁右にずらす)
00000012  ← 右に8ビットシフト(16進数で2桁右にずらす)
00000001  ← 右に12ビットシフト(16進数で3桁右にずらす)
00000000  ← 右に16ビットシフト(16進数で4桁右にずらす)
```

左シフトが乗算の代わりになるのと同様に、右シフトは除算(割り算)の代わりに使えます。2進数で1桁右にずらすごとに、値を1/2にできます。2桁ずらせば1/4、3桁ずらせば1/8です。除算よりもシフトが高速なことはよくあるので、プログラムを速くしたいときには、2のべき乗による除算の代わりに右シフトを使うことがあります。

なお、2のべき乗で割り切れないときの結果は、本来の値を丸めた整数になります。正数を右シフトした場合は0への丸めを行い、負数を右シフトした場合は処理系定義の動作(本章で後述)を行います。

除算を右シフトで実現してみましょう。**10進数の100を2、4、8、16、32、64、128、256で割った値を出力**するプログラムを書いてください。

▼rshift2.c

```
#include <stdio.h>
int main(void) {
    printf("%4d\n", 100);
    printf("%4d\n", 100>>1);
    printf("%4d\n", 100>>2);
    printf("%4d\n", 100>>3);
    printf("%4d\n", 100>>4);
    printf("%4d\n", 100>>5);
    printf("%4d\n", 100>>6);
    printf("%4d\n", 100>>7);
    printf("%4d\n", 100>>8);
}
```

以下が実行結果です。比較用に、整数の100を除算した結果と、浮動小数点数の100.0を除算した結果も示しました。右シフトの結果が、整数の除算結果に一致していることと、浮動小数点数の除算に0への丸めを適用した結果に一致していることを、確認してください。

▼実行例

```
> gcc -o rshift2 rshift2.c
> rshift2
 100  ← 元の値
  50  ← 右に1ビットシフト、100/2は50、100.0/2は50
  25  ← 右に2ビットシフト、100/4は25、100.0/4は25
  12  ← 右に3ビットシフト、100/8は12、100.0/8は12.5
   6  ← 右に4ビットシフト、100/16は6、100.0/16は6.25
   3  ← 右に5ビットシフト、100/32は3、100.0/32は3.125
   1  ← 右に6ビットシフト、100/64は1、100.0/64は1.5625
   0  ← 右に7ビットシフト、100/128は0、100.0/128は0.78125
   0  ← 右に8ビットシフト、100/256は0、100.0/256は0.390625
```

ビット演算子やシフト演算子の使い方を、実際にプログラムを動かしながら学んできました。次は、C言語のプログラムが環境によって異なる動きをする場合について学びます。

section 03 環境によるプログラムの動作の違いに注意する

C言語は色々な環境で利用できます。一方で、環境ごとにプログラムの動作が異なることも珍しくありません。ある環境で正しく動いているプログラムでも、CPUやOSや処理系（Cコンパイラ）などが変わると、問題が起きる可能性があります。同じプログラムを色々な環境で使いたい場合には、環境が変わったときにも正しく動くように、注意してプログラムを書く必要があります。

本章で学んでいる式の計算については、多くの注意点があります。このセクションでは代表的な注意点について詳しく学びますが、もし難しいと感じたら、先に進んでも構いません。また、このセクションのシフト演算子に関する項目は、前のセクションでシフト演算子を学んでからお読みください。

さて、色々な環境で問題なく動くプログラムを書くためには、未定義（みていぎ）・未規定（みきてい）・処理系定義（しょりけいていぎ）の動作を知っておくことが有効です。これらはプログラムの動作に関する分類で、概要は次の通りです。

▼未定義・未規定・処理系定義の動作

分類	プログラムの動作
未定義の動作	正しく動くことが保証されない
未規定の動作	正しく動くが、複数のパターンがある
処理系定義の動作	正しく動くが、複数のパターンがあり、文書化されている

未定義・未規定・処理系定義の動作に該当するプログラムは、正しく動かなかったり、正しく動いても環境によって動作が変わったりします。以下では未定義・未規定・処理系定義の動作について、実際にプログラムを動かしながら、詳しく学んでみましょう。まずは正しく動くことが保証されない、未定義の動作からです。

❖未定義の動作は何でも起こり得る

未定義の動作に該当するプログラムは、正しく動くことが保証されません。それどころか、何が起こっても不思議ではないので、未定義の動作になるプログラムを書いてはいけません。

C言語の文法に沿っていて、一見正しそうなプログラムでも、内容によっては未定義の動作になることがあります。プログラマは未定義の動作になる処理を知っておき、そのような処理を書かないように注意する必要があります。

例えば、整数を0で割る処理は未定義の動作です。実験してみましょう。**3/2と3/0の結果を出力**するプログラムを書いてみてください。除算には/を使い、printfの変換指定には%dを使います。

▼undef.c

```
#include <stdio.h>
int main(void) {
    printf("%d\n", 3/2);
    printf("%d\n", 3/0);
}
```

上記でファイル名の「undef」は、undefined(未定義)の略です。このプログラムをGCC/Clangでコンパイルすると、次のような警告が表示されます。これは0による除算が未定義である、という警告です。

▼警告メッセージ(GCC)

```
> gcc -o undef undef.c
undef.c:4:18: warning: division by zero [-Wdiv-by-zero]
(undef.c:4行目:18桁目: 警告: 0による除算 [-Wdiv-by-zeroオプション])
```

▼警告メッセージ(Clang)

```
> gcc -o undef undef.c
undef.c:4:18: warning: division by zero is undefined [-Wdivision-by-zero]
(undef.c:4行目:18桁目: 警告: 0による除算は未定義である [-Wdivision-by-zeroオプション])
```

警告は表示されますが、構わずにプログラムを実行してみてください。なお、環境や処理系の違いによって、以下の実行例とは異なる結果になる可能性があります。

Windows(GCC)の場合、「3/2」の結果は正しい値(1)ですが、「3/0」の結果は出力されません。プログラムは、しばらく応答しなくなった後に終了しました。

▼実行例（Windows, GCC）

```
> undef
1   ← 3/2の結果
    ← しばらく応答しなくなる
>   ← プログラムが終了する
```

Linux（GCC）の場合、「3/2」の結果は正しい値（1）ですが、「3/0」の結果は出力されません。Illegal instruction（不正な命令）というエラーメッセージを表示して、プログラムが終了しました。

▼実行例（Linux, GCC）

```
> undef
1
Illegal instruction (core dumped)
```

macOS（Clang）の場合、「3/2」の結果は正しい値（1）ですが、「3/0」の結果は正しくありません。しかも、実行するたびに値が変化しました。

▼実行例（macOS, Clang）

```
> undef
1              ← 3/2の結果
11748908       ← 3/0の結果（正しくない値）
> undef
1              ← 3/2の結果
48858668       ← 3/0の結果（正しくない値、前回とは異なる）
> undef
1              ← 3/2の結果
79283756       ← 3/0の結果（正しくない値、前回とは異なる）
```

「3/0」の結果は無限大になるのが正しいのですが、一般にコンピュータが使う整数は、無限大を表現できません。C言語において、整数を0で割る処理が未定義の動作なのは、整数で無限大を表現できないことが背景にあると思われます。

なお、IEEE 754に基づく浮動小数点数は無限大を表現できます。試しに**3.0/2と3.0/0の結果を出力**するプログラムを書いてみてください。

▼undef2.c

```
#include <stdio.h>
int main(void) {
    printf("%g\n", 3.0/2);
    printf("%g\n", 3.0/0);
}
```

実行すると、「3.0/2」は1.5、「3.0/0」は「inf」となります。infはinfinity（インフィニティ）の略で、無限大を意味します。IEEE 754に対応している環境においては、このように浮動小数点数を0で割った値を、正しく求められます。

▼実行例

```
> gcc -o undef2 undef2.c
> undef2
1.5   ← 3.0/2の結果
inf   ← 3.0/0の結果（無限大）
```

❖左シフトにおける未定義の動作

未定義の動作になる別の例を紹介しましょう。左シフトを行う「A<<B」において、シフトの回数を表すBがAのビット数以上の場合や、Bが負数の場合は未定義の動作です。例えば、**16進数の1234を、左に0、16、20、24、28、32ビットシフトした結果を出力**するプログラムを書いてみてください。

▼undef3.c

```
#include <stdio.h>
int main(void) {
    printf("%08x\n", 0x1234<<0);
    printf("%08x\n", 0x1234<<16);
    printf("%08x\n", 0x1234<<20);
    printf("%08x\n", 0x1234<<24);
    printf("%08x\n", 0x1234<<28);
    printf("%08x\n", 0x1234<<32);
}
```

このプログラムをGCC/Clangでコンパイルすると、次のような警告が表示されます。この環境では32ビットの整数が使われますが、32ビットのシフトに関しては、シフトの回数が整数のビット数以上になっています。

▼警告メッセージ(GCC)

```
> gcc -o undef3 undef3.c
undef3.c:8:25: warning: left shift count >= width of type [-Wshift-count-overflow]
(undef3.c:8行目:25桁目: 警告: 左シフトの回数が型のビット数以上である [-Wshift-count-overflowオプション])
```

▼警告メッセージ(Clang)

```
> gcc -o undef3 undef3.c
undef3.c:8:25: warning: shift count >= width of type [-Wshift-count-overflow]
(undef3.c:8行目:25桁目: 警告: シフトの回数が型のビット数以上である [-Wshift-count-overflowオプション])
```

警告を無視して実行してみます。Windows/Linux(GCC)の場合、32ビットシフトの結果は00000000になりました。

▼実行例(Windows/Linux, GCC)

```
> undef3
00001234  ← 元の値
12340000  ← 左に16ビットシフト
23400000  ← 左に20ビットシフト
34000000  ← 左に24ビットシフト
40000000  ← 左に28ビットシフト
00000000  ← 左に32ビットシフト
```

macOS(Clang)の場合、32ビット以外のシフトは正しく動きますが、32ビットシフトは結果が00000000にはならず、正しくない値になりました。しかも、実行するたびに結果が変わります。

▼実行例(macOS, Clang)

```
> undef3
00001234  ← 元の値
12340000  ← 左に16ビットシフト
23400000  ← 左に20ビットシフト
34000000  ← 左に24ビットシフト
40000000  ← 左に28ビットシフト
00c8c62c  ← 左に32ビットシフト(正しくない値、実行するたびに変わる)
```

未定義の動作になるプログラムは正しく動かないので、書いてはいけません。未定義の動作を避けるためには、コンパイラが表示する警告を無視せずに、プログラムを修正することが有効です。

次は正しく動くものの、動作に複数のパターンがある、未規定について学びましょう。

❖未規定の動作は一通りに絞れない

未規定の動作になるプログラムは、正しく動きますが、動作に複数のパターンがあります。環境によって動作が変わるかもしれませんし、同じ環境でも状況によって動作が変わるかもしれません。未規定の動作になる機能を使うときには、ある一通りの動作をするはずだ、と想定してはいけません。

未規定の動作としてぜひ知っておきたい例は、式の評価順序です。評価(ひょうか)というのは、式を計算して値を求めることです。評価順序というのは、式を構成する要素を評価する順序のことを指します。

式の評価順序は、本章の前半で学んだ演算子の優先順位と結合性で決まります。例えば「2+3*4」という式は、+よりも*の方が優先順位が高いので、次のように計算します。

```
2+3*4 → 2+(3*4) → 2+12 → 14
```

また、例えば「2+3+4」という式は、+が左結合なので、次のように左の+から計算します。

```
2+3+4 → (2+3)+4 → 5+4 → 9
```

この優先順位と結合性によって、式の評価順序は一通りに絞れるように思えますが、実は動作に複数のパターンが入る余地があります。それは部分式の評価順序です。例えば「(2+3)*(4+5)」という式には、部分式の「(2+3)」と「(4+5)」がありますが、次のようにどちらの部分式を先に評価しても構わないことになっています。

```
(2+3)*(4+5) → 5*(4+5) → 5*9 → 45
(2+3)*(4+5) → (2+3)*9 → 5*9 → 45
```

つまり、部分式の評価順序は未規定の動作です。そして、演算子の結合性と部分式の評価順序は無関係です。例えば+は左結合ですが、+の両辺にある部分式が左から評価されるわけではないので、注意してください。

「(2+3)*(4+5)」の場合には、「(2+3)」と「(4+5)」のどちらを先に評価しても、結果は同じ「5*9=45」になるので問題ありません。同様に多くの式については、部分式の評価順序が未規定の動作であっても問題はありませんが、式によっては問題が起きます。例えば「printf("a")+printf("b")」のような式です。

実はprintf関数は、戻り値として「出力した文字数」を返します。printf("a")とprintf("b")はいずれも1を返すので、「printf("a")+printf("b")」は「1+1」となり、結果は2です。この結果は、部分式の評価順序にかかわらず一定です。

しかし、部分式である「printf("a")」と「printf("b")」の評価順序は未規定の動作なので、どちらが先に評価されるのかは決まっていません。「printf("a")」が先かもしれないし、「printf("b")」が先かもしれません。つまり、abを出力するか、baを出力するかは、実行してみるまで分かりません。

・abを出力する場合

```
printf("a")+printf("b") → 1+printf("b") → 1+1 → 2
```

・baを出力する場合

```
printf("a")+printf("b") → printf("a")+1 → 1+1 → 2
```

実験してみましょう。**printf("a")+printf("b")の値を出力**するプログラムを書いてみてください。値は10進数で出力します。「printf("a")+printf("b")」の値を出力するのは、「式の結果を利用していない」という警告を避けるためです。

▼unspec.c

```
#include <stdio.h>
int main(void) {
    printf("%d\n", printf("a")+printf("b"));
}
```

上記でファイル名の「unspec」は、unspecified（未規定）の略です。このプログラムをGCC/Clangでコンパイルして実行したところ、次のような結果になりました。

▼実行例

```
> gcc -o unspec unspec.c
> unspec
ab2
```

ab2と表示されたので、「printf("a")」が先に、「printf("b")」が次に評価され、結果が2になったことが分かります。しかし、環境や状況が違えば、「printf("a")」と「printf("b")」の評価順序は変わる可能性があります。いつでも「printf("a")」が先に実行されるはず、と期待してはいけません。「printf("b")」が先に評価されて、ba2と表示されるかもしれません。

演算子の優先順位や結合性のように、部分式の評価順序も決まっていれば簡単なのに、と思うかもしれません。しかし、評価順序が決まっていないことによって、最適化（プログラムを高速化したりメモリの消費量を少なくしたりすること）の余地が生まれます。処理系（Cコンパイラ）は、式の内容やCPUの特性などに応じて、速度やメモリ消費などの点で有利になるように、部分式の評価順序を自由に選べます。評価順序が未規定の動作であることには、このように最適化における利点があります。

❖引数の評価順序における未規定の動作

部分式の評価順序と同様に、関数呼び出しにおける引数の評価順序も、未規定の動作です。例えば、「printf("%d%d\n", 2+3, 4+5)」という呼び出しには、「"%d%d\n"」、「2+3」、「4+5」という3個の引数がありますが、これらの引数が評価される順序は決まっていません。つまり、「2+3」と「4+5」のどちらが先に計算されるのかは、実行してみるまで分かりません。

・2+3が先に計算される場合

```
printf("%d%d\n", 2+3, 4+5)
→ printf("%d%d\n", 5, 4+5)
→ printf("%d%d\n", 5, 9)
```

・4+5が先に計算される場合

```
printf("%d%d\n", 2+3, 4+5)
→ printf("%d%d\n", 2+3, 9)
→ printf("%d%d\n", 5, 9)
```

関数が実行されるまでには、いずれの引数も評価が完了しています。上記の例では、printf関数が実行されるまでに、「2+3」と「4+5」はいずれも計算済みになるので、引数の評価順序に関わらず「59」が表示されます。同様に多くの場合では、引数の評価順序が未規定の動作でも問題がありません。

問題がある場合について、実験してみましょう。**printf("Left")とprintf("Right")の値をそれぞれ出力**するプログラムを書いてみてください。

▼unspec2.c

```
#include <stdio.h>
int main(void) {
    printf("%d%d\n", printf("Left"), printf("Right"));
}
```

このプログラムをGCC/Clangでコンパイルして実行したところ、次のような結果になりました。Windows/Linux（GCC）では、RightLeft（右、左）と表示されたので、「printf("Right")」が先に、「printf("Left")」が次に評価されたことが分かります。

▼実行例（Windows/Linux, GCC）

```
> gcc -o unspec2 unspec2.c
> unspec2
RightLeft45
```

macOS（Clang）では、逆にLeftRight（左、右）と表示されたので、「printf("Left")」が先に、「printf("Right")」が次に評価されたことが分かります。

▼実行例（macOS, Clang）

```
> gcc -o unspec2 unspec2.c
> unspec2
LeftRight45
```

環境や状況が違えば、これらの評価順序は変わる可能性があります。引数がどのような順序で実行されるのかは、実行してみるまで分かりません。

なお、45と表示されたのは、Leftが4文字、Rightが5文字だからです。仮に「printf("Right")」が先に評価されても、54ではなく、45と表示されることに注意してください。これは評価順序には関係なく、部分式（「printf("Left")」と「printf("Right")」）の並び順によって決まるので、常に45と表示されます。

部分式の評価順序と同様に、引数の評価順序が未規定の動作であることには、最適化における利点があります。処理系は、速度やメモリ消費などの点で有利になるように、引数の評価順序を自由に選べます。

さて、未規定の動作について学んできましたが、未規定の動作になるプログラムは書いても構いません。むしろ、部分式を含まない式を全く書かないことや、複数の引数がある関数を全く使わないことは困難なので、ほとんどのプログラムは未規定の動作を含むといえます。しかし未規定の動作になる機能は、動作が一通りに絞れないことを忘れてはいけません。ある特定の動作を想定したプログラムは書かないように、注意してください。

次は、未規定の動作と同様に複数のパターンがあり、かつ明文化されている、処理系定義の動作について学びましょう。

❖処理系定義の動作はドキュメントを確認しよう

未規定の動作と同様に、処理系定義の動作になるプログラムは正しく動きますが、動作に複数のパターンがあります。未規定の動作と異なるのは、どのパターンで動作するのかを、処理系が文書化している（ドキュメントに記載している）ことです。処理系によって動作は変わるかもしれませんが、ある処理系においてどのように動作するのかは、ドキュメントを確認すれば分かります。処理系定義の動作になるプログラムを書くときには、使用する処理系のドキュメントを確認することをおすすめします。

処理系定義の動作に似た概念として、ロケール固有の動作という概念もあります。ロケールというのは、言語・国・地域に関する設定のことです。C言語が提供する機能の中には、ロケールによって異なる動作をするものがあります。ロケール固有の動作についても、処理系のドキュメントで知ることができます。

処理系定義の動作としては、例えば1バイトのビット数があります。現在では多くのコンピュータにおいて1バイトは8ビットですが、古いコンピュータでは1バイトが6ビットや9ビットのこともあります。

ある処理系における1バイトのビット数は、「limits.h」というヘッダファイルに記載されている、CHAR_BIT（チャー・ビット）という定数を調べれば分かります。この定数を表示してみましょう。**limits.hをインクルードして、CHAR_BITの値を出力する**プログラムを書いてみてください。

▼impl.c

```
#include <stdio.h>
#include <limits.h>
int main(void) {
    printf("%d\n", CHAR_BIT);
}
```

上記でファイル名の「impl」は、implementation-defined（処理系定義）の略です。プログラムを実行すると、次のように8と表示されます。この処理系（GCC/Clang）における1バイトは、8ビットだということが確認できました。

▼実行例

```
> gcc -o impl impl
> impl
8  ← 1バイトは8ビット
```

❖右シフトにおける処理系定義の動作

負数に対する右シフトも処理系定義の動作です。実はシフト演算には、論理シフトと算術シフトという2種類があります。そして、負数に対する右シフトについては、論理シフトと算術シフトのどちらを使うかによって結果が変わります。

右シフトについて理解するには、負の整数がどのように表現されているのかを知る必要があります。多くの環境において、符号付きの整数は**2の補数**（にのほすう）という方式で表現されています。以下は2の補数による8ビットの非負数（0または正数）と負数の例です。8ビットの場合、-128から127までの値を表現できます。

2の補数では、非負数の最上位ビット（左端のビット）は0、負数の最上位ビットは1になります。また、絶対値が同じ非負数と負数（例えば1と-1、2と-2など）を加算した上で、最上位ビットの1を無視すると、結果が0になるという性質があります。例えば、8ビットの「1と-1」や「2と-2」を加算すると、9ビットの100000000となり、最上位ビットの1を無視して8ビットにすると、00000000（10進数の0）になります。

▼2の補数

非負数		負数	
10進数	2進数	10進数	2進数
0	00000000		
1	00000001	-1	11111111
2	00000010	-2	11111110
3	00000011	-3	11111101
…（省略）	…（省略）	…（省略）	…（省略）
125	01111101	-125	10000011
126	01111110	-126	10000010
127	01111111	-127	10000001
		-128	10000000

さて、論理右シフトと算術右シフトは以下のように動作します。2の補数で表現された8ビットの非負数と負数を例に、元の値を右に1～8ビットシフトしたときの値を示しました。「-」の部分は任意（0または1）です。9ビットシフト以降は、8ビットシフトと同じ結果になります。

▼論理右シフトと算術右シフト

シフトの種類	論理シフト		算術シフト	
空いたビット	0にする		最上位をコピーする	
対象の値	非負数	負数	非負数	負数
元の値	0-------	1-------	0-------	1-------
1ビットシフト	00------	01------	00------	11------
2ビットシフト	000-----	001-----	000-----	111-----
3ビットシフト	0000----	0001----	0000----	1111----
4ビットシフト	00000---	00001---	00000---	11111---
5ビットシフト	000000--	000001--	000000--	111111--
6ビットシフト	0000000-	0000001-	0000000-	1111111-
7ビットシフト	00000000	00000001	00000000	11111111
8ビットシフト	00000000	00000000	00000000	11111111

論理シフトは、右シフトによって空いた上位ビット（左側のビット）を0で埋めます。非負数でも負数でも、シフト後の最上位ビットは0になります。したがって、負数が非負数に変化するという性質があります。

算術シフトは、右シフトによって空いた最上位ビットに、元の最上位ビットをコピーします。シフト後の最上位ビットは、非負数では0、負数では1になります。したがって、非負数は非負数のまま、負数は負数のまま、元の符号が保たれるという性質があります。

多くの環境においては、元の符号を保つために、右シフトには算術シフトが使われています。左シフトについては、論理シフトも算術シフトも空いた下位ビット（右側のビット）を0で埋めるので、どちらも同じ結果になります。

負数に対する右シフトについて実験してみましょう。**10進数の-100を、右に1～8ビットシフトした値を出力**するプログラムを書いてください。以前、非負数の100を右シフトしたときには、100を2のべき乗で除算した結果になりましたが、負数の-100を右シフトした結果はどうなるでしょうか。

▼impl2.c

```
#include <stdio.h>
int main(void) {
    printf("%4d\n", -100);
    printf("%4d\n", -100>>1);
    printf("%4d\n", -100>>2);
    printf("%4d\n", -100>>3);
    printf("%4d\n", -100>>4);
    printf("%4d\n", -100>>5);
    printf("%4d\n", -100>>6);
    printf("%4d\n", -100>>7);
    printf("%4d\n", -100>>8);
}
```

以下が実行結果です。比較用に、整数の-100を除算した結果と、浮動小数点数の-100.0を除算した結果も示しました。非負数を右シフトしたときとは異なり、負数を右シフトしたときには、右シフトの結果と整数の除算結果が一致しないことに注意してください。負数を右シフトした結果は、浮動小数点数の除算結果に対して、「負の無限大への丸め」を適用した値になっています。例えば、-12.5は-12ではなく-13になり、-6.25は-6ではなく-7になります。

▼実行例

```
> gcc -o impl2 impl2.c
> impl2
-100  ← 元の値
 -50  ← 右に1ビットシフト、-100/2は-50、-100.0/2は-50
 -25  ← 右に2ビットシフト、-100/4は-25、-100.0/4は-25
 -13  ← 右に3ビットシフト、-100/8は-12、-100.0/8は-12.5
  -7  ← 右に4ビットシフト、-100/16は-6、-100.0/16は-6.25
  -4  ← 右に5ビットシフト、-100/32は-3、-100.0/32は-3.125
  -2  ← 右に6ビットシフト、-100/64は-1、-100.0/64は-1.5625
  -1  ← 右に7ビットシフト、-100/128は0、-100.0/128は-0.78125
  -1  ← 右に8ビットシフト、-100/256は0、-100.0/256は-0.390625
```

本章では、演算子を使った式を書き、値を計算して出力する方法を学びました。演算子の優先順位や結合性、暗黙の変換やキャストの知識は、式を正しく読み書きするために重要です。ビット演算子やシフト演算子は、ハードウェアの制御や通信などのプログラミングに役立ちます。そして、C言語における未定義・未規定・処理系定義の動作について知っておくと、色々な環境で正しく動くプログラムが書けます。

次章では、後で使う値を保存しておくための、変数について学びます。

基礎編 Chapter5

後で必要な値は変数に格納しておく

複雑な計算をするときには、途中の計算結果を一時的に保存しておきたいことがあります。計算結果の値をどこかに格納しておき、次の計算ではこの値を参照して使います。本章では、このような値の格納と参照の機能を提供する、変数について学びます。あわせて、キーボードから入力した値を変数に格納する方法や、値を変更できない定数を作成する方法についても学びましょう。

本章の学習内容

①変数の宣言と初期化
②整数型と浮動小数点数型の種類
③変数への値の代入
④キーボードからの値の入力
⑤const・マクロ・列挙型による定数の宣言

section 01
変数は宣言してから使う

変数（へんすう）は値を一時的に保存するための仕組みです。式を計算して求めた値やユーザが入力した値などを、変数に格納（書き込み）しておけば、後で必要な時に参照（読み出し）して、別の計算に使ったり画面に出力したりできます。

まずはC言語で変数を使うときに必要な、変数の宣言と初期化について学びましょう。

❖変数の宣言には型と変数名を書く

C言語で変数を使うには、事前にその変数を宣言（せんげん）しておく必要があります。変数の宣言は次のように書きます。

変数の宣言

```
型 変数名;
```

次のように,（カンマ）で区切れば、複数の変数をまとめて宣言することもできます。同じ型の変数を複数使うときに便利な書き方です。

変数の宣言（複数個）

```
型 変数名A, 変数名B, …;
```

上記において「型」の部分には、intやdoubleといった型の名前を書きます。変数には、宣言のときに指定した型の値を格納できます。例えば、int型の変数（intを指定して宣言した変数）には整数を、double型の変数（doubleを指定して宣言した変数）には浮動小数点数を格納します。宣言後に変数の型を変更することはできません。

変数名には英字（半角のa～zおよびA～Z）、数字（半角の0～9）、_（半角のアンダースコア）を使うのが一般的です。1文字目には英字を使い、2文字目以降には英字・数字・_を使います。

数学ではxやyのような1文字の変数を使うことがよくありますが、C言語では1文字の変数を使うこともあれば、長い名前の変数を使うこともあります。例えば、狭い範囲で一時的に使う変数には短い簡潔な名前を付けて、広範囲で長期間にわたって使う変数には長くても区別しやすい名前を付ける、といった使い分けをするとよいでしょう。

さて、変数名や関数名などのように、変数や関数といった対象を区別するための名前のことを、識別子（しきべつし）と呼びます。識別子には次のような性質があります。変数名や関数名を決めるときには、以下の性質に注意してください。

● **英小文字と英大文字は区別される**

例えばaとA、helloとHelloとHELLO、helloworldとhelloWorldとHelloWorldとHELLOWORLDなどは、それぞれ別の識別子として扱われます。

● **キーワードは使えない**

int・double・if・else・switch・case・for・while…といったキーワード（プログラミング言語において特別な意味を持つ名前）は、識別子としては使えません。

● **1文字目に数字は使えない**

例えば1st（ファースト）や2nd（セカンド）や3rd（サード）などは、識別子としては使えません。

● **1文字目には_を使わないのがおすすめ**

条件によっては「_」で始まる識別子も使えますが、C言語が内部で利用する識別子とぶつかる可能性があるので、使わないのが簡単でおすすめです。

● **Unicodeの文字も使える**

C99以降はUnicodeの文字にも対応しているので、例えば日本語の変数名を使うことも可能です。ただし処理系によっては、Unicodeの文字を直接使うことはできず、\uや\Uに続けて16進数を記述することでUnicodeの文字を指定する必要があります。

さて、宣言した変数を使う前には、後述する初期化または代入によって、変数に値を格納しておく必要があります。関数の内側で宣言した変数は、宣言しただけでは値が不定です。初期化や代入によって値を格納する前に、このような変数を参照してはいけません。値が不定の変数を参照することは、未定義の動作(Chapter4)です。うっかり参照してしまうと、プログラムが思わぬ動作をするかもしれません。また、原因が見つけにくいバグ(プログラムの誤り)になる危険性もあります。

未定義の動作なのですが、宣言しただけの変数がどんな値なのか、実験してみましょう。**int型の変数xとy、double型の変数zを宣言し、値を出力**してください。printf関数の変換指定は、intには%dを、doubleには%gを使います。

▼decl.c

```
#include <stdio.h>
int main(void) {
    int x, y;
    double z;
    printf("%d\n", x);
    printf("%d\n", y);
    printf("%g\n", z);
}
```

上記でファイル名の「decl」は、declaration(宣言)の略です。以下は実行例ですが、実行する環境によって、また同じ環境でも実行するたびに、出力される値が変わる場合があることに注目してください。

▼実行例(Windows)

```
> gcc -o decl decl.c
> decl
0            ←x
16           ←y
3.7354e-317  ←z
```

▼実行例(macOS)

```
> gcc -o decl decl.c
> decl          ←1回目の実行
1               ←x
46579808        ←y
2.14499e-314    ←z
> decl          ←2回目の実行
1               ←x
8585312         ←y(1回目とは値が異なる)
2.12536e-314    ←z(1回目とは値が異なる)
```

▼実行例(Linux)

```
> gcc -o decl decl.c
> decl        ← 1回目の実行
-594876384    ← x
32767         ← y
0             ← z
> decl        ← 2回目の実行
-228294832    ← x(1回目とは値が異なる)
32767         ← y
0             ← z
```

次は、変数に値を格納する方法を学びましょう。変数の宣言と同時に値を格納する、初期化について学びます。

❖変数の初期化は宣言と同時に値を格納する

変数の初期化(しょきか)とは、変数の宣言と同時に、変数に値を格納することです。変数の初期化は次のように行います。式を計算した結果の値が、変数に格納されます。

変数の初期化

```
型 変数名=式;
```

次のように,(カンマ)で区切れば、複数の変数をまとめて宣言し、初期化することもできます。初期化する変数と、初期化しない変数(宣言するだけの変数)を混ぜて書いても構いません。

変数の初期化(複数個)

```
型 変数名A=式A, 変数名B=式B, …;
```

変数を初期化した後に、変数を使った計算を行い、結果を出力してみましょう。円の面積を計算します。**int型の変数radius(半径)を2で初期化し、double型の変数pi(パイ、円周率)を3.14で初期化した後に、radius*radius*piを計算して出力**するプログラムを書いてください。結果は浮動小数点数になるので、printf関数の変換指定には%fや%gを使います。

▼init.c

```
#include <stdio.h>
int main(void) {
    int radius=2;
    double pi=3.14;
    printf("%g\n", radius*radius*pi);
}
```

上記でファイル名の「init」は、initialization（初期化）の略です。実行結果は次の通りで、「radius*radius*pi」という式によって、「2*2*3.14」を計算できていることが分かります。このように変数を式の中に書くと、変数に格納された値を参照して、計算に使えます。

▼実行例

```
> gcc -o init init.c
> init
12.56  ← 2*2*3.14
```

変数の初期化を使って、別のプログラムを書いてみましょう。食べ物の価格（price_food）、飲み物の価格（price_drink）、割引率（discount_rate）から、食事の割引価格を計算します。**int型の変数price_foodを980（円）で、int型の変数price_drinkを430（円）で、double型の変数discount_rateを0.3（3割引）で初期化した後に、合計金額に対する割引価格を計算して出力**するプログラムを書いてください。

▼init2.c

```
#include <stdio.h>
int main(void) {
    int price_food=980, price_drink=430;
    double discount_rate=0.3;
    printf("%g\n", (price_food+price_drink)*(1-discount_rate));
}
```

discount_rateの0.3は3割引という意味なので、合計金額に0.3を乗算するのではなく、「1-0.3」を乗算する必要があります。そこで、上記のように「(1-discount_rate)」と書きます。

▼実行例

```
> gcc -o init2 init2.c
> init2
987   ← (980+430)*(1-0.3)
```

変数を使うと、プログラムに書かれた数値がどんな意味なのかを、変数名で示せます。変数に適切な名前を付ければ、コメントがなくてもプログラムを読みやすくできます。

次は変数とメモリの関係について学びましょう。C言語の変数がどのような仕組みで実現されているのかを知ると、プログラムの動作を理解する上で非常に有用です。

❖メモリは番号付きの区画が並んだ棚のようなもの

C言語の変数は、メモリやレジスタといった記憶装置を使って実現されています。レジスタというのは、CPUの内部にある高速で小容量の記憶装置です。ある変数に対してメモリとレジスタのどちらを使うのかは、一般にCコンパイラが自動で決めます。

レジスタはメモリに比べると容量が非常に小さいので、多くの変数はメモリを使って実現します。そこで、メモリを使って変数を実現する方法について学ぶことにしましょう。

まずはメモリの構造を学びます。例えれば、メモリは番号付きの区画が並んだ棚のようなものです。棚に物をしまうように、メモリには値を格納できます。1つの区画ごとに、1バイトの値を格納することが可能です。例えば1GB（ギガバイト）のメモリには、約10億個（1,073,741,824個）の区画があります。

区画の番号は、「どの区画に値を格納するのか」を指定するために使います。この番号のことをアドレス（番地）と呼びます。アドレスは0以上の整数で、一般には16進数で表しますが、本書では分かりやすくするために10進数で表すことがあります。

▼メモリの構造

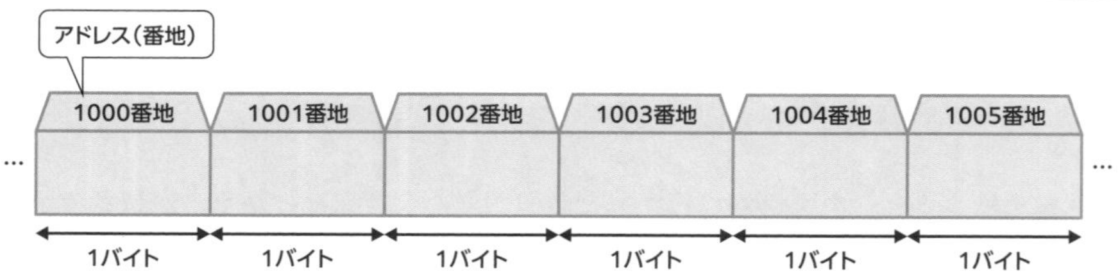

メモリに対して行えるのは、指定したアドレスの区画に値を書き込むことと、指定したアドレスの区画から値を読み出すことです。実世界の棚とは異なり、メモリの読み書きには次のような性質があります。

- 値を書き込む際には、メモリ上にある古い値を新しい値で上書きするので、古い値は失われます。
- 値を読み出す際には、メモリ上の値を除去せずにコピーするので、メモリ上の値は消えずに残ります。

▼メモリの読み書き

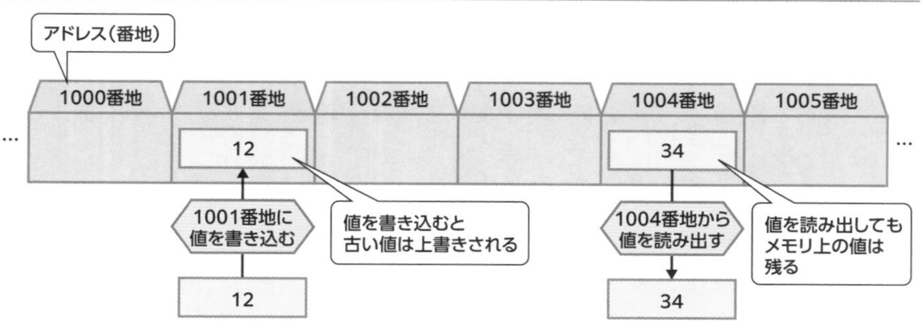

さて、C言語では1バイトの値だけではなく、2バイト以上の値も扱います。メモリに複数バイトの値を格納するには、隣接するアドレスの区画へ、1バイトずつに分けて書き込みます。値を参照する際には、隣接するアドレスから1バイトずつ、複数バイトを読み出します。

例えば16進数の12345678(4バイト)は、12、34、56、78の1バイトずつに分けて、4つの区画に格納します。1000番地から格納する場合は、隣接する1000～1003番地を使います。実は「12、34、56、78」の順で格納する以外に、「78、56、34、12」の順で格納する方法もあるのですが、詳しくはChapter12で解説します。

▼複数バイトの値を格納

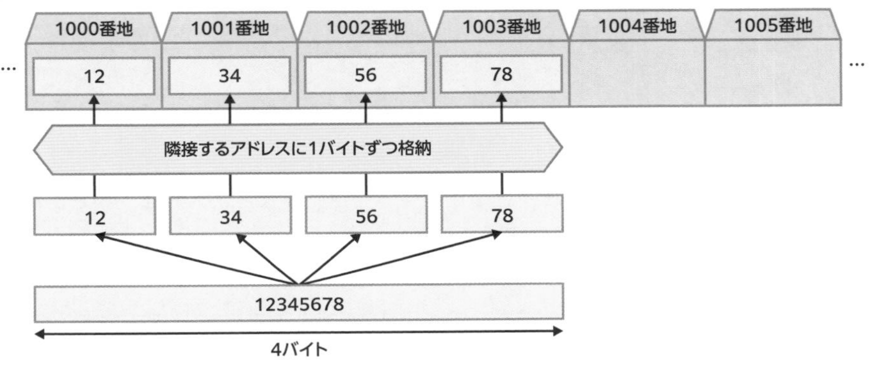

複数バイトの値については、格納先が複数のアドレスに分かれますが、一般に最小のアドレスを使って格納先を表します。例えば1000〜1003番地に値を書き込むことを、「1000番地に値を書き込む」と表します。

▼格納先のアドレス

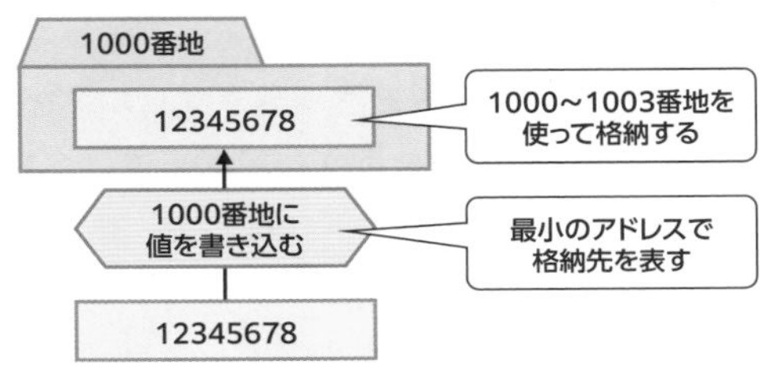

メモリの仕組みが分かったところで、次はいよいよメモリと変数の関係について学びます。

❖変数はメモリの読み書きを簡単にする機能

変数を宣言すると、Cコンパイラはその変数に必要なメモリを確保します。ある変数に必要なメモリのサイズ（バイト数）は、変数の型に応じて決まります。環境によって異なりますが、本書で用いたGCC/Clangにおいては、例えばint型の変数には4バイト（32ビット）、double型の変数には8バイト（64ビット）のメモリが必要です。

▼変数に必要なメモリの確保

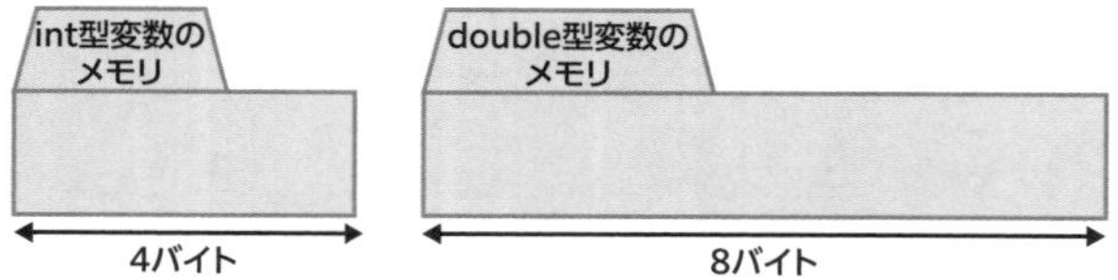

変数に値を格納するときには、確保したメモリに値を書き込みます。変数の値を参照するときには、メモリから値を読み出します。

▼変数に対する値の格納と参照

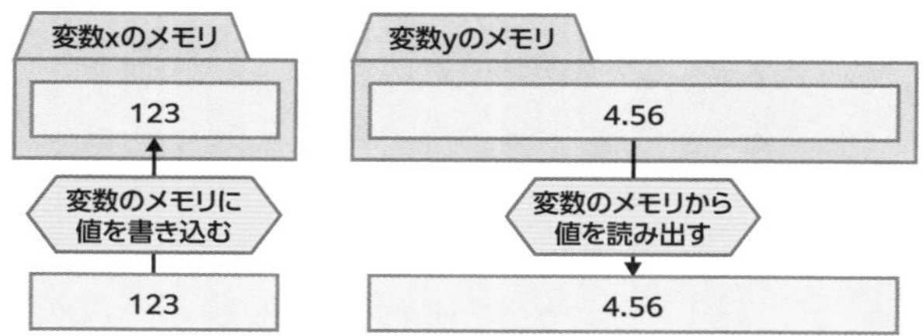

機械語やアセンブリ言語においても、メモリを使った値の格納や参照が可能です。ただし、メモリを読み書きする際には、メモリのどの位置を読み書きするのかを、アドレス(番地)を使って指定する必要があります。前述のようにアドレスは、メモリを読み書きする位置を指定するための整数です。例えば、「1000番地に値を書き込む」とか「2000番地から値を読み出す」といった要領で指定します。この方法の難点は、どの番地に何の値を格納しているのか、プログラマがアドレスを覚えておく必要があることです。

▼機械語やアセンブリ言語における値の格納と参照

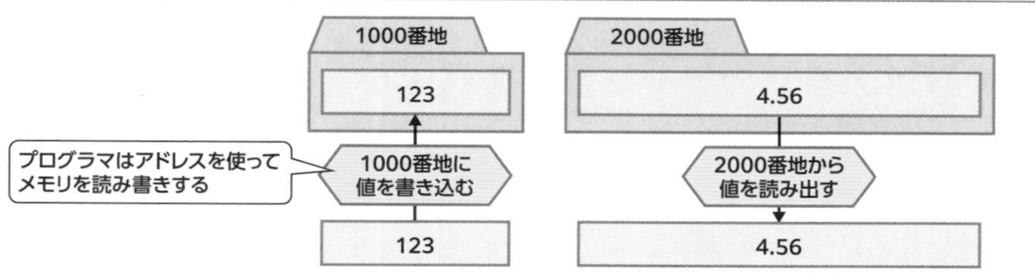

一方、C言語において変数を使うときには、プログラマはアドレスを覚えておく必要がありません。変数のために確保したメモリのアドレスは、Cコンパイラが管理しています。プログラマが変数に対して値の格納や参照を行うと、アドレスを使ってメモリを読み書きする機械語プログラムを、Cコンパイラが自動的に生成してくれます。

▼Cコンパイラによるアドレスの管理

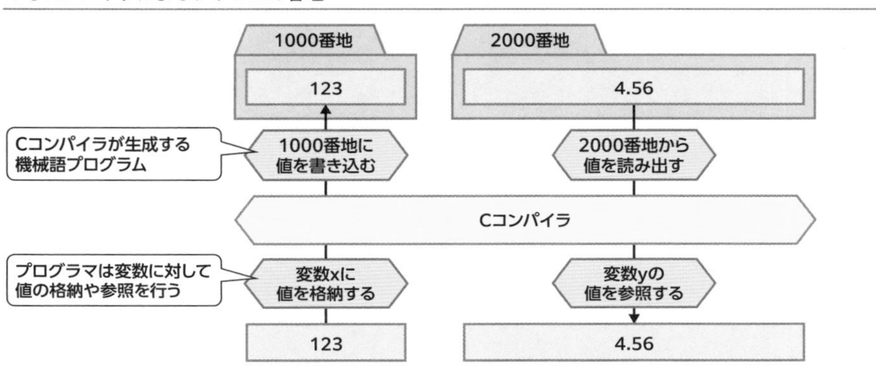

つまり変数とは、プログラマにとってメモリの読み書きを分かりやすく、楽に行うための機能だともいえます。変数には分かりやすい名前を付けられるので、値を格納したアドレスを覚えておくよりも、変数名を覚えておく方がずっと簡単でしょう。

次は宣言と定義の違いについて学びます。

宣言と定義は異なる

実は、C言語では宣言（せんげん）と定義（ていぎ）という用語が区別されています。例えば「変数の宣言」と「変数の定義」は、実は違った働きをします。宣言や定義がどのような働きをするのかは、変数や関数といった機能ごとに異なりますが、一般には次のように働きます。

● 宣言

識別子を導入します。プログラムに対して「…という識別子があり、…のような性質を持つ」という情報を与えます。

● **定義**

識別子を導入するとともに、その識別子に関する全ての情報を与えます。定義は宣言を兼ねているので、宣言の一種だといえます。

例えば変数については、宣言は変数名と型に関する情報を与えます。「…という名前の変数があり、型は…である」という情報です。定義は、宣言と同様に変数名と型に関する情報を与えた上で、メモリの確保も行います。

今までのプログラム例における「変数の宣言」は、実は全て「変数の定義」でした。定義ではない「変数の宣言」については、Chapter16で学びます。定義は宣言の一種なので、特に両者の区別が必要な場合を除き、本書の大部分では説明を簡単にするため、一括して「変数の宣言」と呼びます。

次は変数の有効範囲について学びます。

変数の有効範囲は宣言した場所によって変わる

変数名や関数名などの識別子には、スコープと呼ばれる有効範囲があります。例えば、関数内で宣言した変数のスコープは、宣言の位置から関数の末尾までです。つまり、宣言から関数の終わりまで、その変数を使えます。

より一般的には、ブロック内で宣言した変数のスコープは、宣言の位置からブロックの末尾までだといえます。ブロックとは、宣言や文を{ }（波括弧）で囲んだものです。関数で行う処理も{}で囲まれていますが、これもブロックの一種です。ブロックは複文（ふくぶん）とも呼ばれます。

▼ブロック内で宣言した変数のスコープ

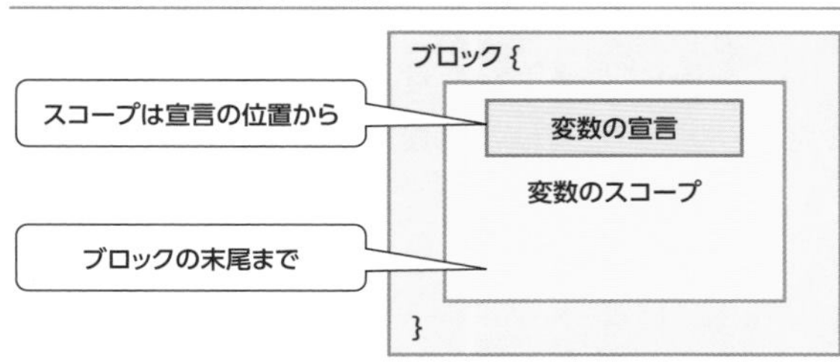

今までに学んだ記法を使って、ブロック内で変数を宣言すると、変数の定義になります。ある変数を定義したブロック内で、同じ名前の変数を再び定義すると、コンパイルエラーになるので注意が必要です。同じブロック内において、ある名前の変数を定義するのは、一度だけにしてください。

▼変数の再定義

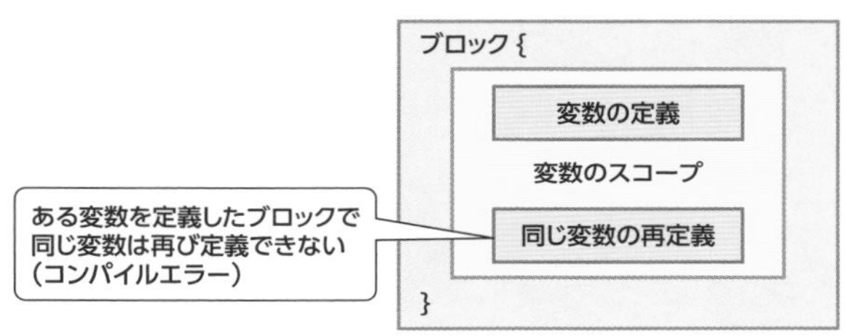

ところで、ブロックはネストできます。ネスト（nest）というのは鳥などの巣のことですが、プログラミングにおいては、ブロックなどを入れ子（いれこ）にすることを指します。例えば、ブロックの中に別のブロックを階層的に配置することを、「ブロックをネストする」と表現します。

ネストされた構造のことを、ネスト構造や入れ子構造と呼びます。また、ネストをすることをネスティングと呼ぶこともあります。重箱や弁当箱には、大きな箱に小さな箱を入れてコンパクトに収納できる製品がありますが、ある構造の中に似た構造を配置するという点については、ネスト構造に似ています。

▼ネストしたブロック

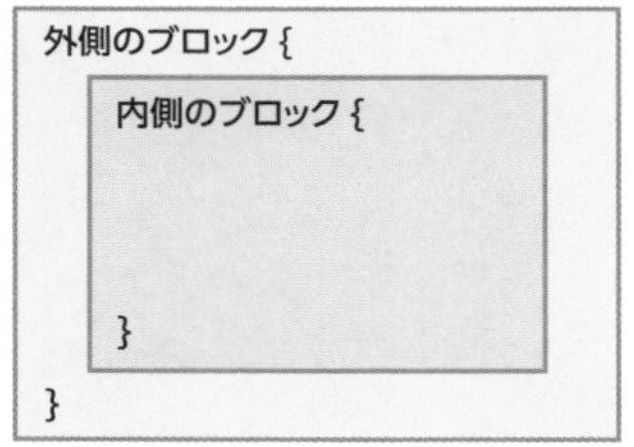

ここで、次のような例を考えてみましょう。ブロックAの内側にブロックBとブロックCがあるネスト構造です。ブロックBで変数xを宣言し、ブロックCでも同じ名前の変数xを宣言すると、どうなるでしょうか。

▼異なるブロックで同じ変数を宣言する

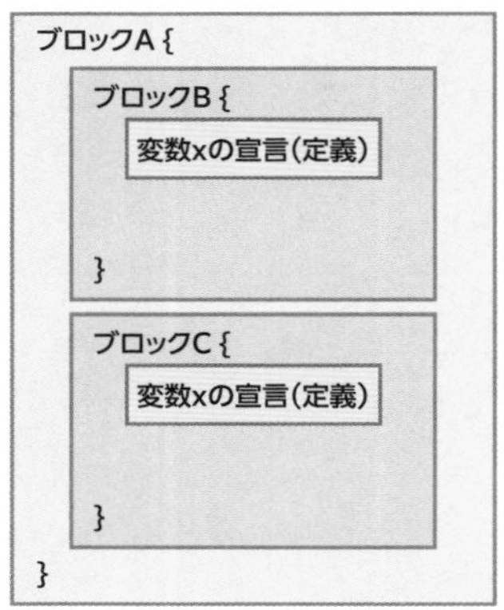

上記において、変数xの宣言はいずれも定義です。同じ名前の変数を再定義しているように見えますが、ブロックが異なるので、コンパイルエラーにはなりません。各変数のスコープは、その変数を宣言したブロックの末尾までになります。ブロックBの変数xと、ブロックCの変数xは、同じ名前ですが、別々の変数として扱われます。

▼異なるブロックにおける変数のスコープ

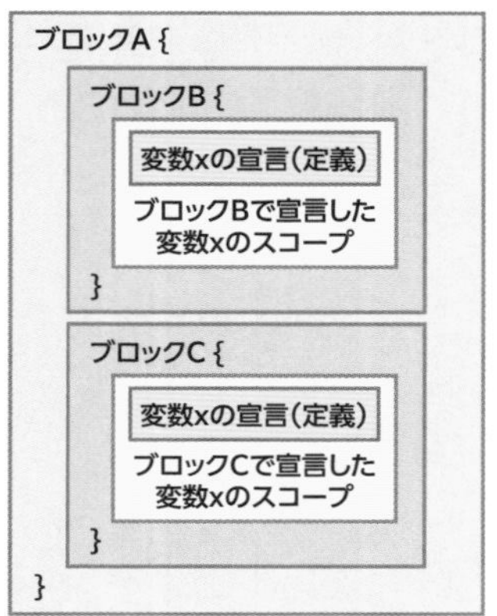

上記の状況について実験してみましょう。**1個目のブロックでは変数xを123で初期化して出力し、2個目のブロックでは変数xを456で初期化して出力**するプログラムを書いてみてください。

▼ scope.c

```
#include <stdio.h>
int main(void) {
    {
        int x=123;
        printf("%d\n", x);
    }
    {
        int x=456;
        printf("%d\n", x);
    }
}
```

このプログラムは問題なく実行できます。このようにブロックが異なれば、同じ変数名を再利用することが可能です。プログラミングをしていると、変数名を考えるのに結構な手間がかかるのですが、同じ変数名を上手に再利用すると、名前を考える労力を減らせます。

▼ 実行例

```
> gcc -o scope scope.c
> scope
123   ← 1個目のブロックで宣言した変数x
456   ← 2個目のブロックで宣言した変数x
```

ネストしたブロックに関して、別の例を考えてみましょう。ブロックAの内側にブロックBがあるネスト構造です。ブロックAで変数xを宣言し、ブロックBでも同じ名前の変数xを宣言すると、どうなるでしょうか。

▼ネストしたブロックで同じ変数を宣言する

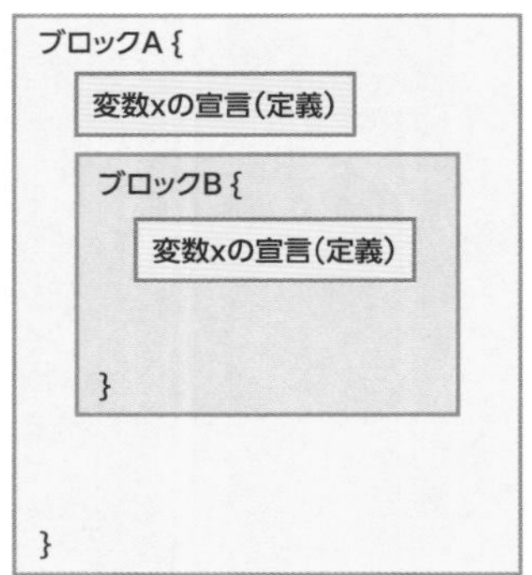

上記においても、変数xの宣言はいずれも定義です。外側のブロックと同じ名前の変数を、内側の変数で再定義しているように見えますが、コンパイルエラーにはなりません。ブロックAの変数xと、ブロックBの変数xは、別々の変数として扱われます。

ブロックAとブロックBの変数xは、スコープが重なっています。スコープが重なる範囲に関しては、内側のブロックBで宣言された変数xが、外側のブロックAで宣言された変数xよりも優先されます。言い換えれば、内側にあるブロックBの変数xが、外側にあるブロックAの変数xを隠して、一時的に使えなくします。しかし、ブロックBの末尾に達すると、ブロックBの変数xはスコープが終わり、再びブロックAの変数xが使えるようになります。

▼内側の変数が外側の変数を隠す

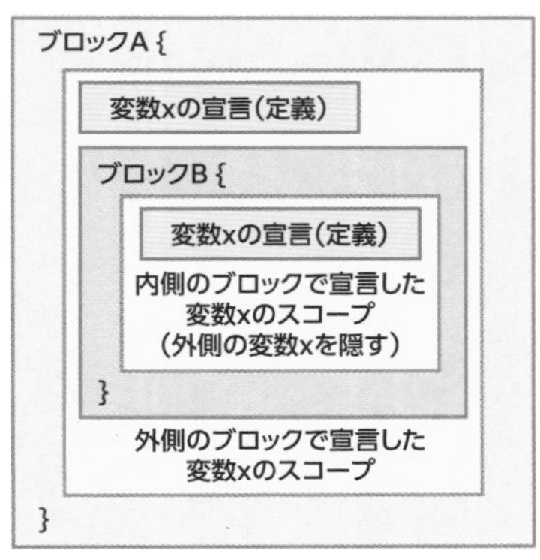

上記の状況について実験してみましょう。**外側のブロックで変数xを123で初期化して出力し、内側のブロックで変数xを456で初期化して出力し、内側のブロックが終わった後に再び外側のブロックで変数xを出力**するプログラムを書いてみてください。

▼scope2.c

```
#include <stdio.h>
int main(void) {
    int x=123;
    printf("%d\n", x);
    {
        int x=456;
        printf("%d\n", x);
    }
    printf("%d\n", x);
}
```

上記のプログラムについて、実行結果を予想してみてください。printf関数を3回呼び出していますが、それぞれ123と456のどちらが出力されるでしょうか。

▼実行例

```
> gcc -o scope2 scope2.c
> scope2
123  ← 外側のブロックで宣言した変数x
456  ← 内側のブロックで宣言した変数x
123  ← 外側のブロックで宣言した変数x
```

内側のブロックでは、内側のブロックで宣言した変数xが優先されるので、456が出力されています。最後の出力では、最初に外側のブロックで宣言した変数xの値が残っていて、123が出力されていることに注目してください。

さて、変数のスコープとブロックの関係について詳しく学びました。スコープを理解することは、正しく動くプログラムを書いたり、変数名を上手に再利用してプログラミングの手間を減らしたりする上で、非常に役立ちます。

次は変数の宣言に使う型について、intやdouble以外にも色々な型があることを学びます。

section 02 整数型と浮動小数点型には多くの種類がある

変数を宣言する際には、変数の型を指定します。今までは、整数型(整数を扱うための型)はintを、浮動小数点数型(浮動小数点数を扱うための型)はdoubleを使ってきましたが、実は他にもサイズ(ビット数)が異なる色々な型があります。これらの整数型や浮動小数点数型について学びましょう。

サイズが異なる色々な整数型

整数型にはintの他にも、サイズ(ビット数)が異なる次のような型があります。intはshort以上、longはint以上、long longはlong以上のサイズを持ちます。具体的なサイズは環境によって変化するので、仕様のサイズ(C言語の仕様で決められているサイズ)と、本書のサイズ(本書で使っているGCC/Clangにおけるサイズ)の両方を示しました。longに関しては、Windowsでは32ビット(4バイト)、macOS/Linuxでは64ビット(8バイト)です。

▼整数型

型	読み方の例	仕様のサイズ	本書のサイズ
short	ショート	16ビット以上	16ビット(2バイト)
int	イント	16ビット以上	32ビット(4バイト)
long	ロング	32ビット以上	32/64ビット(4/8バイト)
long long	ロング・ロング	64ビット以上	64ビット(8バイト)

short、long、long longについては、後にintを付けて、short int、long int、long long intのように書くこともできます。特に理由がなければ、短くshort、long、long longのように書けばよいでしょう。

sizeof(サイズ・オブ)という演算子を使うと、型のサイズを知ることができます。sizeofは指定した型のバイト数を返します。sizeof(size of)は「…のサイズ」という意味です。

sizeof演算子

```
sizeof(型)
```

sizeof演算子を使って、整数型のサイズを調べてみましょう。**short、int、long、long longのバイト数を出力**するプログラムを書いてください。printf関数の変換指定は%lu（バイト数が多い符号なし整数）を使います。

▼int.c

```
#include <stdio.h>
int main(void) {
    printf("%lu\n", sizeof(short));
    printf("%lu\n", sizeof(int));
    printf("%lu\n", sizeof(long));
    printf("%lu\n", sizeof(long long));
}
```

本書で使った環境では、整数型は次のようなサイズでした。サイズは環境によって異なるので、もし別の環境をお使いならば、ぜひプログラムを実行してサイズを確かめてみてください。

▼実行例（Windows）

```
> gcc -o int int.c
> int
2   ← shortは2バイト(16ビット)
4   ← intは4バイト(32ビット)
4   ← longは4バイト(32ビット)
8   ← long longは8バイト(64ビット)
```

▼実行例（macOS/Linux）

```
> gcc -o int int.c
> int
2   ← shortは2バイト(16ビット)
4   ← intは4バイト(32ビット)
8   ← longは8バイト(64ビット)
8   ← long longは8バイト(64ビット)
```

❖符号付き整数型と符号なし整数型

さて、整数型には符号付き(signed)と符号なし(unsigned)があります。型の前に何も書かないか、signed(サインド)と書くと符号付きになります。例えばshortやsigned shortは符号付きです。一方、型の前にunsigned(アンサインド)と書くと符号なしになります。例えばunsigned shortは符号なしです。

符号付きと符号なしの両方があるのは、以下のように表せる値の範囲が異なるためです。符号付き整数型については、2の補数(Chapter4)を用いた場合の範囲を示しました。

▼符号付き整数型で表せる値の範囲(2の補数)

サイズ	最小値	最大値
8ビット	-128	127
16ビット	-32768	32767
32ビット	-2,147,483,648	2,147,483,647
64ビット	-9,223,372,036,854,775,808	9,223,372,036,854,775,807

非負数(0以上の数)のみを扱う場合には、符号なし整数型を用いた方が、広い範囲の値を表せます。一方で、符号付きの整数型でも値の範囲が十分な場合は、符号なしの整数型を使わなくても構いません。符号なし整数型は、個数・文字数・バイト数といった非負数を表すためによく使われます。

▼符号なし整数型で表せる値の範囲

サイズ	最小値	最大値
8ビット	0	255
16ビット	0	65535
32ビット	0	4,294,967,295
64ビット	0	18,446,744,073,709,551,615

色々な整数型を使ってみましょう。**各々の値を表せる最小のサイズの符号付き整数型を使って、変数xを1万、変数yを1億、変数zを1兆で初期化し、出力**するプログラムを書いてください。先ほどの表(符号付き整数型で表せる値の範囲)を参考に、型を選びます。printf関数の変換指定は、shortとintは%d、longは%ld、long longは%lldを使います。lはlongを、llはlong longを表す長さ修飾子(Chapter3)です。

▼int2.c

```
#include <stdio.h>
int main(void) {
	short x=10000;
	int y=100000000;
	long long z=1000000000000;
	printf("%d\n", x);
	printf("%d\n", y);
	printf("%lld\n", z);
}
```

1万を表すには16ビット、1億を表すには32ビット、1兆を表すには64ビットの整数型を使うとよさそうです。そこで上記のプログラムでは、xをshort型、yをint型、zをlong long型にしました。macOS/Linuxの場合はlongが64ビットなので、zをlong型にしても構いません(変換指定は%ldにします)。本書では、同じプログラムがWindows/macOS/Linuxの全てで動くように、long long型にしました。

▼実行例

```
> gcc -o int2 int2.c
> int2
10000            ← 1万、short
100000000        ← 1億、int
1000000000000    ← 1兆、long long
```

さて、このように色々な整数型があると、どの型を使ってよいか迷ってしまうかもしれません。迷ったときには、例えば次のような方針で整数型を選んでみてください。

● 特に問題がなければintを使う

扱いたい値の範囲が、intで表せる値の範囲内ならば、intを使います。intのサイズは、CPUが効率よく処理できるサイズが選ばれていることが多いので、性能も期待できます。

● 値の範囲が広ければlongやlong longを使う

扱いたい値の範囲が、intで表せる値の範囲を超えているならば、longやlong

longを使います。ただし、int、long、long longが同じサイズの環境もあるので、注意してください。

● メモリを節約したいときにはshortを使う

扱いたい値の範囲が、shortで表せる値の範囲内であり、多数の値を扱うのでメモリを節約したい場合には、shortを使います。値の範囲がより狭い場合には、char (Chapter9) を使う方法もあります。

次は、これらの異なる整数型の間で計算をしたときに起こる、暗黙の変換について学びましょう。

column

ビット数が決まった整数型

整数型のビット数は環境によって変化しますが、プログラムによってはビット数が決まった整数型を使いたいことがあります。こういった用途のために、C99以降では標準ライブラリのstdint.hにおいて、ビット数が決まった整数型を提供しています。例えば、8ビットから64ビットの符号付き整数型を表すint8_t～int64_tや、符号なし整数型を表すuint8_t～uint64_tなどがあります。

整数型における暗黙の変換

整数と浮動小数点数の間で計算をすると、暗黙の変換 (Chapter4) によって整数が浮動小数点数に変換されてから計算が行われ、結果も浮動小数点数になるのでした。実は異なる整数型の間で計算をしたときにも、同様に暗黙の変換が行われます。

整数型における暗黙の変換は、次のような規則に従います。符号付きと符号なしの扱いについては、より複雑な規則がありますが、ここでは説明を簡単にするために省略しました。

● 変換順位

整数型における暗黙の変換では、定められた変換順位に基づいて、変換順位が低い型から高い型への変換を行います。変換順位は低い方から、_Bool (Chapter6)、char (Chapter9)、short、int、long、long longの順です。

● 整数拡張（整数昇格）

変換順位がintよりも低い整数型（_Bool、char、short）は、intに変換されます。この整数拡張は、同じ型の間で計算を行う場合や、計算に使う値が1個しかない単項演算子（+、-、~）の場合にも適用されます。

● 算術変換

変換順位がint以上の整数型（int、long、long long）は、異なる型の間で計算を行うと、変換順位が低い型が高い型に変換されてから計算が行われ、結果も変換後の型になります。

上記の整数拡張を簡単に表現すれば、intよりもサイズが小さい（ビット数が少ない）型はintに変換してから計算する、ということです。intのビット数は、対象のCPUが効率良く計算できる整数のビット数に合わせてあることが一般的です（例えば32ビットCPUにおいてintを32ビットにするなど）。そのため、整数拡張によって計算の効率が良くなることが期待できます。

整数型における暗黙の変換について実験してみましょう。先ほどのプログラム（int2.c）における変数x、y、zを使います。**short型のxを1万、int型のyを1億、long型のzを1兆で初期化した後に、x+y、y+z、z+xを計算し、出力**するプログラムを書いてください。printf関数の変換指定は、shortとintは%d、longは%ld、long longは%lldを使います。各々の計算結果がどんな型になるのかを予想して、適切な変換指定を選んでください。

▼int3.c

```
#include <stdio.h>
int main(void) {
    short x=10000;
    int y=100000000;
    long long z=1000000000000;
    printf("%d\n", x+y);
    printf("%lld\n", y+z);
    printf("%lld\n", z+x);
}
```

▼実行例

```
> gcc -o int3 int3.c
> int3
100010000        ← x+yはshort+intなので、結果はint
1000100000000    ← y+zはint+long longなので、結果はlong long
1000000010000    ← z+xはlong long+shortなので、結果はlong long
```

前回のプログラム(int2.c)と同様に、macOS/Linuxにおいては、zをlongにすることもできます(変換指定は%ldを使います)。zをlongにした場合、「y+z」と「z+x」もlongになります。

ところで、shortの値を出力するときに、printf関数の変換指定でintと同じ%dを使うのを不思議に思ったかもしれません。これは、printf関数のような可変長引数関数(引数の個数が変化する関数)においては、可変長引数(Chapter11)に対して次のような暗黙の変換が行われるためです。この変換はデフォルトの引数拡張(デフォルトの引数昇格)と呼ばれます。

● 整数型

変換順位がintよりも低い整数型(_Bool、char、short)は、整数拡張によってintに変換されます。

● 浮動小数点数型

floatはdoubleに変換されます。floatとdoubleの違いは、次の項目で詳しく説明します。

整数型の次は、色々な浮動小数点数型について学びます。

❖サイズが異なる色々な浮動小数点数型

浮動小数点数型にはdoubleの他にも、サイズ(ビット数)が異なる浮動小数点数型があります。大部分の環境においては、IEEE 754(Chapter3)に基づく、次のようなサイズの浮動小数点数型に対応しています。

▼浮動小数点数型

型	読み方の例	サイズ	一般名
float	フロート	32ビット	単精度
double	ダブル	64ビット	倍精度
long double	ロング・ダブル	64ビット以上	拡張倍精度

上記の「float」は、floating-point number（フローティング・ポイント・ナンバー、浮動小数点数）に由来すると思われます。またlong doubleに関しては、環境によってサイズが異なります。

整数型と同様にsizeof演算子を使って、浮動小数点数型のサイズを調べてみましょう。**float、double、long doubleのバイト数を出力**するプログラムを書いてください。printf関数の変換指定は%lu（バイト数が多い符号なし整数）を使います。

▼double.c

```
#include <stdio.h>
int main(void) {
    printf("%lu\n", sizeof(float));
    printf("%lu\n", sizeof(double));
    printf("%lu\n", sizeof(long double));
}
```

本書で使った環境では、浮動小数点数型は次のようなサイズでした。サイズは環境によって異なる可能性があるので、もし別の環境をお使いならば、ぜひプログラムを実行してサイズを確かめてみてください。

▼実行例（Windows/Linux）

```
> gcc -o double double.c
> double
4    ← floatのバイト数
8    ← doubleのバイト数
16   ← long doubleのバイト数
```

▼実行例（macOS）

```
> gcc -o double double.c
> double
4  ← floatのバイト数
8  ← doubleのバイト数
8  ← long doubleのバイト数
```

色々な浮動小数点数型を使ってみましょう。**float型の変数xとdouble型の変数yを1/3.0で、long double型の変数zを1/3.0Lで初期化し、出力**するプログラムを書いてください。3.0LのLは、long double型の浮動小数点数を表す接尾辞です（後述）。「1/3.0」はdouble型で計算され、「1/3.0L」はlong double型で計算されます。

「1/3.0」および「1/3.0L」の正しい値は、0.33…のように無限に3が続くはずですが、浮動小数点数では精度の限界があるので、正しい値との間に誤差が生じます。ここでは小数点以下40桁まで表示してみましょう。printf関数の変換指定は、floatとdoubleには%.40f、long doubleには%.40Lfを使ってみてください。Lはlong doubleを表す長さ修飾子（Chapter3）です。

▼double2.c

```
#include <stdio.h>
int main(void) {
    float x=1/3.0;
    double y=1/3.0;
    long double z=1/3.0L;
    printf("%.40f\n", x);
    printf("%.40f\n", y);
    printf("%.40Lf\n", z);
}
```

本書で使った環境では、下記のように環境ごとに異なる結果になりました。いずれの環境でも、floatは小数点以下7桁まで、doubleは小数点以下16桁まで、正しい値が得られています。floatの小数点以下8桁以降や、doubleの小数点以下17桁以降は、環境によって異なる値になっています。

Windowsの場合は、long doubleの値が正しくありません。これはWindows上でMinGWを使用したときに、発生することが知られている問題のようです。

▼実行例（Windows）

```
> gcc -o double2 double2.c
> double2
0.333333343267440800000000000000000000000   ← float
0.333333333333333310000000000000000000000   ← double
0.000000000000000000000000000000000000000   ← long double
```

macOSの場合は、doubleとlong doubleのビット数が同じなので、同じ結果になっています。long doubleの精度はdouble以上とされているので、doubleと同じ精度でも仕様には沿っていると言えます。

▼実行例（macOS）

```
> gcc -o double2 double2.c
> double2
0.333333343267440795898437500000000000000   ← float
0.333333333333333314829616256247390992939 5   ← double
0.333333333333333314829616256247390992939 5   ← long double
```

Linuxの場合は、long doubleは小数点以下19桁まで正しい値が得られています。64ビットのdoubleに対して、128ビットのlong doubleは、ビット数が倍になったのにあまり精度が上がっていない…と感じるかもしれません。実は、long doubleの計算は128ビットで行うとは限らず、より低い精度で計算しても構わないことになっています。

例えば、x86/x64のCPU（Chapter1）を採用している環境では、x87というFPU（Floating Point Unit、フローティング・ポイント・ユニット、浮動小数点処理装置または浮動小数点演算処理装置）の仕様に基づいて、浮動小数点数を80ビットで計算する場合があります。下記のlong doubleの結果も、80ビットで計算したときの精度に合致しています。

▼実行例（Linux）

```
> gcc -o double2 double2.c
> double2
0.333333343267440795898437500000000000000   ← float
0.333333333333333314829616256247390992939 5   ← double
0.333333333333333333342368351437379203616 7   ← long double
```

以上のように、どの環境でもfloatとdoubleはほぼ同じ結果になりましたが、long doubleについては環境ごとに結果が異なりました。floatやdoubleに比べると、long doubleは使いどころが難しい型だといえます。

浮動小数点数型については、例えば次のような方針で使い分けるとよいでしょう。

● 特に問題がなければdoubleを使う

doubleはfloatよりも精度が高いので、使いやすい浮動小数点数型です。通常の用途には、doubleを使って問題ありません。

● 速度やメモリの節約を重視する場合にはfloatを使う

floatはdoubleよりも精度が低いのですが、一般にdoubleよりも計算が高速で、必要なメモリの容量もdoubleの半分です。そのため、大量の浮動小数点数を高速に処理する必要がある3Dグラフィックスなどでは、floatが使われる場合があります。

なお、異なる浮動小数点数型の間で計算を行うと、暗黙の変換（Chapter4）によって、よりビット数が少ない（サイズが小さい）型が、よりビット数が多い（サイズが大きい）型に変換されます。例えば、floatとdoubleの計算では、floatがdoubleに変換され、結果もdoubleになります。

次は、色々な型の整数定数や浮動小数点定数を書く方法を紹介します。

❖ 色々な型の整数定数や浮動小数点定数を書く

整数型や浮動小数点数型には多くの種類がありますが、これらの型に対応して、整数定数や浮動小数点定数にも多くの種類があります。定数の末尾に**接尾辞**（サフィックス）を付けると、定数を指定した型にできます。

以下は整数定数のサイズに関する接尾辞です。例えば123はint型、123lや123Lはlong型、123llや123LLはlong long型の整数定数になります。値が指定した型で表せない場合、接尾辞なしはlong型やlong long型に、接尾辞lはlong long型になることがあります。

▼整数定数のサイズに関する接尾辞

接尾辞	型
なし	int(またはlong、long long)
lまたはL	long(またはlong long)
llまたはLL	long long

整数定数については、符号に関する接尾辞もあります。例えば123はint(signed int)型、123uや123Uはunsigned int型になります。サイズに関する接尾辞のl/L/ll/LLと組み合わせた場合には、指定したサイズと符号の型になります。接尾辞の順序や大文字小文字の組み合わせは自由なので、例えばlu/lU/Lu/LU/ul/uL/Ul/ULは、いずれもunsigned long型を表します。

▼整数定数の符号に関する接尾辞

接尾辞	型
なし	signed
uまたはU	unsigned

以下は浮動小数点定数に関する接尾辞です。例えば1.23fや1.23Fはfloat型、1.23はdouble型、1.23lや1.23Lはlong double型になります。

▼浮動小数点定数に関する接尾辞

接尾辞	型
fまたはF	float
なし	double
lまたはL	long double

接尾辞は特に必要な場合だけ使えば大丈夫です。通常は整数定数・浮動小数点定数ともに、接尾辞なしで書いて構いません。

色々な整数型や浮動小数点数型について学んできました。次は、変数の値を変更する代入について学びます。

section 03

変数の値を変更する

変数を初期化すれば、宣言と同時に値を格納できます。一方、宣言とは異なるタイミングで、変数に値を設定したり、変数の値を変更したい場合もあるでしょう。そんなときに役立つのが代入(だいにゅう)です。ここでは、変数の値を変更する代入と、計算と代入を同時に行う複合代入について学びます。

代入演算子で変数に値を格納する

=は代入を行うための演算子で、代入演算子(だいにゅうえんざんし)と呼ばれます。変数に値を代入するには、次のように書きます。式を計算した結果の値が、変数に格納されます。

代入

```
変数 = 式
```

複数の変数に対して、同じ値を代入することもできます。次のように書くと、変数Aと変数Bに対して、式を計算した結果の値が代入されます。変数が3個以上の場合も同様です。

複数の変数への代入

```
変数A = 変数B = 式
```

宣言と同時に行う初期化とは異なり、代入は宣言以外のタイミングでも行えます。また、初期化は一度しか行えませんが、代入は何度でも行えます。

代入演算子を使ってみましょう。題材はドルを円に換算するプログラムです。**変数dollarにドルの金額、変数rateに為替レート(1ドルあたりの円)が格納されているときに、円の金額を計算して出力**するプログラムを書いてください。ドルの金額は15ドルとします。為替レートは、最初は105円としておき、次に115円に変更して、それぞれを使った換算の結果を出力してください。

▼assign.c

```
#include <stdio.h>
int main(void) {
    int dollar=15, rate=105;
    printf("%d\n", dollar*rate);
    rate=115;
    printf("%d\n", dollar*rate);
}
```

上記でファイル名の「assign」は、assignmentの略です。assignmentは「割り当て」を表す言葉ですが、プログラミング言語では「代入」を表します。このプログラムでは、最初に変数rateを105で初期化しますが、途中で代入を使って、rateの値を115に変更します。

▼実行例

```
> gcc -o assign assign.c
> assign
1575   ← 1ドル105円の場合、15ドルは1575円
1725   ← 1ドル115円の場合、15ドルは1725円
```

代入や初期化では、=の右辺(右側)にある式の値が、=の左辺(左側)にある変数の型に変換されることに注意してください。例えば、整数型(intなど)の変数に浮動小数点数を代入したり、整数型の変数を浮動小数点数で初期化すると、値は整数に変換されます。値の小数点以下を残したい場合には、代入先の変数も浮動小数点数型(doubleなど)にする必要があります。

整数型の変数に浮動小数点数を代入したり、整数型の変数を浮動小数点数で初期化したりしてみましょう。**int型の変数xを1/2.0で初期化して出力した後に、xに3/2.0を代入して再び出力**してみてください。

▼assign2.c

```
#include <stdio.h>
int main(void) {
    int x=1/2.0;
    printf("%d\n", x);
    x=3/2.0;
    printf("%d\n", x);
}
```

「1/2.0」の結果は0.5、「3/2.0」の結果は1.5で、いずれも浮動小数点数型(double)です。しかし、整数型(int)の変数xに代入すると、0への丸め(Chapter4)が行われて、結果は整数になります。

▼実行例

```
> gcc -o assign2 assign2.c
> assign2
0  ← 0.5に0への丸めを適用
1  ← 1.5に0への丸めを適用
```

変数に式の値をそのまま格納する代入は、単純代入と呼ばれることがあります。次は、変数と式の値を使って計算を行い、その結果を元の変数に代入する、複合代入について学びましょう。

複合代入演算子で計算と代入を同時に行う

複合代入演算子(ふくごうだいにゅうえんざんし)は、計算と代入を同時に行う演算子です。複合代入演算子は次のように使います。いずれもAとBの間で計算を行い、結果をAに代入します。

▼複合代入演算子

演算子	機能	使い方	Aに代入される値
+=	加算(足し算)	A+=B	AとBの和
-=	減算(引き算)	A-=B	AとBの差
*=	乗算(掛け算)	A*=B	AとBの積
/=	除算(割り算)	A/=B	AをBで割った商
%=	剰余(割り算の余り)	A%=B	AをBで割った余り
&=	論理積(AND)	A&=B	AとBの論理積(ビット単位)
|=	論理和(OR)	A|=B	AとBの論理和(ビット単位)
^=	排他的論理和(XOR)	A^=B	AとBの排他的論理和(ビット単位)
<<=	左シフト	A<<=B	Aを左にBビットシフトした値
>>=	右シフト	A>>=B	Aを右にBビットシフトした値

例えば、変数xに1を加算するときには、単純代入を使って「x=x+1」と書く方法と、複合代入を使って「x+=1」と書く方法があります。どちらで書いても構わないのですが、「x+=1」の方が少し短く書けます。なお、変数に1を加算する場合や、変数から1を減算する場合には、インクリメント演算子やデクリメント演算子を使うと、さらに短く書けます(Chapter7)。

複合代入演算子を使ってみましょう。題材はコンピュータに関連が深い「ムーアの法則」です。ムーアの法則とは、集積回路(LSIやICなど)を構成する部品(トランジスタなど)の個数が、2年ごとに2倍になる(そして速度や容量などが向上する)という予測です。

ムーアの法則によれば、部品数は1年ごとに約1.4倍(2の平方根倍)になるはずです。そこで、**部品数が10倍を超えるのは何年後なのかを、複合代入演算子を使って計算する**プログラムを書いてみてください。double型の変数component(コンポーネント、部品)を1で初期化しておき、1.4を乗算しては出力して、10倍を超えるのに何回かかるのかを調べます。

▼assign3.c

```
#include <stdio.h>
int main(void) {
    double component=1;
    component*=1.4;
    printf("%g\n", component);
    component*=1.4;
    printf("%g\n", component);
    component*=1.4;
    printf("%g\n", component);
    component*=1.4;
    printf("%g\n", component);
    component*=1.4;
    printf("%g\n", component);
    component*=1.4;
    printf("%g\n", component);
    component*=1.4;
    printf("%g\n", component);
}
```

対数関数(log)を使えば簡単に求まりますが、ここでは複合代入演算子を繰り返し適用してみました。上記のプログラムには同じ処理が並んでいますが、繰り返し文(Chapter7)を使えば、もっと簡潔に書けます。実行結果は次の通りで、7年後に10倍を超えることが分かります。

▼実行例

```
> gcc -o assign3 assign3.c
> assign3
1.4       ← 1年後
1.96      ← 2年後
2.744     ← 3年後
3.8416    ← 4年後
5.37824   ← 5年後
7.52954   ← 6年後
10.5414   ← 7年後
```

次は、代入演算子や複合代入演算子を使った式の値について学びます。

❖代入演算子や複合代入演算子を使った式の値

代入演算子や複合代入演算子を使うと、変数に値が格納されます。一方、代入演算子や複合代入演算子を使った式の値は、変数に格納された値と同じ値になります。

例えば、「x=123」という式を評価すると、xに123が格納されます。一方、「x=123」という式の値は、xに格納された値である123になります。

実験してみましょう。**int型の変数xを宣言し、x=123という式の値を出力した後に、xの値を出力**するプログラムを書いてください。

▼assign4.c

```
#include <stdio.h>
int main(void) {
    int x;
    printf("%d\n", x=123);
    printf("%d\n", x);
}
```

以下が実行例です。「x=123」という式の値が、xに代入された値と同じ、123であることが確認できます。

▼実行例

```
> gcc -o assign4 assign4.c
> assign4
123   ← x=123という式の値
123   ← xの値
```

ところで、多くの演算子は左結合ですが、代入演算子や複合代入演算子は珍しく右結合です(Chapter4)。例えば「x=y=123」という式は、次のように右側から評価します。

```
x=y=123 → x=(y=123) → x=123
```

「x=y=123」という式において、xにもyにも同じ値が代入されるのは、上記のような仕組みです。代入演算子や複合代入演算子が右結合であることと、変数に格納した値が式の値になることがポイントです。

次はキーボードから値を入力して、変数に格納する方法を学びます。

section 04 キーボードから値を入力する

今までは計算に使う値をプログラムに直接書いていましたが、異なる値で計算をするには、プログラムを変更してコンパイルする必要がありました。そこで今度は、キーボードから入力した値を、変数に格納する方法を学びます。キーボードから値を入力できれば、プログラムを修正しなくても、色々な値で計算ができます。

キーボードから入力した値を受け取る方法は色々ありますが、ここでは入力した整数や浮動小数点数を簡単に変数へ格納できる、scanf（スキャン・エフ）関数について学びましょう。関数名から想像できるように、scanfはprintfの対になる関数で、printfは出力を、scanfは入力を担当します。

整数を入力する

scanf関数は次のように使います。scanf関数はprintf関数によく似ていて、書式文字列に変換指定を記述することや、任意個の式を書けることは同じです。一方、以下で説明するように、いくつか異なる点もあるので注意してください。

scanf関数

```
scanf(書式文字列, 式, …)
```

例えば、キーボードから入力した1個の整数を変数に格納する場合には、次のように書きます。以下で変数の部分には、int型の変数を指定します。

整数の入力

```
scanf("%d", &変数)
```

上記で変数の前にある「&」は、アドレス演算子と呼ばれます（Chapter13）。アドレス演算子は、変数のために確保されたメモリのアドレスを返します。scanf関数は変数のアドレスを受け取って、そのアドレスが示すメモリに、入力された値を書き込みます。その結果として、入力された値が変数に格納されるというわけです。

▼scanf関数の動作

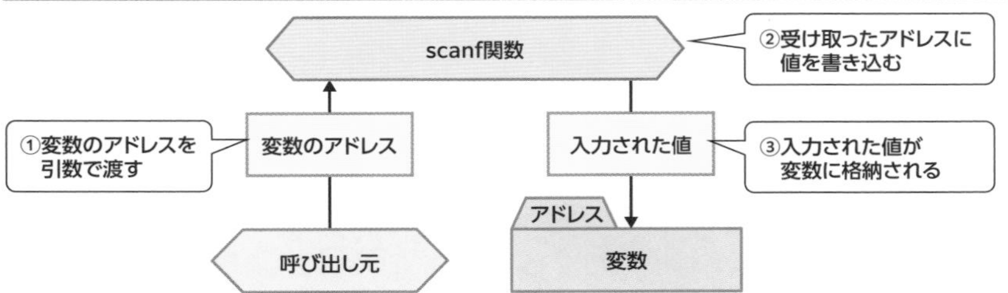

scanf関数を使って、整数を入力してみましょう。**入力された整数を2乗して出力するプログラムを書いてください**。例えば、変数xを宣言し、入力された整数をscanf関数でxに格納します。次にprintf関数で、xを2乗した値を出力します。

▼scanf.c

```
#include <stdio.h>
int main(void) {
    int x;
    scanf("%d", &x);
    printf("%d\n", x*x);
}
```

scanf関数において、xの前に&を付けて、「&x」とすることを忘れないでください。また、書式文字列の中には「%d」だけを書き、「\n」(改行のエスケープシーケンス)などは書かないことにも注目してください。

実行結果は次の通りです。scanf関数を実行すると、キーボードの入力待ちになります。整数とEnterキーを入力すると、入力待ちが終わり、結果が出力されます。以下では8や16を入力しましたが、他の値も試してみてください。

▼実行例

```
> gcc -o scanf scanf.c
> scanf
8      ← 8とEnterキーを入力
64     ← 結果の出力(8の2乗)
> scanf
16     ← 16とEnterキーを入力
256    ← 結果の出力(16の2乗)
```

次はscanf関数を使って、複数の値を入力する方法を学びましょう。

❖複数の値を入力する

複数の値を入力する場合には、scanf関数を複数回呼び出しても構いませんが、書式文字列の中に複数の変換指定を書くこともできます。以下はキーボードから入力した2個の整数について、1番目の整数を変数Aに、2番目の整数を変数Bに格納する例です。より多くの変換指定を並べたり、種類が異なる変換指定を混在させることも可能です。

複数の整数を入力

```
scanf("%d%d", &変数A, &変数B)
```

複数の変換指定を書いて、複数の整数を入力してみましょう。**入力された2個の整数について、加算・減算・乗算・除算・剰余の結果を出力**するプログラムを書いてください。例えば、変数xとyを宣言し、入力された2個の整数をscanf関数でxとyに格納します。

▼scanf2.c

```
#include <stdio.h>
int main(void) {
    int x, y;
    scanf("%d%d", &x, &y);
    printf("%d+%d=%d\n", x, y, x+y);
    printf("%d-%d=%d\n", x, y, x-y);
    printf("%d*%d=%d\n", x, y, x*y);
    printf("%d/%d=%d\n", x, y, x/y);
    printf("%d%%%d=%d\n", x, y, x%y);
}
```

上記のプログラムでは、結果を「1+2=3」のように分かりやすく出力してみました。printf関数で「%」を表示するときには、「%%」のように2個続けて書く必要があることに注意してください。

scanf関数を使って複数の値を入力する際には、複数の値を空白・タブ・改行(これらをまとめてホワイトスペースと呼ぶことがあります)で区切って入力します。空白・タブ・改行はいくつでも構いません。scanf関数に複数の変換指定を書いた場合でも、scanf関数を複数回呼び出した場合でも、入力方法は同じです。

以下の実行例では、「12」と「3」を入力してみました。「12(空白)3(改行)」のように入力しましたが、例えば「12（タブ）3（改行）」や、「12（改行）3（改行）」のように入力することもできます。

▼実行例

```
> gcc -o scanf2 scanf2.c
> scanf2
12 3        ← 12（空白）3（改行、Enterキー）を入力
12+3=15     ← 加算
12-3=9      ← 減算
12*3=36     ← 乗算
12/3=4      ← 除算
12%3=0      ← 剰余
```

次はscanf関数を使って、浮動小数点数を入力してみましょう。

浮動小数点数を入力する

1個の浮動小数点数を入力するには、例えば次のように書きます。変数の部分には、double型の変数を指定します。%lfのlは長さ修飾子（Chapter3）です。

浮動小数点数の入力

```
scanf("%lf", &変数)
```

printf関数でfloat型やdouble型の値を出力するときには、lを付けない%fを使っても、lを付けた%lfを使っても構いません。この背景には、デフォルトの引数拡張によってfloat型からdouble型への変換が行われるため、float型とdouble型の値が、いずれもdouble型の値として処理されるという事情があります。

scanf関数の場合は、%fと%lfを使い分ける必要があります。変数がfloat型ならば%fを使い、double型ならば%lfを使います。

scanf関数を使って、浮動小数点数を入力してみましょう。題材はインチからセンチメートルへの換算です。SSDやHDDのサイズを表す際には、インチ（inch、単位はin）がよく使われますが、センチメートル（cm）に換算してみます。**キーボードから浮動小数点数でインチの値を入力すると、センチメートルに換算した値を出力**するプログラムを書いてください。なお、1インチは2.54センチメートルです。

▼scanf3.c

```
#include <stdio.h>
int main(void) {
    double inch;
    printf("in: ");
    scanf("%lf", &inch);
    printf("cm: %g\n", inch*2.54);
}
```

上記のプログラムでは、double型の変数inchを宣言し、scanf関数で浮動小数点数を入力して、inchに格納します。プログラムを使いやすくするために、インチを入力する前には「in:」と出力し、センチメートルを出力する前には「cm:」と出力します。「in:」と出力した後に改行しないために、自動で改行するputs関数ではなく、自動では改行しないprintf関数を使いました(Chapter3)。以下の実行例では、SSDやHDDでよく見かける1.8、2.5、3.5といったインチの値を、センチメートルに換算してみました。

▼実行例

```
> gcc -o scanf3 scanf3.c
> scanf3
in: 1.8      ← 1.8インチ(入力)
cm: 4.572    ← 4.572センチメートル(出力)
> scanf3
in: 2.5      ← 2.5インチ(入力)
cm: 6.35     ← 6.35センチメートル(出力)
> scanf3
in: 3.5      ← 3.5インチ(入力)
cm: 8.89     ← 8.89センチメートル(出力)
```

scanf関数で入力する値の種類を表す、変換指定子を以下の表にまとめました。浮動小数点数に関しては、f・F・e・E・a・A・g・Gのいずれを使っても構いません。

▼値の種類（変換指定子）

記法	入力する値の種類
c	文字
s	文字列
i	整数 （入力の先頭が0ならば8進数、0xならば16進数、他は10進数）
d	符号付き整数（10進数）
u	符号なし整数（10進数）
o	符号なし整数（8進数）
xまたはX	符号なし整数（16進数）
fFeEaAgG	浮動小数点数（10進数・16進数・指数表記に対応）
p	ポインタ
n	これまでに入力した文字数
[文字群]	文字群に含まれる文字の並び
[^文字群]	文字群に含まれない文字の並び

printf関数の場合（Chapter3）と同様に、変換指定には長さ修飾子を付けられます。長さ修飾子はhh、h、l、ll、Lなどです。

また、scanf関数の書式文字列には、変換指定以外の文字を書くこともできます。空白を表す文字（空白・タブ・改行など）を書いた場合には、入力から任意個の空白を表す文字を読み飛ばします。その他の文字を書いた場合には、入力が同じ文字の場合は読み飛ばし、異なる文字の場合はscanf関数を終了します。

次は変数に関連して、値を変更できない定数を宣言する方法を学びます。

section 05 値を変更できない定数を宣言する

C言語では、プログラムに書いた整数や浮動小数点数のことを、整数定数や浮動小数点定数と呼びます。一方で、一般にプログラミングにおける定数とは、値に対して名前を付けたもののことです。ここでは後者の定数について学びます。

定数は変数と同様に、名前を指定して値を参照できますが、変数とは異なり、値を変更することはできません。逆にいえば、変更する必要がない値や、誤って変更されたくない値については、変数ではなく定数にするのがおすすめです。

C言語には定数に関する機能がいくつかあります。ここでは変数の値を変更不可能にする「const」、名前を値に置き換える「マクロ」、関連する値をまとめて宣言する「列挙型」について学びます。

❖constで値の変更を禁止する

const(コンスト)は変数を宣言するときに付ける修飾子(しゅうしょくし)の一種で、変数の値を変更できなくする働きがあります。

constを使って変数を宣言するには、次のように書きます。式の値(式を計算した結果の値)が変数に格納されます。constを付けて宣言した変数には、後から値を代入することはできないので、宣言と同時に初期化しておく必要があります。

constを使った変数の宣言

```
const 型 変数名=式;
```

次のように「,」(カンマ)で区切って、複数の変数をまとめて宣言することもできます。この場合、宣言した全ての変数に対してconstが適用されます。

constを使った変数の宣言(複数個)

```
const 型 変数名A=式A, 変数名B=式B, …;
```

constを使ってみましょう。球の体積を求めるプログラムを書いてみます。**キーボードから浮動小数点数で半径を入力すると、球の体積を求めて出力**するプログラムを書いてください。球の体積は、「4×円周率×半径×半径×半径÷3」で求められます。円周率は定数PI(パイ)とし、3.14で初期化します。PIはconstを付けて宣言してください。

▼const.c

```
#include <stdio.h>
int main(void) {
    const double PI=3.14;
    double radius;
    printf("radius: ");
    scanf("%lf", &radius);
    printf("volume: %g\n", 4*PI*radius*radius*radius/3);
}
```

上記のプログラムでは、定数PIはconstを付けて宣言し、変数radius（半径）はconstを付けないで宣言しました。もしPIに値を代入しようとしたり、scanf関数で値を格納しようとすると、コンパイルエラーになります。

以下が実行例です。radiusに続けて半径を入力すると、volume（体積）に続けて球の体積が出力されます。ここでは野球ボールの半径（約3.7cm）を入力してみました。出力された体積（約212cm³）は、コップ1杯分の水程度です。

▼実行例

```
> gcc -o const const.c
> const
radius: 3.7        ← 半径(cm)
volume: 212.067    ← 体積(cm³)
```

上記のPIのように、定数名は英大文字で書くことがよくあります。定数名が複数の単語で構成されていたら、単語の間を「_」（アンダースコア）で区切って、例えば「HELLO_WORLD」のように書きます。

PIのような定数を宣言せずに、3.14のような値を式に直接書き込んでも、プログラムは問題なく動きます。しかし、PIのような定数名を付けておくことで、3.14という値が何を表しているのか（ここでは円周率）が分かりやすくなります。

また、定数を宣言しておくと、値を変えたくなったときにも便利です。例えば3.14を3.14159に変えたくなったら、PIを初期化する値を3.14159に変えれば済みます。もし定数を宣言せずに、プログラムのあちこちに3.14を書いていたとしたら、注意深く3.14を探して3.14159に置き換える必要があるので、手間がかかり、間違いも起きやすくなります。プログラムの各所で同じ値を何度も使う場合には、その値を定数として宣言しておくことを、特におすすめします。

❖マクロで名前を値に置き換える

C言語におけるマクロは、指定した名前（識別子）を、任意のプログラム（ソースコード）に置換する機能です。名前を値に置換することもできるので、定数としても使えます。

マクロを定義するには、プリプロセッサ指令（Chapter2）の#define（ディファイン）を使って、次のように書きます。プリプロセッサはプログラムの中から指定された識別子を探し、指定されたプログラムに置換します。

マクロの定義

```
#define 識別子 プログラム
```

マクロを定数として使う場合には、次のように書くとよいでしょう。プリプロセッサは識別子を値に置換します。

識別子を値に置換するマクロ

```
#define 識別子 値
```

値ではなく式を書くこともできます。プリプロセッサは識別子を式に置換するので、結果として、識別子を式の値に置換したことになります。なお、プリプロセッサは識別子を単純に式へ置き換えるので、別の式にこの識別子を組み込んだときなどに問題が起きないように、下記のように式を()で囲んでおくのがおすすめです。

識別子を式に置換するマクロ

```
#define 識別子 (式)
```

マクロを使ってみましょう。今度は球の表面積を求めるプログラムを書いてみます。**キーボードから浮動小数点数で半径を入力すると、球の表面積を求めて出力**するプログラムを書いてください。球の表面積は、「4×円周率×半径×半径」で求められます。円周率は定数PI（パイ）とし、値は3.14とします。PIは#defineを使って定義してください。

▼macro.c

```
#include <stdio.h>
#define PI 3.14
int main(void) {
    double radius;
    printf("radius: ");
```

```
    scanf("%lf", &radius);
    printf("area  : %g\n", 4*PI*radius*radius);
}
```

上記のプログラムでは、#includeの後、main関数の前に、#defineを書きました。置換する識別子よりも前ならば、#defineを他の場所、例えばmain関数の中などに書くこともできます。

以下が実行例です。radiusに続けて半径を入力すると、area（面積）に続けて球の表面積が出力されます。ここではテニスボールの半径（約3.3cm）を入力しました。出力された表面積（約137cm²）は、はがきの面積よりやや小さい程度です。

▼実行例

```
> gcc -o macro macro.c
> macro
radius: 3.3        ← 半径(cm)
area: 136.778      ← 表面積(cm²)
```

constと#defineは、どちらも定数を実現できますが、少し性質が異なります。constによる定数は、型を明示できる点が便利ですが、caseラベル（Chapter6）などには使えません。こういった用途には、#defineによる定数か、次に学ぶ列挙型による定数を使います。

❖列挙型で関連する定数をまとめて宣言する

列挙型（れっきょがた）は、値が整数や文字（Chapter9）の定数をまとめて宣言できる機能です。宣言した定数は、constや#defineによる定数と同様に、計算や出力に使えます。

列挙型は次のように宣言します。列挙型で宣言した定数は、列挙定数（れっきょていすう）と呼ばれます。

列挙型の宣言

```
enum { 定数名, … };
```

上記の場合、定数名には左から順に0、1、2…のように、0から始まり1ずつ増える整数が割り当てられます。実験してみましょう。**列挙型を使って定数RED、BLUE、GREENを宣言し、各々の値を出力**するプログラムを書いてください。

▼enum.c

```
#include <stdio.h>
int main(void) {
    enum { RED, BLUE, GREEN };
    printf("RED  : %d\n", RED);
    printf("BLUE : %d\n", BLUE);
    printf("GREEN: %d\n", GREEN);
}
```

実行結果は以下です。最初のREDから順に、0、1、2が割り当てられています。

▼実行例

```
> gcc -o enum enum.c
> enum
RED  : 0
BLUE : 1
GREEN: 2
```

次のように書くと、定数に割り当てる値(整数)を指定できます。値を指定する定数と、値を指定しない定数を混在させることもできます。値を指定しなかった定数は、直前(すぐ左)の定数の値に1を加算した値になります。

列挙型の宣言（値を指定）

```
enum { 定数名=値, … };
```

上記を使ってみましょう。英語で名前にRが含まれる月は、牡蠣(カキ)を食べるのに向いた月とされていますが、これらの月の名前を定数にしてみます。**列挙型を使って、SEP (9月)、OCT (10月)、NOV (11月)、DEC (12月)、JAN (1月)、FEB (2月)、MAR (3月)、APR (4月) という定数を宣言し、各々の値を出力**するプログラムを書いてください。定数の値は月の番号に一致させます。入力を簡単にするために、月の名前は省略形にしました。

▼enum2.c

```
#include <stdio.h>
int main(void) {
    enum { SEP=9, OCT, NOV, DEC, JAN=1, FEB, MAR, APR };
    printf("SEP: %d\n", SEP);
    printf("OCT: %d\n", OCT);
```

```
    printf("NOV: %d\n", NOV);
    printf("DEC: %d\n", DEC);
    printf("JAN: %d\n", JAN);
    printf("FEB: %d\n", FEB);
    printf("MAR: %d\n", MAR);
    printf("APR: %d\n", APR);
}
```

上記のように、SEP（9月）とJAN（1月）に対して、値を指定するのがポイントです。実行結果は次の通りです。

▼実行例

```
> gcc -o enum2 enum2.c
> enum2
SEP: 9
OCT: 10
NOV: 11
DEC: 12
JAN: 1
FEB: 2
MAR: 3
APR: 4
```

❖列挙型に名前を付ける

次のように、列挙型には名前を付けることもできます。前述のように、定数に割り当てる値を指定することも可能です。

名前が付いた列挙型の宣言

```
enum 列挙型名 { 定数名, … };
```

列挙型に名前を付けると、「enum 列挙型名」をintやdoubleのような型として使って、変数を宣言できます。この変数には、初期化や代入を使って、列挙型で宣言した定数を格納することが可能です。後述するように、変数に格納されるのは定数に割り当てられた値（整数や文字）であり、定数名は格納されません。

列挙型名を使った変数の宣言

```
enum 列挙型名 変数名;
```

次のように書くと、列挙型の宣言と同時に、変数を宣言することもできます。定数に割り当てる値を指定したり、変数を初期化することも可能です。

名前が付いた列挙型の宣言

```
enum 列挙型名 { 定数名, … } 変数名;
```

列挙型名を使って変数を宣言してみましょう。次のようなプログラムを書いてください。**最初にDAY（曜日）という名前の列挙型を宣言し、SUN（日）、MON（月）、TUE（火）、WED（水）、THU（木）、FRI（金）、SAT（土）という定数を宣言します。次に、「enum DAY」型の変数dayを宣言し、TUE（火）で初期化して、値を出力してください。最後に、dayからFRI（金）までの日数を求め、値を出力**します。

▼enum3.c

```
#include <stdio.h>
int main(void) {
    enum DAY { SUN, MON, TUE, WED, THU, FRI, SAT } day=TUE;
    printf("%d\n", day);
    printf("%d\n", FRI-day);
}
```

▼実行例

```
> gcc -o enum3 enum3.c
> enum3
2  ← TUEの値は2
3  ← TUEからFRIまでは3日
```

上記のプログラムにおいて、変数dayに格納されるのはTUEという定数名ではなく、定数TUEに割り当てられた整数の2であることに注目してください。一般に、定数を変数に格納する際には、定数名が格納されるのではなく、定数の値が格納されます。この動作は列挙型に名前を付けた場合も、付けなかった場合も同じです。また、constや#defineによる定数についても同様です。

本章では、変数の使い方を学びました。宣言と初期化、値の代入について学び、キーボードから入力した値を変数に格納できるようにもなりました。また、変数に関連して、値を変更しない定数を宣言する方法についても学びました。

次章では、式の値に応じて処理を分岐するための、選択文について学びます。

基礎編 Chapter6

選択文でプログラムの流れを変える

プログラムは上から下に向かって実行するのが基本ですが、ときには流れを変えたいときもあります。例えば「部屋の温度が20度未満になったら暖房を入れる」とか、「得点が80点以上だったら合格と表示する」といった処理を行うには、プログラムの流れを変える必要があります。そこで本章では、条件に応じてプログラムの流れを分岐させる、ifやswitchといった選択文（せんたくぶん）について学びます。

本章の学習内容

①比較演算子
②論理演算子
③真偽値とブーリアン型
④if文
⑤条件演算子
⑥switch文

section 01
演算子を使って条件を書く

選択文の条件となる式を書くには、比較演算子や論理演算子を使います。比較演算子は2つの値を比べる演算子で、論理演算子は複数の条件を組み合わせる演算子です。これらの演算子を使って、色々な条件を表す式を書いてみましょう。

比較演算子で2つの値を比べる

比較演算子(ひかくえんざんし)は、2つの値の大小などを比較して、結果をint型の整数(1または0)で返す演算子です。条件が成立したら「1」を返し、不成立ならば「0」を返します。なお、==と!=は等価演算子(とうかえんざんし)、<、>、<=、>=は関係演算子(かんけいえんざんし)とも呼びます。

▼比較演算子

演算子	使い方	条件(成立で1、不成立で0)	読み方の例
==	A==B	AがBに等しい	イコール・イコール
!=	A!=B	AがBに等しくない	ノット・イコール
<	A<B	AがBよりも小さい	小なり(しょうなり)
>	A>B	AがBよりも大きい	大なり(だいなり)
<=	A<=B	AがB以下(小さいか等しい)	小なりイコール
>=	A>=B	AがB以上(大きいか等しい)	大なりイコール

上記の表には参考として、各演算子の読み方の例も示しました。==は意味としてはイコール(等しい)ですが、代入演算子の=(イコール)と区別するために、イコール・イコールと読んだ方が間違いがないかもしれません。また、!=はノット(否定)とイコールを合わせてノット・イコールと読む例を示しましたが、ビックリ・イコールと読むこともできそうです。上記の表にこだわらず、読みやすく、人に伝えやすい読み方を探してみてください。

比較演算子を使ってみましょう。**キーボードから入力した2つの整数に対して、6種類の比較演算子を適用し、各々の結果を出力**するプログラムを書いてください。scanf関数の変換指定は「%d」を使います。

▼comp.c

```
#include <stdio.h>
int main(void) {
    int x, y;
    scanf("%d%d", &x, &y);
    printf("%d==%d : %d\n", x, y, x==y);
    printf("%d!=%d : %d\n", x, y, x!=y);
    printf("%d<%d  : %d\n", x, y, x<y);
    printf("%d>%d  : %d\n", x, y, x>y);
    printf("%d<=%d : %d\n", x, y, x<=y);
    printf("%d>=%d : %d\n", x, y, x>=y);
}
```

上記でファイル名の「comp」は、comparison operator（比較演算子）の略です。どの演算子を適用したのかが分かりやすいように、例えば「2==3 : 1」のように、入力した値、演算子、結果を出力します。以下の実行例では、1回目は「2」と「3」、2回目は「4」と「4」を入力してみました。

▼実行例

```
> gcc -o comp comp.c
> comp
2 3          ←1回目は2と3を入力
2==3 : 0   ←「2は3に等しい」は不成立
2!=3 : 1   ←「2は3に等しくない」は成立
2<3  : 1   ←「2は3より小さい」は成立
2>3  : 0   ←「2は3より大きい」は不成立
2<=3 : 1   ←「2は3以下」は成立
2>=3 : 0   ←「2は3以上」は不成立
> comp
4 4          ←2回目は4と4を入力
4==4 : 1   ←「4は4に等しい」は成立
4!=4 : 0   ←「4は4に等しくない」は不成立
4<4  : 0   ←「4は4より小さい」は不成立
4>4  : 0   ←「4は4より大きい」は不成立
4<=4 : 1   ←「4は4以下」は成立
4>=4 : 1   ←「4は4以上」は成立
```

整数と同様に浮動小数点数も比較できますが、誤差のために意外な結果になることがあるので、注意してください。例えば、異なる浮動小数点数型（floatとdouble

など）の間で比較を行うと、型によって本来の値との間の誤差が異なるために、同じ値に見えるけれども実は等しくない、という現象が起きます。

実験してみましょう。**キーボードから入力した2個の浮動小数点数を、float型とdouble型の変数に格納した後に、6種類の比較演算子を適用し、各々の結果を出力**するプログラムを書いてください。scanf関数の変換指定は、float型は「%f」、double型は「%lf」を使います。

▼comp2.c

```
#include <stdio.h>
int main(void) {
    float x;
    double y;
    scanf("%f%lf", &x, &y);
    printf("%g==%g : %d\n", x, y, x==y);
    printf("%g!=%g : %d\n", x, y, x!=y);
    printf("%g<%g  : %d\n", x, y, x<y);
    printf("%g>%g  : %d\n", x, y, x>y);
    printf("%g<=%g : %d\n", x, y, x<=y);
    printf("%g>=%g : %d\n", x, y, x>=y);
    printf("x: %.20f\n", x);
    printf("y: %.20f\n", y);
}
```

上記のプログラムでは、誤差を確認するために、最後に2つの値を小数点以下20桁まで出力しています。プログラムを実行して、例えば0.1と0.1を入力してみてください。

▼実行例

```
> gcc -o comp2 comp2.c
> comp2
0.1 0.1          ← 0.1と0.1を入力
0.1==0.1 : 0  ←「0.1は0.1に等しい」は不成立！
0.1!=0.1 : 1  ←「0.1は0.1に等しくない」は成立！
0.1<0.1  : 0  ←「0.1は0.1より小さい」は不成立
0.1>0.1  : 1  ←「0.1は0.1より大きい」は成立！
0.1<=0.1 : 0  ←「0.1は0.1以下」は不成立！
0.1>=0.1 : 1  ←「0.1は0.1以上」は成立
x: 0.10000000149011611938   ← float型の0.1
y: 0.10000000000000000555   ← double型の0.1
```

上記の実行例では、意外な結果になった箇所を「！」で示しました。最後に出力した2つの値を見ると、型によって誤差が異なるために、値が異なっていることが分かります。

このように浮動小数点数の比較では、誤差のために意外な結果になることがあります。そこで、例えば2つの浮動小数点数が等しいかどうかを判定する際には、単純に「==」で比較するのではなく、両者の差が一定の範囲内ならば等しいと見なす、といった対策を行います。

次は、複数の条件を組み合わせて複雑な条件を書くための、論理演算子について学びます。

論理演算子で複雑な条件を書く

論理演算子（ろんりえんざんし）は、2つの値が0かどうかに応じて、結果をint型の整数（1または0）で返す演算子です。条件が成立したら「1」を返し、不成立ならば「0」を返します。以下の表でAとBの部分に、比較演算子を使った式を書くと、複数の条件を組み合わせて、複雑な条件を表現できます。

▼論理演算子

演算子	機能	使い方	条件（成立で1、不成立で0）	読み方の例
!	否定（NOT）	!A	Aが不成立（0である）	ノット
&&	論理積（AND）	A&&B	AもBも成立（0以外である）	アンド
||	論理和（OR）	A||B	AまたはBが成立（0以外である）	オア

論理演算子はビット演算子（Chapter4）に似ていますが、動作が異なるので注意してください。ビット演算子は整数を2進数として扱い、ビット単位で計算を行います。論理演算子は整数だけではなく色々な型の値について、0は不成立、0以外は成立として扱います。1だけを成立として扱うのではなく、0以外ならば成立として扱うことに注意してください。

上記の表には、各演算子の読み方の例も示しました。ビット演算子にもノット（~）・アンド（&）・オア（|）があるので、明確に区別したい場合には、例えば「!」をビックリ、「&&」をアンド・アンド、「||」をオア・オアと読む方法もあります。比較演算子と同様に、読みやすく、人に伝えやすい読み方を探してみてください。

論理演算子を使ってみましょう。入力された時刻が、営業時間内かどうかを判定します。**キーボードから入力した時刻（整数）を使って、開店（8時から22時）かどうかを判定する式と、閉店（開店時間以外）かどうかを判定する式を計算し、結果を出力**するプログラムを書いてください。式は比較演算子と論理演算子を使って書きます。

▼logic.c

```
#include <stdio.h>
int main(void) {
    int hour;
    printf("hour   : ");
    scanf("%d", &hour);
    printf("open   : %d\n", 8<=hour && hour<=22);
    printf("closed: %d\n", hour<8 || 22<hour);
    printf("open   : %d\n", !(hour<8 || 22<hour));
    printf("closed: %d\n", !(8<=hour && hour<=22));
}
```

上記でファイル名の「logic」は、logical operator（論理演算子）の略です。開店（open）を判定する式と、閉店（closed）を判定する式を、2種類ずつ書いてみました。式の意味については、以下の実行例を参照してください。

なお、論理演算子の優先順位は、高い方から「!」、「&&」、「||」の順です。上記のプログラムにおいて、!を使った式では、()を使って計算の順序を調整していることに注目してください。

▼実行例

```
> gcc -o logic logic.c
> logic
hour   : 14    ←1回目は14時を入力（開店）
open   : 1     ←「8時以降22時以前」は成立
closed: 0     ←「8時より前か22時より後」は不成立
open   : 1     ←「『8時より前か22時より後』ではない」は成立
closed: 0     ←「『8時以降22時以前』ではない」は不成立
> logic
hour   : 23    ←2回目は23時を入力（閉店）
open   : 0     ←「8時以降22時以前」は不成立
closed: 1     ←「8時より前か22時より後」は成立
open   : 0     ←「『8時より前か22時より後』ではない」は不成立
closed: 1     ←「『8時以降22時以前』ではない」は成立
```

「&&」と「||」には、ショートサーキットという性質があります。ショートサーキットというのは、電気回路（サーキット）が短絡（ショート）することです。プログラミングにおけるショートサーキットとは、式の評価（式を計算して値を求めること、Chapter4）の途中で結果が確定した場合に、残りの評価を省略することです。

「A&&B」の結果が1になるのは、AもBも成立（0以外）の場合だけです。そこで、Aが不成立（0）の場合は、Bにかかわらず結果が0に確定するので、Bの評価を省略します。

同様に、「A||B」の結果が0になるのは、AもBも不成立（0）の場合だけです。そこで、Aが成立（0以外）の場合は、Bにかかわらず結果が1に確定するので、Bの評価を省略します。

ショートサーキットの動作を確認してみましょう。**ショートサーキットを使った以下のプログラムについて、1を入力した場合と、0を入力した場合に、それぞれ何が出力されるかを予想**してください。

▼logic2.c

```
#include <stdio.h>
int main(void) {
    int x;
    scanf("%d", &x);
    x==0 && puts("x==0");
    x==0 || puts("x!=0");
}
```

上記のプログラムにおいて、「x==0」が不成立の場合、「&&」の後にあるputsは評価（実行）されません。一方、「x==0」が成立の場合、「||」の後にあるputsは評価されません。

実行例は以下の通りです。予想は当たっていたでしょうか。

▼実行例

```
> gcc -o logic2 logic2.c
> logic2
1       ← 1を入力(x==0は不成立)
x!=0    ← &&の式はショートサーキット、||の式はputsも評価
> logic2
0       ← 0を入力(x==0は成立)
x==0    ← &&の式はputsも評価、||の式はショートサーキット
```

このように比較演算子と論理演算子を使うと、色々な条件を表す式が書けます。次は、こういった条件を表す式の結果（1または0）を格納するための、ブーリアン型について学びます。

❖真偽値を表すブーリアン型

真偽値（しんぎち）とは、真（しん）と偽（ぎ）という2種類の値のことです。真理値（しんりち）とも呼びます。プログラミングにおいて真偽値は、成立・不成立、はい・いいえ、オン・オフといった状態を表すときに便利です。

真偽値を扱うための型のことを、一般に真偽値型・ブーリアン型・ブール型などと呼びます。C言語の仕様書はブーリアン型と呼んでいます。ブーリアンやブールという言葉は、数学者のジョージ・ブールに由来します。

C言語で真偽値を扱うときには、int型などの整数型を使うこともできますが、C99以降では_Bool（ブール）という型が用意されています。int型などを使っても構いませんが、_Bool型を使うことによって、真偽値を扱っていることが明確になり、プログラムが読みやすくなる可能性があります。

_Bool型の変数には、1または0を格納できます。他の型の値を_Bool型の変数に格納した場合、0以外の値は1に変換されます。

_Boolを使ってみましょう。**キーボードから入力した2つの整数が等しいかどうかを判定し、結果を_Bool型の変数に格納した上で、出力**するプログラムを書いてください。printf関数で_Bool型の値を出力するには、整数（int型）と同様に、変換指定の%dを使います。

▼bool.c

```
#include <stdio.h>
int main(void) {
    int x, y;
    scanf("%d%d", &x, &y);
    _Bool b=x==y;
    printf("x==y: %d\n", b);
}
```

上記のプログラムで、「b=x==y」という式は、「x==y」の結果（成立ならば1、不成立ならば0）を変数bに代入します。「b=(x==y)」と書いても構いませんが、「==」

の方が「=」よりも優先順位が高いので、「b=x==y」のように()を省略することもできます。

▼実行例

```
> gcc -o bool bool.c
> bool
2 2        ←2と2を入力
x==y: 1   ←「2==2」は真(成立)
> bool
2 3        ←2と3を入力
x==y: 0   ←「2==3」は偽(不成立)
```

標準ライブラリのstdbool.hをインクルードすると、_Boolの代わりにbool(ブール)というマクロ(Chapter5)が使えます。また、1や0の代わりに、以下のようなtrueやfalseというマクロを使うことが可能です。bool、true、falseという記法は、C++の記法と共通です。

▼真偽値を表すマクロ

記法	読み方	意味	値
true	トゥルー	真	1
false	フォールス	偽	0

bool、true、falseを使ってみましょう。**stdbool.hをインクルードしてから、bool型の変数xとyを宣言し、trueとfalseで初期化して出力**するプログラムを書いてください。printf関数の変換指定は、_Bool型の場合と同様に%dを使います。

▼bool2.c

```
#include <stdio.h>
#include <stdbool.h>
int main(void) {
    bool x=true, y=false;
    printf("x: %d\n", x);
    printf("y: %d\n", y);
}
```

実行例は以下です。trueは1、falseは0として出力されます。

▼実行例

```
> gcc -o bool2 bool2.c
> bool2
x: 1  ← true
y: 0  ← false
```

前述のように、真偽値を扱うためにブーリアン型を使うことは必須ではなく、int型などの整数型を使っても構いません。しかし、もしブーリアン型を使った方がプログラムが読みやすくなると感じたら、ぜひ使ってみてください。

条件を記述する色々な方法を学んできました。次はいよいよ、条件に応じてプログラムの流れを分岐する方法を学びます。

section 02 条件に応じて分岐するif文

if（イフ、もしも）という文を使うと、条件に応じてプログラムの流れを分岐できます。if文は条件が成立したときに、指定した処理を実行します。また、if文にelse（エルス、さもなければ）を組み合わせると、条件が不成立のときに実行する処理も指定することが可能です。

まずはシンプルなif文から学びましょう。

「もしも」のif

if文は次のように書きます。式の部分には分岐の条件を記述します。式の値が0以外のとき、つまり条件が成立したときには、文を実行します。式の値が0のとき、つまり条件が不成立のときには、文を実行しません。

if文

```
if (式) 文;
```

次のようにブロックを使うと、式の値が0以外のとき（条件が成立したとき）に実行する処理を、複数の文にわたって書けます。ブロックの内側にある文は、インデント（字下げ、Chapter2）するのが一般的です。

if文（ブロック）

```
if (式) {
    文;
    …
}
```

文が1個のときには、ブロックを使っても使わなくても構いません。ブロックを使わない方が簡潔に書けますが、うっかり次のような書き方をしないように注意してください。

- **誤解を招く書き方の例❶**

```
if (式) 文A; 文B;
```

・**誤解を招く書き方の例❷**

```
if (式)
    文A;
    文B;
```

上記の例は❶❷ともに、式の値が0以外のとき(条件が成立したとき)に実行するのは文Aだけで、文Bは実行しません。もし文Aと文Bの両方を実行したい場合には、ブロックを使って書いてください。

if文を使ってみましょう。温度に応じてエアコンのオン・オフを制御します。**キーボードから入力した温度が30度より高ければ、クーラーをオンにする(coolerと出力する)**プログラムを書いてください。

▼if1.c

```
#include <stdio.h>
int main(void) {
    int t;
    printf("temperature: ");
    scanf("%d", &t);

    if (t>30) puts("cooler");

    if (t>30) {
        puts("cooler");
    }
}
```

上記でファイル名の「if1」に「1」を付けたのは、macOS/Linuxにおける実行ファイル名が、OSのコマンドであるifと同名になることを避けるためです。実行ファイル名が「if」の場合、「if」と入力するとOSのコマンドが優先されてしまうので、「./if」と入力して実行する必要があります。そのため、実行ファイル名がOSのコマンドと同名になる場合は、ファイル名に1を付けることにしました。他章のプログラムについても同様です。

上記のプログラムでは、ブロックを使わないif文と、ブロックを使うif文の、両方を書いてみました。この例のように、if文の内側にある文が1個の場合には、どちらの書き方でも構いません。

以下は実行例です。条件(30度より高い)が成立した場合にはcoolerと出力し、不成立の場合には何も出力しません。

▼実行例

```
> gcc -o if1 if1.c
> if1
temperature: 31   ← 温度は31を入力
cooler            ← クーラー
cooler            ← クーラー
> if1
temperature: 24   ← 温度は24を入力
>                 ← 何も出力せずにプロンプトに戻る
```

次はif文にelseを組み合わせてみます。

「さもなければ」のelse

if文にelse(エルス)を組み合わせるには、次のように書きます。式の値が0以外のとき(条件が成立したとき)には文Aを実行し、式の値が0のとき(条件が不成立のとき)には文Bを実行します。

else

```
if (式) 文A; else 文B;
```

「文A」や「文B」の部分に複数の文を書きたいときには、次のようにブロックを使います。ブロックの内側にある文は、インデントするのが一般的です。なお、if以下とelse以下の両方をブロックにせずに、片方だけをブロックにすることもできます。

else(ブロック)

```
if (式) {
    文A;
    …
} else {
    文B;
    …
}
```

elseを使ってみましょう。前回(if1.c)に引き続き、エアコンを制御します。**キーボードから入力した温度が30度より高ければクーラーをオンにし、さもなければオフにする(offと出力する)**プログラムを書いてください。

▼if2.c

```
#include <stdio.h>
int main(void) {
    int t;
    printf("temperature: ");
    scanf("%d", &t);

    if (t>30) puts("cooler"); else puts("off");

    if (t>30) {
        puts("cooler");
    } else {
        puts("off");
    }
}
```

前回のプログラムに引き続き、ブロックを使わないif文と、ブロックを使うif文の、両方を書いてみました。この例についても、ifやelseの内側にある文が1個なので、どちらの書き方でも構いません。

実行例は以下の通りです。条件(30度より高い)が成立した場合にはcoolerと出力し、不成立の場合にはoffと出力します。

▼実行例

```
> gcc -o if2 if2.c
> if2
temperature: 31   ← 温度は31を入力
cooler            ← クーラー
cooler            ← クーラー
> if2
temperature: 24   ← 温度は24を入力
off               ← オフ
off               ← オフ
```

次は、複数の条件を書くときに役立つelse ifについて学びます。

❖「そうではなくて、もしも」のelse if

else if（エルス・イフ）は、最初の条件が不成立のときに、次の条件を判定して分岐する手法で、以下のように書きます。式Aの値が0以外のとき（条件が成立したとき）には文Aを実行し、式Aの値が0のとき（条件が不成立のとき）には、式Bの判定に進みます。そして、式Bの値が0以外のときには文Bを実行し、式Bの値が0のときには文Cを実行します。

else if

```
if (式A) 文A; else if (式B) 文B; else 文C;
```

上記の文は、「もしも式Aが成立したら文Aを実行、そうではなくて式Bが成立したら式Bを実行、さもなければ式Cを実行」のように読むと、動作を理解しやすいでしょう。なお、else ifは1個に限らず、「if…else if…else if…」のように、何個でも書けます。また、最後のelseを省略することも可能です。

「文A」「文B」「文C」の部分に複数の文を書きたいときには、次のようにブロックを使います。ブロックの内側は一般にインデントします。なお、全てをブロックにせずに、if以下、else if以下、else以下の一部だけをブロックにしても構いません。

else if（ブロック）

```
if (式A) {
    文A;
    …
} else if (式B) {
    文B;
    …
} else {
    文C;
    …
}
```

else ifを使ってみましょう。前述のエアコンにヒーターの機能を追加します。**キーボードから入力した温度が30度より高ければクーラーをオンにし、20度より低ければヒーターをオンにし（heaterと出力する）、さもなければオフにする**プログラムを書いてください。

▼if3.c

```
#include <stdio.h>
int main(void) {
    int t;
    printf("temperature: ");
    scanf("%d", &t);

    if (t>30) puts("cooler");
    else if (t<20) puts("heater");
    else puts("off");

    if (t>30) {
        puts("cooler");
    } else if (t<20) {
        puts("heater");
    } else {
        puts("off");
    }
}
```

上記のプログラムでも、ブロックを使わないif文と、ブロックを使うif文の、両方を書いてみました。ブロックを使わないif文については、1行が長くなったので途中で改行しました。こういった空白・タブ・改行などは、好みにあわせて、プログラムが見やすくなるように入れて構いません。もしコーディングスタイル(Chapter2)が決められている場合は、そのコーディングスタイルに従いましょう。

▼実行例

```
> gcc -o if3 if3.c
> if3
temperature: 31  ← 温度は31を入力
cooler           ← クーラー
cooler           ← クーラー
> if3
temperature: 19  ← 温度は19を入力
heater           ← ヒーター
heater           ← ヒーター
> if3
temperature: 24  ← 温度は24を入力
```

```
off                    ← オフ
off                    ← オフ
```

このようにif、else、else ifを組み合わせると、条件に応じて実行の流れが複雑に分岐するプログラムを書けます。次は、このような分岐を式の中で簡潔に書ける、条件演算子について学びます。

column

プログラムは簡潔に書こう

分かりにくくならない範囲で、プログラム（ソースコード）はできるだけ簡潔に書くのがおすすめです。プログラムが簡潔だと見通しがよく、短いプログラムの中に多くの処理を組み込めるので、複雑で高度な機能を実現しやすくなります。逆にプログラムが煩雑だと、見通しが悪いために、プログラムの作成や管理に時間や労力がかかってしまい、理論上は実現できるはずの機能でも、実現できなくなることがあります。無理にプログラムを短く書く必要はありませんが、プログラムを簡潔に見通しよく書くことは、とてもおすすめです。また、プログラムを短く書くのは面白い遊びでもあり、新しい文法を覚えたり使ったりする動機にもなります。

section

03 条件演算子で分岐を簡潔に書く

条件演算子(じょうけんえんざんし)は、if文のような分岐を式の中で行うための演算子です。項(演算の対象)が3個あるので、三項演算子(さんこうえんざんし)とも呼びます。

条件演算子は次のように書きます。式Aの値が0以外のとき(条件が成立したとき)には式Bの値を返し、式Aの値が0のとき(条件が不成立のとき)には式Cを返します。なお、以下では分かりやすくするために、?(クエスチョン)や:(コロン)の前後に空白を入れましたが、空白を入れずに詰めて書いても構いません。

条件演算子

```
式A ? 式B : 式C
```

上記の式は、「式Aが成立したら式B、不成立ならば式Cの値を返す」のように読むと、動作を理解しやすいでしょう。if文で書くと、次のようなイメージになります。

```
if (式A) 式B; else 式C;
```

複数の条件演算子を並べて書くことで、より複雑な分岐も可能です。例えば、2個の条件演算子を並べて、次のように書けます。

複数の条件演算子

```
式A ? 式B : 式C ? 式D : 式E
```

上記の式は、「式Aが成立したら式Bを返し、式Aが不成立で式Cが成立したら式Dを返し、式Cも不成立ならば式Eの値を返す」のように解釈します。if文で書くと、次のようなイメージです。

```
if (式A) 式B; else if (式C) 式D; else 式E;
```

先ほどのエアコンのプログラムを、条件演算子を使って書いてみましょう。**キーボードから入力した温度が30度より高ければクーラーをオンにし、20度より低ければヒーターをオンにし、さもなければオフにする**プログラムを書いてください。if文は使わずに、条件演算子を使って書きます。出力を行うputs関数も、3回呼び出すのではなく、1回だけ呼び出します。

▼cond.c

```
#include <stdio.h>
int main(void) {
    int t;
    printf("temperature: ");
    scanf("%d", &t);
    puts(t>30 ? "cooler" : t<20 ? "heater" : "off");
}
```

上記でファイル名の「cond」は、conditional operator（条件演算子）の略です。前述のif文を使ったプログラム（if3.c）よりも、かなり簡潔になりました。

▼実行例

```
> gcc -o cond cond.c
> cond
temperature: 31   ← 温度は31を入力
cooler            ← クーラー
> cond
temperature: 19   ← 温度は19を入力
heater            ← ヒーター
> cond
temperature: 24   ← 温度は24を入力
off               ← オフ
```

次は、if文とは異なる方法で分岐を行う、switch文について学びます。

section
04 値に応じて分岐するswitch文

switch(スイッチ)は、値に応じてプログラムの流れを分岐する文です。case(ケース)という選択肢を書いておくと、式の値に対応した選択肢を実行してくれます。

❖caseごとにbreakを書くのが基本

switch文は次のように書きます。caseはいくつ書いても構いません。caseごとに異なる値を書き、:(コロン)の後に、その選択肢において実行したい文を書きます。文は1個でも複数個でも大丈夫です。

各caseの最後にはbreak(ブレーク、ブレイク)文を書くのが一般的です。switch文の中に書いたbreak文には、switch文を終了する(switch文の次の文に進む)働きがあります。break文を書かない場合については、後ほど紹介します。

default(デフォルト)は、今までの選択肢に該当しなかった場合に実行する処理です。caseとは異なり、defaultは1個だけ書きます。必要がなければ、defaultは省略できます。また、以下ではdefaultをswitch文の末尾に書きましたが、先頭に書いても、他のcaseの間に書いても構いません。

なお、「case 値:」はcaseラベル、「default:」はdefaultラベルと呼ばれることがあります。ラベルというのは、C言語においてジャンプ先(実行を移す先)を示す機能です。一般的なラベルについては、goto文(Chapter7)と一緒に学びます。

switch文

```
switch (式) {
case 値A:           ← caseごとに異なる値を書く
    文A;            ← 文は1個でも複数個でもよい
    …
    break;          ← caseの最後にはbreakを書く
case 値B:           ← caseはいくつ書いてもよい
    文B;
    …
    break;
…
default:            ← defaultは省略してもよい
```

```
    文;
    …
    break;
}
```

caseに書ける値は整数または文字(Chapter9)です。マクロや列挙定数も書けます(Chapter5)。また、コンパイル時に値が決まる整数定数式(Chapter8)を書いても構いません。浮動小数点数や文字列などは書けないので、これらを使いたいときには、switch文ではなくif文などにする必要があります。

switch文をインデントする方法については、プログラマによって好みが分かれます。例えば、switchよりもcaseを一段右にインデントする書き方もよく見かけます。一方で、インデントが深くなるのを避けるために、上記のようにswitchとcaseを同じ段に揃える書き方もあります。

また、改行の方法にも幅があります。caseやdefaultの後に書く処理が単純な場合は、次のように改行を減らすことで、プログラムを短くできます。caseやdefaultの後にある文は、1個でも複数個でも構いません。if文とは異なり、文が複数個の場合でも、{}で囲んでブロックにする必要はありません。

switch文（改行を減らす）

```
switch (式) {
case 値A: 文A; … break;
case 値B: 文B; … break;
…
default: 文; … break;
}
```

さて、上記のどちらの書き方をした場合にも、switch文は次のように動作します。

1. 式を評価して値を求めます。
2. 式の値に一致する値が書かれたcaseがある場合は、そのcase以下の文を実行します。例えば、式の値が値Aに等しければ、文Aを実行します。そしてbreak文を実行し、switch文を終了します。
3. 式の値がいずれのcaseにも一致しなかったら、default以下の文を実行します。そしてbreak文を実行し、switch文を終了します。
4. 式の値がいずれのcaseにも一致せず、defaultが省略されている場合には、何もせずにswitch文を終了します。

switch文を使ってみましょう。顧客のランクに応じて割引をしてくれる店で、割引後の金額を求めるプログラムを書きます。**キーボードから金額(price)とランク(rank)を入力すると、ランクが1の場合は20%割引、ランクが2の場合は10%割引、それ以外の場合は5%割引の金額を計算し、出力**するプログラムを書いてください。金額とランクは整数で入力し、割引後の金額も整数で求めます。

▼switch.c

```
#include <stdio.h>
int main(void) {
    int price, rank;
    printf("price and rank: ");
    scanf("%d%d", &price, &rank);

    switch (rank) {
    case 1:              ← ランク1の場合
        price*=0.8;      ← 20%割引
        break;
    case 2:              ← ランク2の場合
        price*=0.9;      ← 10%割引
        break;
    default:             ← それ以外の場合
        price*=0.95;     ← 5%割引
        break;
    }
    printf("discount price: %d\n", price);
}
```

上記のプログラムでは、金額とランクを入力した後に、switch文でランクごとに分岐します。ランク1の場合(case 1:)、ランク2の場合(case 2:)、それ以外の場合(default:)に分けて、割引後の金額を計算し、結果を出力します。

▼実行例

```
> gcc -o switch switch.c
> switch
price and rank: 1200 1  ← 1200円、ランク1
discount price: 960     ← 20%割引後の金額
> switch
price and rank: 1200 2  ← 1200円、ランク2
discount price: 1080    ← 10%割引後の金額
```

```
> switch
price and rank: 1200 3   ← 1200円、ランク3
discount price: 1140     ← 5%割引後の金額
```

次はbreak文を書かなかった場合の、switch文の動作について学びます。

❖ break文を書かないと次のcaseに落ちていく

caseやdefaultの最後にbreak文を書かないと、下に落ちていくかのように、次のcaseやdefaultを続けて実行します。この動作のことをフォール・スルー（fall through、通り抜けて落ちる）と呼びます。

break文がないswitch文は、次のように書きます。break文があるcaseやdefaultと、break文がないcaseやdefaultを、混ぜて書いても構いません。

switch文（break文なし）

```
switch (式) {
case 値A:
    文A;
    …        ← break文がない場合、次のcaseやdefaultを続けて実行
case 値B:
    文B;
    …        ← break文がない場合、次のcaseやdefaultを続けて実行
…
default:
    文;
    …        ← break文がなく、次のcaseやdefaultがない場合、switch文を終了
}
```

break文がないswitch文についても、caseやdefaultの後に書く処理が単純な場合は、次のように改行を減らすことで、プログラムを短くできます。caseやdefaultの後にある文は、1個でも複数個でも構いません。

switch文（break文なし、改行を減らす）

```
switch (式) {
case 値A: 文A; …
case 値B: 文B; …
…
```

```
default: 文; …
}
```

フォール・スルーを活用してみましょう。フォール・スルーが役立つのは、あるcaseの処理と、別のcaseの処理に、重複する部分がある場合です。

こんな例を考えてみましょう。あるレストランでは、ステーキにコーヒーやデザートが付けられるとします。通常はステーキ(steak)のみですが、メニュー1はコーヒー(coffee)が付き、メニュー2はさらにデザート(dessert)も付きます。**入力された整数が2のときはデザートとコーヒーとステーキ、1のときはコーヒーとステーキ、その他のときはステーキのみを出力**するプログラムを書いてください。

▼switch2.c

```
#include <stdio.h>
int main(void) {
    int menu;
    printf("menu:");
    scanf("%d", &menu);

    switch (menu) {
    case 2: puts("dessert");   ← メニュー2の場合：デザート
    case 1: puts("coffee");    ← メニュー1の場合：コーヒー
    default: puts("steak");    ← それ以外の場合：ステーキ
    }
}
```

上記のプログラムでは、重複する処理にフォール・スルーを活用しています。メニュー1のときはcase 1とdefaultを実行し、メニュー2のときはcase 2、case 1、defaultを続けて実行します。この例のように、switch文のcaseに書く値は、昇順(小さい順)でなくても構いません。降順(大きい順)である必要もなく、値の重複さえなければ、好きな順序で書けます。

▼実行例

```
> gcc -o switch2 switch2.c
> switch2
menu:0      ← その他の場合はステーキのみ
steak
> switch2
```

```
menu:1       ← メニュー 1はコーヒーが付く
coffee
steak
> switch2
menu:2       ← メニュー 2はデザートとコーヒーが付く
dessert
coffee
steak
```

switch文について学んだところで、次はif文との使い分けについて考えてみましょう。

❖if文とswitch文の使い分け

if…else if…elseのように、必要なだけelse ifを並べて書けば、if文でもswitch文と似たことができます。どちらを使えばよいか迷うかもしれませんが、例えば次のように使い分けるのがおすすめです。

①if文を使う場合

場合分けの条件がif文でしか書けない場合には、if文を使います。例えば、比較演算子の<、>、<=、>=を使って大小を比較する場合、論理演算子を使って複数の条件を組み合わせる場合、浮動小数点数や文字列といった整数や文字以外の値を使う場合などです。

②switch文を使う場合

場合分けの条件が、「値(整数または文字)に一致するかどうか」だけで、switch文でも書ける場合には、switch文を使います。

値に一致するかどうかで場合分けをするときには、処理系によりますが、if文よりもswitch文の方が高速なプログラムになる可能性があります。if文は複数の条件を順番に判定するような機械語プログラムになりますが、switch文は選択肢の一覧表を1回参照するだけで済むような機械語プログラムになるためです。

一方、if文とswitch文はいずれも分岐(条件に応じて実行するプログラムを切り替える処理）を伴います。CPUによりますが、一般に分岐は他の処理に比べて時間がかかります。もし、式や配列（Chapter8）などを上手く活用して、if文やswitch文を避けられれば、より高速なプログラムになる可能性があります。

column

プログラムを動かす前に脳内で実行しよう

プログラミングを上達させるための練習方法を紹介します。本書に掲載したプログラム例を読むときには、ぜひプログラムを実際に動かす前に脳内（頭の中）で実行して、どう動くのか、どんな結果が出るのかを予測してみてください。どう動くのかが分からなかったら、大体こんな感じで動くのかな…と大雑把に予想するのではなく、本書で文法を見直した上で、文法に沿ってプログラムの動きを精密に解析してみてください。動きや結果に確信が持てたら、実際にプログラムを動かして、答え合わせをします。

この練習の成果は、プログラムを自分で書くときにそのまま役立ちます。プログラムを書くときに、何となく書いて、とりあえず動かしてみて、正しく動かなかったら直して…を何度も繰り返す方法は、とても手間がかかるのでおすすめしません。プログラムを脳内で正確に実行できるようになると、プログラムを書いて動かしたときに一撃で正しく動くことが多くなり、とても楽です。もし正しく動かなくても、プログラムの動きが理解できていれば、間違いをすぐに直せます。

既存のプログラムをコピーして使ったり、改造して使ったりすることは、全く構いません。この場合も、プログラムがどう動いて、どんな結果が出るのか、脳内で実行してみてください。動きが分かっていれば安心して使えますし、未知の文法が出てきたときには勉強すれば、C言語の知識も増えて一石二鳥です。

本章では、プログラムの流れを変える選択文について学びました。比較演算子と論理演算子を使った条件の書き方から始めて、条件の成立・不成立を保存するブール型、条件に応じて分岐するif文、条件に応じて異なる値を返す条件演算子、そして値に応じて分岐するswitch文について学びました。

次章では、プログラムの一部を繰り返し実行する、繰り返し文について学びます。本章で学んだ比較演算子や論理演算子は引き続き使うので、もし分からない箇所が出てきたら、ぜひ本章を見直してみてください。

基礎編 Chapter7

繰り返し文で処理を反復する

プログラムの一部を反復する繰り返し文は、選択文と並んで重要な機能です。指定した条件が成立している間、プログラムの指定した部分を繰り返し実行します。繰り返しのことは、ループ（loop）とも呼びます。
繰り返し文は、例えば「1から1000まで繰り返す」とか、「キーボードから入力した数が0でない限り繰り返す」といった用途に使います。前者の場合、1000回文の処理を並べて書くのは大変ですが、繰り返し文を使えば1回分の処理を書くだけで済みます。後者の場合、いつ0を入力されるのかが分からないので、処理を並べる方法では対処が困難ですが、繰り返し文を使えば大丈夫です。
本章ではfor、while、do whileといった繰り返し文を学びます。あわせて、繰り返し文と一緒に使うインクリメント演算子とデクリメント演算子、そしてbreak、continue、gotoといった文についても学びましょう。

本章の学習内容

①インクリメント演算子とデクリメント演算子
②for文
③while文とdo while文
④break文とcontinue文
⑤goto文とラベル
⑥カンマ演算子

section 01

インクリメントとデクリメントで+1と-1を簡潔に書く

インクリメントとデクリメントは、繰り返し文と一緒に使うことが多い演算子です。繰り返しを行うときには、変数に1を加算したり、変数から1を減算したりすることがよくあります。これらは複合代入演算子(Chapter5)を使って、「変数+=1」や「変数-=1」のように書いても構いませんが、インクリメント演算子やデクリメント演算子を使うと、さらに短く書けます。

❖インクリメントとデクリメントには前置と後置がある

インクリメント演算子とデクリメント演算子は、次のように使います。以下でAの部分には、値を増減する対象(変数など)を書きます。なお、「++」はプラス・プラス、「--」はマイナス・マイナスと読むことが多いようです。

▼インクリメント演算子とデクリメント演算子

使い方	名前	式の値
++A	前置インクリメント	A+1
A++	後置インクリメント	A
--A	前置デクリメント	A-1
A--	後置デクリメント	A

インクリメントとデクリメントには、それぞれ前置(ぜんち)と後置(こうち)があります。前置は対象よりも前に演算子を置くことで、後置は対象よりも後に演算子を置くことです。前置と後置はいずれも対象(上記のA)の値を+1または-1しますが、式全体(上記の++A、A++、--A、A--)の値は異なります。

前置(++A、--A)は、「対象を+1または-1してから式の値を生成する」と考えると分かりやすいでしょう。式の値は加減算後の値です。

逆に後置(A++、A--)は、「式の値を生成してから対象を+1または-1する」と考えます。式の値は加減算前の値です。

▼前置と後置

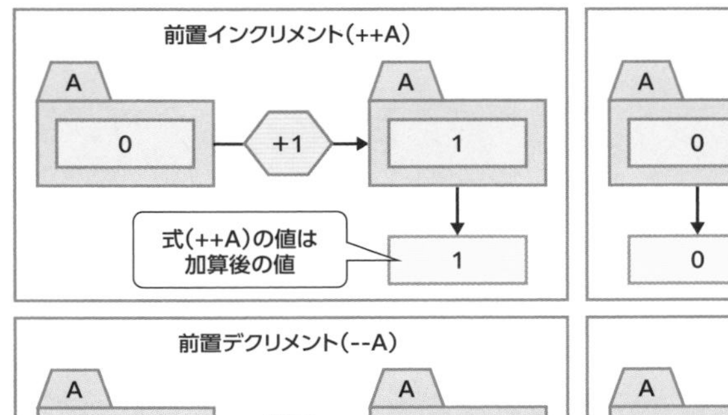

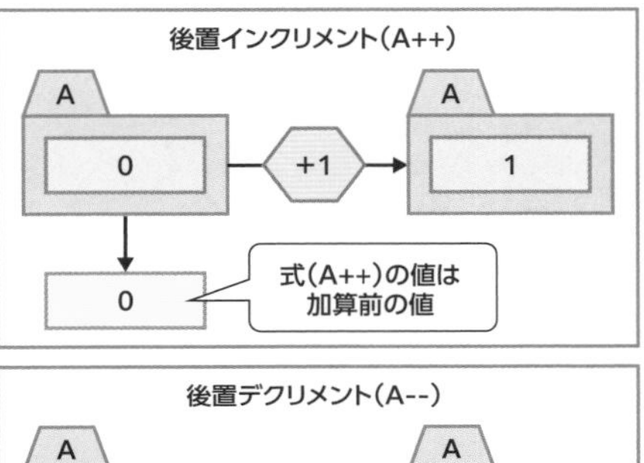

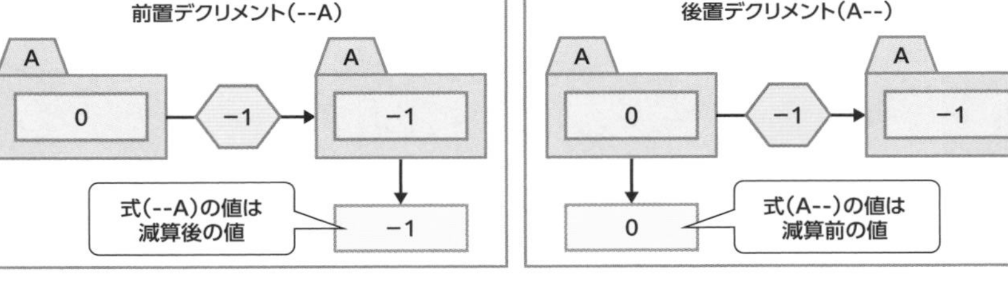

前置と後置の違いを体験してみましょう。まずはインクリメント演算子からです。**int型の変数xを0で、変数yを++xで初期化し、xとyを出力**するプログラムを書いてください。xとyはどんな値になるでしょうか。値を予想してから、プログラムを実行してください。

▼inc.c

```
#include <stdio.h>
int main(void) {
    int x=0, y=++x;
    printf("x:%d y:%d\n", x, y);
}
```

上記でファイル名の「inc」は、increment（インクリメント）の略です。実行結果は次の通りです。

▼実行例

```
> gcc -o inc inc.c
> inc
x:1 y:1  ← 前置インクリメントなので、yは+1した後の値になる
```

同様に、**int型の変数xを0で、変数yをx++で初期化し、xとyを出力**するプログラムを書いてみてください。今度は、xとyはどんな値になるでしょうか。

▼inc2.c

```
#include <stdio.h>
int main(void) {
    int x=0, y=x++;
    printf("x:%d y:%d\n", x, y);
}
```

▼実行例

```
> gcc -o inc2 inc2.c
> inc2
x:1 y:0  ← 後置インクリメントなので、yは+1する前の値になる
```

デクリメント演算子についても、同様に実験してみましょう。**int型の変数xを0で、変数yを--xで初期化し、xとyを出力**するプログラムを書き、xとyの値を予想してから実行してください。

▼dec.c

```
#include <stdio.h>
int main(void) {
    int x=0, y=--x;
    printf("x:%d y:%d\n", x, y);
}
```

上記でファイル名の「dec」は、decrement（デクリメント）の略です。実行結果は次の通りです。

▼実行例

```
> gcc -o dec dec.c
> dec
x:-1 y:-1  ← 前置デクリメントなので、yは-1した後の値になる
```

最後は、**int型の変数xを0で、変数yをx--で初期化し、xとyを出力**するプログラムを書いてください。xとyはどんな値になるでしょうか。

▼dec2.c

```
#include <stdio.h>
int main(void) {
    int x=0, y=x--;
    printf("x:%d y:%d\n", x, y);
}
```

▼実行例

```
> gcc -o dec2 dec2.c
> dec2
x:-1 y:0   ← 後置デクリメントなので、yは-1する前の値になる
```

前置と後置の違いがよく理解できたと思います。次は、前置と後置の使い分けについて学びます。

❖前置と後置は必要な式の値に応じて使い分ける

前置と後置は、例えば次のように使い分けるとよいでしょう。

・インクリメントやデクリメントを他の計算と組み合わせる場合には、必要な式の値に応じて、前置と後置を使い分けます。
・インクリメントやデクリメントを単独で行う場合など、前置でも後置でもよいときには、どちらを使っても構いません。

「++A」や「--A」のような前置の方が、「A++」や「A--」のような後置よりも効率がよい（高速である）という考え方もあります。前置と後置の動作を比較すると、後置はAの値を一時的に保存しておく必要があるので、前置よりも手間がかかるはず（低速であるはず）という考え方です。

前置の動作は次のようになります。

1 Aに+1または-1する
2 Aの値を式の値として返す

後置の動作は次のようになります。

1 Aの値を一時的に保存しておく
2 Aに+1または-1する
3 保存しておいた値を式の値として返す

C++でオブジェクト(Chapter12)に対してインクリメントやデクリメントを行う場合で、かつオブジェクトを一時的に保存する手間が大きい場合には、前置の方が後置よりも効率がよくなる可能性はあります。一方で、処理系やCPUによりますが、整数や浮動小数点数やポインタ(Chapter13)といった組み込み型(プログラミング言語が標準で備えている型)については、後置でも前置と同等に効率がよい機械語プログラムが生成される可能性が高いです。結論としては、組み込み型(例えばintやdoubleやポインタなど)に対してインクリメントやデクリメントを行う場合で、計算の内容として前置でも後置でもよいときには、どちらを使っても構いません。

次はインクリメントとデクリメントを使う際の注意点を紹介します。

column

C++の名称

C++(シー・プラス・プラス)の++は、インクリメント演算子に由来しています。C++の開発が始まった1979年にはC with Classes(クラス付きのC言語)という名称でしたが、1983年にC++に改称されました。C++という名称からは、Cに何かを追加した言語、という印象を受けます。実際のC++は、C言語に対してオブジェクトを追加しただけではなく、非常に多くの機能を追加しています。

インクリメントとデクリメントは副作用をもたらす

式を評価する際に、式の値を計算することとは別に、何らかの状態の変化(変数の値を変更するなど)がある場合、この変化のことを副作用(ふくさよう)と呼びます。実は、インクリメントやデクリメントは副作用をもたらします。これはインクリメントやデクリメントが、式の値を計算することとは別に、対象(変数など)の値を+1または-1するためです。

インクリメントやデクリメントのように副作用がある機能を使うときには、注意が必要です。例えば、整数・浮動小数点数・ポインタ(Chapter13)などの値を、副作用を使って変更する際には、副作用の評価順序が明確に決まる必要があります。もし決まらない場合は、未定義の動作(Chapter4)になってしまいます。

インクリメントを使ったプログラムで、未定義の動作になる例を紹介しましょう。**int型の変数xを0で、変数yを(++x)+(x++)で初期化し、xとyを出力**するプログラムを書いてみてください。

▼inc3.c

```
#include <stdio.h>
int main(void) {
    int x=0, y=(++x)+(x++);
    printf("x:%d y:%d\n", x, y);
}
```

++演算子は+演算子よりも優先順位が高いので(Chapter4)、(++x)と(x++)の( )は不要なのですが、分かりやすくするために()を付けました。

上記のプログラムは環境によって動作が変わります。Windows/Linux (GCC)の場合は、特に警告などは表示されません。次のように、yは3になりました。

▼実行例(Windows/Linux, GCC)

```
> gcc -o inc3 inc3.c
> inc3
x:2 y:3  ←yは3
```

macOS (Clang)の場合は、次のような警告が表示されます。構わずにプログラムを実行してみると、Windows/Linuxとは結果が異なり、yは2になりました。

▼実行例(macOS, Clang)

```
> gcc -o inc3 inc3.c
inc3.c:3:14: warning: multiple unsequenced modifications to 'x'
[-Wunsequenced]
(inc3.c:3行目:14桁目: 警告: xに対する複数回の変更が順序付けされていない
[-Wunsequencedオプション])
        int x=0, y=(++x)+(x++);
                    ^     ~~
...
> inc3
x:2 y:2  ←yは2
```

上記のように、環境によってyの値が異なるという結果になりました。このような未定義の動作になるプログラムは、書かないようにしてください。上記でmacOSの場合には、コンパイラが表示した警告を解消すれば大丈夫です。しかし、Windows/Linuxの場合には警告が表示されず、プログラムも一見正しく動くのでやっかいです。副作用がある機能を使うときに、プログラマがよく注意する必要があります。

インクリメントとデクリメントについて詳しく学びました。次はいよいよ、for文による繰り返しを学びます。

section 02 for文で大部分の繰り返しは書ける

C言語にはいくつかの繰り返し文がありますが、for（フォー）文は最もよく使う繰り返し文かもしれません。for文は「1から1000まで繰り返す」のような回数が決まっている繰り返しにも、「キーボードから入力した数が0でない限り繰り返す」のような回数が決まっていない繰り返しにも使えます。後で紹介するwhile文に比べると、最初に1回だけ評価する式と、繰り返しのたびに評価する式を書けることが、for文の特徴です。

❖ for文には初期化節・条件式・反復式の3つを書く

for文は次のように書きます。初期化節（しょきかせつ）には、変数の宣言や初期化を書くか､式を書きます。条件式（じょうけんしき）と反復式（はんぷくしき）には、それぞれ式を書きます。文は、for文で繰り返し実行する処理です。なお、初期化節・条件式・反復式は、いずれも省略できます。

for文

```
for (初期化節; 条件式; 反復式) 文;
```

繰り返し実行したい文が複数あるときには、次のようにブロックを使って書きます。ブロックの内側にある文は、一般にインデント（Chapter2）します。

for文（ブロック）

```
for (初期化節; 条件式; 反復式) {
    文;
    …
}
```

文が1個のときには、ブロックを使っても使わなくても構いません。ブロックを使わない方が簡潔に書けますが、if文（Chapter6）と同様に、うっかり次のような書き方をしないように注意してください。

・**誤解を招く書き方の例 ❶**

```
for (初期化節; 条件式; 反復式) 文A; 文B;
```

・**誤解を招く書き方の例 ❷**

```
for (初期化節; 条件式; 反復式)
        文A;
        文B;
```

上記の例は❶❷ともに、繰り返し実行するのは文Aだけで、文Bは繰り返しません。文Aと文Bの両方を繰り返したい場合には、ブロックを使って書いてください。

さて、for文は次のように動きます。①②③④の順に実行し、再び②に戻って繰り返します。

①初期化節

最初に初期化節を1回だけ実行します。初期化節には「int i=0」のような宣言や初期化、または「i=0」のような式を書きます。初期化節は、繰り返しの準備をするために使うことが多いです。なお、初期化節で宣言した変数のスコープ(Chapter5)は、そのfor文の末尾までです。

②条件式

条件式を評価します。条件式の値が0以外(成立)の場合は③に進み、0(不成立)の場合はfor文を終了します。条件が成立している間、for文は繰り返しを続けます。もし、初回から条件が不成立ならば、繰り返しを一度も実行せずにfor文を終了します。条件式には、「i<10」のように比較演算子や論理演算子などを使った式を書くことが多いですが、それ以外の式も書けます。

③文

文を実行します。

④反復式

反復式を評価します。反復式には、繰り返しのたびに評価したい式を書きます。例えば「i++」や「i--」のように、繰り返しに使う変数を増減させる式を書くことが多いです。反復式を評価したら、②に戻ります。

動きを学んだところで、実際にfor文を使ってみましょう。**0から9までの整数について、その整数を2乗した値を出力**するプログラムを書いてください。for文を使って0から9まで繰り返します。

▼for1.c

```
#include <stdio.h>
int main(void) {

    // ブロックを使わない書き方
    for (int i=0; i<10; i++) printf("%d ", i*i);
    puts("");

    // ブロックを使った書き方
    for (int i=0; i<10; i++) {
        printf("%d ", i*i);
    }
    puts("");
}
```

上記でファイル名の「for1」に「1」を付けたのは、macOS/Linuxにおける実行ファイル名が、OSのコマンドであるforと同名になることを避けるためです。以後のプログラムについても、実行ファイル名がOSのコマンドと同名になる場合は、ファイル名に1を付けています。

上記のプログラムでは、ブロックを使わない書き方と、ブロックを使った書き方の両方を示しました。この場合はfor文の内側にある文が1個なので、ブロックを使わない方が短く書けます。動作は同じなので、どちらの書き方でも構いません。なお、「puts (" ") ; 」は改行を出力する処理です。

▼実行例

```
> gcc -o for1 for1.c
> for1
0 1 4 9 16 25 36 49 64 81   ← ブロックを使わない書き方の結果
0 1 4 9 16 25 36 49 64 81   ← ブロックを使った書き方の結果
```

次は、for文をネストした多重ループについて学びます。

❖繰り返し文がネストした多重ループ

繰り返し文の中に、別の繰り返し文が配置されたネスト構造(Chapter5)のことを、多重ループ(たじゅうループ)と呼びます。2階層にネストしたループを2重ループ、3階層にネストしたループを3重ループなどと呼ぶ場合もあります。

▼多重ループ

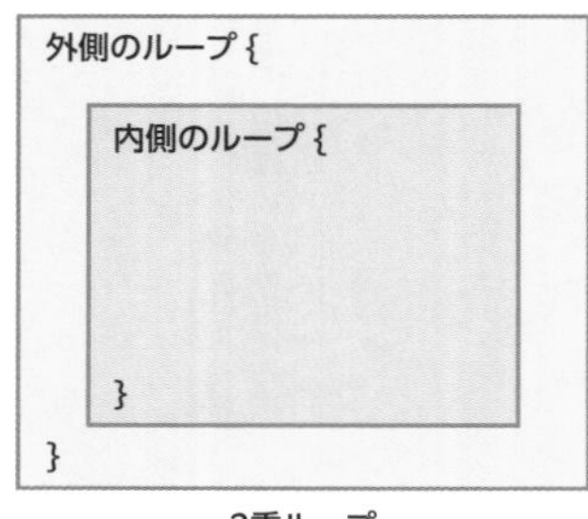

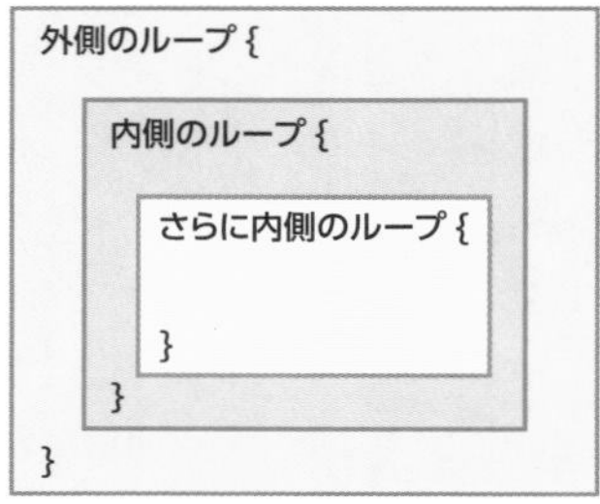

3重ループ

例えば2次元の表を出力するような場合には、多重ループ(2重ループ)を使うことがよくあります。次の実行例のような、**九九の表を出力**するプログラムを書いてみてください。

▼実行例

```
> gcc -o for2 for2.c
> for2
 1  2  3  4  5  6  7  8  9
 2  4  6  8 10 12 14 16 18
 3  6  9 12 15 18 21 24 27
 4  8 12 16 20 24 28 32 36
 5 10 15 20 25 30 35 40 45
 6 12 18 24 30 36 42 48 54
 7 14 21 28 35 42 49 56 63
 8 16 24 32 40 48 56 64 72
 9 18 27 36 45 54 63 72 81
```

以下がプログラム例です。1から9まで繰り返すfor文を、2階層にネストしました。内側のfor文は、ブロックを使わないで書きましたが、ブロックを使って書いても構いません。

▼for2.c

```
#include <stdio.h>
int main(void) {
    for (int i=1; i<=9; i++) {
        for (int j=1; j<=9; j++) printf("%2d ", i*j);
        puts("");
    }
}
```

次は、少し条件式が複雑なfor文を書いてみましょう。

column

繰り返しに使う変数名

for文などの繰り返しに使う変数のことを、ループ変数やループカウンタと呼ぶことがあります。ループ変数には、伝統的に変数iがよく使われます。なぜiが使われるのかには諸説ありますが、iはiteration（イテレーション、繰り返し）、index（インデックス、索引）、integer（インテジャー、整数）などの頭文字なので、繰り返しの雰囲気に合っているといえます。なお、ループ変数がiだけでは足りない場合には、iに続く文字であるjやkを使うことも多いです。

❖条件式を工夫して色々な処理をする

繰り返し文の書き方を工夫すると、簡潔なプログラムでも色々な処理ができます。ここでは条件式の書き方を工夫してみましょう。**キーボードから入力した整数nが素数かどうかを判定し、素数ならば「is a prime number」（…は素数である）、素数でなければ「isn't a prime number」（…は素数ではない）と出力**するプログラムを書いてください。

素数というのは、正数については1とその数自身でしか割り切れない、2以上の整数のことです。例えば2、3、5、7は素数です。4（2で割り切れる）、6（2と3で割り切れる）、8（2で割り切れる）、9（3で割り切れる）は素数ではありません。

2以上n-1以下の整数でnを割ったときに、いずれでも割り切れなければ、nは素数だといえます。なお、2以上$\sqrt{n}$以下の整数で割り切れなければ素数だといえますが、処理を簡単にするために、ここではn-1以下の整数としました。

▼ for3.c

```
#include <stdio.h>
int main(void) {
    int n;
    scanf("%d", &n);

    int i;
    for (i=2; i<n && n%i; i++);
    printf("%s a prime number\n", n>=2 && i==n ? "is" : "isn't");
}
```

上記のプログラムにおけるポイントは、for文の条件式です。まず、2以上n-1以下について繰り返すために、初期化節を「i=2」、条件式を「i<n」とします。さらに「n%i」(nをiで割った剰余)を、&&(論理積)を使って条件式に組み合わせます。したがって、iがnより小さい限り、かつnがiで割り切れない(n%iが0以外である)限り、この繰り返しは続きます。なお「n%i」は「n%i!=0」とも書けますが、上記ではより短い「n%i」で書きました。

結果の出力では、printf関数で変換指定の%sを使い、文字列のisまたはisn'tを埋め込んで表示しています。素数かどうかの判定には条件演算子(Chapter6)を使い、nが2以上で(n>=2)、かつiがnに等しければ(i==n)、素数であると判定します。iがnに等しいということは、前述のfor文においてiがnになるまで繰り返したということです。これは2以上n-1以下の整数で、nが割り切れなかったことを示します。

なお上記のプログラムでは、for文で繰り返す文が「;」(セミコロン)だけです。このように;だけの文を、空文(くうぶん)と呼びます。for文では、初期化節・条件式・反復式だけで必要な処理が済んでしまい、繰り返す文が不要になることがときどきあります。こういった場合には、繰り返す文を空文(;)や空のブロック({})にできます。

▼実行例

```
> gcc -o for3 for3.c
> for3
12                       ← 12を入力
isn't a prime number     ← 素数ではない
> for3
```

```
13                       ← 13を入力
is a prime number        ← 素数である
```

次はfor文を使った無限ループについて学びます。

❖条件式を省略すると無限ループになる

前述のように、for文の初期化節・条件式・反復式はいずれも省略できます。もし条件式を省略すると、for文は無限ループ（無限に繰り返すループ）になります。無限ループは、そのままでは終了できないので、後述するbreak文などを使って繰り返しから抜け出すのが一般的です。

for文による無限ループは、次のように書きます。ブロックを使う場合と、使わない場合の両方を示しました。ここでは条件式だけではなく、初期化節や反復式も省略していますが、これらは書いても構いません。

for文による無限ループ

```
for (;;) 文;
```

for文による無限ループ（ブロック）

```
for (;;) {
    文;
    …
}
```

無限ループを書いてみましょう。**for文の無限ループを使って、loop（ループ）と繰り返し出力**するプログラムを書いてください。

▼for4.c

```
#include <stdio.h>
int main(void) {
    for (;;) puts("loop");
}
```

上記のプログラムを実行すると、出力を無限に繰り返します。プログラムを終了したい場合には、Ctrl+Cキー（Windows/Linux）またはcontrol+Cキー（macOS）を押してください。

▼実行例

```
> gcc -o for4 for4.c
> for4
loop   ← loopの出力を無限に繰り返す
loop
loop
…      ← Ctrl+Cキーまたはcontrol+Cキーで終了
>
```

次はfor文を使ったクイズに挑戦してみましょう。

column

無限ループの使い道

通常のループは条件式を使って抜け出しますが、無限ループはbreak文などで抜け出します。もし条件式が問題なく書ける処理ならば、通常のループで書くとよいでしょう。一方で、条件式が書きにくい処理に出合ったら、無限ループで書いてみるのもおすすめです。

例えば、繰り返しの中で何か処理を行った後に、繰り返しを続けるかどうかの条件を判定して、また何か処理を行う…というパターンがときどきあります。このパターンは、通常のループでは書きにくいことがあり、無限ループが役立ちます。

一方、通常のループで書ける処理でも、プログラミングに慣れないうちは書くのが難しいと感じるかもしれません。こういった場合には無理に条件式を書こうとしないで、とりあえず無限ループを書き、break文を使ってループを抜け出すようなプログラムを書くのもおすすめです。無限ループを書いて動かした後で、もし通常のループに変形する方法を見つけたら、通常のループに書き直してみるとよいでしょう。

❖for文を使ってプログラムを読み解く力を鍛える

プログラミングを上達させるには、プログラムを実際に動かす前に、脳内で実行してみることが重要だと述べました(Chapter6)。実は、for文などの繰り返し文を読み解く練習をすると、プログラムを脳内で実行する力を鍛えるのに効果的です。そこで、for文を使ったクイズを用意しました。ぜひ、結果を大雑把に予想するのではなく、プログラムの動きを精密に解析する体験をしてみてください。

まずは小手調べです。**for文を使った次のプログラムが何を出力するかを予想**してください。

▼quiz.c

```
#include <stdio.h>
int main(void) {
    int i;
    for (i=0; i<10; i++) printf("%d ", i);
    puts("");
}
```

結果が予想できたら、コンパイルして実行し、答え合わせをしてみてください。

▼実行例

```
> gcc -o quiz quiz.c
> quiz
0 1 2 3 4 5 6 7 8 9   ←0から9までの整数を出力
```

いかがでしたか。上記のプログラムはよく見かける形なので、簡単だったかもしれません。そこで今度は、**前問に対して、for文の初期化節・条件式・反復式の順番を入れ替えた、次のプログラムの出力を予想**してください。このプログラムでは、未定義な動作(値を格納する前の変数を参照する)を避けるために、「int i;」を「int i=123;」に変更しました。

▼quiz2.c

```
#include <stdio.h>
int main(void) {
    int i=123;
    for (i++; i=0; i<10) printf("%d ", i);
    puts("");
}
```

結果を予想できたら、プログラムを実行します。コンパイルするといくつかの警告が表示されますが、構わずに実行してみてください。

▼実行例

```
> gcc -o quiz2 quiz2.c
…          ← 警告が表示される
> quiz2
           ← 何も出力されない
```

なぜ上記のような結果になったのか、プログラムを読み解いてみましょう。

①初期化節（i++）

iに1を加算して、値を123から124にします。

②条件式（i=0）

iに0を代入します。式(i=0)の値も0です。条件式が0(不成立)となるので、for文を終了します。

いかがでしたか。上記のように、このプログラムは一度もprintf関数を実行しないので、何も出力されません。このように、あまり見かけない形のプログラムも、文法に沿って読み解くことで、動作を解析できます。そこでもう一つ、**for文の初期化節・条件式・反復式の順番をさらに入れ替えた、次のプログラムの出力を予想**してください。

▼quiz3.c

```
#include <stdio.h>
int main(void) {
    int i=123;
    for (i<10; i++; i=0) printf("%d ", i);
    puts("");
}
```

結果を予想できましたか。このプログラムも、コンパイルすると警告が表示されますが、構わずに実行してみてください。

▼実行例

```
> gcc -o quiz3 quiz3.c
…          ← 警告が表示される
> quiz3
124        ← 124のみを出力
```

予想は正しかったでしょうか。先ほどと同様に、プログラムを読み解いてみましょう。

①初期化節（i<10）

iの値は123から変化しません。式(i<10)の値は0(不成立)ですが、初期化節の式が0であっても、繰り返しの実行には影響がありません。

②条件式（i++）

iに1を加算して、値を123から124にします。後置インクリメントなので、式(i++)の値は加算前の123です。条件式が0以外(成立)となるので、繰り返しを実行します。

③文（printf関数）

iの値である124を出力します。

④反復式（i=0）

iに0を代入し、条件式の評価に戻ります。

⑤条件式

iに1を加算して、値を0から1にします。後置インクリメントなので、式(i++)の値は加算前の0です。条件式が0(不成立)となるので、for文を終了します。

いかがでしたか。このプログラムでは、後置インクリメントの動作を正しく読み解くことがポイントでした。そこで最後は、**前問の後置インクリメントを前置インクリメントに置き換えた、次のプログラムの出力を予想**してください。

▼quiz4.c

```
#include <stdio.h>
int main(void) {
    int i=123;
    for (i<10; ++i; i=0) printf("%d ", i);
    puts("");
}
```

結果を予想できたら、実行してみましょう。コンパイルすると警告が表示されますが、構わずに実行してみてください。プログラムを終了するには、Ctrl+Cキー(Windows/Linux)か、control+Cキー(macOS)を押します。

▼実行例

```
> gcc -o quiz4 quiz4.c
…               ← 警告が表示される
> quiz4
124 1 1 1…   ← 124の後は1を無限に出力
```

後置インクリメントを前置インクリメントに変えただけなのに、動作が全く変わりました。プログラムを読み解いてみましょう。

①初期化節(i<10)

ここは前問と同様です。iの値は123から変化しません。式(i<10)の値は0(不成立)ですが、初期化節の式が0であっても、繰り返しの実行には影響がありません。

②条件式(++i)

iに1を加算して、値を123から124にします。前置インクリメントなので、式(++i)

の値は加算後の124です。条件式が0以外(成立)となるので、繰り返しを実行します。

③文(printf関数)

iの値である124を出力します。

④反復式(i=0)

iに0を代入し、条件式の評価に戻ります。

⑤条件式

iに1を加算して、値を0から1にします。前置インクリメントなので、式(++i)の値は加算後の1です。条件式が0以外(成立)となるので、繰り返しを実行します。

⑥文(printf関数)

iの値である1を出力します。

以下は④〜⑥の繰り返しになるので、1が無限に出力されます。前問よりも動作が複雑でしたが、正しく読み解けましたか。

これでクイズは終わりです。今回のクイズのように、あまり見かけない形の(典型的ではない)プログラムの動作を予想するには、文法に沿って精密にプログラムを読み解く必要があるので、読解力を鍛えるためのよい練習になります。もし気が向いたら、今回のクイズと同様に、適当に一部を変更したプログラムを作って、動作を解析してみてください。

for文について詳しく学びました。次は別の繰り返し文である、while文について学びます。

section 03

while文は条件式だけの繰り返しに向く

while（ワイル）文は、for文よりもシンプルな繰り返し文です。for文には初期化節・条件式・反復式を書きますが、while文には条件式だけを書きます。そのため、初期化節や反復式が不要で、条件式だけが必要な繰り返しを書くのに向いています。

while文には条件式だけを書く

while文は次のように書きます。以下で条件式の部分には、繰り返しを続ける条件を書きます。文は、while文で繰り返し実行する処理です。

while文

```
while (条件式) 文;
```

繰り返し実行したい文が複数あるときには、次のようにブロックを使って書きます。ブロックの内側にある文は、一般にインデントします。

while文（ブロック）

```
while (条件式) {
    文;
    …
}
```

文が1個のときには、ブロックを使っても使わなくても構いません。ブロックを使わない方が簡潔に書けますが、for文と同様に、うっかり次のような書き方をしないように注意してください。

・**誤解を招く書き方の例 ❶**

```
while (条件式) 文A; 文B;
```

・**誤解を招く書き方の例 ❷**

```
while (条件式)
    文A;
    文B;
```

上記の例は❶❷ともに、繰り返し実行するのは文Aだけで、文Bは繰り返しません。文Aと文Bの両方を繰り返したい場合には、ブロックを使って書いてください。

さて、while文は次のように動きます。簡単に言えば、条件式の値が0以外の間、文を繰り返し実行するだけです。

①条件式

条件式を評価します。条件式の値が0以外（成立）の場合は②に進み、0（不成立）の場合はwhile文を終了します。条件が成立している間、while文は繰り返しを続けます。もし、初回から条件が不成立ならば、繰り返しを一度も実行せずにwhile文を終了します。for文と同様に、条件式には比較演算子や論理演算子などを使った式を書くことが多いですが、それ以外の式も書けます。

②文

文を実行し、①に戻ります。

実際にwhile文を使ってみましょう。**キーボードから入力した整数の回数だけ、hello（ハロー）と出力**するプログラムを書いてください。

▼while1.c

```
#include <stdio.h>
int main(void) {
    int count;
    scanf("%d", &count);
    while (--count>=0) puts("hello");
}
```

while文の条件式「--count>=0」は、前置デクリメントなので、まずcountから1を減算します。そしてcountが0以上ならば、puts関数を実行してhelloを出力します。

以下の実行例では、3と0を入力しています。0の場合には、helloが出力されないことに注意してください。countが0のとき、条件式の「--count>=0」は「-1>=0」となり、初回から不成立となるためです。

▼実行例

```
> gcc -o while1 while1.c
> while1
3       ← 3を入力
hello   ← helloを3回出力
hello
hello
> while1
0       ← 0を入力
>       ← helloを出力せずに終了
```

次はdo while文について学びます。上記と似たプログラムを書くので、動作の違いに注目してください。

❖do while文は繰り返しを少なくとも1回は実行する

do while（ドゥ・ワイル）文はwhile文に似ていますが、繰り返しを続けるかどうかを判定するタイミングが異なります。while文は繰り返しを実行する前に判定を行いますが、do while文は繰り返しを1回実行した後に判定を行います。そのため、繰り返しの条件が最初から不成立の場合、while文は繰り返しを1回も実行しませんが、do while文は繰り返しを少なくとも1回は実行します。

do whileは次のように書きます。while文と同様に、文はdo while文で繰り返し実行する処理で、条件式は繰り返しを続ける条件です。while文とは異なり、文を先に、条件式を後に書くことに注意してください。

do while文

```
do 文; while (条件式);
```

文が複数あるときには、次のようにブロックを使って書きます。ブロックの内側にある文は、一般にインデントします。

do while文（ブロック）

```
do {
    文;
    …
} while (条件式);
```

do while文は次のように動きます。簡単に言えば、まず文を1回実行し、あとは条件式の値が0以外の間、文を繰り返し実行します。

①文

文を実行します。for文やwhile文とは違い、条件の成立・不成立にかかわらず、一度は文を実行します。

②条件式

条件式を評価します。条件式の値が0以外（成立）の場合は①に戻り、0（不成立）の場合はdo while文を終了します。条件が成立している間、do while文は繰り返しを続けます。for文やwhile文と同様に、条件式には比較演算子や論理演算子などを使った式を書くことが多いですが、それ以外の式も書けます。

do while文を使ってみましょう。**キーボードから入力した整数の回数だけ、hello（ハロー）と出力**するプログラムを書いてください。while文のプログラム例（while1.c）に似ていますが、今回は0以下の整数を入力したときにも、1回はhelloを出力することにします。

▼while2.c

```
#include <stdio.h>
int main(void) {
    int count;
    scanf("%d", &count);
    do puts("hello"); while (--count>0);
}
```

do while文は、まずputs関数を実行してhelloを出力します。条件の成立・不成立に関わらず実行するので、0以下の整数を入力した場合にも、1回はhelloを出力します。

次に、式「--count>0」を評価します。前置デクリメントなので、まずcountから1を減算します。そしてcountが0より大きければ、再びputs関数を実行してhelloを出力します。

▼実行例

```
> gcc -o while2 while2.c
> while2
3       ← 3を入力
hello   ← helloを3回出力
hello
hello
> while2
0       ← 0を入力
hello   ← 入力した値に関わらず、helloを1回は出力
```

上記のdo while文は、条件の成立・不成立に関わらず、1回は繰り返しを実行したいときに向いています。こういった場面は多くはありませんが、ときどきあります。筆者の感覚では、使用頻度としてはfor文が一番多く、続いてwhile文、最後がdo while文です。

次はwhile文で無限ループを書く方法を紹介します。

❖while文やdo while文で無限ループを書く

for文と同様に、while文やdo while文でも無限ループが書けます。while文やdo while文の場合には、常に0以外になる値(例えば1)を条件式に書けば、無限ループになります。

while文(無限ループ)

```
while (1) 文;
```

while文(無限ループ、ブロック)

```
while (1) {
    文;
    …
}
```

do while文(無限ループ)

```
do 文; while (1);
```

do while文（無限ループ、ブロック）

```
do {
    文;
    …
} while (1);
```

実際に無限ループを書いてみましょう。**while文の無限ループを使って、loop（ループ）と繰り返し出力**するプログラムを書いてください。

▼ while3.c

```
#include <stdio.h>
int main(void) {
    while (1) puts("loop");
}
```

上記はwhile文を使った無限ループですが、do while文を使った無限ループも同様に書けます。プログラムを実行すると、出力を無限に繰り返します。プログラムを終了したい場合には、Ctrl+Cキー（Windows/Linux）またはcontrol+Cキー（macOS）を押してください。

▼ 実行例

```
> gcc -o while3 while3.c
> while3
loop
loop
loop
…      ← Ctrl+Cキーまたはcontrol+Cキーで終了
>
```

次はwhile文とfor文の関係について学びましょう。

while文はfor文と同じ処理を書ける

while文とfor文は、どちらを使っても同じ処理を書けます。そのため状況に応じて、while文とfor文のいずれか書きやすい方、あるいはプログラムが簡潔に書ける方を選んで使うとよいでしょう。

for文とwhile文の違いは、for文には初期化節と反復式があることです。for文は次のように書くのでした。

for文（再掲）

```
for (初期化節; 条件式; 反復式) 文;
```

上記のfor文と同じ処理を、while文を使って書いたものが以下です。初期化節の部分には宣言か式を、条件式と反復式の部分には式を書きます。

for文と同等のwhile文

```
初期化節;
while (条件式) {
    文;
    反復式;
}
```

for文の初期化節で変数を宣言した場合、その変数のスコープはfor文の末尾までになります。そのため、for文と厳密に同等なwhile文にするには、初期化節からwhile文の末尾までを{}で囲んで、ブロックにする必要があります。

同じ処理をfor文とwhile文の両方で書いてみましょう。**for文とwhile文を使って、それぞれ整数の0から9までを出力**するプログラムを書いてください。

▼while4.c

```
#include <stdio.h>
int main(void) {

    // for文を使って0から9までを出力
    for (int i=0; i<10; i++) printf("%d ", i);
    puts("");

    // while文を使って0から9までを出力
    int i=0;
    while (i<10) {
        printf("%d ", i);
        i++;
    }
    puts("");
}
```

▼実行例

```
> gcc -o while4 while4.c
> while4
0 1 2 3 4 5 6 7 8 9  ← for文の出力
0 1 2 3 4 5 6 7 8 9  ← while文の出力
```

上記の場合には、for文を使った方が簡潔に書けました。一方で、初期化節や反復式がない場合には、while文を使った方が簡潔に書ける場合もあります。状況に応じて、for文とwhile文を使い分けてみてください。

次は繰り返し文と一緒に使う、break文・continue文・goto文について学びます。

section 04 繰り返し文の流れを変える break文・continue文・goto文

繰り返しを使ってプログラムを書いていると、途中で繰り返しを終了したいことや、次の繰り返しに進みたいことが、ときどきあります。こういった場面で役立つのが、break文・continue文・goto文です。

❖ break文で繰り返し文を終了する

break（ブレーク）文は、繰り返しを終了したいときに役立つ機能です。switch文を終了するためにも使いました（Chapter6）。break文は次のように書きます。

break文

```
break;
```

break文を実行すると、そのbreak文を囲む繰り返し文（for文・while文・do while文）を終了します。多重ループの場合、つまり繰り返し文がネストしている場合には、break文を囲む最も内側の繰り返し文を終了します。多重ループでbreak文を使うプログラム例については、後ほどgoto文のところで紹介します。

繰り返しを終了するには、通常は条件式を使います。しかし処理の内容によっては、条件式で繰り返しを終了させにくい（プログラムが書きにくい）場合があります。こういった場合には、break文を使ってみるのがおすすめです。break文は無限ループと組み合わせる場面が多いですが、通常のループと組み合わせることもあります。

break文を使ってみましょう。**0を入力するまで、繰り返しキーボードから入力した金額を合計し、最後に合計金額を出力**するプログラムを書いてください。0が入力されたら、break文を使って繰り返しを終了するようにします。

▼break1.c

```
#include <stdio.h>
int main(void) {

    // 合計金額
    int total=0;

    // 無限ループ
    for (;;) {

        // 金額を入力
        int price;
        scanf("%d", &price);

        // 金額が0だったら繰り返しを終了
        if (price==0) break;

        // 合計金額に加算
        total+=price;
    }

    // 合計金額を出力
    printf("total: %d\n", total);
}
```

上記のプログラムでは、for文による無限ループを、break文を使って終了します。このように、break文をif文と組み合わせて、特定の条件が成立したときに繰り返しを終了することがよくあります。

▼実行例

```
> gcc -o break1 break1.c
> break1
120             ← 金額を入力
340             ← 金額を入力
560             ← 金額を入力
780             ← 金額を入力
0               ← 0を入力
total: 1800     ← 合計金額を出力
```

次はcontinue文について学びます。

❖continue文で次の繰り返しに進む

continue（コンティニュー）文は、繰り返しの途中で、次の繰り返しに進みたいときに役立つ機能です。continue文は次のように書きます。

continue文
```
continue;
```

continue文を実行すると、そのcontinue文を囲む繰り返し文（for文・while文・do while文）の末尾にジャンプし（実行を移し）ます。つまり、現在実行している繰り返しの残りを省略して、次の繰り返しに進みます。

continue文を使ってみましょう。break文のプログラム（break1.c）を、**負数の金額を入力したら「error: price<0」（エラー：金額が0より小さい）と出力し、合計金額には加算しない**ように改造してください。負数が入力されたら、continue文を使って次の繰り返しに進みます。

▼continue1.c
```
#include <stdio.h>
int main(void) {
    int total=0;
    for (;;) {
        int price;
        scanf("%d", &price);
        if (price==0) break;

        // 金額が負数ならば、
        // 残りの処理（合計金額に加算）を省略し、
        // 次の繰り返しに進む
        if (price<0) {
            puts("error: price<0");
            continue;
        }

        // 合計金額に加算
        total+=price;
    }
    printf("total: %d\n", total);
}
```

上記のプログラムでcontinue文を実行すると、for文の末尾にジャンプし、次の繰り返しに進みます。合計金額に加算する処理(total+=price;)は省略します。

▼実行例

```
> gcc -o continue1 continue1.c
> continue1
120              ← 金額を入力
340              ← 金額を入力
-900             ← 負数を入力
error: price<0   ← エラーを出力(合計金額には加算しない)
560              ← 金額を入力
780              ← 金額を入力
0                ← 0を入力
total: 1800      ← 合計金額を出力
```

次はgoto文について学びます。

❖goto文で多重ループを終了する

goto(ゴートゥー)文は、指定したジャンプ先に実行を移す(プログラムの実行箇所を変更する)機能です。多重ループの終了や、エラー処理(後述)などに役立ちます。goto文は次のように書きます。

goto文

```
goto ラベル;
```

ラベルはgoto文のジャンプ先を示します。ラベルは識別子の一種で、変数名(Chapter5)と同様に名前を付けます。次のように、ラベルは文の前に書きます。

ラベル

```
ラベル: 文;
```

:と文の間は、改行することもよくあります。

ラベル(改行)

```
ラベル:
    文;
```

宣言の前や、ブロックの末尾を表す}の前には、ラベルを書けません。この場合は次のように、:の後に空文(;)を書けば大丈夫です。

ラベル（空文）

```
ラベル:;
```

goto文を実行すると、指定したラベルにジャンプします。goto文には色々な使い方がありますが、典型的な使い方の一つは、多重ループの終了です。

前述のように、break文を使えばループ(繰り返し)を終了できますが、終了の対象はbreak文を囲む最も内側の繰り返し文だけです。したがって、多重ループの内側でbreak文を使うと、多重ループの全体が終了するのではなく、内側のループだけが終了します。外側のループは終了しないので、多重ループの実行は続きます。

▼多重ループの内側にあるbreak文

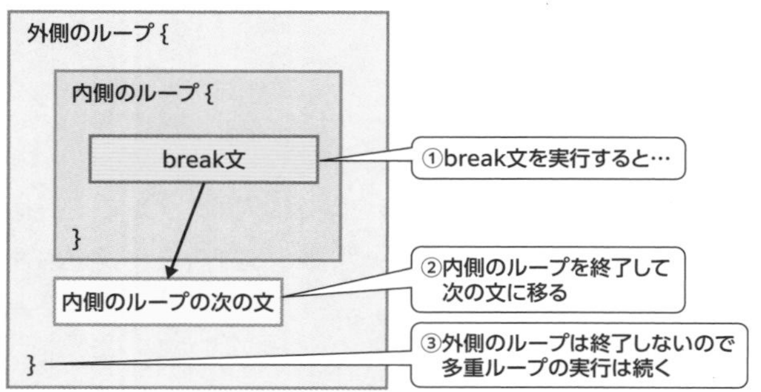

多重ループでbreak文を使ってみましょう。for文の例として作成した、九九の表を出力するプログラム(for2.c)を改造します。**2個の整数xとyを入力すると、九九の表をx*yまで出力**するプログラムを書いてください。例えば6と7を入力したら、6*7(42)までを出力して終了します。

▼goto.c

```
#include <stdio.h>
int main(void) {

    // 2個の整数を入力
    int x, y;
    scanf("%d%d", &x, &y);

    // 九九の表を出力
    for (int i=1; i<=9; i++) {
        for (int j=1; j<=9; j++) {
            printf("%2d ", i*j);

            // x*yまでを出力したら内側のループを終了
            if (i==x && j==y) break;
        }
        puts("");
    }
    puts("");
}
```

上記のプログラムでは、x*yまでを出力したら、break文を使ってループを終了しようとしています。しかし、break文は内側のループ(変数jのループ)だけを終了し、外側のループ(変数iのループ)は終了しないので、次のように出力が続いてしまいます。

▼実行例

```
> gcc -o goto goto.c
> goto
6 7
 1  2  3  4  5  6  7  8  9
 2  4  6  8 10 12 14 16 18
 3  6  9 12 15 18 21 24 27
 4  8 12 16 20 24 28 32 36
 5 10 15 20 25 30 35 40 45
 6 12 18 24 30 36 42
 7 14 21 28 35 42 49 56 63
 8 16 24 32 40 48 56 64 72
 9 18 27 36 45 54 63 72 81
```

そこで、goto文を使ってみます。外側のループよりも後に書いたラベルにジャンプすることで、多重ループを終了します。

▼goto文で多重ループを終了する

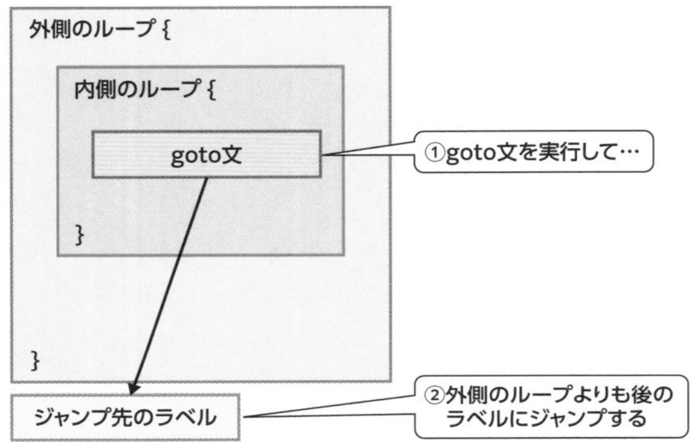

前回のプログラム(goto.c)を改造してみましょう。**2個の整数xとyを入力すると、九九の表をx*yまで出力し、goto文を使って多重ループを終了**するプログラムを書いてください。

▼goto2.c

```
#include <stdio.h>
int main(void) {
    int x, y;
    scanf("%d%d", &x, &y);
    for (int i=1; i<=9; i++) {
        for (int j=1; j<=9; j++) {
            printf("%2d ", i*j);

            // x*yまで出力したら多重ループを終了
            if (i==x && j==y) goto end;
        }
        puts("");
    }

// goto文のジャンプ先
end:
    puts("");
}
```

上記のプログラムでgoto文を実行すると、「end」（エンド）というラベルにジャンプし、多重ループを終了します。これで狙い通り、九九の表をx*yまで出力できます。

▼実行例

```
> gcc -o goto2 goto2.c
> goto2
6 7
 1  2  3  4  5  6  7  8  9
 2  4  6  8 10 12 14 16 18
 3  6  9 12 15 18 21 24 27
 4  8 12 16 20 24 28 32 36
 5 10 15 20 25 30 35 40 45
 6 12 18 24 30 36 42
```

次はgoto文に関連して、goto文を使ったエラー処理を紹介します。

❖goto文でエラーを処理する

goto文はエラー処理にも使えます。エラー処理とは、プログラムの実行中にエラー（不具合）が起きたことを検出し、何らかの対応をすることです。エラー処理はgoto文を使わなくても書けますが、複数の場所で起きたエラーを一括して処理したい場合などには、goto文を使うと書きやすいことがあります。

goto文を使ってエラーを処理してみましょう。**価格（price）と個数（count）を入力すると、価格×個数を計算し、合計（total）として出力**するプログラムを書いてください。このプログラムは次のように動作します。

1. 「price:」と出力し、ユーザに価格を入力させます。
2. 価格が負数ならば、「Error!」と「Thank you.」を出力して終了します。
3. 「count:」と出力し、ユーザに個数を入力させます。
4. 個数が負数ならば、「Error!」と「Thank you.」を出力して終了します。
5. 「total:」と合計を出力し、「Thank you.」を出力して終了します。

このプログラムには「Error!」（エラー）と「Thank you.」（ありがとう）の出力が複数あります。goto文を使うことで、「Error!」と「Thank you.」を出力する処理を、それぞれ1回だけ書けば済むようにしてみてください。

▼goto3.c

```
#include <stdio.h>
int main(void) {
    int price, count;

    // 価格を入力
    printf("price:");
    scanf("%d", &price);
    if (price<0) goto error;

    // 個数を入力
    printf("count:");
    scanf("%d", &count);
    if (count<0) goto error;

    // 合計を出力
    printf("total:%d\n", price*count);
    goto end;

// エラー時の処理
error:
    puts("Error!");

// 終了時の処理
end:
    puts("Thank you.");
}
```

価格や個数が負数のときには、goto文で「error」（エラー）というラベルにジャンプし、「Error!」と出力します。その後、「end」（エンド）というラベルは通過して、「Thank you.」と出力します。このように、プログラムに書かれたラベルは通過できます。

一方、価格と個数が非負数のときには、合計を出力した後に、goto文で「end」というラベルにジャンプします。結果として「Error!」は出力せず、「Thank you.」のみを出力します。

▼実行例

```
> gcc -o goto3 goto3.c
> goto3
price:100    ← 価格を入力
count:5      ← 個数を入力
total:500    ← 合計を出力
Thank you.   ← 最後の出力
> goto3
price:-200   ← 負数の価格を入力
Error!       ← エラーを出力
Thank you.   ← 最後の出力
> goto3
price:300    ← 価格を入力
count:-4     ← 負数の個数を入力
Error!       ← エラーを出力
Thank you.   ← 最後の出力
```

エラー処理でgoto文を使うことは、必須ではありません。例えばgoto文を使わずに、if文などを使って書くこともできます。上記のプログラム(goto3.c)を、**goto文を使わずにエラーを処理するように書き換え**てみてください。

▼goto4.c

```
#include <stdio.h>
int main(void) {
    int price, count;

    // 価格を入力
    printf("price:");
    scanf("%d", &price);

    // 価格が非負数ならば、個数を入力
    if (price>=0) {
        printf("count:");
        scanf("%d", &count);

        // 個数も非負数ならば、合計を出力
        if (count>=0) printf("total:%d\n", price*count);
    }
```

```
    // 価格または個数が負数ならば、エラーを出力
    if (price<0 || count<0) puts("Error!");

    // 終了時の処理
    puts("Thank you.");
}
```

goto文を使う方法(goto3.c)と使わない方法(goto4.c)を見比べてみてください。どちらが書きやすいと感じましたか。どちらが書きやすいかは、状況によって変わり、プログラマによっても変わります。職場や顧客からの指定や要望がなければ、場面に応じて、自分が書きやすい方法を選ぶとよいでしょう。なお、実行結果は前回と同じです。

▼実行例

```
> gcc -o goto4 goto4.c
> goto4
price:100    ← 価格を入力
count:5      ← 個数を入力
total:500    ← 合計を出力
Thank you.  ← 最後の出力
> goto4
price:-200  ← 負数の価格を入力
Error!       ← エラーを出力
Thank you.  ← 最後の出力
> goto4
price:300    ← 価格を入力
count:-4     ← 負数の個数を入力
Error!       ← エラーを出力
Thank you.  ← 最後の出力
```

さて、break文・continue文・goto文について詳しく学んできました。次は、繰り返し文の初期化節・条件式・反復式などを書くときにも役立つ、カンマ演算子について学びます。

column

goto文を使うべきか使わないべきか

goto文はプログラム中の色々な場所にジャンプできる、自由度が高い機能です。しかし、濫用すると処理の流れが分かりにくくなる場合もあります。そのため、goto文を使うべきか使わないべきか、という議論がたびたび行われます。

処理の流れがスパゲティ（パスタ）のように絡まっていて、極端に解読しにくいプログラムは、スパゲティプログラム（スパゲティコード）と呼ばれることがあり、敬遠されがちです。goto文を使うべきでないという意見の背景には、goto文を使うことはスパゲティプログラムの原因になるから、という考え方があるようです。

それでは、goto文を使うべきではないかというと、必ずしもそうではありません。確かにgoto文を使って解読しにくいプログラムを書くことは可能ですが、goto文を使えば必ず解読しにくくなるというわけではありません。かえって、goto文を使った方がプログラムが読みやすくなる場合もあります。

goto文にはいくつかの有用な使い方があり、こういった使い方に関しては、goto文を恐れずに使って構いません。本書ではgoto文の典型的な使い方の例として、多重ループの終了と、エラー処理を紹介しました。

goto文を使わなくても、プログラムの流れが分かりにくくなることはあります。もし流れが分かりにくくなったら、別の書き方を考えてみてください。流れを整理すると、開発の効率を上げたり、バグの発生を防いだりできます。

section 05 カンマ演算子で複数の式をまとめて書く

カンマ(,)演算子は、複数の式をまとめたいときに役立つ演算子です。カンマ演算子は次のように使います。

カンマ演算子

```
式A, 式B
```

上記のように、,で区切って複数の式を並べます。カンマ演算子を複数使えば、3個以上の式を並べることもできます。以下は3個の式を並べた例です。

カンマ演算子（3個の式）

```
式A, 式B, 式C
```

いずれの場合も、カンマ演算子は式を左から評価し、最後の式の値を返します。例えば「式A, 式B」ならば、式Aを評価し、式Bを評価して、式Bの値を返します。「式A, 式B, 式C」ならば、式A・式B・式Cの順に評価して、式Cの値を返します。

カンマ演算子を使うと、複数の式を1個の式にまとめられます。逆に言えば、式を1個しか書けない場所に、複数の式を詰め込むことが可能です。この性質を上手に利用すると、プログラムを短く書ける場合があります。

例えば、次のようなbreak文のプログラム(break1.c)を、カンマ演算子を使って短縮してみましょう。このプログラムは、0を入力するまで、キーボードから入力した金額を合計し、最後に合計金額を出力します。

▼break1.c（再掲）

```
#include <stdio.h>
int main(void) {
    int total=0;
    for (;;) {
        int price;
        scanf("%d", &price);
        if (price==0) break;
        total+=price;
    }
    printf("total: %d\n", total);
}
```

まずはカンマ演算子を使わずに、プログラムを短縮してみましょう。上記のプログラムを改造して、**「int price;」をfor文の初期化節に、「total+=price;」を反復式に移動**してください。

▼comma.c

```
#include <stdio.h>
int main(void) {
    int total=0;
    for (int price; ; total+=price) {
        scanf("%d", &price);
        if (price==0) break;
    }
    printf("total: %d\n", total);
}
```

上記の改造で、プログラムは2行短くなりました。実行して、動作が以前と変わらないことを確認してください。

▼実行例

```
> gcc -o comma comma.c
> comma
120           ← 金額を入力
340           ← 金額を入力
560           ← 金額を入力
780           ← 金額を入力
0             ← 0を入力
total: 1800   ← 合計金額を出力
```

次はカンマ演算子を使って、プログラムをさらに短縮します。上記のプログラムを改造して、**for文の中に残った処理（scanf関数とif文）を、カンマ演算子を使ってfor文の条件式に移動**してください。if文の式（price==0）は、繰り返しを終了する条件なので、繰り返しを続ける条件に書き換える必要があります。

▼comma2.c

```
#include <stdio.h>
int main(void) {
    int total=0;
    for (int price; scanf("%d", &price), price; total+=price);
    printf("total: %d\n", total);
}
```

上記のプログラムでは、for文の中に文がなくなったので、;のみの空文にしました。条件式に関しては、まずscanf関数を実行して、入力した金額をpriceに格納します。次にpriceを評価して、priceが0以外ならば繰り返しを続け、0ならば繰り返しを終了します。この「price」の部分は、「price!=0」と書いても構いません。

この改造によって、最初のプログラム(break1.c)では6行あったfor文が、1行に短縮されました。動作は以前と変わりません。

▼実行例

```
> gcc -o comma2 comma2.c
> comma2
120           ← 金額を入力
340           ← 金額を入力
560           ← 金額を入力
780           ← 金額を入力
0             ← 0を入力
total: 1800   ← 合計金額を出力
```

このようにカンマ演算子を使うと、複数の式を1個の式に詰め込んで、プログラムを短く書けることがあります。プログラムを短くすると、プログラムの見通しがよくなり、開発効率が向上します。詰めすぎて解読しにくくならない範囲で、上手にカンマ演算子を活用し、短くて扱いやすいプログラムを書いてみてください。

本章では、繰り返し文(for文・while文・do while文)について詳しく学びました。また、繰り返し文と一緒に使う文(break文・continue文・goto文)や、インクリメント・デクリメント・カンマといった演算子についても学びました。

次章では、配列を使って多くの値を管理する方法を学びます。配列の処理には、本章で学んだ繰り返し文が非常に役立ちます。

基礎編 Chapter8

配列を使って多数の値を管理する

コンピュータは大量のデータを扱うのが得意です。C言語で大量のデータ、つまり多数の値を管理するときには、配列が役立ちます。配列には同じ型の値を並べて格納することが可能で、指定した位置の値を読み書きできます。
本章では配列の使い方や仕組みを学びます。配列の宣言、値の読み書き、初期化、コピーの方法を学びましょう。また、前章では繰り返し文を学びましたが、これを活用して配列を操作する方法も解説します。さらに、多次元配列・可変長配列といった配列のバリエーションも紹介します。

本章の学習内容

①配列の宣言
②添字による要素の指定
③配列とメモリの関係
④配列の初期化
⑤配列のコピー
⑥多次元配列
⑦可変長配列

section 01 配列は複数の要素から構成されている

配列(はいれつ)は、同じ型の値を多数並べて管理できる機能です。配列は要素(ようそ)が集まってできています。要素は1つでも複数でもよいのですが、実用上は複数の要素からなる配列を使うことが多いでしょう。配列では、配列中の指定した要素に値を書き込んだり、指定した要素から値を読み出したりできます。配列と繰り返し文を組み合わせると、簡潔なプログラムで多数の値を処理することが可能です。

まずは配列について学ぶ前に、通常の変数で多数の値を扱おうとすると何が困るのか、考えてみましょう。

通常の変数だけでは多数の値を扱うのが不便

多数の値を扱うプログラムを、通常の変数を使って、配列は使わずに書いてみましょう。複数の売上金額(sales)を管理するプログラムです。**5個の変数を宣言し、キーボードから入力した5個の整数を格納した後に、全変数の値を出力するプログラムを書いてください**。具体的には、以下の処理を順に行います。

1. 5個の変数を宣言します。
2. キーボードから5個の整数を入力させて、5個の変数にそれぞれ格納します。
3. 5個の変数について、それぞれの値を出力します。

▼array.c

```
#include <stdio.h>
int main(void) {

    // 5個の変数を宣言
    int sales0, sales1, sales2, sales3, sales4;

    // 各変数に整数を格納
    scanf("%d", &sales0);
    scanf("%d", &sales1);
    scanf("%d", &sales2);
    scanf("%d", &sales3);
    scanf("%d", &sales4);
```

```
    // 全変数の値を出力
    printf("%d ", sales0);
    printf("%d ", sales1);
    printf("%d ", sales2);
    printf("%d ", sales3);
    printf("%d ", sales4);
    puts("");
}
```

上記でファイル名の「array」は、配列を意味します。array.cではまだ配列を使っていませんが、次のプログラム(array2.c)からは配列が登場します。このプログラムでは、sales0～4という5個の変数に、入力した整数を格納した後に、変数の値を出力しています。実行すると、入力した5個の整数がそのまま出力されます。

▼実行例

```
> gcc -o array array.c
> array
190                    ← 整数を入力(5個)
280
370
460
550
190 280 370 460 550  ← 入力した整数を出力
```

上記のプログラムでは、入力のscanf関数や出力のprintf関数を、それぞれ5回ずつ呼び出します。同じような処理を何度も書かなければならないので、プログラムが長くなってしまいます。

さらに問題なのは、値の個数が増えた場合です。もし100個や1000個、あるいは10000個といった値を扱うとしたら、この方法ではプログラムが長くなりすぎるでしょう。プログラムを書いたり、後で修正したり、間違いがないか確認したりするのが負担になりそうです。そこで役立つのが、次に学ぶ配列です。

❖配列は要素数を指定して宣言する

変数と同様に、配列は使う前に宣言しておく必要があります。配列の宣言は次のように書きます。変数の宣言に似ていますが、[]（角括弧、大括弧）で囲んで、要素数（要素の個数）を指定する点が異なります。配列名は識別子の一種で、変数名（Chapter5）と同様に名前を付けます。

配列の宣言

```
型 配列名[要素数];
```

複数の配列を同時に宣言することもできます。これも変数の宣言と同様です。

配列の宣言（複数個）

```
型 配列名A[要素数A], 配列名B[要素数B], …;
```

配列の要素数は整数で指定します。具体的には次のように、いくつかの指定方法があります。

● 整数定数（Chapter3）

5や10といった整数をそのまま指定する方法です。マクロ（Chapter5）を使って、整数に名前を付けても構いません。

● 列挙型の定数（Chapter5）

列挙型を使って、例えばN=5のように定数を宣言しておき、このNを要素数にする方法です。

● 演算子を使った式

上記の整数定数や列挙型の定数に、演算子（代入・インクリメント・デクリメント・カンマを除く）を組み合わせた式を、要素数にする方法です。式の値は整数になる必要があり、かつコンパイル時に値が決まる必要があります。このような式のことを、整数定数式（せいすうていすうしき）と呼びます。

上記以外の方法、例えば変数、const（Chapter5）が付いた変数、整数定数式ではない通常の式などを使って要素数を指定した場合には、通常の配列ではなく、後述する可変長配列になります。なお、C++では通常の配列を宣言する際に、constが付いた変数も使えます。

さて、配列の型は、配列の各要素に格納できる値の型を表します。次の図のように配列は、特定の型の値を格納できる要素が並んだ構造をしています。そして、宣言時に決めた配列の要素数は、後から増減することはできません。以下は5個の要素を持つint型の配列です。

▼配列の構造

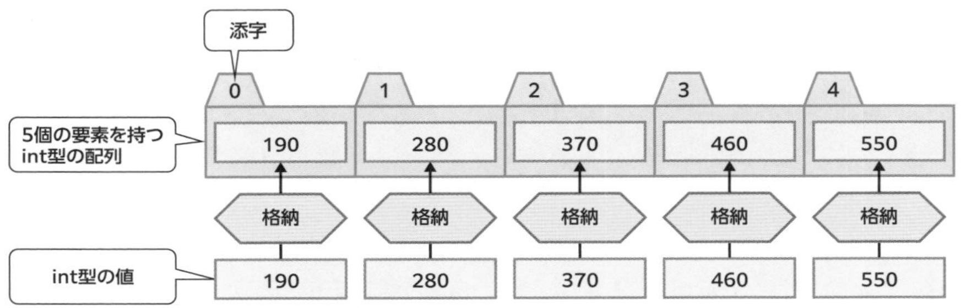

各要素を指定するには、添字（そえじ）という機能を使います。添字は「0」から始まり、「1、2、3…」のように1ずつ増加する整数です。次は、この添字の使い方を学びます。

❖配列の要素は添字を指定して読み書きする

配列の要素に格納した値を参照する方法は次の通りです。以下で「添字」の部分には、整数の値や、値が整数になる式を書きます。[]のことを添字演算子（そえじえんざんし）と呼びます。

要素の値を参照

```
配列名[添字]
```

配列の要素に値を代入するには、次のように書きます。以下では=（代入演算子）を使いましたが、同様に+=や-=といった複合代入演算子を使うことも可能です。

要素に値を格納（代入）

```
配列名[添字]=値
```

scanf関数を使ってキーボードから入力した値を、配列の要素に格納することもできます。変数と同様に、&（アドレス演算子）が必要なことに注意してください。書式文字列には、要素の型に対応する変換指定を書きます。例えば、要素がint型ならば、変換指定は%dなどを使います。

要素に値を格納（scanf関数）

```
scanf(書式文字列, &配列名[添字])
```

通常、添字の範囲は「0」から「要素数-1」までです。配列の範囲外を指す添字、例えば「-1」や「要素数」を使って、要素を読み書きしてはいけません。もし読み書きしてしまうと、メモリアクセス違反が起きてプログラムが終了したり、無関係な変数や配列などの値を書き換えたりする恐れがあります。添字が配列の範囲内を指しているかどうかは、コンパイラがチェックできない場合が多く、プログラマが注意しなければなりません。

実際に配列を宣言して、添字を使ってみましょう。プログラムの機能は、配列を使わないプログラム(array.c)と同じです。**5個の要素を持つ配列を宣言し、キーボードから入力した5個の整数を各要素に格納した後に、全要素の値を出力**するプログラムを書いてください。繰り返し文はまだ使わなくて構いません。

▼array2.c

```
#include <stdio.h>
int main(void) {

    // 5個の要素を持つ配列を宣言
    int sales[5];

    // 配列の各要素に整数を格納
    scanf("%d", &sales[0]);
    scanf("%d", &sales[1]);
    scanf("%d", &sales[2]);
    scanf("%d", &sales[3]);
    scanf("%d", &sales[4]);

    // 全要素の値を出力
    printf("%d ", sales[0]);
    printf("%d ", sales[1]);
    printf("%d ", sales[2]);
    printf("%d ", sales[3]);
    printf("%d ", sales[4]);
    puts("");
}
```

▼実行例

```
> gcc -o array2 array2.c
> array2
190                    ← 整数を入力(5個)
280
370
460
550
190 280 370 460 550   ← 入力した整数を出力
```

以前のプログラム(array.c)では、sales0〜5という5個の変数を宣言していましたが、今回はsalesという1個の配列にまとめられました。scanf関数やprintf関数は相変わらず5回ずつ呼び出しているので、プログラムが長いのですが、次に学ぶように繰り返しと組み合わせれば、短くまとめることが可能です。

配列と繰り返しを組み合わせる

配列は繰り返しとの相性が良い機能です。前述のように、配列中のどの要素にアクセスしたいのかは、添字を使って指定しますが、この添字には式を書くことができます。ただし、この式の値は整数になる必要があります。ここにループ変数(繰り返し文で使うiやjなどの変数)を含む式を書けば、繰り返しを使って多くの要素を順に処理することが可能です。

繰り返し文(for文)を使って、前回のプログラム(array2.c)を簡潔にしてみましょう。**5回ずつ呼び出しているscanf関数やprintf関数の部分を、for文による繰り返しに書き換え**て、プログラムを短くしてください。

▼array3.c

```
#include <stdio.h>
int main(void) {
    int sales[5];

    // 配列の各要素に整数を格納
    for (int i=0; i<5; i++) scanf("%d", &sales[i]);

    // 全要素の値を出力
    for (int i=0; i<5; i++) printf("%d ", sales[i]);
```

```
    puts("");
}
```

前回のプログラムでは5行あった部分が、それぞれ1行になって、とても簡潔になりました。このように配列は、繰り返し文と組み合わせることによって真価を発揮し、短いプログラムで多くの値を処理することが可能になります。

▼実行例

```
> gcc -o array3 array3.c
> array3
190                     ← 整数を入力(5個)
280
370
460
550
190 280 370 460 550   ← 入力した整数を出力
```

ここで、添字(今回のプログラムではi)がとる値の最小値と最大値を計算してみてください。そして、「sales[最小値]」と「sales[最大値]」の要素が存在するかどうか、配列の宣言を見て確認してください。存在しない要素へのアクセスは、やっかいなバグの原因になります。「なかなか取れないバグなのですが…」と相談を受けるとき、多いのがこの原因です。繰り返し文を書くときには、「最小の添字の要素が存在するか」や「最大の添字の要素が存在するか」を、プログラマが自分の頭脳で計算して確認しておくのがおすすめです。こういった脳内の確認によって、多くのバグを回避できます。もし、配列に対して複雑なパターンでアクセスする場合には、パターンに応じて確認する要素を考える必要があります。

上記のプログラム(array3.c)において、添字(i)のとる最小値は0、最大値は4です。配列salesの宣言を見てみると、添字0, 1, 2, 3, 4の要素が存在することが分かります。添字が最小のsales[0]と、添字が最大のsales[4]が存在するので、この場合は大丈夫です。存在しない要素に、プログラムはアクセスしようとしていません。

ところで、上記のプログラムには要素数の5を書いている箇所が3箇所もあります。もし要素数を変更したくなった場合には、5と書かれた箇所を漏れなく、新しい要素数に書き換える必要があります。しかし、テキストエディタの置換機能などを使って、単純に全ての5を書き換えてしまうのは危険です。要素数の5とは関係のない5も、誤って書き換えてしまうかもしれません。要素数だけを注意深く書き換える必要がありますが、これは手間がかかりますし、間違えやすいでしょう。

そこで有効なのは、次のように定数に関する機能を使って、要素数に名前を付けることです。

❖配列の要素数に名前を付ける

配列の要素数に名前を付けておくと、要素数の変更が簡単で確実になります。また、プログラムが読みやすくなる効果も期待できます。

要素数、つまり整数に名前を付ける方法としては、マクロや列挙型が使えます(Chapter5)。具体的には次のように書きます。なお、constを使った場合には、後述する可変長配列になります。

要素数に名前を付ける（マクロ）

```
#define 識別子 要素数
```

要素数に名前を付ける（列挙型）

```
enum { 定数名=要素数 };
```

上記はどちらでも、使いやすい方を使って構いません。本書では、列挙型はスコープ(Chapter5)がある点が便利なので、列挙型を使うことにします。

前述のプログラム(array3.c)について、要素数に名前を付けてみましょう。**列挙型を使って、要素数の5にNという名前を付けた上で、要素数を使っている箇所をNに書き換え**てください。

▼array4.c

```
#include <stdio.h>
int main(void) {

    // 要素数にNという名前を付ける
    enum { N=5 };

    // 要素数Nを使った配列の宣言
    int sales[N];

```

```
    // 要素数Nを使った繰り返し
    for (int i=0; i<N; i++) scanf("%d", &sales[i]);
    for (int i=0; i<N; i++) printf("%d ", sales[i]);
    puts("");
}
```

上記のように書くと、「N」と書かれた箇所は配列の要素数を表していることが明確になり、プログラムが読みやすくなります。また、要素数を変更したい場合には、列挙型（enum）の部分を、例えば「N=10」のように書き換えます。1箇所を書き換えれば済むので、簡単かつ確実です。

▼実行例

```
> gcc -o array4 array4.c
> array4
190                    ← 整数を入力(5個)
280
370
460
550
190 280 370 460 550   ← 入力した整数を出力
```

上記のプログラムを改造して、もう少し複雑な処理をしてみましょう。**売上金額の合計を求めた上で、各売上金額と、合計金額に対する各売上金額の百分率を出力**してください。以下の実行例のように出力します。

▼実行例

```
> gcc -o array5 array5.c
> array5
190                 ← 整数を入力(5個)
280
370
460
550

sales percentage    ← 売上金額(sales) と百分率(percentage) を出力
  190       10.3%
  280       15.1%
  370       20.0%
```

```
  460        24.9%
  550        29.7%
```

以下がプログラム例です。要素数(N=5)を使う箇所が増えたので、要素数に名前を付けた効果がより高まっています。このプログラムでは、出力時の変換指定(%5d)でも5という値を使っているので、もし要素数を変更しようとしたときに、置換機能で単純に全ての5を他の値に置き換えるわけにはいきません。もし単純に置き換えてしまうと、書き換えるつもりのなかった「%5d」中の「5」も書き換えてしまいます。それでもプログラムはとりあえず動作するかもしれませんが、意図しない置換を繰り返していくと、プログラムに何が書いてあるのかプログラマが把握できなくなってしまい、思わぬところで動作に問題が出る恐れがあります。しかし、今回は幸い要素数に名前を付けてあるので、1箇所の5(列挙型のN=5)だけを書き換えれば済みます。

▼array5.c

```c
#include <stdio.h>
int main(void) {

    // 配列の宣言
    enum { N=5 };
    int sales[N];

    // 売上金額の入力
    for (int i=0; i<N; i++) scanf("%d", &sales[i]);
    puts("");

    // 合計金額の計算
    int total=0;
    for (int i=0; i<N; i++) total+=sales[i];

    // 売上金額と百分率の出力
    puts("sales percentage");
    for (int i=0; i<N; i++) {
        printf("%5d %9.1f%%\n", sales[i], sales[i]*100.0/total);
    }
    puts("");
}
```

配列の基本的な使い方を学んだところで、今度は配列の仕組みについて詳しく学んでみましょう。

❖配列の要素はメモリ上に隙間なく並ぶ

一般に配列は、メモリ上に要素が隙間なく並んだ構造をしています。例えば1個の要素が4バイト（int型など）で、要素数が5個ならば、配列全体は20バイトです。

▼メモリ上の配列

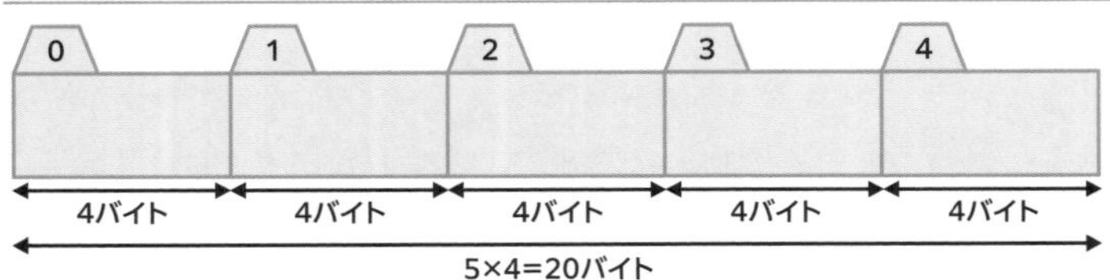

配列全体や要素のバイト数は、sizeof演算子（Chapter5）で調べられます。次のように、sizeof演算子に式を指定すると、その式の型のバイト数を返します。

式の型のバイト数を調べる

```
sizeof 式
```

配列全体や要素のバイト数を調べるには、次のように書きます。要素に関しては、どの添字を指定しても同じバイト数になります。

配列全体のバイト数を調べる

```
sizeof 配列名
```

要素のバイト数を調べる

```
sizeof 配列名[添字]
```

配列全体や要素のバイト数を調べてみましょう。**要素数が5個でint型の配列salesを宣言し、配列全体のバイト数、要素のバイト数、要素数を出力**するプログラムを書いてください。要素数については、配列全体のバイト数を、要素のバイト数で割って求めてください。printf関数の変換指定には、%lu（バイト数が多い符号なし整数）を使います。

▼memory.c

```
#include <stdio.h>
int main(void) {
    int sales[5];

    // 配列全体のバイト数を出力
    printf("%lu\n", sizeof sales);

    // 要素のバイト数を出力
    printf("%lu\n", sizeof sales[0]);

    // 要素数を出力
    printf("%lu\n", sizeof sales / sizeof sales[0]);
}
```

要素のバイト数は、要素の型(ここではint)のバイト数に一致します。上記のプログラムでは、添字に0を指定しましたが、他の添字でも同じバイト数が得られます。

以下の実行例のように、配列全体のバイト数を、要素のバイト数で割ると、要素数に一致します。配列の要素が、メモリ上に隙間なく並んでいることが確認できます。

▼実行例

```
> gcc -o memory memory.c
> memory
20  ← 配列全体のバイト数
4   ← 要素のバイト数
5   ← 要素数
```

今度は、要素が配置されているメモリのアドレスについて考えてみましょう。要素が隙間なく並んでいるということは、各要素のアドレスは「配列の先頭アドレス＋要素のバイト数×添字」で求まるはずです。配列の先頭アドレスというのは、配列の最初の要素(添字が0の要素)が配置されているアドレスのことです。

アドレスは16進数で表すことが多いのですが、ここでは分かりやすくするために10進数で表すことにしましょう。例えば、配列の先頭アドレスを1000、要素のバイト数を4とすると、要素のアドレスは「1000＋4×添字」で求まります。

▼要素のアドレス

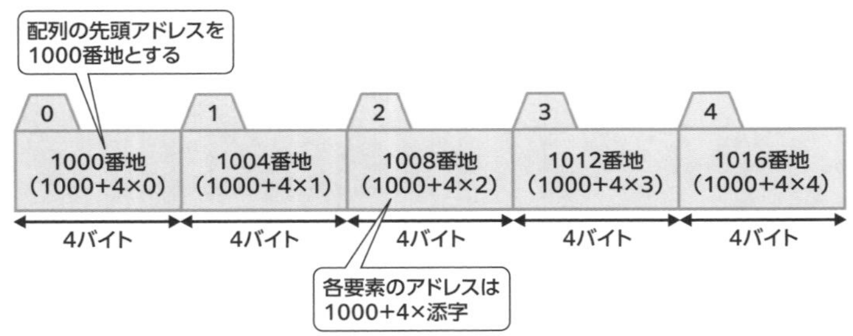

添字がどの値でも、上記の式を使って要素のアドレスを即座に求めて、メモリを読み書きできます。したがって、どの要素についても同じ手間でアクセス(読み書き)することが可能です。このような性質のことを、**ランダムアクセス**と呼びます。

ランダムアクセスに対応していることは、配列の大きな利点です。どの要素についても同じ手間でアクセスできるので、好きな場所に値を格納し、好きな場所の値を参照できます。これは色々な処理をする上で、とても有利な性質です。

さて、配列の要素が配置されているメモリのアドレスを、プログラムで確認してみましょう。配列の先頭アドレスと要素のアドレスは、次のように取得できます。配列名については、&(アドレス演算子)を付けなくても、配列の先頭アドレスを表すことに注目してください。

配列の先頭アドレス

```
配列名
```

要素のアドレス

```
&配列名[添字]
```

上記を用いて、**要素数が5個でint型の配列salesを宣言し、先頭アドレスと各要素のアドレスを出力**するプログラムを書いてください。printf関数でアドレスを出力するには、変換指定の%pを使います。

▼memory2.c

```
#include <stdio.h>
int main(void) {
    int sales[5];

    // 先頭アドレスを出力
    printf("%p\n", sales);

    // 要素のアドレスを出力
    for (int i=0; i<5; i++) printf("%p\n", &sales[i]);
}
```

以下が実行例です。アドレスは16進数で出力されています。出力されるアドレスの値は環境によって異なり、同じ環境でも実行するたびに異なることがあります。いずれの環境でも、先頭アドレスが要素0（添字が0の要素）のアドレスと一致していることと、各要素のアドレスが4バイト（要素のバイト数）ずつ増えていることに注目してください。

▼実行例（Windows）

```
> gcc -o memory2 memory2.c
> memory2
000000000061FE00  ← 先頭アドレス
000000000061FE00  ← 要素0のアドレス（先頭+0）
000000000061FE04  ← 要素1のアドレス（先頭+4）
000000000061FE08  ← 要素2のアドレス（先頭+8）
000000000061FE0C  ← 要素3のアドレス（先頭+12）
000000000061FE10  ← 要素4のアドレス（先頭+16）
```

▼実行例（macOS）

```
> gcc -o memory2 memory2.c
> memory2
0x16bde3794  ← 先頭アドレス
0x16bde3794  ← 要素0のアドレス（先頭+0）
0x16bde3798  ← 要素1のアドレス（先頭+4）
0x16bde379c  ← 要素2のアドレス（先頭+8）
0x16bde37a0  ← 要素3のアドレス（先頭+12）
0x16bde37a4  ← 要素4のアドレス（先頭+16）
```

▼実行例(Linux)

```
> gcc -o memory2 memory2.c
> memory2
0x7fffc6158620  ← 先頭アドレス
0x7fffc6158620  ← 要素0のアドレス(先頭+0)
0x7fffc6158624  ← 要素1のアドレス(先頭+4)
0x7fffc6158628  ← 要素2のアドレス(先頭+8)
0x7fffc615862c  ← 要素3のアドレス(先頭+12)
0x7fffc6158630  ← 要素4のアドレス(先頭+16)
```

ここで学んだ配列の仕組みに関する知識は、ポインタ(Chapter13)を学ぶときにも非常に役立ちます。次は、配列の初期化について学びましょう。

column

配列の要素数が増減できない理由

配列の要素数は、宣言した後には変更できません。例えば、値の格納を進めている途中で、要素数が足りなくなっても、要素を増やすことはできません。逆に、最初に宣言した要素数が多く、余分な要素が生じたとしても、要素を減らすことはできません。

このように要素数を変更できないことは、不便に感じるかもしれませんが、実は処理を効率化する上では重要です。もし要素数が変化すると、配列を元のメモリに配置しておくことが難しくなります。配列全体のバイト数が変化するため、メモリ上で配列に隣接する他のデータに重なってしまったり、他のデータとの間に無駄な隙間ができてしまうためです。新しく確保したメモリに配列を再配置する方法もありますが、この場合は配列全体をコピーする手間が発生してしまいます。

C言語の配列は要素数が変化しないので、こういった問題を回避できて、とても効率的に動作します。C言語が生まれた頃には、ハードウェアの性能が今よりもずっと低かったので、処理を効率化することが非常に重要だったと思われます。

ハードウェアの性能が上がった現在でも、処理の効率化は相変わらず重要です。要素数を変更する必要がなければ、通常の配列を使うのがおすすめです。一方で、要素数を変更したい場合には、後述する可変長配列や、動的メモリ確保(Chapter14)を使います。C++では標準C++ライブラリのvector(ベクター)などを使うとよいでしょう。

section 02

配列を初期化して宣言と同時に値を格納する

配列を初期化すると、宣言と同時に値を格納できます。通常の変数とは異なり、配列の初期化では、各要素に格納する複数の値を指定します。

❖要素数を省略して初期化する

配列の初期化にはいくつかの方法がありますが、最も基本的なのは次の記法です。{}（波括弧）の中に、配列に格納する複数の値（式でもよい）を、,（カンマ）で区切って書きます。配列の要素数は省略して、[]（角括弧）だけを書いていることに注目してください。配列の要素数は、格納する値の個数に合わせて、自動的に決まります。

配列の初期化

```
型 配列名[]={値, …};
```

配列を初期化してみましょう。売上金額を配列に格納し、出力します。**int型の配列salesを、190、280、370、460、550で初期化した後に、各要素の値を出力**するプログラムを書いてください。

▼init.c

```
#include <stdio.h>
int main(void) {
    int sales[]={190, 280, 370, 460, 550};
    for (int i=0; i<5; i++) printf("%d ", sales[i]);
    puts("");
}
```

▼実行例

```
> gcc -o init init.c
> init
190 280 370 460 550
```

次は、配列の要素数を指定して初期化する方法を紹介します。

❖要素数を指定して初期化する

配列の要素数と、初期化で格納する値の個数が異なる場合は、次のように要素数を指定します。値は先頭の要素から順に格納され、値が指定されなかった要素の値は「0」になります。

配列の初期化（要素数を指定）

```
型 配列名[要素数]={値, …};
```

上記を試してみましょう。**要素数が5個でint型の配列salesを、190、280、370で初期化した後に、各要素の値を出力**するプログラムを書いてください。

▼init2.c

```
#include <stdio.h>
int main(void) {
    int sales[5]={190, 280, 370};
    for (int i=0; i<5; i++) printf("%d ", sales[i]);
    puts("");
}
```

以下が実行例です。初期化で値を指定しなかった要素については、0が格納されていることに注目してください。

▼実行例

```
> gcc -o init2 init2.c
> init2
190 280 370 0 0
```

次は、値を格納する添字を指定して初期化する方法を紹介します。

❖添字を指定して初期化する

初期化において、値を特定の要素に格納したいときには、次のように添字を指定します。この機能はC99以降で使えます。要素数は省略することも、指定することも可能です。

添字を指定して配列を初期化

```
型 配列名[]={[添字]=値, …};
```

添字を指定して配列を初期化（要素数を指定）

```
型 配列名[要素数]={[添字]=値, …};
```

上記で{}の中には、添字を指定する値と、添字を指定しない値を混在させられます。添字を指定しない値は、直前の値を格納した要素の、次の要素に格納されます。

実際に使ってみましょう。**int型の配列salesを、370、460、550、190、280で初期化した後に、各要素の値を出力**するプログラムを書いてください。ただし、出力結果が190、280、370、460、550の順になるように、初期化において添字を指定してください。

▼init3.c

```c
#include <stdio.h>
int main(void) {
    int sales[]={[2]=370, 460, 550, [0]=190, 280};
    for (int i=0; i<5; i++) printf("%d ", sales[i]);
    puts("");
}
```

上記では、配列の初期化において2個の添字を指定しています。370、460、550は添字2、3、4の要素に、190、280は添字0、1の要素に格納されます。

▼実行例

```
> gcc -o init3 init3.c
> init3
190 280 370 460 550
```

配列を初期化する色々な方法を学びました。次は配列をコピーする方法を学びます。

section 03 配列をコピーする2種類の方法

配列に格納された値を、別の配列にコピーする方法を学びます。通常の変数の値は代入（Chapter5）でコピーできますが、配列同士は代入できません。そこで、配列の要素ごとにコピーする方法と、メモリを丸ごとコピーする方法を紹介します。

❖要素ごとにコピーする

ある配列の要素を、別の配列の要素に代入してコピーすることは可能です。そこで繰り返しを使って配列の全要素を順にコピーすれば、配列全体をコピーできます。

実際にコピーしてみましょう。**int型の配列sales_aを190、280、370、460、550で初期化した後に、要素数が5個でint型の配列sales_bにコピー**するプログラムを書いてください。結果を確認するために、sales_aとsales_bの出力も行います。

▼copy1.c

```
#include <stdio.h>
int main(void) {
    enum { N=5 };

    // コピー元の配列sales_a
    int sales_a[]={190, 280, 370, 460, 550};

    // sales_aを出力
    for (int i=0; i<N; i++) printf("%d ", sales_a[i]);
    puts("");

    // コピー先の配列sales_bを宣言
    int sales_b[N];

    // sales_bにsales_aをコピー
    for (int i=0; i<N; i++) sales_b[i]=sales_a[i];

    // sales_bを出力
    for (int i=0; i<N; i++) printf("%d ", sales_b[i]);
    puts("");
}
```

上記のプログラムでは、for文による繰り返しを使って、sales_bの要素にsales_aの要素を代入してコピーします。sales_aとsales_bは、要素の型(int)や要素数(5)を合わせてあることに注意してください。なお、上記でファイル名を「copy1」としたのは、Windowsのcopyコマンドと同名になることを避けるためです。

▼実行例

```
> gcc -o copy1 copy1
> copy1
190 280 370 460 550   ← コピー元(sales_a)
190 280 370 460 550   ← コピー先(sales_b)
```

❖メモリを丸ごとコピーする

標準ライブラリのmemcpy(メム・コピー)は、指定したメモリの内容をコピーする関数です。memcpyはmemory copy(メモリ・コピー)の略と思われます。memcpy関数を使うには、string.hのインクルード(Chapter2)が必要です。

memcpy関数は次のように使います。左側にコピー先、右側にコピー元を指定することに注意してください。

memcpy関数

```
memcpy(コピー先のアドレス, コピー元のアドレス, バイト数)
```

memcpy関数を使って、配列のメモリを丸ごとコピーすれば、ある配列を別の配列にコピーできます。上記のアドレスには配列の先頭アドレスを、バイト数には配列のバイト数を指定します。前述のように、先頭アドレスは「配列名」で、バイト数は「sizeof 配列名」で得られます。

前回のプログラム(memory.c)を改造し、memcpy関数で配列をコピーしてみましょう。**配列を要素ごとにコピーする処理を、memcpy関数の呼び出しに書き換え**てください。

▼copy2.c

```
#include <stdio.h>
#include <string.h>
int main(void) {
    enum { N=5 };
```

```
    // コピー元の配列sales_a
    int sales_a[]={190, 280, 370, 460, 550};

    // sales_aを出力
    for (int i=0; i<N; i++) printf("%d ", sales_a[i]);
    puts("");

    // コピー先の配列sales_bを宣言
    int sales_b[N];

    // sales_bにsales_aをコピー
    memcpy(sales_b, sales_a, sizeof sales_b);

    // sales_bを出力
    for (int i=0; i<N; i++) printf("%d ", sales_b[i]);
    puts("");
}
```

上記のプログラムでは、memcpy関数のコピー先にsales_b、コピー元にsales_aを指定しました。バイト数には「sizeof sales_b」を指定しましたが、今回はsales_bとsales_aのバイト数が同じなので、「sizeof sales_a」を指定しても大丈夫です。

▼実行例

```
> gcc -o copy2 copy2
> copy2
190 280 370 460 550  ← コピー元(sales_a)
190 280 370 460 550  ← コピー先(sales_b)
```

配列をコピーする2種類の方法を学びましたが、どちらの方法を使っても構いません。速度が気になる場合には、両者の実行時間を計測して比較してみるとよいでしょう。処理系によりますが、memcpy関数は高速なコピーができるように調整されている可能性があります。一方で、要素ごとにコピーする方法は柔軟性に優れていて、例えば要素を逆順にコピーするといったことにも対応できます。

ここまでに扱った配列は、要素が一直線上に並んでいるイメージでした。これらは1次元配列と呼ばれます。次のセクションでは、2次元以上の配列を使う方法を学びます。

section 04
多次元配列で表や行列などを表現する

2次元以上の配列のことを、多次元配列（たじげんはいれつ）と呼ぶことがあります。今までに扱ってきた配列は1次元でしたが、C言語では多次元配列も使えます。多次元配列、例えば2次元配列を使うと、表計算ソフトウェアのような表や、数学の行列などを表現することが可能です。

多次元配列では複数の要素数や添字を指定する

多次元配列は次のように宣言します。以下は2次元配列の場合ですが、[]（角括弧）による要素数の指定を増やせば、配列の次元を増やせます。

多次元配列の宣言（2次元配列）

```
型　配列名[要素数A][要素数B];
```

上記は次のような配列を宣言します。この図では、要素数Aが配列の行数を、要素数Bが配列の列数を表すように示しました。[0][0]などは各要素の添字です。

▼2次元配列

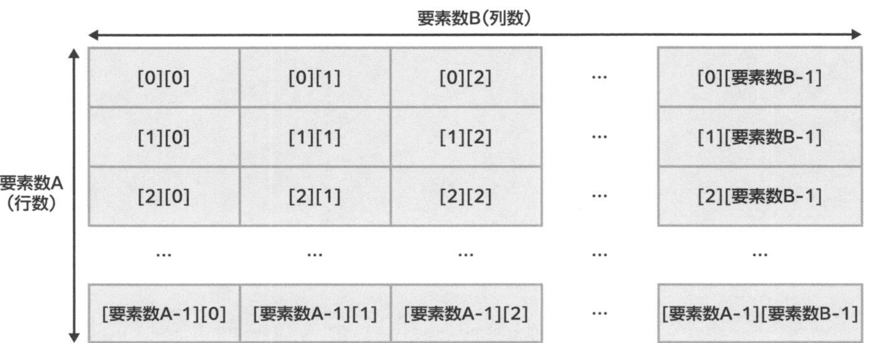

多次元配列を初期化するには、次のように書きます。{}（波括弧）がネストしている（ここでは2重になっている）ことに注目してください。内側の{}が、上記の図における配列の各行に対応します。

多次元配列の初期化（2次元配列）

```
型 配列名[要素数A][要素数B]={{値, …}, …};
```

初期化については、次のように{}をネストしない書き方もあります。この場合は配列の最初の行から順に値が格納されます。配列の要素数に対して値の個数が少ない場合、残りの要素は0になります。

多次元配列の初期化（2次元配列、{}をネストしない）

```
型 配列名[要素数A][要素数B]={値, …};
```

多次元配列の要素を読み書きするには、次のように記述します。複数の添字を指定すること以外は、1次元配列と同様です。

要素の値を参照（2次元配列）

```
配列名[添字A][添字B]
```

要素に値を格納（2次元配列）

```
配列名[添字A][添字B]=値
```

多次元配列を使ってみましょう。数学の行列を多次元配列で表現します。**2行3列の行列を表す2次元配列を宣言し、1行目は11、12、13で、2行目は21、22、23で初期化した後に、全要素の値を出力**するプログラムを書いてください。

実行例は次の通りです。値の11は1行1列、12は1行2列を表し、以下も同様です。数学では行や列を1から数えますが、C言語の添字は0から数えることに注意してください。

▼実行例

```
> gcc -o mdarray mdarray
> mdarray
11 12 13  ← 1行目の内容
21 22 23  ← 2行目の内容
```

以下のプログラム例では、配列の行数にROW（行）、列数にCOL（列、columnの略）という名前を付けました。要素の値を出力する処理では、for文をネストしています。このように多次元配列は、ネストした繰り返し文（多重ループ）と組み合わせて使うことがよくあります。なお、以下でファイル名の「mdarray」は、multidimensional array（多次元配列）の略です。

▼mdarray.c

```
#include <stdio.h>
int main(void) {

    // 要素数（ROWは行数、COLは列数）
    enum { ROW=2, COL=3 };

    // 配列の初期化
    int a[ROW][COL]={{11, 12, 13}, {21, 22, 23}};

    // 要素の値を出力
    for (int i=0; i<ROW; i++) {
        for (int j=0; j<COL; j++) printf("%d ", a[i][j]);
        puts("");
    }
}
```

❖多次元配列の代わりに1次元配列を使う

多次元配列の代わりに1次元配列を使って、2次元以上の構造を表現することもできます。多次元配列と1次元配列を比べると、例えば関数（Chapter10）の引数にする場合などは、1次元配列の方が簡単に扱えることがあります。多次元配列と1次元配列については、両方の使い方を知っておき、プログラムの内容に応じて使いやすい方を選ぶのがおすすめです。

1次元配列を多次元配列の代わりとして使うには、次のようなプログラムを書きます。以下は2次元配列の場合ですが、3次元以上の配列にも応用できます。

● 配列の宣言

要素数は「行数 * 列数」とします。

● 配列の初期化

{値, …}のように、{}をネストせずに値を並べます。

● 要素の指定

添字は「行方向の添字 * 列数 + 列方向の添字」とします。

多次元配列を使ったプログラム(mdarray.c)を改造してみましょう。**多次元配列を1次元配列に書き換え**てください。実行結果は前回と同じです。

▼実行例

```
> gcc -o mdarray2 mdarray2
> mdarray2
11 12 13   ← 1行目の内容
21 22 23   ← 2行目の内容
```

以下のプログラム例では、配列の初期化と、要素の指定に注目してください。書き方は変わりますが、多次元配列と同じ結果が得られています。

▼mdarray2.c

```
#include <stdio.h>
int main(void) {

    // 要素数（ROWは行数、COLは列数）
    enum { ROW=2, COL=3 };

    // 配列の初期化
    int a[ROW*COL]={11, 12, 13, 21, 22, 23};

    // 要素の値を出力
    for (int i=0; i<ROW; i++) {
        for (int j=0; j<COL; j++) printf("%2d ", a[i*COL+j]);
        puts("");
    }
}
```

次は実行時に要素数を決める、可変長配列について学びましょう。

section 05 実行時に要素数を決める
可変長配列

C言語の可変長配列は、実行時に要素数が決まる配列です。VLA（Variable Length Array、可変長配列）とも呼ばれます。この可変長配列には、次のような特徴があります。

- **要素数を実行時に決められる**

通常の配列では、要素数がコンパイル時に決まる必要があります。可変長配列では、要素数が実行時まで決まらなくても構いませんし、実行するたびに変化しても構いません。

- **宣言後に要素数は増減しない**

通常の配列と同様に、可変長配列も宣言後に要素を増やしたり減らしたりすることはできません。宣言をし直す際に要素数を変更することはできます。

- **C11以降ではオプション**

可変長配列はC99で導入されましたが、C11以降ではオプションの機能になったので、処理系によっては対応していない可能性があります。代替の機能としては、動的メモリ確保（Chapter14）などが使えます。

- **C++では非対応**

C++はC言語が持つ多くの機能に対応していますが、可変長配列には非対応です。独自に可変長配列に対応した処理系はありますが、一般に可変長配列を使ったCプログラムをC++に移植する場合には、標準C++ライブラリのvector（ベクター）などに置き換える必要があります。なお、本書で利用しているGCC/Clangは、C++処理系として使った場合にも、可変長配列に対応しています。

C言語の可変長配列は便利な場面もありますが、上記で述べたように、移植性に懸念があります。また、Linuxのカーネル（OSの中心となるプログラム）においては、コンパイル後の機械語プログラムの品質が落ちるという理由で、可変長配列の使用をやめたようです。このように、使用するかどうかをよく検討する必要がある可変長配列ですが、本書では簡単に使い方を紹介します。

可変長配列は次のように宣言します。記法は通常の1次元配列や多次元配列と同様ですが、要素数は実行時まで決まらなくてよいので、以下で式の部分には非常に幅広い式が書けます。

可変長配列の宣言

```
型 配列名[式];
```

可変長配列の宣言（2次元配列）

```
型 配列名[式A][式B];
```

可変長配列が便利な場面の一つは、実行時まで要素数が分からない配列を使いたいときです。実際に使ってみましょう。前出の、売上金額の百分率を出力するプログラム（array5.c）を改造して、要素数を実行時に入力できるようにします。**キーボードから入力した要素数で配列を宣言し、売上金額を入力して配列に格納した後に、売上金額の合計を求め、売上金額と合計金額に対する百分率を出力**するプログラムを書いてください。

▼vla.c

```
#include <stdio.h>
int main(void) {

    // 要素数の入力
    int n;
    printf("count:");
    scanf("%d", &n);

    // 配列の宣言（可変長配列）
    int sales[n];

    // 売上金額の入力
    for (int i=0; i<n; i++) scanf("%d", &sales[i]);
    puts("");

    // 合計金額の計算
    int total=0;
    for (int i=0; i<n; i++) total+=sales[i];

```

```
    // 売上金額と百分率の出力
    puts("sales percentage");
    for (int i=0; i<n; i++) {
        printf("%5d %9.1f%%\n", sales[i], sales[i]*100.0/total);
    }
    puts("");
}
```

上記のプログラムでは、要素数nをユーザに入力させた後に、要素数nの配列sales（売上金額）を宣言しています。nは実行時まで決まらない値なので、salesは可変長配列になります。可変長配列といっても、通常の配列との違いは宣言くらいで、他の操作は通常の配列と同様です。

実行例は以下です。配列の要素数を7にして、7個の値を入力しました。

▼実行例

```
> gcc -o vla vla
> vla
count:7                 ← 要素数を入力
130                     ← 整数を入力(7個)
240
350
460
570
680
790

sales percentage        ← 売上金額(sales) と百分率(percentage) を出力
  130        4.0%
  240        7.5%
  350       10.9%
  460       14.3%
  570       17.7%
  680       21.1%
  790       24.5%
```

可変長配列を使う際には、移植性の点で問題がないかどうかを検討してから使うのがおすすめです。もし心配ならば、通常の配列で済む場面には通常の配列を使い、済まない場面では動的メモリ確保を使う方法が考えられます。

本章では配列の使い方と仕組みについて詳しく学びました。多次元配列や可変長配列といった、配列のバリエーションについても紹介しました。配列を上手に活用するためのポイントは、配列と繰り返しの組み合わせに慣れることと、配列とメモリの関係をよく理解することです。

次章では、文字列について学びます。文字列を扱うときには、本章で学んだ配列の知識が役立ちます。

基礎編 Chapter9

文字と文字列を操作する

C言語では文字と文字列が区別されています。1個の文字を扱うには、文字型を使います。そして、複数個の文字を並べた文字列を扱うには、文字配列（文字型の配列）を使います。
本章では、まず文字について学び、次に文字列について学びます。文字に関しては、文字を表す文字コードの性質や、文字の入出力がポイントです。文字列に関しては、文字配列の使い方、文字列の入出力、そして文字列を操作するための標準ライブラリについて学びましょう。

本章の学習内容

①文字定数
②文字型
③文字の入出力
④文字列リテラル
⑤文字配列の宣言と初期化
⑥文字列の入出力
⑦文字列を操作する標準ライブラリ関数

section
01 文字の正体は文字コード

コンピュータでは文字を文字コードで表します。文字コードとは、コンピュータ上で文字をデータ(値)として扱うために、各種の文字に対して割り当てた番号のことです。文字コードには多くの種類がありますが、現在よく使われているのは、ASCII(アスキー)とUnicode(ユニコード)です(Chapter2)。Unicodeに関しては、文字エンコーディング(文字コードを表現する形式)が複数あり、UTF-8、UTF-16、UTF-32といった形式が使われています。

C言語でも、文字コードを使って文字を扱います。つまり、C言語における文字の正体は、文字コードだといえます。まずはプログラムに文字を書くことから始めて、文字について詳しく学んでみましょう。

❖文字を書いてみよう

プログラム中に書かれた文字データのことを、文字定数(C++では文字リテラル)と呼びます。文字定数は次のように、'(シングルクォート、シングルクォーテーション)で囲んで書きます。

文字定数

```
'文字'
```

上記の「文字」の部分には、1バイトで表現できる文字を1個だけ書きます。例えば、ASCIIに含まれる半角の英字・数字・記号や、\n(改行)などのエスケープシーケンスが書けます。処理系によっては、複数の文字を書ける場合もあります。

文字定数の値は文字コードです。例えば'A'の値は65で、'a'の値は97です。文字定数をprintf関数で出力する際には、変換指定の%cを使うと文字を出力し、%dを使うと文字コードを出力します。

いくつかの文字について、文字コードを調べてみましょう。**文字定数の'0'～'2'、'A'～'C'、'a'～'c'について、文字と文字コードを出力**するプログラムを書いてください。

▼char.c

```
#include <stdio.h>
int main(void) {

    // '0' ~ '2'を出力
    puts("char code");
    printf("%4c %4d\n", '0', '0');
    printf("%4c %4d\n", '1', '1');
    printf("%4c %4d\n", '2', '2');

    // 'A' ~ 'C'を出力
    puts("char code");
    printf("%4c %4d\n", 'A', 'A');
    printf("%4c %4d\n", 'B', 'B');
    printf("%4c %4d\n", 'C', 'C');

    // 'a' ~ 'c'を出力
    puts("char code");
    printf("%4c %4d\n", 'a', 'a');
    printf("%4c %4d\n", 'b', 'b');
    printf("%4c %4d\n", 'c', 'c');
}
```

上記のプログラムでは、見やすくするために文字(characterを略してchar)と文字コード(code)の桁を揃えています。実行結果は次の通りです。文字'0'〜'2'の文字コードは、0〜2ではなく、48〜50であることに注意してください。また、'0'〜'2'、'A'〜'C'、'a'〜'c'のいずれに関しても、文字コードが1ずつ変化していることに注目してください。ASCIIの場合、数字や英字の文字コードは、それぞれ連続した領域に割り当てられています。興味がある方は、文字'9'や'Z'や'z'の文字コードも出力してみてください。

▼実行例

```
> gcc -o char char.c
> char
char code
   0   48   ← '0'〜'9'の文字コードは48〜57
   1   49
   2   50
```

```
char code
   A   65  ← 'A'〜'Z'の文字コードは65〜90
   B   66
   C   67
char code
   a   97  ← 'a'〜'z'の文字コードは97〜122
   b   98
   c   99
```

文字定数には次のような種類があります。歴史的な経緯で、このように種類が多くなっています。

▼文字定数

記法	型	内容
'文字'	int	1バイトの文字
u'文字'	char16_t	16ビットの文字、通常はUTF-16、C11以降
U'文字'	char32_t	32ビットの文字、通常はUTF-32、C11以降
L'文字'	wchar_t	ワイド文字、環境により16ビットや32ビット、C95以降
'文字…'	int	多文字定数、値は処理系定義

C言語に最初からあるのは1バイトの文字です。一般に1バイトは8ビットなので、ASCII（7ビット）などを扱えます。ただし、8ビットでは最大でも256種類の文字しか表現できません。例えば、2136種類ある常用漢字全てを8ビットで表現することはできません。そこで、日本語の漢字や仮名といった各国の文字を扱うためには、マルチバイト文字と呼ばれる、複数のバイトを並べて1個の文字を表現する方法を使います。

その後のC95では、1文字あたりのビット数を増やすことによって多様な文字を表す、ワイド文字が追加されました。ワイド文字を使うと、マルチバイト文字よりも簡単に各国の文字を表せます。しかし、ワイド文字は環境によってビット数や文字コード（文字エンコーディング）が異なるので、環境間でプログラムを移植する際には問題が起きることがあります。

そこでC11では、環境間の移植性を高めるために、Unicodeを扱うchar16_tやchar32_tがさらに追加されました。C23では、UTF-8を扱うchar8_tや、u8'文字'という文字定数が追加される見込みです。

なお、1バイトの文字は次に学ぶcharという型で表しますが、通常は整数拡張(Chapter5)によってint型に変換されてから処理されます。文字定数の'文字'も、char型の変数に代入できますが、型はintとなっています。

❖1文字を表す文字型

1バイトの文字を表す型がchar(チャー、キャラ)です。charはcharacter(キャラクター)の略で、文字を意味します。char型は1バイトと決められているので、sizeof(char)は1を返します。

char型は1バイトの文字コードを表せますが、これは1バイトの整数を表せるともいえます。そのため、char型は文字を扱うためにも、整数を扱うためにも使います。

char型は符号付き(signed char)または符号なし(unsigned char)のいずれかで、どちらなのかは処理系定義(Chapter4)です。処理系によっては、オプションでsignedとunsignedを切り替えられます。GCC/Clangでも切り替えが可能です。

整数拡張(Chapter5)でcharをintに変換したときには、charがsignedかunsignedかに応じて、変換後の値が異なることがあるので注意してください。例えば16進数の0xffは、signedならば-1に、unsignedならば255になります。

使っている処理系のcharがsignedなのかunsignedなのかを、確かめてみましょう。**char、signed char、unsigned charの変数を、それぞれ0xffで初期化した後に、printf関数で変換指定に%dを用いて、整数として出力**するプログラムを書いてください。

▼char2.c

```
#include <stdio.h>
int main(void) {
    char c=0xff;
    printf("%d\n", c);

    signed char sc=0xff;
    printf("%d\n", sc);

    unsigned char uc=0xff;
    printf("%d\n", uc);
}
```

printf関数の引数にchar、signed char、unsigned charを指定すると、整数拡張によってintに変換されます。これは関数の可変長引数(Chapter11)に対して、自動的に整数拡張が行われるためです。

実行例は次の通りです。デフォルトのcharで実行する場合と、charをsignedとunsignedのどちらにするのかをオプションで切り替えた場合の結果を示しました。本書で用いたGCC/Clangでは、charの結果はsigned charの結果と一致するので、デフォルトのcharはsigned charだと分かります。

▼実行例

```
> gcc -o char2 char2.c                      ← デフォルトのchar
> char2
-1    ← charの結果
-1    ← signed charの結果
255   ← unsigned charの結果
> gcc -o char2 -fsigned-char char2.c       ← charをsignedにする
> char2
-1    ← charの結果
-1    ← signed charの結果
255   ← unsigned charの結果
> gcc -o char2 -funsigned-char char2.c  ← charをunsignedにする
> char2
255   ← charの結果
-1    ← signed charの結果
255   ← unsigned charの結果
```

整数の計算にcharを使うときなど、charの符号の有無が重要な場合は、signed charやunsigned charを使って、符号の有無を指定した方が安全だといえます。一方で、特に符号が重要ではない場合、例えば画面に表示するための文字を格納するときなどには、charを使って構いません。本書では主にcharを使います。

次はchar型の変数に、キーボードから入力した文字を格納する方法を学びます。

❖キーボードから文字を入力する

scanf関数を使うと、整数や浮動小数点数などと同様に、ユーザがキーボードから入力した文字を変数に格納できます。以下のように、変換指定には%cを使い、変数にはchar型の変数を使います。

文字の入力

```
scanf("%c", &変数)
```

文字を入力してみましょう。**char型の変数を宣言し、scanf関数でキーボードから入力した文字を格納して、文字コードを出力**するプログラムを書いてください。文字コードを出力するには、printf関数の変換指定で%dを使います。

▼char3.c

```
#include <stdio.h>
int main(void) {
    for (;;) {
        char c;
        scanf("%c", &c);
        printf("%d\n", c);
    }
}
```

上記のプログラムは無限ループ（Chapter7）になっていて、文字を繰り返し入力できます。以下の実行例では、英小文字のa、b、cを入力してみました。10が出力されていますが、これは改行を表す文字コードです。

プログラムを終了するには、Ctrl+Cキー（Windows/Linux）かcontrol+Cキー（macOS）を入力してください。Windowsの場合は、Ctrl+Cキーを押した際に10や0が出力されることがあるようです。

▼実行例

```
> gcc -o char3 char3.c
> char3
a    ← aとEnterキーを入力
97   ← aの文字コード
10   ← 改行の文字コード
b    ← bとEnterキーを入力
98   ← bの文字コード
10   ← 改行の文字コード
c    ← cとEnterキーを入力
99   ← cの文字コード
10   ← 改行の文字コード
^C   ← Ctrl+Cキーまたはcontrol+Cキーで終了
>
```

上記の動作を理解するには、入力のバッファについて知る必要があります。バッファはOSや処理系が提供する機能で、詳細は環境に依存します。キーボードから入力した文字は、いったんバッファに格納されます。scanf関数は変換指定に基づいて、以下のようにバッファから文字を取り出します。

1. scanf関数を実行したときに、バッファが空ならば、ユーザがキーボードを使って入力するのを待ちます。
2. 例えば、ユーザがaと Enter を入力すると、バッファにaと改行が格納されます。
3. 変換指定の%cに基づいて、scanf関数はバッファからaを取り出し、変数に格納します。
4. 再びscanf関数を実行したときには、バッファが空ではないので、キーボードからの新たな入力を待つことはしません。バッファの内容を処理します。
5. 変換指定の%cに基づいて、scanf関数はバッファから改行を取り出し、変数に格納します。
6. 次にscanf関数を実行したときには、バッファが空なので、キーボードからの新たな入力を待ちます。

次は、1文字を入出力するための関数を紹介します。

1文字を入出力するための関数

scanf関数やprintf関数は、変換指定に基づいて色々な値を入出力する関数ですが、1文字の入出力に特化した標準ライブラリ関数も用意されています。1文字の入力を受け取るgetchar（ゲット・チャー）関数と、1文字の出力を行うputchar（プット・チャー）関数です。これらの関数はscanf関数やprintf関数よりも機能がシンプルなので、1文字の入出力に関しては、より高速に動作することが期待できます。

getchar関数とputchar関数は次のように使います。いずれの関数を使う場合も、stdio.hのインクルードが必要です。

getchar関数

```
変数 = getchar()
```

putchar関数

```
putchar(文字)
```

getchar関数は、キーボードから入力した文字（文字コード）をint型の値で返します。putchar関数には、出力する文字（文字コード）をint型の値で渡します。いずれの関数も文字定数と同じく、文字（文字コード）をint型で扱うことに注意してください。

getchar関数とputchar関数を使ってみましょう。英小文字（a〜z）を英大文字（A〜Z）に変換してみます。**キーボードから入力した文字が英小文字ならば、英大文字に変換して出力**するプログラムを書いてください。

英小文字かどうかの判定は、文字コードが'a'以上'z'以下かどうかで判定します。英大文字への変換は、文字コードから'a'を減算した後に'A'を加算します。

▼char4.c

```
#include <stdio.h>
int main(void) {

    // 無限ループ
    for (;;) {

        // 1文字を入力
        int c=getchar();

        // 文字コードが'a'以上'z'以下ならば…
        if ('a'<=c && c<='z') {

            // 英大文字に変換して出力
            putchar(c-'a'+'A');

            // 改行を出力
            putchar('\n');
        }
    }
}
```

上記のプログラムは無限ループになっているので、文字を繰り返し入力できます。プログラムを終了するには、Ctrl+Cキー（Windows/Linux）かcontrol+Cキー（macOS）を入力してください。文字の入力にはgetchar関数を使い、変換後の文字と改行の出力にはputchar関数を使いました。

▼実行例

```
> gcc -o char4 char4.c
> char4
a  ← 英小文字のaを入力
A  ← 英大文字のAを出力
b  ← 英小文字のbを入力
B  ← 英大文字のBを出力
c  ← 英小文字のcを入力
C  ← 英大文字のCを出力
^C ← Ctrl+Cキーまたはcontrol+Cキーで終了
>
```

文字の仕組みや扱い方が分かってきたでしょうか。次は文字列に進みます。

column

改行コード

改行を表す文字コードのことを、改行コードと呼びます。ASCIIの改行コードとしては、文字コードが13のCR（Carriage Return、キャリッジ・リターン）と、文字コードが10のLF（Line Feed、ライン・フィード）があります。改行コードの扱いは環境によって異なり、例えばWindowsではCR+LF、macOS/LinuxではLF、バージョン9以前のMac OSではCRを使います。

プログラムが改行コードを簡単に扱えるようにするために、標準Cライブラリはテキストを入出力する際に改行コードを変換します。入力の際には環境ごとの改行コードを\nに変換し、出力の際には\nを環境ごとの改行コードに変換します。つまりプログラム内では、改行は全て\nとして扱えます。

標準入出力やテキストファイルの入出力に関しては、このような改行コードの変換が有効になり、自動的に改行コードが変換されます。一方で、バイナリファイル（テキスト以外のファイル）の入出力に関しては、改行コードの変換によってデータが不適切に改変されるのを避けるために、改行コードの変換が無効になります（改行コードは自動的には変換されません）。ファイルをテキストファイルとして扱うか、バイナリファイルとして扱うかの選択は、fopen関数（Chapter15）で行えます。

section
02 文字列の正体は文字の配列

C言語の文字列は、文字の配列、つまりchar型などの配列として表現されています。配列の要素は文字(文字コード)で、通常の配列と同様に、添字を使って各要素(文字)を参照したり、値(文字)を格納したりできます。

ここでは文字列の仕組み、文字配列の宣言と初期化、文字列の入力について学びます。まずは復習を兼ねて、文字列を書いて出力することから始めましょう。

❖文字列を書いてみよう

今までに何度も文字列を書いてきたので、だいぶん使い方に慣れたかと思います。プログラムに文字列を書くには、次のように"(ダブルクォート、ダブルクォーテーション)で囲んで書きます。これは文字列リテラルと呼ばれます(Chapter2)。

文字列リテラル

```
"文字列"
```

文字列リテラルを並べて書くと、コンパイル時に1個の文字列へ連結されます。これは長い文字列を書くときや、複数行にわたって文字列を書くときなどに便利です。文字列リテラルと文字列リテラルの間には、空白・タブ・改行を入れられます。

文字列リテラルの連結

```
"文字列A" "文字列B"
```

文字列の出力は、puts関数を使うか(Chapter2)、printf関数を使います(Chapter3)。puts関数は、文字列を出力した後に、改行も出力します。

文字列の出力(puts関数)

```
puts(文字列)
```

文字列の出力(printf関数、変換指定を使う)

```
printf("…%s…", 文字列)
```

文字列の出力(printf関数、変換指定を使わない)

```
printf(文字列)
```

文字列リテラルの連結を使ってみましょう。複数行にわたる説明文を出力するプログラムです。**次の実行例のような説明文を、3個の文字列リテラルに分けて記述し、出力**するプログラムを書いてください。

▼実行例

```
> gcc -o str str.c
> str
(1) Edit       ← エディット(編集)
(2) Compile    ← コンパイル
(3) Run        ← ラン(実行)
```

以下のプログラム例では、3個の文字列リテラルを改行で区切って書いています。これらの文字リテラルは、コンパイル時に連結され、1個の文字列として扱われます。なお、1行目と2行目については、末尾に改行(\n)を入れました。この改行によって、出力時に文字列が3行に分けられます。

▼str.c

```
#include <stdio.h>
int main(void) {
    puts(
        "(1) Edit\n"
        "(2) Compile\n"
        "(3) Run"
    );
}
```

文字と同様に、文字列リテラルにも次のような種類があります。u8'文字'はC23で追加される予定ですが、u8"文字列"はC11から対応しています。

▼文字列リテラル

記法	型	内容
"文字列"	charの配列	1バイトの文字
u8"文字列"	charの配列	8ビットの文字、UTF-8、C11以降
u"文字列"	char16_tの配列	16ビットの文字、通常はUTF-16、C11以降
U"文字列"	char32_tの配列	32ビットの文字、通常はUTF-32、C11以降
L"文字列"	wchar_tの配列	ワイド文字、C95以降

文字列の文字コード(文字エンコーディング)に関しては、プログラムの内部でどの文字コードを使うかを選択したり、入出力の際に適切な変換を行ったりする必要があり、本格的に扱おうとするとなかなか難しい問題です。そこで本書では、ASCIIで表せる文字(英字・数字・記号)を主に扱い、文字コードには深入りしないことで、プログラムや説明をシンプルにしました。

さて、次は文字列の末尾を表す特殊な文字である、ヌル文字について学びます。

❖文字列の末尾にはヌル文字がある

ヌル文字というのは、値が0(ASCIIやUnicodeでは文字コードも0)の文字で、エスケープシーケンスでは\0と書きます。ヌル文字は文字列の末尾を表すために使われます。実はヌル文字以外の文字は、値が0以外になっているので、ヌル文字と一般の文字とを区別できます。

ところで、C言語にはヌル文字の他に、ヌルポインタ(Chapter13)という機能もあります。どちらもヌルですが、一般にヌル文字はNUL、ヌルポインタはNULLと表記します。ヌル文字とヌルポインタは用途が異なるので、混同しないように注意してください。単に「ヌル」と呼ぶと紛らわしいので、「ヌル文字」や「ヌルポインタ」のように呼ぶとよいでしょう。ヌル文字のことを「ナル文字」と呼ぶ流儀もあります。

ヌル文字の働きを学びましょう。例えば"Hello"という文字列は、次のような構造をしています。Helloは5文字ですが、6個の要素を持つ文字配列(文字型の配列)になっていて、最後の要素(添字5の要素)にはヌル文字が入っています。

▼ヌル文字

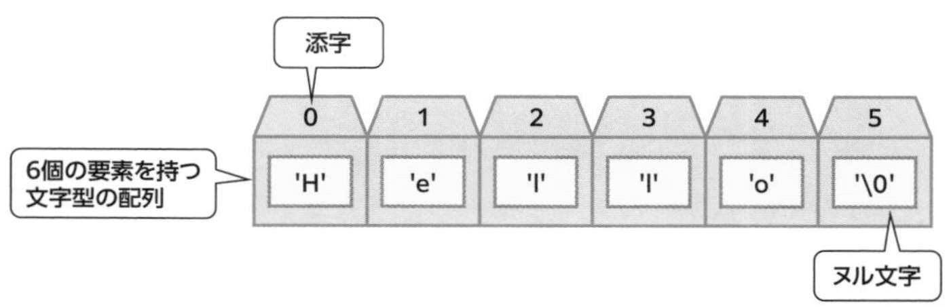

なぜヌル文字が必要なのでしょうか。例えばputs関数やprintf関数のように、文字列"Hello"を出力する処理を考えてみましょう。C言語では配列の先頭アドレスを

管理しており、文字配列についても同様です。"Hello"を表す文字配列の先頭アドレスは、先頭の文字'H'のアドレスでもあります。したがって、どの文字から出力を始めればよいかは分かります。では、どの文字までを出力すればよいかは、どうやったら分かるでしょうか。つまり、文字'o'が最後の文字だと、どうすれば判定できるでしょうか？

もし、あらかじめ文字列"Hello"の文字数が分かっていれば、簡単です。'H'から始めて5文字を出力すれば、'o'までを出力できます。しかし、C言語では文字配列の先頭アドレスを管理しているだけで、文字配列が含む文字列の文字数は管理していないので、この方法は使えません。

そこで役立つのがヌル文字です。文字列の最後にヌル文字が入っていれば、文字数が分からなくても、文字列の末尾を検出できます。先頭の文字'H'から順に、1文字ずつ出力していき、ヌル文字を見つけたら出力を終了すればよいのです。出力以外の処理、例えばコピーや比較といった処理についても、同様にヌル文字を使って実現が可能です。

▼ヌル文字は文字列の末尾を表す

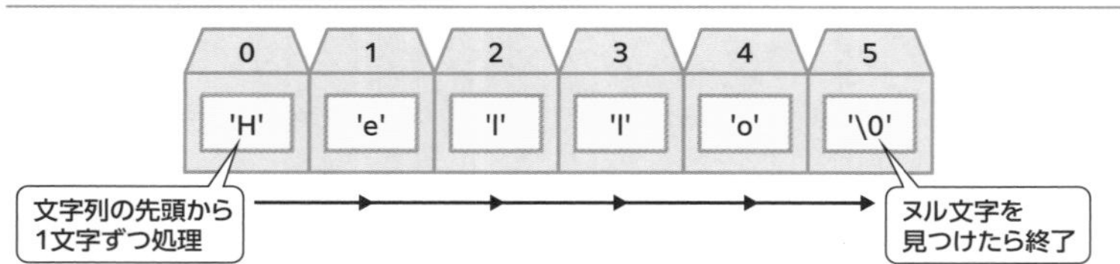

"Hello"という文字列リテラルを書くと、コンパイラは自動的に文字配列を作成し、Helloの5文字を書き込んで、末尾にはヌル文字を書き込みます。この文字配列には名前がなく、内容を変更することもできません。"Hello"以外の文字列リテラルについても同様です。

なお、末尾にヌル文字を書き込む処理を、プログラマが手動で行わなければならないときもあります。プログラマが自分で文字配列を宣言し、文字を1文字ずつ配列に書き込んでいくような場合です。一方、文字列を操作する標準ライブラリ関数（本章の後半で紹介）の中には、自動的にヌル文字を追加してくれるものもあります。必要に応じて、関数の仕様を確認しながら使ってください。

さて、文字列リテラルは配列名と同様に、文字配列の先頭アドレスを表します（Chapter8）。次のように、文字列リテラルに対して添字を使うと、要素（文字）を取り出せます。

文字列リテラルの要素を参照

"文字列"[添字]

文字列リテラルが表す文字配列の先頭アドレスと、各要素の値を調べてみましょう。**"Hello"という文字列リテラルに関して、文字配列の先頭アドレスと、各要素の文字コードを出力**するプログラムを書いてください。printf関数の変換指定は、アドレスには%pを、文字コードには%dを使います。

▼str2.c

```
#include <stdio.h>
int main(void) {
    printf("%p\n", "Hello");
    printf("%d\n", "Hello"[0]);
    printf("%d\n", "Hello"[1]);
    printf("%d\n", "Hello"[2]);
    printf("%d\n", "Hello"[3]);
    printf("%d\n", "Hello"[4]);
    printf("%d\n", "Hello"[5]);
}
```

Helloは5文字なので、ヌル文字を含めて6文字です。このように文字列リテラルは、末尾にヌル文字が付くので、要素数が文字数+1であることに注意してください。上記のプログラムでは、要素数が6なので、添字を0~5としています。

出力されるアドレスは環境によって変化します。以下の実行例では、Windows/macOS/Linuxの出力例を併記しました。

▼実行例

```
> gcc -o str2 str2.c
> str2
0000000000404000  ← 文字配列の先頭アドレス(Windows)
0x100e0ffac       ← 文字配列の先頭アドレス(macOS)
0x7f0db1992004    ← 文字配列の先頭アドレス(Linux)
72           ← Hの文字コード
101          ← eの文字コード
108          ← lの文字コード
108          ← lの文字コード
111          ← oの文字コード
0            ← ヌル文字
```

前述のように、文字列リテラルは内容を変更できません。内容を変更できるようにするには、次で学ぶように文字配列を宣言します。

column

文字列の文字数と文字配列の要素数

文字列の文字数と文字配列の要素数の関係は、文字列の文字コード（文字エンコーディング）と、文字配列の型によって異なるので、注意が必要です。1個の文字が、1個の要素に対応するとは限りません。

簡単に扱えるのは、ASCIIで表せる英字・数字・記号を、char型の文字配列に格納する場合です。この場合は文字1個が、文字配列の要素1個に対応します。

一方、例えばUTF-8（Unicodeにおける文字エンコーディングの一つ）で表した日本語の漢字や仮名を、char型の文字配列に格納する場合は、対応が複雑です。この場合は文字1個が、文字配列の要素3〜4個に対応します。

そこで本書では、扱いが簡単なASCIIの文字を主に扱います。ASCIIの場合、文字配列の要素数は、単純に文字数+1個以上を確保すれば大丈夫です。+1個はヌル文字用に使います。

最初にC言語を学ぶときには、ASCIIの文字を扱うのがおすすめです。とはいえ、本書で学んだ知識で全く日本語の文字が扱えないわけではなく、日本語の文字や文字列を入出力したり、加工したりすることはある程度可能です。もし本格的に日本語の文字や文字列を処理したくなったら、現在ではUnicodeのUTF-8が広く使われているので、UTF-8の仕組みについて学ぶことをおすすめします。

❖文字配列の宣言と初期化

文字配列（文字型の配列）を宣言すると、文字列の内容を変更したり、キーボードから文字列を入力することが可能になります。文字配列は次のように宣言します。以下はchar型の例ですが、他の文字型（wchar_tなど）でも同様です。

文字配列の宣言（char型）

```
char 配列名[要素数];
```

文字型以外の配列と同様に、複数の配列を同時に宣言することもできます。文字配列の要素数は、末尾にヌル文字を付けるので、格納したい文字列の文字数+1個は少なくとも必要です（ASCIIの場合）。

文字配列の要素数はあまりぎりぎりにせず、余裕を持って確保することをおすすめします。例えば住所を表す文字列を格納するのに、文字配列の要素を20文字分にするか30文字分にするかで悩んだら、とりあえず1000文字分を確保してもよいでしょう。

何文字分の要素を確保したのかは、プログラミングを進めるうちに意外と忘れてしまいます。要素数が不十分な文字配列に、うっかり長すぎる文字列を格納して、バグが発生する例をよく見かけます。あらかじめ絶対安心な要素数を確保しておけば、この種のバグに悩まされる頻度を下げることができます。プログラムが完成した後に、メモリの使用量を切り詰める必要が生じたら、そのときになって文字列配列の長さについて検討してもよいでしょう。ただし、近年はメモリが大容量化したので、わずか数千文字分の記憶領域を惜しまなければならない状況は減っています。

さて、次のように文字配列の初期化を行うと、文字配列の宣言と同時に文字列を格納できます。文字列の末尾には自動的にヌル文字が付きます。要素数は指定できますが、省略した場合には文字列の文字数+1個になります(ASCIIの場合)。

文字配列の初期化（char型）

```
char 配列名[]="文字列";
```

文字配列を使ってみましょう。**文字配列を"Hello"で初期化した後に、for文を使って各要素の文字と文字コードを出力**するプログラムを書いてください。文字列の末尾にあるヌル文字の値が0であることを利用して、for文の条件式を書きます。

▼str3.c

```
#include <stdio.h>
int main(void) {
    char s[]="Hello";
    for (int i=0; s[i]; i++) printf("%c %d\n", s[i], s[i]);
}
```

上記のfor文では条件式が「s[i]」ですが、これは「s[i]」が0以外(ヌル文字以外)ならば繰り返しを続行し、「s[i]」が0(ヌル文字)ならば繰り返しを終了する、という動作になります。結果として、文字列の末尾まで繰り返しを続けられます。この条件式は、上記では短く「s[i]」と書きましたが、「s[i]!=0」または「s[i]!='\0'」と書いても構いません。

▼実行例

```
> gcc -o str3 str3.c
> str3
H 72    ← 文字と文字コードを出力
e 101
l 108
l 108
o 111
```

文字配列を使うと、次に学ぶように、キーボードから文字列を入力できるようになります。

キーボードから文字列を入力する

文字列を入力する2種類の方法を紹介します。最初はお馴染みのscanf関数を使った方法です。scanf関数は、キーボードから入力した文字列を配列に格納し、末尾にヌル文字を付けます。以下のように、変換指定には「%s」を使います。

文字列の入力（scanf関数）

```
scanf("%s", 文字配列名)
```

上記の文字配列名には、&（アドレス演算子）が付いていません。他の配列と同様に、文字配列名は文字配列の先頭アドレスを表すので、&でアドレスを取得する必要がないためです。

scanf関数を使ってみましょう。**要素数が100の文字配列を宣言し、キーボードから入力した文字列をscanf関数で格納した後に、出力**するプログラムを書いてください。

▼str4.c

```
#include <stdio.h>
int main(void) {
    char s[100];
    scanf("%s", s);
    printf("%s\n", s);
}
```

出力にはputs関数やprintf関数が使えますが、上記のプログラムではscanf関数と対比するために、printf関数を使ってみました。実行して、以下のようにhelloとhello worldを入力してみてください。

▼実行例

```
> gcc -o str4 str4.c
> str4
hello          ← helloを入力
hello          ← helloを出力
> str4
hello world    ← hello worldを入力したのに…
hello          ← helloだけを出力
```

scanf関数は、入力された値を受け取る際に、空白・タブ・改行を区切りとします(Chapter5)。hello worldの場合は、helloとworldの間に空白があるため、helloだけを受け取って、worldはバッファに残します。プログラムの中でもう一度scanf関数を呼び出せば、バッファに残ったworldを受け取れます。

scanf関数には、もう一つ注意点があります。scanf関数は、格納先となる文字配列の要素数が十分かどうかを確認しません。もしキーボードから入力した文字列の文字数が多く、文字配列に収まりきらないと、プログラムが誤動作する危険性があります。上記のプログラム(str4.c)では、100文字以上の入力があった場合、ヌル文字を付けると要素数の100を超えるので、文字配列からあふれてしまいます。

上記2点の問題を回避する一つの方法は、fgets(エフ・ゲット・エス)関数を使うことです。fgetsの「f」はfile(ファイル)、「s」はstring(文字列)の略と思われます。fgets関数はファイルから文字列を読み込むための関数ですが(Chapter15)、次のように書けばキーボードからの入力にも使えます。fgets関数は、hello worldのように空白を含む文字列が入力されたとき、空白で区切らずに丸ごと文字配列に格納します。また、格納先となる文字配列の要素数が十分かどうかも確認します。

文字列の入力(fgets関数)

```
fgets(文字配列名, 要素数, stdin)
```

fgets関数の引数には、文字配列の配列名と要素数を指定します。この文字配列に、入力された文字列を格納します。fgets関数は、入力された文字列にヌル文字を付加した結果を格納するのに必要な要素数が、配列の要素数を超えないように調整します。ASCIIの場合、格納できる文字数は要素数-1で、これにヌル文字を加えると要素数に等しくなります。もし入力された文字列が長い場合は、要素数を超えない部分だけを配列に格納し、あとはバッファに残します。

stdinは標準入力ストリーム(standard input stream)と呼ばれます。ストリームというのは、プログラミングにおいてデータの流れを表す概念で、キーボード・画面・ファイル・ネットワークなどとの間の入出力機能を提供します。標準入力ストリームというのは、OSの標準入力(通常はキーボードからの入力)に対応するストリームです。

fgets関数を使ってみましょう。**要素数が100の文字配列を宣言し、キーボードから入力した文字列をfgets関数で格納した後に、出力**するプログラムを書いてください。

▼str5.c

```
#include <stdio.h>
int main(void) {
    char s[100];
    fgets(s, sizeof s, stdin);
    puts(s);
}
```

上記のプログラムでは、要素数が100の文字配列sを宣言し、このsにfgets関数を使って文字列を格納します。ここではfgets関数に指定する要素数を100とは書かず、sizeof演算子(Chapter8)で要素数を求める方法を使いました。この方法ならば、後で要素数を変更したくなったときに、1箇所(文字配列sの宣言)だけを修正すれば済みます。なお、char型の配列は要素1個のバイト数が1なので、配列全体のバイト数(sizeof 配列名)が要素数に一致します。

出力にはputs関数を使いました。fgets関数は入力された文字列を、改行も含めて文字配列に格納します。puts関数は文字列を出力した後に改行も出力するので、以下の実行例のように、改行が2個出力されていることに注目してください。

▼実行例

```
> gcc -o str5 str5.c
> str5
hello          ← helloと改行を入力
hello          ← helloと改行を出力
```

```
                ← puts関数が改行を出力
> str5
hello world     ← hello worldと改行を入力
hello world     ← hello worldと改行を出力
                ← puts関数が改行を出力
```

このようにfgets関数を使うと、hello worldのように空白を含む文字列が入力されたときにも、区切らずに丸ごと受け取れます。文字列を元のままの形で格納したいときには、fgets関数が便利です。

それに対してscanf関数は、色々な型の値が混在しているデータを入力したいときに向いています。例えば「gold 79 19.32」のような、文字列・整数・浮動小数点数が並んだデータを、"%s%d%lf"のような変換指定で簡単に受け取れます。

次は繰り返し文を活用して、さまざまな文字列の操作にチャレンジしてみましょう。文字列を操作する機能を提供する、便利な標準ライブラリ関数についても学びます。

column

バッファオーバーフロー

入力したデータに対して、配列などのバッファ（データを一時的に蓄えておく記憶領域）の容量が足りず、バッファの範囲を越えてデータを書き込んでしまうことを、バッファオーバーフロー（またはバッファオーバーラン）と呼びます。不適切な領域にデータを書き込むので、プログラムの誤動作や強制終了を引き起こす可能性があります。また、バッファオーバーフローを利用した攻撃の対象になることもあり、セキュリティの観点からも大きな問題です。

scanf関数は配列の要素数を確認しないので、長い文字列を入力すると、バッファオーバーフローが起きます。試しにscanf関数のプログラム例（str4.c）において、100文字以上の文字列を入力してみてください。環境によって動作は異なりますが、プログラムが強制終了するなどの問題が発生します。

バッファオーバーフローを防止するには、いくつかの方法があります。例えばscanf関数の場合には、変換指定を工夫したり、配列の要素数を確認するscanf_s関数を使うといった対策ができます。fgets関数は配列の要素数を確認するので安全だといえます。

section 03
文字列を操作する

文字配列に対して、添字による要素の読み書きと、繰り返し文による処理を組み合わせると、文字列に対する色々な操作が実現できます。例えば、文字列の長さを調べたり、文字列をコピーしたり、文字列を比較したりといった操作です。こういった文字列を操作するプログラムを書くのは、プログラミングのよい練習にもなります。

一方で、文字列の操作はよく使う処理なので、多くの標準ライブラリ関数が用意されています。これらの関数を使うと、文字列に対して簡単に色々な操作を行えます。標準ライブラリのstdlib.hやstring.hをインクルードすると、文字列を操作する各種の関数が使えるようになります。

ここでは文字列を操作する方法を学びます。いくつかの操作について、標準ライブラリ関数を使った手軽な方法と、文字配列・添字・繰り返し文を使って自分でプログラムを書く方法の、両方を紹介します。

標準ライブラリは素早くプログラムを書くために役立ちます。また、長年にわたって多数のプログラムで使用されているライブラリは、バグがよく取り除かれていると期待できます。一方で、文字列操作プログラムを自作することは、プログラミングの技量を磨いたり、ライブラリにない機能を実現するために役立ちます。

❖文字列の長さを調べる

文字列の長さ（文字数）を調べてみましょう。簡単にするために、ここでは末尾のヌル文字を除いた要素数を数えることにします。ASCIIの場合には、この要素数は文字数に一致します。

標準ライブラリのstrlen（ストラ・レン）関数を使うと、文字列の長さを簡単に調べられます。「str」はstring（文字列）、「len」はlength（長さ）の略と思われます。

strlen関数は次のように使います。文字列には、文字列リテラルや文字配列（配列名）を指定します。strlen関数は文字列の長さを、size_t（サイズ・ティー）型の値として返します。size_tは符号なしの整数型で、実際の型は処理系によって異なります。

文字列の長さを調べる

```
strlen(文字列)
```

文字列の長さを調べるプログラムを自作する場合には、例えば次のような方法を使います。文字列の最初の要素(文字)から始めて、ヌル文字でない限り、次の要素に進むことを繰り返します。何回進んだのかを数えておけば、これが長さになります。

▼文字列の長さを調べる

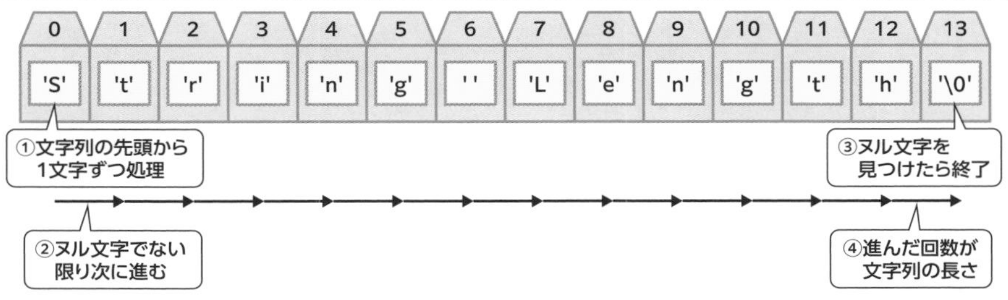

文字列の長さを調べてみましょう。**文字配列を"String Length"(文字列の長さ)で初期化し、strlen関数で調べた長さを出力し、さらに自作のプログラムで調べた長さを出力**するプログラムを書いてください。もしプログラムを自作するのが難しく感じたら、まずはstrlen関数を使った方法だけを試してください。

▼length.c

```
#include <stdio.h>
#include <string.h>
int main(void) {
    char s[]="String Length";

    // strlenを使って長さを調べる
    printf("%lu\n", strlen(s));

    // 自作のプログラムで長さを調べる
    int i;
    for (i=0; s[i]; i++);
    printf("%d\n", i);
}
```

以下のように、実行結果は13文字でした。strlen関数の結果と一致したので、自作のプログラムは正しく動いていると思われます。

上記のプログラムでは、変数iが長さ(文字数)を表します。iを0で初期化しておき、ヌル文字が出現する(s[i]が0になる)まで、i++で回数を数えます。for文は初期化節・条件式・反復式だけで処理が済んでしまったので、文は空文(Chapter7)としています。

▼実行例

```
> gcc -o length length.c
> length
13  ← strlen関数で調べた長さ
13  ← 自作のプログラムで調べた長さ
```

次は文字列をコピーしてみましょう。

❖文字列をコピーする

ある文字列を他の文字列にコピーしてみましょう。これは標準ライブラリのstrcpy(ストラ・コピー)関数を使えば簡単に行えます。「cpy」はcopy(コピー)の略と思われます。

strcpy関数は次のように使います。コピー先文字列には文字配列を、コピー元文字列には文字配列か文字列リテラルを指定します。

文字列をコピーする

```
strcpy(コピー先文字列, コピー元文字列)
```

コピー先文字列の要素数が足りないと、バッファオーバーフローが発生するので、十分な要素数を用意してください。要素数を確認するstrcpy_s関数を使う方法もあります。

文字列をコピーするプログラムを自作する場合には、配列のコピー(Chapter8)と同様に、要素ごとにコピーします。配列同士が代入できないように、文字列同士も代入できません。

文字列の長さを調べるプログラム(length.c)と同様に、文字列の最初の要素(文字)から始めて、ヌル文字でない限り、コピー元からコピー先に要素を代入してコピーし、次の要素に進むことを繰り返します。最後は忘れずに、コピー先の末尾にヌル文字を付けます。

▼文字列をコピーする

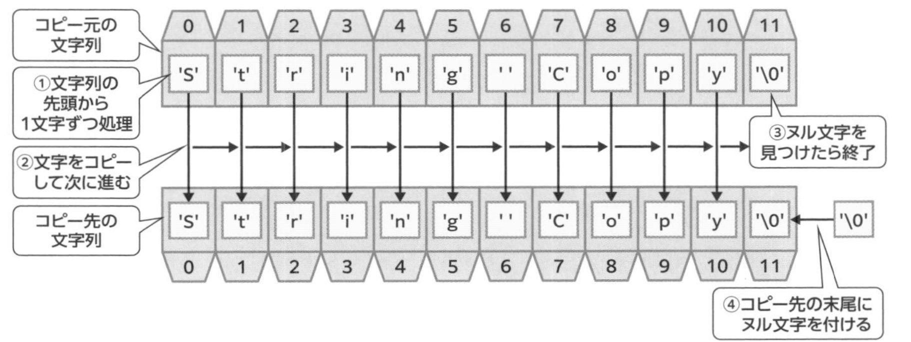

文字列をコピーしてみましょう。**文字配列sを"String Copy"（文字列のコピー）で初期化し、別の文字配列tを宣言してstrcpy関数でtにsをコピーして出力し、さらに別の文字配列uを宣言して自作のプログラムでuにsをコピーして出力**するプログラムを書いてください。もし難しいと感じたら、strcpyを使った方法だけでも構いません。

▼copy1.c

```
#include <stdio.h>
#include <string.h>
int main(void) {
    char s[]="String Copy";

    // strcpyを使って文字列をコピーする
    char t[100];
    strcpy(t, s);
    puts(t);

    // 自作のプログラムで文字列をコピーする
    char u[100];
    int i;
    for (i=0; s[i]; i++) u[i]=s[i];
    u[i]='\0';
    puts(u);
}
```

上記のプログラムでは、コピー先の要素(u[i])にコピー元の要素(s[i])を代入しながら、ヌル文字が出現するまで繰り返しを行います。最後はu[i]がコピー先の末尾を指しているので、ここにヌル文字('\0')を代入します。

▼実行例

```
> gcc -o copy1 copy1.c
> copy1
String Copy   ← strcpy関数でコピーした文字列
String Copy   ← 自作のプログラムでコピーした文字列
```

もしプログラムの動きが複雑だと感じたら、落書きで構わないので、動きを簡単な図にしてみてください。"String Copy"という文字列をコピーする、のように具体的な値を決めた上で、プログラムが動く過程を細かく1ステップずつ、図で再現します。これはプログラムを読み解いたり、自分で処理の手順を設計する能力を磨いたりする上でとても役立つので、おすすめの方法です。

▼文字列"String Copy"をコピーするプログラムの動き(添字0の要素)

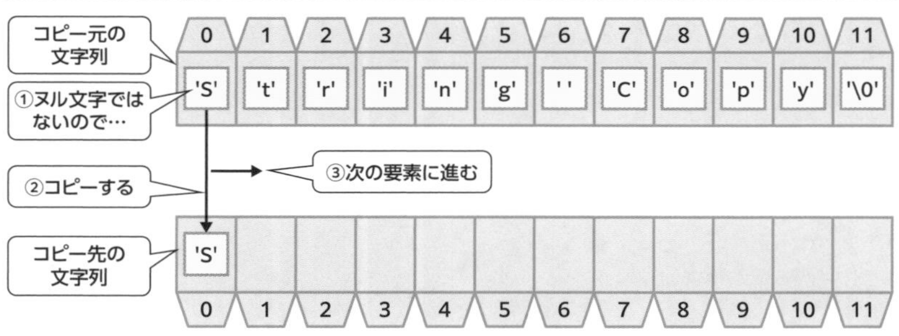

▼文字列"String Copy"をコピーするプログラムの動き(添字1の要素)

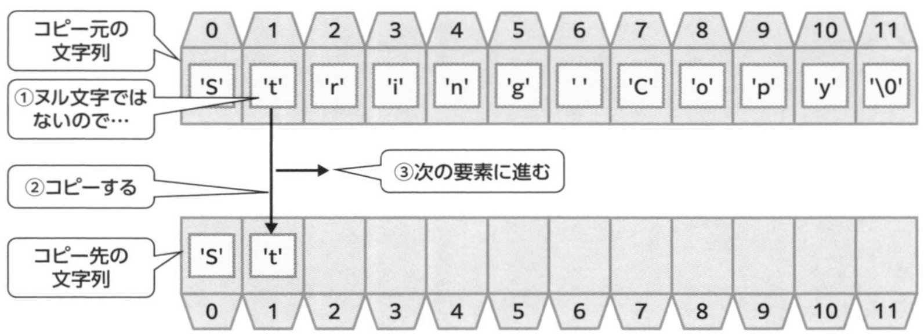

プログラムの動きを再現する際には、序盤の動きに加えて、終盤の動きにも注目してください。バグがないプログラムを書くためには、「プログラムが一連の動きを正しく終了できるかどうか」を検証することも重要です。

▼文字列"String Copy"をコピーするプログラムの動き（ヌル文字に到達）

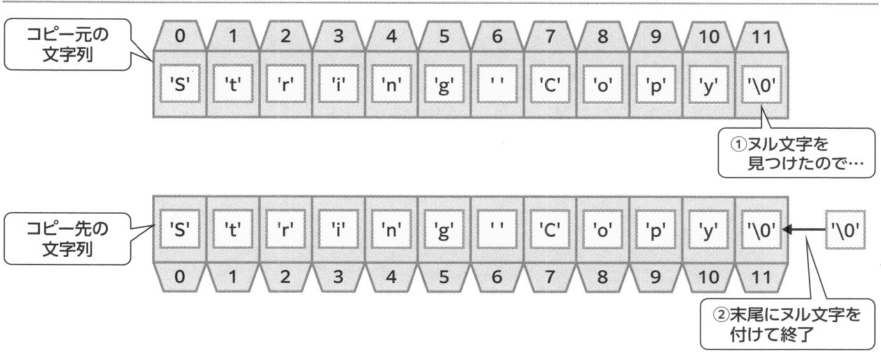

次は文字列を比較してみましょう。

❖文字列を比較する

ある文字列を別の文字列と比較してみましょう。文字列同士が一致するかどうかを判定するだけではなく、文字コード順（文字コードによっては辞書順）による前後も判定します。

文字列の比較は、標準ライブラリのstrcmp（ストラ・コンプ）関数を使って行えます。「cmp」はcompare（コンペア、比較）の略と思われます。

strcmp関数は次のように使います。文字列Aと文字列Bには、文字配列か文字列リテラルを指定します。

文字列を比較する

```
strcmp(文字列A, 文字列B)
```

strcmp関数は次のような結果（戻り値）を返します。結果の型はint型です。

▼strcmp関数の結果

結果	条件	説明
負数	文字列A<文字列B	文字列Aが文字列Bよりも文字コード順で前
0	文字列A==文字列B	文字列Aが文字列Bに一致
正数	文字列A>文字列B	文字列Aが文字列Bよりも文字コード順で後

文字列を比較するプログラムを自作する場合には、文字配列同士を「==」で比較することはできません。もし配列名同士を==で比較しても、配列名は配列の先頭アドレスを表すので、配列の内容を比較するのではなく、先頭アドレスを比較してしまいます。配列の内容を比較するには、配列のコピーと同様に、要素ごとに比較する必要があります。

文字列を比較するには、文字列の最初の要素（文字）から始めて、ヌル文字でない限り、かつ両文字列の要素が等しい限り、次の要素に進むことを繰り返します。この繰り返しを続けている間は、両文字列の要素は調べた範囲内で全て等しくなっています。もし、ヌル文字に到達したり、両文字列の要素が異なったら、繰り返しを終わります。そして、繰り返しを終えた位置の要素（の文字コード）を比較し、その大小に応じて結果を決めます。

▼文字列を比較する（文字列A<文字列Bの場合）

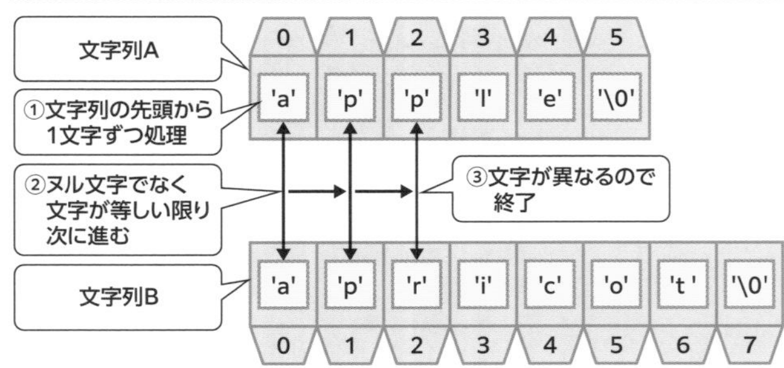

▼文字列を比較する（文字列A==文字列Bの場合）

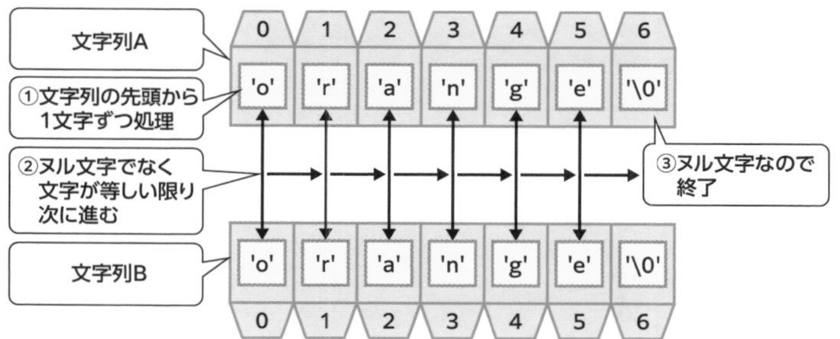

▼文字列を比較する（文字列A>文字列Bの場合）

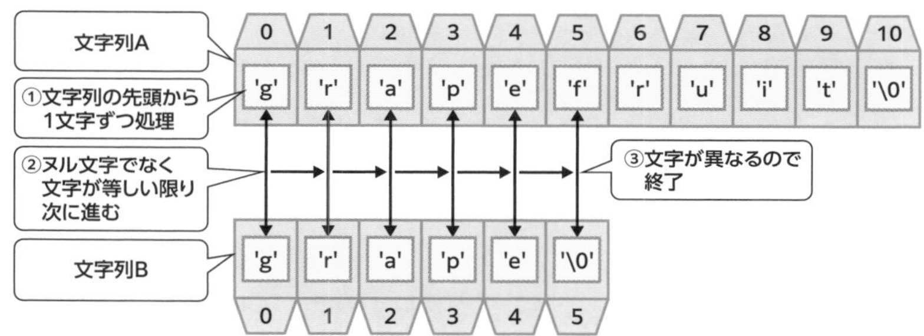

文字列を比較してみましょう。**2個の文字配列を宣言し、それぞれキーボードから入力した文字列をfgets関数で格納した後に、strcmp関数で両文字列を比較した結果を出力し、さらに自作のプログラムで両文字列を比較した結果を出力**するプログラムを書いてください。もし難しいと感じたら、strcmpを使った方法だけでも構いません。

プログラム例では無限ループを使って、文字列を繰り返し入力して比較できるようにしました。以下が実行例です。

▼実行例

```
> gcc -o compare compare.c
> compare
apple         ← 文字列A(アップル) を入力
apricot       ← 文字列B(アプリコット) を入力
<             ← strcmp関数の結果(文字列A<文字列B)
<             ← 自作プログラムの結果(同上)
```

```
orange        ← 文字列A(オレンジ) を入力
orange        ← 文字列B(オレンジ) を入力
==            ← strcmp関数の結果(文字列A==文字列B)
==            ← 自作プログラムの結果(同上)

grapefruit    ← 文字列A(グレープフルーツ) を入力
grape         ← 文字列B(グレープ) を入力
>             ← strcmp関数の結果(文字列A>文字列B)
>             ← 自作プログラムの結果(同上)

^C            ← Ctrl+Cキーまたはcontrol+Cキーで終了
>
```

以下のプログラム例では、結果の出力に条件演算子(Chapter6)を使っています。strcmp関数を呼び出した後は、その戻り値に応じて<、>、==のいずれかを出力します。自作プログラムで文字列比較を行った後は、puts関数に渡す引数において、繰り返しを終えた位置の要素(s[i]とt[i])を比較しています。比較の結果に応じて、<、>、==のいずれかを出力します。

自作のプログラムでは、for文の条件式で論理演算子の&&(Chapter6)を使って、2つの条件を組み合わせています。条件の意味は、ヌル文字ではない(s[i])と、両文字列の要素が等しい(s[i]==t[i])です。

▼compare.c

```
#include <stdio.h>
#include <string.h>
int main(void) {
    for (;;) {
        char s[100], t[100];

        // 文字列の入力
        fgets(s, sizeof(s), stdin);
        fgets(t, sizeof(t), stdin);

        // strcmpを使って文字列を比較する
        int c=strcmp(s, t);
        puts(c<0 ? "<" : c>0 ? ">" : "==");

        // 自作のプログラムで文字列を比較する
        int i;
```

```
        for (i=0; s[i] && s[i]==t[i]; i++);
        puts(s[i]<t[i] ? "<" : s[i]>t[i] ? ">" : "==");

        puts("");
    }
}
```

❖文字列を操作する標準ライブラリ関数のまとめ

文字列を操作する標準ライブラリ関数をいくつか紹介してきましたが、他にも色々な関数があります。これらの関数は暗記しておく必要はありませんが、大まかにどんな機能の関数があるのかを知っておくと有用です。「標準ライブラリ関数のこれとこれを組み合わせれば目的の機能が実現できるな…」と見当がつけば、すぐにプログラミングに取りかかれます。

そこで、以下に関数を機能別に分類してみました。インクルードが必要なヘッダファイルもあわせて示します。実際に関数を使う必要が生じたら、処理系のマニュアルやWebの検索などを使って、詳しい使い方を調べてみてください。

- 文字列を整数に変換する（stdlib.h）
  atoi, atol, atoll, strtol, strtoll, strtoul, strtoull, strtoimax, strtoumax
- 文字列を浮動小数点数に変換する（stdlib.h）
  atof, strtof, strtod, strtold
- 文字列をコピーする（string.h）
  strcpy, strcpy_s, strncpy, strncpy_s
- 文字列を連結する（string.h）
  strcat, strcat_s, strncat, strncat_s
- 文字列の長さを調べる（string.h）
  strlen, strlen_s
- 文字列を比較する（string.h）
  strcmp, strncmp, strcoll, strxfrm
- 文字列から文字を探す（string.h）
  strchr, strrchr, strspn, strcspn, strpbrk
- 文字列から文字列を探す（string.h）
  strstr

・文字列を区切る（string.h）
strtok, strtok_s

本章では文字と文字列について学びました。文字は文字コードで表すことと、文字列は文字の配列であることがポイントです。また、文字列を操作する標準ライブラリ関数の使い方と、自作のプログラムで文字列を操作する方法も学びました。

次章では関数について学びます。

応用編 Chapter10

何度も使う処理は関数にまとめる

関数（かんすう）は、何度も使う処理をまとめて、再利用しやすくする仕組みです。今まではC言語が提供する標準ライブラリ関数を使ってきましたが、本章では独自の関数を定義する方法を学びます。基本的な関数の定義と呼び出しから始めて、引数や戻り値の仕組みを学んだり、配列や文字列を引数にとる関数を定義したりします。また、スコープ（Chapter5）や記憶域期間を通して、関数と変数の関係について考えます。

本章の学習内容

①関数の定義
②return文
③仮引数と実引数
④関数の宣言
⑤配列の引数
⑥文字列の引数
⑦変数のスコープと記憶域期間

section 01

独自の関数を定義して呼び出す

最初は関数の定義・呼び出し・宣言について学びましょう。関数の呼び出しを実現する仕組みについても学びます。

関数を定義する

関数についてはChapter2で一度学びました。関数は入力として引数（ひきすう）を受け取り、何らかの処理を行い、出力として戻り値（もどりち）を返します。また、関数を実行することを関数の呼び出し（よびだし）といいます。

引数を使うと、呼び出し元から関数に値を渡せます。基本的に、呼び出し元で使っている値は、関数の中からは参照できません。呼び出し元で使っていて、関数内でも使いたい値については、引数として渡すことになります。

一方、戻り値を使うと、関数から呼び出し元に値を渡せます。戻り値の例としては、計算結果の値や、処理が正常に完了したかどうかを表す値などが考えられます。計算を目的として関数を呼び出した場合には、呼び出し元で計算結果を利用したいでしょう。また、ファイルの読み書きのように、計算というよりも処理を目的として関数を呼び出した場合には、正常に処理が完了したかどうかを呼び出し元が把握して、必要ならばその後の処理を変えたいでしょう。戻り値が役立つのはこういった場面です。

▼関数

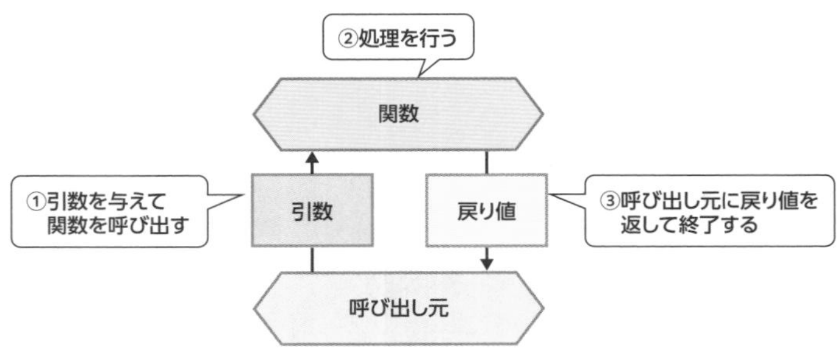

関数を作成することを関数の定義（ていぎ）といいます。関数を呼び出す前には、

関数を定義しておく必要があります。これまでは定義済みの標準ライブラリ関数を呼び出してきましたが、今度は自分で関数を定義し、呼び出してみましょう。

関数は次のように定義します。関数名や引数名の付け方は、変数名の付け方と同じです（Chapter5）。{}（波括弧）の中には、宣言（変数の宣言など）や文を書きます。

引数は、関数の中で宣言した変数と同様に、関数の末尾まで変数として使えます。関数に複数の引数がある場合、左から順に第1引数、第2引数、第3引数…と呼びます。

関数の定義

```
戻り値型 関数名(引数型 引数名, …) {
    宣言または文;
    …
    return 式;
}
```

return（リターン）は、関数の呼び出し元に戻り値を返すための文です。return文は次のように書きます。式の値を、戻り値として呼び出し元に返します。

return文

```
return 式;
```

引数がない関数を定義するには、次のように( )（丸括弧）の中にvoid（ヴォイド）と書きます。voidは空（から）を意味します（Chapter2）。なお、C23では（C++と同様に）このvoidを省略して、()のように丸括弧だけで済むようになる予定です。引数がない関数の例としては、getchar関数（Chapter9）があります。

関数の定義（引数なし）

```
戻り値型 関数名(void) {
    宣言または文;
    …
    return 式;
}
```

戻り値がない関数を定義するには、次のように戻り値型をvoidにします。戻り値がない標準ライブラリ関数の例としては、exit関数（Chapter14）があります。

関数の定義（戻り値なし）

```
void 関数名(引数型 引数名, …) {
    宣言または文;
    …
}
```

戻り値がない場合は、return文を省略できます。関数の末尾に到達すると、関数の呼び出し元に戻ります。

一方、戻り値がない関数においても、以下のようなreturn文を書けます。これはif文などと組み合わせて、関数の途中で呼び出し元に戻るときなどに使います。

return文（戻り値なし）

```
return;
```

引数も戻り値もない関数を定義するには、「void 関数名(void)…」とします。引数も戻り値もない標準ライブラリ関数の例としては、プログラムを異常終了させるabort（アボート）関数があります。

次は、定義した関数を呼び出す方法を学びます。

column

関数の活用方法　個人編

C言語には色々なライブラリがあります。これらのライブラリが提供する機能は、プログラムから関数を呼び出す形で利用することが多いです。そのため、関数の呼び出し方をマスターしておくと大変便利です。

一方で、関数を作成する機会は意外と少ないかもしれません。特に、自分一人が使うプログラムを、自分一人で作成しているときには、関数を書く必要が生じないケースがよくあります。もし差し迫った必要がないならば、関数の書き方について今は軽く読み流して、後で必要になったときに習得するのがおすすめです。

それでも、関数を書きたくなるときはあります。main関数が長くなりすぎて、編集中に何度もスクロールを繰り返し、効率が上がらないときなどです。

そんなときは、よく使う処理を関数として定義すると、プログラムを見通しよく整理できます。しかし、何が「よく使う処理」なのかを見極めるのはなかなか難しく、試行錯誤に時間を使ってしまいがちです。また、どんな引数や戻り値にしたらよいかで悩みがちです。
そのため、最初は関数を定義せずに、main関数だけでプログラムを書き進めるのがおすすめです。プログラミングの途中で、何度も似たような処理を書いていることに気づいたら、その部分を関数にしてみてください。プログラムがシンプルになり、見通しがよくなれば成功です。
自分でも何の機能を持つのか分からない関数を作ってしまうと、かえってプログラムの見通しが悪くなることもあります。「〜をする関数」と自分で把握できる関数を作るのも一つのコツです。標準ライブラリ関数の一覧を眺めて、どのように機能をまとめて関数にするとよいのか、参考にするのもおすすめです。
使いやすい関数ができたら、他のプログラムを開発するときにも利用するとよいでしょう。作成した関数を集めて、独自のライブラリを作成すると、プログラミングの効率が上がり、作成できるプログラムの幅を広げられる可能性があります。

column

関数の活用方法　グループ編

関数を定義することは、多人数でプログラミングをするときに役立ちます。例えば関数FをAさんが、関数GをBさんが担当する…といった具合に、関数を分業の単位にすれば、並行して作業を進めやすくなります。このような分業においては、関数の引数や戻り値といった、他の関数と連携する際に境界となる部分の仕様を、あらかじめ明確に決めておくことが重要です。
こういった境界部分の仕様のことを、インタフェースと呼ぶことがあります。プログラミングでよく目にするAPIという言葉は、Application Programming Interface（アプリケーション・プログラミング・インタフェース）の略で、プログラムからOSの機能などにアクセスする際のインタフェースのことです。
自分一人でプログラムを作成する場合には、プログラミングを進めながらインタフェースを決めていってもよいのですが、分業の場合には事前にインタフェースの設計ができている必要があります。インタフェースには複数の関数が関係するので、プログラムの作成後にインタフェースを変更すると、多くの修正が発生する危険性があるためです。
また、インタフェースの良し悪しによって、プログラムを開発する際の効率や、完成したプログラムの品質が大きく変わります。インタフェースの設計を担当するプログラマには、豊富な経験や高度な技量が求められます。

定義した関数を呼び出す

自分で定義した関数を呼び出す方法は、printf関数やputs関数といった標準ライブラリ関数を呼び出す方法と同じです。関数は次のように呼び出します。引数には式を書くことができ、関数には式を評価（計算）した値が渡されます。例えば、引数に「1+2」という式を書いた場合は、1+2を計算した結果の3が関数に渡されます。

関数の呼び出し

```
関数名(式, …)
```

引数がない関数は次のように呼び出します。定義の場合は()の中にvoidと書きますが、呼び出しの場合には何も書きません。

関数の呼び出し（引数なし）

```
関数名()
```

関数の定義における引数のことを**仮引数**（かりひきすう）、関数の呼び出しにおける引数のことを**実引数**（じつひきすう）と呼びます。関数を呼び出すときには、仮引数に実引数の値をコピーすることにより、関数に値を渡します。このように、関数に引数として値を渡す方式のことを、**値渡し**（call by value、コール・バイ・バリュー）と呼びます。C言語における関数呼び出しは、全て値渡しです。

値渡しとは異なり、仮引数を経由して実引数を読み書き（参照・変更）する方式のことを、参照渡し（call by reference、コール・バイ・リファレンス）と呼びます。C言語において、関数の引数としてポインタ（Chapter13）を渡すことを、参照渡しと呼ぶ流儀もありますが、本書では値渡しの一種として扱います。ポインタを渡す場合、仮引数に実引数（ポインタ）の値（アドレス）をコピーするので、仕組みとしては値渡しだといえます。一方で、ポインタを渡すことを「ポインタ渡し」や「アドレス渡し」と呼ぶ流儀もあります。

▼仮引数と実引数

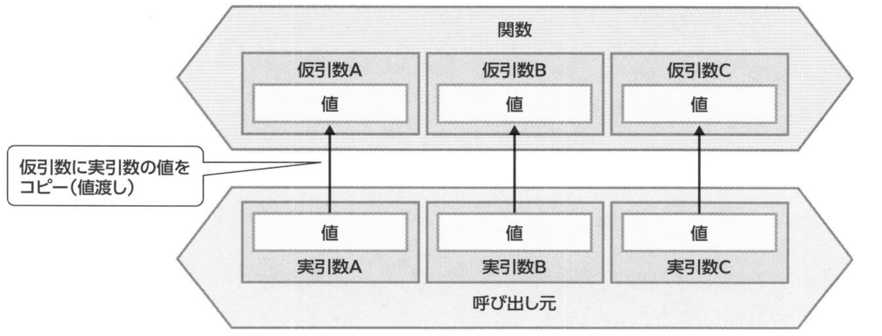

関数がreturn文を実行すると、呼び出し元に戻り値を返します。呼び出し元においては、プログラムの関数呼び出しの部分が、戻り値に置き換わったような結果になります。例えば「1+関数(…)*2+3」という式は、関数の呼び出し後には、「1+戻り値*2+3」に相当する状態になります。

▼戻り値

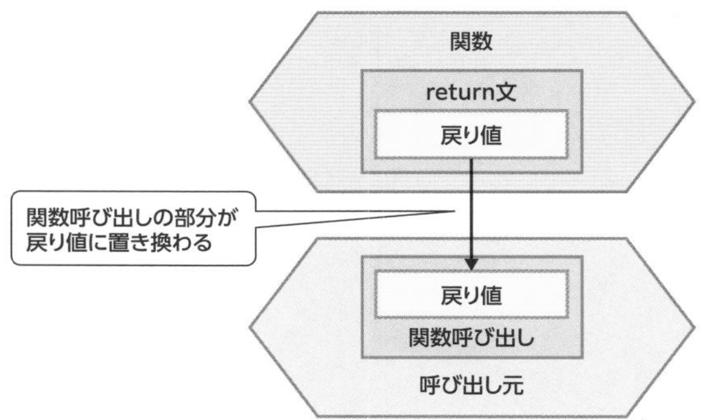

関数の定義と呼び出しの仕組みを学んだところで、実際に関数を定義して呼び出してみましょう。2個の引数を加算した結果を返すだけの、簡単な関数を書きます。**int型の引数xとyを受け取り、加算した結果をint型の戻り値として返すadd(アッド、加算)関数を定義し、呼び出して結果を出力**するプログラムを書いてください。add関数が完成したら、以下の3種類の方法で呼び出してみてください。

・add(1, 2)
1+2=3に相当する計算です。

・add(add(3, 4), 5)
(3+4)+5=12に相当する計算です。

・add(add(6, 7), add(8, 9))
(6+7)+(8+9)=30に相当する計算です。

関数の定義は、他の関数の外に書きます。main関数の中ではなく、main関数と同じ階層で(main関数と並べて)、関数を定義してください。また、関数は呼び出す前に定義(または宣言)する必要があるので、プログラム(ソースコード)でmain関数よりも前(上)に、add関数の定義を書いてください。なお、main関数以外の関数を定義した場合も、プログラムの実行はmain関数から始まります。

▼func.c

```
#include <stdio.h>

// add関数の定義
int add(int x, int y) {
    return x+y;
}

// main関数の定義
int main(void) {

    // add関数の呼び出し
    printf("%d\n", add(1, 2));
    printf("%d\n", add(add(3, 4), 5));
    printf("%d\n", add(add(6, 7), add(8, 9)));
}
```

上記でファイル名の「func」は、function(関数)の略です。add関数は改行して3行で書きましたが、このように非常に簡単な関数については、改行せずに1行で書くこともできます。add関数の場合は次のように書けます。

▼func.c（add関数を1行で書いた場合）

```
int add(int x, int y) { return x+y; }
```

▼実行例

```
> gcc -o func func.c
> func
3    ← add(1, 2)の結果
12   ← add(add(3, 4), 5)の結果
30   ← add(add(6, 7), add(8, 9))の結果
```

上記の「add(1, 2)」を例に、仮引数・実引数・戻り値の働きを確認しましょう。前述のように、仮引数に実引数をコピーすることと、関数呼び出しの部分が戻り値に変わることがポイントです。

1 仮引数のxに実引数の1を、仮引数のyに実引数の2をコピーします。
2 add関数はx+yを計算し、結果の3を戻り値として返します。
3 add(1, 2)の部分が、戻り値の3に変わります。
4 printf("%d\n", add(1, 2))は、printf("%d\n", 3)となり、3が出力されます。

▼add(1, 2)における仮引数・実引数・戻り値

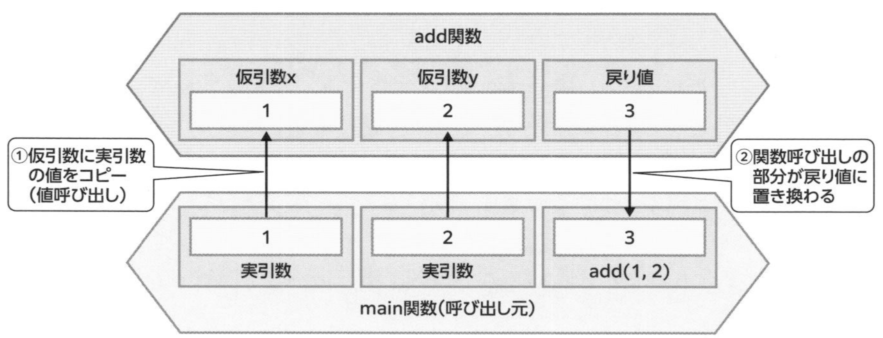

「add(add(3, 4), 5)」については、次のように計算が進みます。前述のように、関数呼び出しの部分が戻り値に変わっていきます。

```
add(add(3, 4), 5)
→ add(7, 5)
→ 12
```

「add(add(6, 7), add(8, 9))」については、次のように計算が進みます。関数の引数を評価する順序は未規定なので(Chapter4)、add(6, 7)とadd(8, 9)のどちらが先に計算されるかは分からないことに注意してください。

```
add(add(6, 7), add(8, 9))
→ add(13, 17)
→ 30
```

プログラム例の動作を追いかけて、関数呼び出しの仕組みをよく理解してみてください。次は関数の宣言について学びます。

❖定義がない関数を宣言して呼び出す

先ほどの例では、プログラム(ソースコード)中で、呼び出しよりも前に関数の定義を書きました。この場合は、問題なく関数を呼び出すことができました。

一方で、呼び出しよりも後に関数の定義を書きたい場合や、他のソースファイルに関数の定義を書きたい場合は、どうしたらよいでしょうか。こういった場合は、呼び出しよりも前に**関数の宣言**(せんげん)を書いておけば、関数を呼び出すことが可能になります。つまり、関数の呼び出しよりも前に、関数の定義または宣言があれば大丈夫です。

関数の宣言は、次のように書きます。関数の定義の先頭部分をコピーして、関数の宣言に流用すると、手軽で間違えにくいのでおすすめです。関数定義の先頭部分をコピーしたら、{…}(ブロック)を取り除き、末尾に;(セミコロン)を書きます。

関数の宣言

```
戻り値型 関数名(引数型 引数名, …);
```

関数の宣言については、次のように引数名を省略することもできます。しかし、引数名から関数の使い方を想像できるので、引数名は残しておくことをおすすめします。

関数の宣言（引数名を省略）

```
戻り値型 関数名(引数型, …);
```

関数の宣言は、プロトタイプ（または関数プロトタイプ、プロトタイプ宣言など）と呼ばれます。プロトタイプは、関数名・引数型・戻り値型の情報をもたらします。コンパイラはこれらの情報を使って、関数を呼び出す際に、引数の個数が正しいかどうかを確認したり、実引数の型を仮引数の型に変換したりします。

関数を定義して呼び出すプログラム（func.c）を改造して、関数を宣言してみましょう。**main関数の前にadd関数の宣言を追加し、main関数の後にadd関数の定義を移動**してください。main関数の内容は元のままにします。

▼func2.c

```
#include <stdio.h>

// add関数の宣言
int add(int x, int y);

// main関数の定義
int main(void) {

    // add関数の呼び出し
    printf("%d\n", add(1, 2));
    printf("%d\n", add(add(3, 4), 5));
    printf("%d\n", add(add(6, 7), add(8, 9)));
}

// add関数の定義
int add(int x, int y) {
    return x+y;
}
```

上記のようにソースファイルの先頭から、add関数の宣言、add関数の呼び出し、add関数の定義、という順序になります。関数の宣言が呼び出しよりも前にあるので、呼び出しよりも後に関数の定義があっても、問題なく関数を呼び出せます。実行結果は前回のプログラム（func.c）と同じです。

▼実行例

```
> gcc -o func2 func2.c
```

```
> func2
3
12
30
```

ところで、今までにprintf関数やputs関数といった、色々な標準ライブラリ関数を使ってきました。これらの関数は、プログラムの中では定義していないのですが、呼び出すことができました。その秘密は、stdio.hなどのヘッダファイルにあります(Chapter2)。

ヘッダファイルの中には、関数の宣言(プロトタイプ)が書かれています。例えばstdio.hの中には、printf関数やputs関数の宣言があります。ヘッダファイルをインクルードすると、ヘッダファイルの内容が#includeの位置に挿入されるので、プログラムに関数の宣言を書いたのと同じ状態になります。したがって、stdio.hをインクルードすれば、一見、宣言や定義がないように見える箇所でも、printf関数やputs関数を呼び出せるようになるというわけです。

▼関数の宣言とヘッダファイル

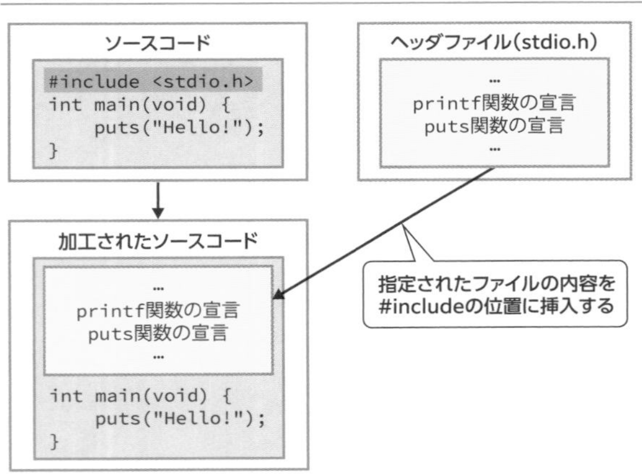

自分で関数を定義する場合、もし可能ならば、呼び出しよりも前に関数の定義を書くことがおすすめです。関数の宣言を書く手間が省けますし、宣言と定義の間で不一致が起きないように注意を払う負担もなくなるからです。一方で、呼び出しの前に関数の定義を書くのが難しい場合や、別のソースファイルに関数の定義を書く場合(Chapter16)には、関数の宣言を使ってください。

次はreturn文と分岐を組み合わせる方法を学びます。

❖関数の途中で呼び出し元に戻る

return文とif文などの選択文(Chapter6)を組み合わせると、指定した条件が成立したときに、関数の途中で呼び出し元に戻れます。これは関数の戻り値を条件に応じて変化させたいときに便利です。また、何らかのエラーが発生したときに、関数の処理を途中で終えて、呼び出し元にエラーを通知したいときにも便利です。

例えば、英小文字(a〜z)を英大文字(A〜Z)に変換する関数を考えてみましょう。**int型の引数cを受け取るcaps関数を定義し、cが英小文字ならば英大文字に変換して返し、cが英小文字でなければ変換せずに元の文字を返すようにした上で、キーボードから入力した文字を変換して結果を出力**するプログラムを書いてください。capsはcapital letters(大文字)の略です。英小文字かどうかは、文字コードが'a'以上'z'以下かどうかで判定します。英大文字への変換は、文字コードから'a'を減算した後に'A'を加算します。Chapter9のchar4.cを参考にしてください。

▼func3.c

```
#include <stdio.h>

// caps関数の定義 (if文を使用)
int caps(int c) {

    // cが英小文字ならば英大文字に変換して返す
    if ('a'<=c && c<='z') return c-'a'+'A';

    // そうでなければ (cが英小文字でなければ) 元の文字を返す
    return c;
}

// caps2関数の定義 (条件演算子を使用)
int caps2(int c) {

    // cが英小文字ならば英大文字に変換して返し、
    // そうでなければ元の文字を返す
    return 'a'<=c && c<='z' ? c-'a'+'A' : c;
}
```

```
// main関数の定義
int main(void) {

    // 1文字を入力
    int c=getchar();

    // 英大文字に変換して出力（caps関数の呼び出し）
    putchar(caps(c));
    putchar('\n');

    // 英大文字に変換して出力（caps2関数の呼び出し）
    putchar(caps2(c));
    putchar('\n');
}
```

上記のプログラムでは、return文とif文を組み合わせたcaps関数と、return文と条件演算子を組み合わせたcaps2関数を定義してみました。条件演算子を使った方が短く書けますが、どちらも動作は同じです。

また、caps関数・caps2関数・main関数において、同じ名前の変数cを使っていることにも注目してください。関数内で宣言した変数（引数も含む）のスコープ（有効範囲）は、関数の末尾までです（Chapter5）。そのため、異なる関数で同じ名前の変数を使えます。これらの変数は同じ名前ですが、別々の変数です。スコープに関しては、本章の後半でも詳しく学びます。

上記のプログラムを実行し、各種の文字を入力してみてください。以下の実行例では、英小文字・英大文字・数字・記号を入力しました。

▼実行例

```
> gcc -o func3 func3.c
> func3
a  ← 英小文字のaを入力
A  ← 英大文字のAに変換（caps関数）
A  ← 英大文字のAに変換（caps2関数）
> func3
B  ← 英大文字のBを入力
B  ← 変換しない（caps関数）
B  ← 変換しない（caps2関数）
```

```
> func3
0  ← 数字の0を入力
0  ← 変換しない(caps関数)
0  ← 変換しない(caps2関数)
> func3
#  ← 記号の#を入力
#  ← 変換しない(caps関数)
#  ← 変換しない(caps2関数)
```

次は関数呼び出しの背後にある仕組みを紹介します。

❖関数の呼び出しはスタックを使って実現される

関数の呼び出しは、スタックという仕組みを使って実現されています。スタックというのはコンピュータでよく使われるデータ構造の一種です。スタック(stack)というのは、物などを積み重ねた山のことですが、その名前の通り、データを積み重ねるように管理することが特徴です。

スタックにデータ(値)を入れる操作をプッシュ(push)と呼び、データを出す操作をポップ(pop)と呼びます。プッシュはスタックの一番上にデータを追加し、ポップはスタックの一番上にあるデータを除去します。結果として、最後に入れたデータが最初に出てきます。この性質のことを、Last In First Out(ラスト・イン・ファースト・アウト、後入れ先出し)を略して、LIFO(ライフォ)と呼びます。

▼スタック

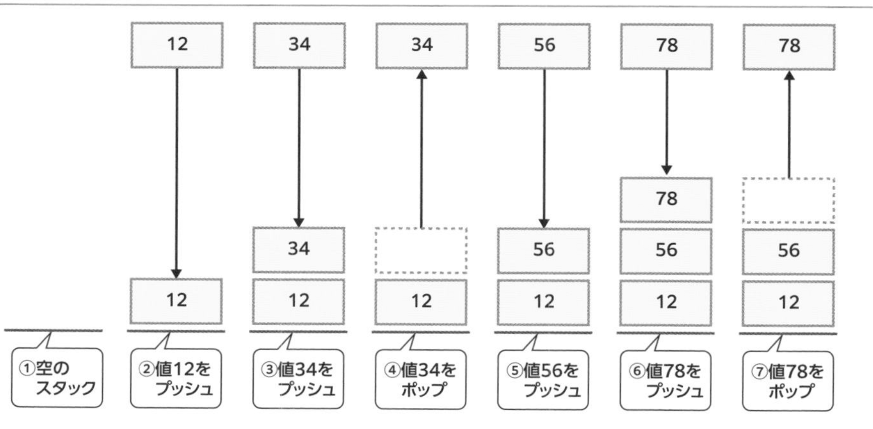

スタックはソフトウェアでも実現できますが、多くのCPUはハードウェアによるスタックの機能を備えています。C言語が関数の呼び出しに使うのは、一般にこのようなCPUのスタックです。

スタックには、関数の中で定義した変数と引数の値、そして戻り先のアドレスが格納されます。戻り先のアドレスは、関数の処理を終えて、呼び出し元に戻るときに使われます。戻った直後に実行するプログラムを指すのが、戻り先のアドレスです。

例えば、次のプログラムをご覧ください。main関数から関数gを呼び出し、さらに関数gから関数fを呼び出すプログラムです。**関数fでは変数eを出力しますが、どんな値が出力されるでしょうか。**実行する前に、ぜひ読み解いてみてください。

▼func4.c

```
#include <stdio.h>

// 関数fの定義
void f(int d) {
    int e=d+4;
    printf("%d\n", e);
}

// 関数gの定義
void g(int b) {
    int c=b+2;

    // 関数fを呼び出す
    f(c+3);
}

// main関数の定義
int main(void) {
    int a=0;

    // 関数gを呼び出す
    g(a+1);
}
```

上記のプログラムは、次のようにスタックを使って関数を呼び出します。スタックの詳細な使い方は、処理系やCPUなどによって、多少異なる可能性があります。

❶ main関数の実行中は、スタックに変数aの値を保持しています。

❷ 関数gを呼び出す際に、スタックに戻り先のアドレス（main関数内）を格納します。

❸ 関数gの実行中は、スタックに引数bと変数cの値を保持しています。

❹ 関数fを呼び出す際に、スタックに戻り先のアドレス（関数g内）を格納します。

❺ 関数fの実行中は、スタックに引数dと変数eの値を保持しています。

❻ 関数fを終えたら、スタックに格納された戻り先アドレスを使って、関数gに戻ります。引数d、変数e、戻り先アドレスはスタックから除去します。

❼ 関数gを終えたら、スタックに格納された戻り先アドレスを使って、main関数に戻ります。引数b、変数c、戻り先アドレスはスタックから除去します。

▼関数の呼び出しとスタック

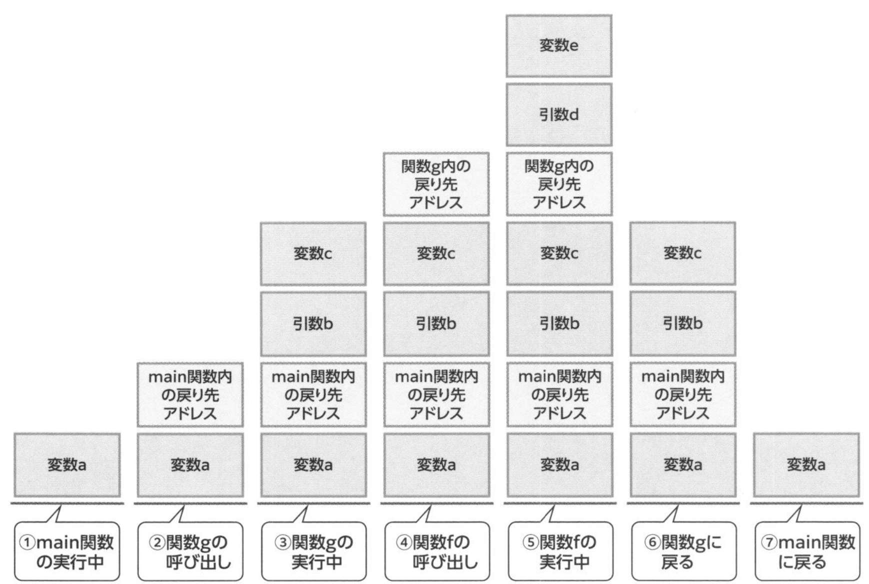

このように、関数を呼び出すとスタックの使用量が増え、呼び出し元に戻るとスタックの使用量が減ります。スタックの領域は有限なので、呼び出しばかりが続くと領域を使い尽くしてしまいますが、関数を呼び出す階層が極端に深くない限りは大丈夫です。再帰呼び出し（Chapter11、Chapter19）を使うプログラムの場合は、関数を呼び出す階層が深くなりがちなので、スタックの領域を使い尽くさないように、注意して処理を設計する必要があります。なお、スタックの領域を使い尽くし

てしまうことを、スタックオーバーフローと呼びます。

　ところで、上記のプログラムがどんな値を出力するか、読み解けたでしょうか。実行結果は次の通りです。

▼実行例

```
> gcc -o func4 func4.c
> func4
10
```

　次は関数に配列を渡す方法を学びます。

section 02 関数に配列を渡す

関数には引数として配列を渡すこともできます。なぜ配列を渡すのかといえば、関数の呼び出し元で使っていた配列を、関数内でも使いたい場合があるからです。基本的に、関数内から読み書きできるのは、関数内で宣言した配列だけです。しかし、関数に引数として配列を渡せば、関数内から呼び出し元の配列を読み書きできるようになります。

関数に配列を渡すと、多数の値を集計したり加工したりする関数を実現できますが、注意点もあります。それは、関数に渡される情報は配列の先頭アドレス（最初の要素が配置されているアドレス、Chapter8）だけで、バイト数は渡されないということです。

関数には配列の先頭アドレスだけが渡される

引数として1次元配列を受け取る関数は、次のように定義します。[]（角括弧）の中には、要素数を書くこともできますが、省略して構いません。

配列を受け取る関数の定義（1次元配列）

```
戻り値型 関数名(引数型 引数名[], …) { … }
```

上記では第1引数を配列にしましたが、第2引数以降を配列にしても構いません。また、配列の引数と配列以外の引数を、混ぜて並べることもできます。

引数として2次元以上の配列を受け取る関数は、次のように定義します。2次元以上の場合、2個目以降の[]については、要素数を書く必要があります。

配列を受け取る関数の定義（2次元配列）

```
戻り値型 関数名(引数型 引数名[][要素数], …) { … }
```

上記のいずれについても、関数には配列の先頭アドレスが渡されます。引数名（配列名）が、通常の配列と同様に（Chapter8）、配列の先頭アドレスを表します。

一方、関数に配列のサイズ（バイト数）は渡されません。ある関数Aで配列を宣言し、この配列を別の関数Bに引数として渡した場合、関数Bに配列のサイズは伝達されません。この動作はmain関数を含む、全ての関数について同様です。もしバイト数を求めたいと考えて、関数Bに「sizeof 引数名」と書いても、実はアドレスのバイト数(32ビット環境では4バイト、64ビット環境では8バイト)が返ってくるだけです。これを誤って配列のサイズとみなしてしまうと、バグの原因になります。

実際に関数に配列を渡して、どんな情報が得られるのかを確かめてみましょう。**int型の配列を受け取る関数fを定義し、main関数からint型の配列を渡して呼び出すとともに、関数fとmain関数で配列の先頭アドレスとバイト数を出力**するプログラムを書いてください。printf関数の変換指定は、アドレスは%p、バイト数は%luです。

▼array.c

```
#include <stdio.h>

// 関数fの定義
void f(int a[]) {

    // 先頭アドレスとバイト数を出力
    printf("%p\n", a);
    printf("%lu\n", sizeof a);
}

// main関数の定義
int main(void) {

    // 配列の宣言
    int a[10];

    // 先頭アドレスとバイト数を出力
    printf("%p\n", a);
    printf("%lu\n", sizeof a);

    // 関数fの呼び出し
    f(a);
}
```

上記のプログラムでは、main関数においてint型で要素数が10の配列aを宣言し、関数fに渡しています。なお、関数fの引数名(配列名)もaにしましたが、この引数名がa以外でも、プログラムの動作は変わりません。

このプログラムをコンパイルすると、次のような警告が表示されます。「int *」というのは、int型の値が格納されたメモリのアドレスを表す型です（Chapter13）。つまり、配列の引数に対してsizeofを適用しても、配列のバイト数は得られず、アドレスのバイト数が返ってきてしまうので、プログラマに注意を促しています。

▼コンパイル時の警告（Windows/Linux, GCC）

```
> gcc -o array array.c
array.c:5:25: warning: 'sizeof' on array function parameter 'a' will
return size of 'int *' [-Wsizeof-array-argument]
（array.c:5行目:25桁目: 警告: 配列の引数aに対するsizeofはint *のサイズを返す
[-Wsizeof-array-argumentオプション]）
```

▼コンパイル時の警告（macOS, Clang）

```
> gcc -o array array.c
array.c:5:24: warning: sizeof on array function parameter will return
size of 'int *' instead of 'int []' [-Wsizeof-array-argument]
（array.c:5行目:24桁目: 警告: 配列の引数に対するsizeofはint []ではなくint *のサイ
ズを返す [-Wsizeof-array-argumentオプション]）
```

実行結果は次の通りです。a（配列の先頭アドレス）については、関数fでもmain関数と同じ値が得られています。「sizeof a」については、main関数では配列のバイト数（40）が得られますが、関数fではアドレスのバイト数（8）が返ってきています。

▼実行例（Windows）

```
> array
000000000061FDF0   ← main関数におけるa（配列の先頭アドレス）
40                 ← main関数におけるsizeof a（配列のバイト数）
000000000061FDF0   ← 関数fにおけるa（配列の先頭アドレス）
8                  ← 関数fにおけるsizeof a（アドレスのバイト数）
```

▼実行例（macOS）

```
> array
0x16b90f760   ← main関数におけるa（配列の先頭アドレス）
40            ← main関数におけるsizeof a（配列のバイト数）
0x16b90f760   ← 関数fにおけるa（配列の先頭アドレス）
8             ← 関数fにおけるsizeof a（アドレスのバイト数）
```

▼実行例（Linux）

```
> array
0x7fffe9927670   ← main関数におけるa(配列の先頭アドレス)
40               ← main関数におけるsizeof a(配列のバイト数)
0x7fffe9927670   ← 関数fにおけるa(配列の先頭アドレス)
8                ← 関数fにおけるsizeof a(アドレスのバイト数)
```

このように配列を渡された関数は、配列の先頭アドレスを受け取りますが、配列の要素数は受け取りません。こういった関数では、繰り返し文を使って配列を処理することが多いのですが、要素数が分からないと不便な場合があります。例えば、配列の全ての要素を処理するには、要素数の回数だけ処理を繰り返せばよいのですが、そのためには要素数が必要です。

この問題にはいくつかの解決方法があります。まずは関数に対して、配列の先頭アドレスに加えて要素数も渡す方法を紹介します。

❖配列の要素数を渡す

関数を呼び出す際に、ある引数を使って配列の先頭アドレスを渡し、別の引数を使って配列の要素数を渡します。呼び出された関数は、配列の先頭アドレスと要素数の両方を受け取るので、要素数を使った繰り返しが可能になります。実際にプログラムを書いてみましょう。**int型の配列aと、int型の要素数nを受け取り、全要素の平均を求めてdouble型で返すaverage（アベレージ、平均）関数を定義し、得点84、93、100、75、64の平均を求めて出力**するプログラムを書いてください。

▼array2.c

```
#include <stdio.h>

// average関数の定義（配列の先頭アドレスと要素数を受け取る）
double average(int a[], int n) {

    // 合計を求める（要素数と同じ回数だけ繰り返す）
    int total=0;
    for (int i=0; i<n; i++) total+=a[i];

    // 平均を求めて返す
    return (double)total/n;
```

```
}

// main関数の定義
int main(void) {

    // 得点の配列
    int score[]={84, 93, 100, 75, 64};

    // 平均を求めて出力（配列scoreの先頭アドレスと要素数を渡す）
    printf("%g\n", average(score, sizeof score/sizeof score[0]));
}
```

上記のプログラムでは、average関数を呼び出す際に、配列scoreの先頭アドレスと要素数を渡します。要素数は、呼び出し元のmain関数において、配列全体のバイト数（sizeof score）を、要素のバイト数（sizeof score[0]）で割って求めます（Chapter8）。

average関数の引数nが0の場合、平均を求める「(double)total/n」は0で割る計算になるので、未定義の動作（Chapter4）なのでは…と心配かもしれませんが、この場合は大丈夫です。整数を0で割ると未定義の動作になりますが、「(double)total」は浮動小数点数（double型）なので、0で割っても未定義の動作にはなりません。

▼実行例

```
> gcc -o array2 array2.c
> array2
83.2   ← 平均は83.2
```

このように配列の要素数を使えば、要素数の回数だけ処理を繰り返すことで、全ての要素を処理できます。一方で次に紹介するように、関数に配列の要素数を渡す代わりに、配列の末尾に特別な値を入れておく方法もあります。

配列の末尾を表す値を入れておく

文字配列の場合は、文字列の末尾を表すヌル文字が書き込まれていることが普通です（Chapter9）。ヌル文字を見つけるまで処理を繰り返すことで、文字配列の要素数を使わなくても全ての文字が処理できます。

文字配列ではない一般の配列の場合、ヌル文字のように末尾を表す特別な値は、通常は書き込まれていません。しかし、プログラマが手動で書き込むことは可能です。配列の末尾に特別な値を書き込んでおけば、ヌル文字と同じ効果が得られます。つまり、特別な値を見つけるまで処理を繰り返すことで、配列の要素数を使わなくても全ての要素が処理できます。

この方法を使うと、関数に配列を渡すときに要素数を渡す必要がなくなります。前回のプログラム(array2.c)を改造してみましょう。得点を格納した配列scoreの最後に、末尾を表す-1を入れます(得点は負数にはならないものと仮定しています)。そして、**int型の配列aを受け取り、全要素の平均を求めてdouble型で返すaverage関数を定義し、得点の平均を求めて出力**するプログラムを書いてください。

▼array3.c

```
#include <stdio.h>

// average関数の定義（配列の先頭アドレスだけを受け取る）
double average(int a[]) {

    // 合計を求める（要素が0以上である限り繰り返す）
    int total=0, i;
    for (i=0; a[i]>=0; i++) total+=a[i];

    // 平均を求めて返す
    return (double)total/i;
}

// main関数の定義
int main(void) {

    // 得点の配列（-1で末尾を表す）
    int score[]={84, 93, 100, 75, 64, -1};

    // 平均を求めて出力（配列scoreの先頭アドレスだけを渡す）
    printf("%g\n", average(score));
}
```

上記のaverage関数では、要素の「a[i]」が0以上である限り繰り返すことがポイントです。また、繰り返しの際に要素数(i)を数え、平均を求めるために使います。

▼実行例

```
> gcc -o array3 array3.c
> array3
83.2  ← 平均は83.2
```

次は、このように配列を引数として渡すプログラムを簡単に書ける、複合リテラルという機能を紹介します。

❖配列をその場で作れる複合リテラル

複合（ふくごう）リテラルはC99以降で使える機能で、変数を宣言せずに配列や構造体（Chapter12）などを作成できます。例えば関数に配列を渡すときに、配列の宣言を省略できるので、プログラムが少し短くなります。

配列（1次元配列）の複合リテラルは、次のように書きます。型と[]の間には、空白を入れても構いません。「値」の部分には、式を書くこともできます。

複合リテラル（配列）

```
(型[]){値, …}
```

複合リテラルを使ったプログラムを、C++に移植する場合には注意が必要です。C++は複合リテラルに対応していません。複合リテラルに似た機能（リスト初期化）を使うか、独自に複合リテラルに対応したC++処理系を使う必要があります。本書で利用しているGCC/Clangは、C++処理系として使った場合にも、複合リテラルに対応しています。

前回のプログラム（array3.c）を、複合リテラルを使うように書き換えてみましょう。**main関数からaverage関数に渡す配列を、複合リテラルを使って作成**してください。average関数は元のままで大丈夫です。

▼array4.c

```
#include <stdio.h>

// average関数の定義（前回と同じ）
double average(int a[]) {
    int total=0, i;
    for (i=0; a[i]>=0; i++) total+=a[i];
    return (double)total/i;
```

```
}

// main関数の定義
int main(void) {

    // 平均を求めて出力（複合リテラルで配列を作成）
    printf("%g\n", average((int[]){84, 93, 100, 75, 64, -1}));
}
```

複合リテラルを使うことで、配列scoreの宣言を省略できました。このように一度しか使わない配列に関しては、複合リテラルで作成すると、プログラムを短くできる場合があります。もし、配列名を付けた方が分かりやすいと感じるならば、配列を宣言しても全く構いません。

▼実行例

```
> gcc -o array4 array4.c
> array4
83.2   ← 平均は83.2
```

次は、関数呼び出しにおける値渡しと配列の関係について考えます。

❖関数で呼び出し元の配列を変更する

前述のように、C言語における関数の引数は値渡しです。実引数の値を、仮引数にコピーして渡します。したがって、呼び出された関数が受け取った値を変更しても、呼び出し元の値には影響がありません(変更されません)。

値渡しについて実験してみましょう。**次のプログラムが出力する値を予想**してください。以下でファイル名の「call」(コール)は、関数の「呼び出し」を意味します。

▼call.c

```
#include <stdio.h>

// 関数fの定義
void f(int x) {

    // 引数xに1を加算
    x++;
```

```
}

// main関数の定義
int main(void) {

    // 変数xを0で初期化し、xを出力
    int x=0;
    printf("%d\n", x);

    // 関数fを呼び出した後に、再びxを出力
    f(x);
    printf("%d\n", x);
}
```

main関数の変数xと関数fの引数xは、名前は同じですが、別のものであることに注意してください。関数内で宣言した変数や引数のスコープ（Chapter5）は、宣言の位置から関数の末尾までです。main関数で宣言した変数xは、main関数内だけで有効で、関数fからは読み書きできません。一方、関数fで宣言した引数xは、関数f内だけで有効で、main関数からは読み書きできません。

main関数では、変数xを関数fに渡しますが、実際に渡すのはxの値（0）だけです。実引数（変数x）の値（0）が、関数fの仮引数（引数x）にコピーされます。関数fで引数xに1を加算しても、呼び出し元であるmain関数の変数xには影響がなく、値は0のままです。

▼値を関数に渡したときの動作

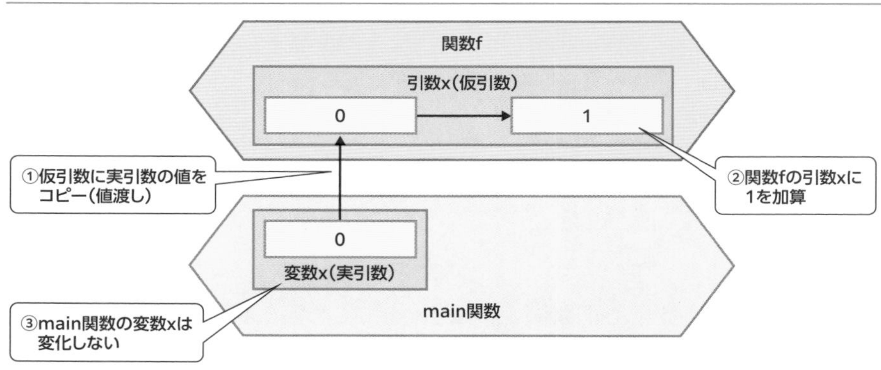

▼実行例

```
> gcc -o call call.c
> call
0  ← 関数fを呼び出す前のx
0  ← 関数fを呼び出した後のx
```

一方、関数に配列を渡した場合には、やはり値渡しなのですが、渡すのは配列の先頭アドレスです。実引数の値(配列の先頭アドレス)を、仮引数にコピーして渡します。もし関数において、この仮引数(配列の先頭アドレス)を使って配列を変更すると、呼び出し元の配列を変更することになります。

配列を渡した場合について、実験してみましょう。**次のプログラムが出力する値を予想**してください。

▼call2.c

```
#include <stdio.h>

// 関数fの定義
void f(int x[]) {

    // 配列の要素x[0]に1を加算
    x[0]++;
}

// main関数の定義
int main(void) {

    // 要素数が1個の配列xを0で初期化し、x[0]を出力
    int x[]={0};
    printf("%d\n", x[0]);

    // 関数fを呼び出した後に、再びx[0]を出力
    f(x);
    printf("%d\n", x[0]);
}
```

main関数では、配列xを関数fに渡しますが、ここで渡すのは配列xの先頭アドレスです。このアドレスが、関数fの引数xにコピーされます。関数fでx[0]に1を加算すると、呼び出し元の配列xを変更することになり、要素の値が1に変化します。

▼アドレスを関数に渡したときの動作

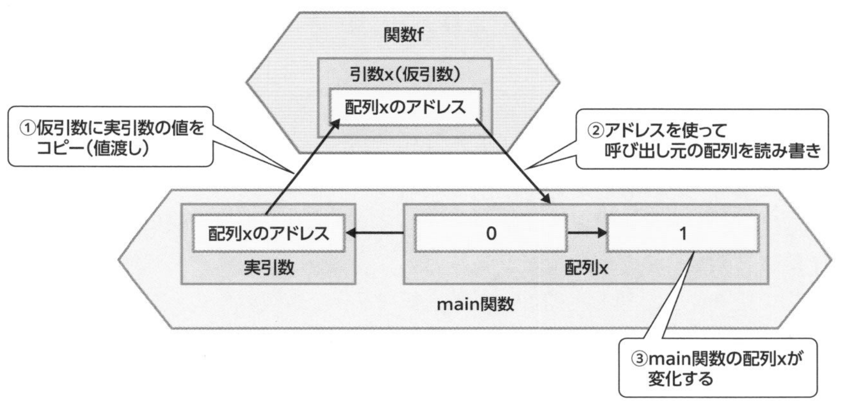

▼実行例

```
> gcc -o call2 call2.c
> call2
0  ← 関数fを呼び出す前のx[0]
1  ← 関数fを呼び出した後のx[0]
```

このようにC言語は値渡しですが、アドレスを渡した場合には、呼び出し元の配列などを、呼び出し先の関数から読み書きできます。このようにアドレスを渡す技法は、ポインタ(Chapter13)と組み合わせて使うことがよくあります。実は、関数の仮引数を配列にした場合には、コンパイラが自動的にポインタに置き換えています。

関数に配列を渡す方法について詳しく学びました。次は、関数に文字列を渡す方法を学びましょう。

section 03 関数に文字列を渡す

文字列は文字の配列なので(Chapter9)、配列と同様に、関数に文字列を渡すこともできます。関数に渡されるのは、文字列(文字配列)の先頭アドレスだけです。しかし、文字列の末尾にはヌル文字があるので、問題なく末尾を検出できます。要素数を関数に渡さなくても大丈夫です。

文字列を処理する関数を実際に書いてみましょう。練習のために、標準ライブラリ関数を使わずに書いてみます。関数で行う処理の内容は、Chapter9のプログラム例とほぼ同じです。

❖文字列の長さを調べる関数

引数で渡した文字列の長さ(ASCIIの場合は文字数)を返す関数を書いてみましょう。標準ライブラリのstrlen関数(Chapter9)に似た機能の関数です。処理についての解説は、Chapter9のlength.cを参考にしてください。

引数で受け取った文字列(文字配列)の長さを返すlen関数を定義した上で、文字列"String Length"の長さを調べて出力するプログラムを書いてください。「len」はlength(レングス、長さ)の略です。

▼str.c

```
#include <stdio.h>

// len関数の定義
int len(char s[]) {

    // ヌル文字が見つかるまでの要素数を調べる
    int i;
    for (i=0; s[i]; i++);

    // 調べた要素数を返す
    return i;
}

// main関数の定義
```

```
int main(void) {

    // len関数を呼び出して、戻り値を出力
    printf("%d\n", len("String Length"));
}
```

上記のlen関数では、文字配列(char型の配列)を引数sとして受け取ります。そして、配列の先頭から要素(文字)を調べ、ヌル文字が見つかるまでの要素数を数えて、戻り値として返します。

▼文字列の長さを調べる関数の動作

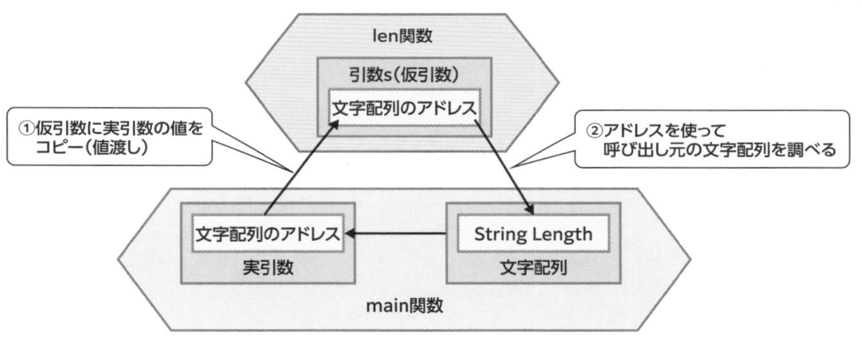

▼実行例

```
> gcc -o str str.c
> str
13   ← 文字列の長さ
```

次は文字列をコピーする関数を書いてみましょう。

❖文字列をコピーする関数

2個の文字列を引数で渡すと、一方の文字列に他方の文字列をコピーする関数を書いてみましょう。標準ライブラリのstrcpy関数(Chapter9)に似た機能の関数です。処理についての解説は、Chapter9のcopy1.cを参考にしてください。**文字配列to(コピー先)と文字配列from(コピー元)を引数で受け取り、toにfromの内容をコピーするcopy(コピー)関数を定義した上で、文字列"String Copy"をコピーし**

て結果を出力するプログラムを書いてください。

▼str2.c

```
#include <stdio.h>

// copy関数の定義
void copy(char to[], char from[]) {

    // ヌル文字が見つかるまで、toにfromの文字をコピーする
    int i;
    for (i=0; from[i]; i++) to[i]=from[i];

    // toの末尾にヌル文字を付ける
    to[i]='\0';
}

// main関数の定義
int main(void) {

    // コピー先の配列
    char s[100];

    // copy関数を呼び出す
    copy(s, "String Copy");

    // コピー先の配列を出力
    puts(s);
}
```

上記のmain関数では、copy関数を呼び出す際の引数として、コピー先の文字配列sと、コピー元の文字列リテラル"String Copy"を指定します。いずれの引数も、値は文字配列の先頭アドレスです。

これらの先頭アドレスを、copy関数は文字配列toおよびfromとして受け取ります。copy関数はfromの文字を参照し、toに文字を格納（コピー）します。toはmain関数の文字配列sを指しているので、copy関数がtoの内容を変更すると、main関数のsも内容が変化します。

▼文字列をコピーする関数の動作

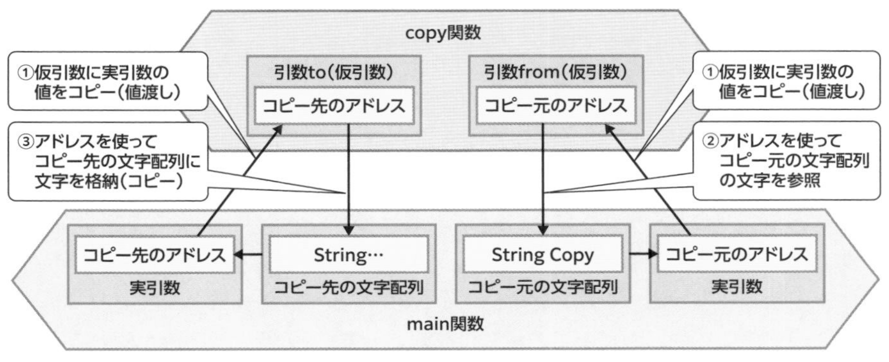

▼実行例

```
> gcc -o str2 str2.c
> str2
String Copy  ← コピーの結果
```

関数に配列や文字列を渡す方法に慣れたでしょうか。次は関数の定義とは少し話題を変えて、関数と変数の関係について学びます。

section 04 変数は宣言の方法で有効範囲と生存期間が変わる

Chapter5で学んだように、変数にはスコープと呼ばれる有効範囲があります。変数のスコープは宣言の方法によって異なります。スコープとは「ある識別子(変数名や関数名など)が可視となる(見える、使える)ソースコード上の領域」のことです。

一方、変数には記憶域期間(きおくいききかん)と呼ばれる生存期間があります。生存期間中の変数は、固定のアドレスに配置される(メモリ上で場所が変わらない)ことや、最後に書き込んだ値が保持されることが保証されます。この記憶域期間も、変数を宣言する方法によって異なります。

今までは関数内で変数を宣言しましたが、実は関数外でも変数を宣言できます。宣言の方法が異なるこれらの変数について、スコープや記憶域期間がどう異なるのかを学びましょう。

関数内で宣言した変数のスコープはブロックの末尾まで

関数内で宣言した変数は、ローカル変数または局所変数(きょくしょへんすう)とも呼ばれます。これらの変数は、次のようなスコープと記憶域期間を持ちます。

● スコープ

スコープは宣言の位置からブロックの末尾までです(Chapter5)。これをブロックスコープと呼びます。変数は宣言したブロック内だけで使えます(読み書きできます)。言葉を換えれば、異なるブロックでは何度でも同じ変数名を使い回せます。スコープが異なる変数は、名前が同じでも別の変数です。例えば、あるスコープの変数xに値を書き込んでも、スコープが異なる変数xの値には影響しません。

● 記憶域期間

記憶域期間は自動記憶域期間(じどうきおくいききかん)です。自動記憶域期間の変数(Chapter8の可変長配列を除く)は、ブロックに入ったときに生存期間が始まり、ブロックから出たときに生存期間が終わります。ここで「ブロックから出る」

というのは、ブロックの末尾に到達した場合だけではなく、ブロックの途中でreturn文を使って呼び出し元に戻った場合なども含みます。いずれにしても関数内で宣言した変数は、呼び出し元に戻ったときには生存期間が終わっています。同じ関数をもう一度呼び出しても、前回の呼び出しで変数に格納した値は失われているので、改めて初期化や代入が必要です。なお、変数を初期化しなかった場合の値は不定です。

▼関数内で宣言した変数のスコープ

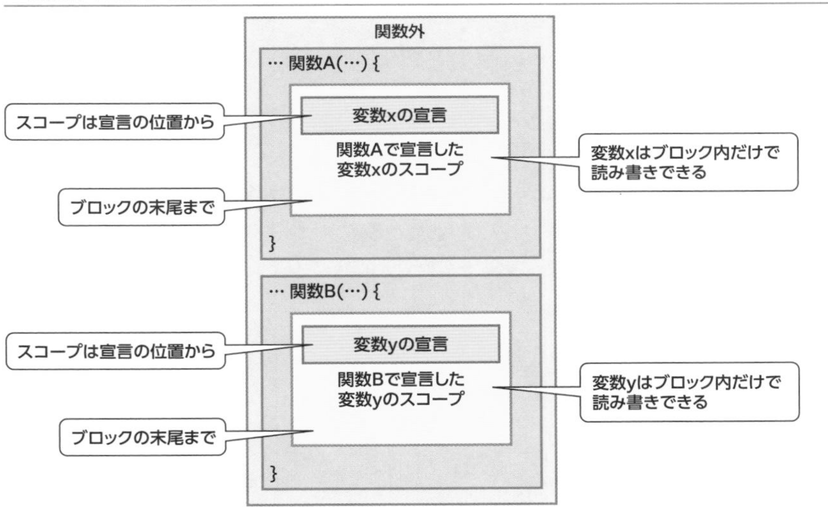

関数内で宣言した変数の性質を確認しましょう。**次のプログラムが出力する値を予想**してください。このプログラムでは、main関数と関数fで、それぞれ変数xを宣言しています。

▼scope.c

```
#include <stdio.h>

// 関数fの定義
void f(void) {

    // 変数xを456で初期化し、出力
    int x=456;
    printf("%d\n", x);
```

```
}

// main関数の定義
int main(void) {

    // 変数xを123で初期化し、出力
    int x=123;
    printf("%d\n", x);

    // 関数fを呼び出してから、再びxを出力
    f();
    printf("%d\n", x);
}
```

上記のプログラムでは、main関数の変数xと、関数fの変数xが、独立した別の変数であることがポイントです。これらの変数は関数内で宣言されているので、それぞれの関数内だけから読み書きできます。

▼実行例

```
> gcc -o scope scope.c
> scope
123   ← main関数のx
456   ← 関数fのx
123   ← main関数のx
```

次は関数外で宣言した変数について学びます。

column

生存期間が終わった変数の参照

生存期間が終わった変数の値は「失われる」と説明しましたが、より正確には「残っている保証がなくなる」といえます。実は生存期間が終わった後でも、変数の値がメモリ上に残っていることは珍しくありません。例えば、関数内で宣言した変数を初期化せずに参照すると、前回この関数を呼び出したときに変数へ格納した値を、読み出せる場合があります。またポインタ（Chapter13）を使って、ある関数内で宣言した変数の値を、関数から戻った後に読み出せる場合もあります。しかし、これらはいずれも生存期間が終わった変数の参照です。生存期間外の変数を参照すると未定義の動作（Chapter4）になるので、このような参照を行うプログラムを書いてはいけません。

関数外で宣言した変数のスコープはファイルの末尾まで

関数外で宣言した変数は、グローバル変数または大域変数（たいいきへんすう）とも呼ばれます。これらの変数は、次のようなスコープと記憶域期間を持ちます。

● スコープ

スコープは宣言の位置からファイルの末尾までです。これをファイルスコープと呼びます。宣言の位置以降ならば、どの関数からも使えます（読み書きできます）。

● 記憶域期間

記憶域期間は静的記憶域期間（せいてききおくいききかん）です。静的記憶域期間の変数は、プログラムの起動時（main関数を実行する前）に生存期間が始まり、プログラムの終了時に生存期間が終わります。つまりプログラムの実行中はずっと、変数に格納した値が保持されます。静的記憶域期間の変数を初期化した場合は、プログラムの起動時に初期化されます。初期化しなかった場合は、自動的に0で初期化されます。

▼関数外で宣言した変数のスコープ

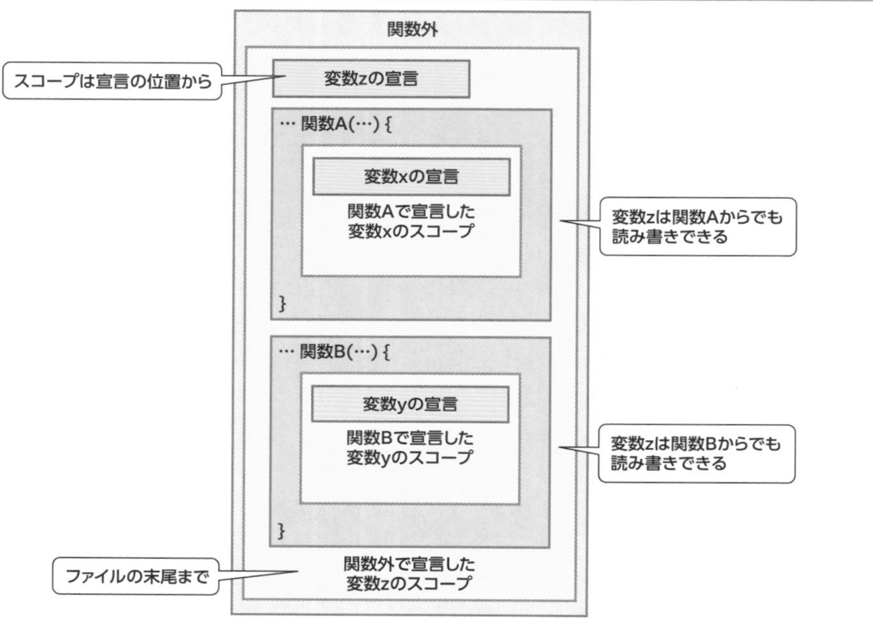

関数外で宣言した変数の特徴は、0で初期化されること、どの関数からでも読み書きできること、プログラムの実行中はずっと値を保持することです。これらの特徴を確認してみましょう。

まずは0による初期化について確認します。**関数外でint型の変数xを宣言し、値を出力**するプログラムを書いてください。

▼scope2.c

```
#include <stdio.h>

// 関数外で変数xを宣言
int x;

// main関数の定義
int main(void) {

    // 変数xを出力
    printf("%d\n", x);
}
```

実行すると0が出力されるので、変数xが0で初期化されたことが分かります。

▼実行例

```
> gcc -o scope2 scope2.c
> scope2
0  ← 変数xの値
```

次は、どの関数からでも読み書きできることを確認しましょう。**関数外でint型の変数xを宣言し、123で初期化した上で、main関数と関数fでそれぞれ変数xを出力**するプログラムを書いてください。

▼scope3.c

```
#include <stdio.h>

// 関数外で変数xを宣言して初期化
int x=123;

// 関数fの定義
void f(void) {

    // 変数xを出力
    printf("%d\n", x);
}

// main関数の定義
int main(void) {

    // 変数xを出力
    printf("%d\n", x);

    // 関数fを呼び出し
    f();
}
```

以下のように、main関数と関数fの両方から、変数xを参照できていることが分かります。

▼実行例

```
> gcc -o scope3 scope3.c
> scope3
123  ← main関数による変数xの出力
123  ← 関数fによる変数xの出力
```

続いては、プログラムの実行中はずっと値を保持していることを確認しましょう。**次のプログラムが出力する値を予想**してください。関数fで変数xの値を変更すると、main関数からはどんな値が見えるでしょうか。

▼scope4.c

```
#include <stdio.h>

// 関数外で変数xを宣言して初期化
int x=123;

// 関数fの定義
void f(void) {

    // 変数xを出力
    printf("%d\n", x);

    // 変数xの値を変更し、再び出力
    x=456;
    printf("%d\n", x);
}

// main関数の定義
int main(void) {

    // 変数xを出力
    printf("%d\n", x);

    // 関数fを呼び出し
    f();

    // 再び変数xを出力
    printf("%d\n", x);
}
```

以下のように、関数fで値を変更すると、main関数からも変更後の値が見えることが分かります。

▼実行例

```
> gcc -o scope4 scope4.c
> scope4
123  ← main関数の出力
123  ← 関数fの出力
456  ← 値を変更した後の、関数fの出力
456  ← 値を変更した後の、main関数の出力
```

関数外で宣言した変数は、複数の関数で変数を共有したいときに便利です。一方、どの関数からでも変数の値を変更できるので、いつの間にか値が変更されてしまい、プログラムが想定外の動きをすることもあります。

そのため、このような変数(グローバル変数)は、使うことでプログラムの見通しや性能が改善する場合に限り、使い方のルールを明確に決めて利用するのがおすすめです。グローバル変数は使うべきではない、という考え方もありますが、プログラム全体で変数を共有したい場合には有用なので、特徴をよく理解した上で活用するとよいでしょう。

一方、多人数でプログラム開発を行う場合は、グローバル変数の取り扱い方について、プログラマ間で打ち合わせやルール作りが必要です。うっかりルールと異なるプログラムを書いてしまうプログラマがいると、バグや争いの原因になります。打ち合わせの手間を減らしたいチームにおいては、グローバル変数は使わない、という方針もありでしょう。

次は関数内で宣言した変数に、静的記憶域期間を持たせる方法を紹介します。

❖関数が終わっても生存し続ける変数を宣言する

前述のように、関数内で宣言した変数は自動記憶域期間を持ちます。つまり関数が終了すると、変数の値は失われます。この性質は通常は問題になりませんが、例えば次のようなプログラムを書くときには問題になります。**関数内で変数を宣言し、今までにその関数を呼び出した回数を数えて出力**するプログラムを書いてください。

次のプログラム(static.c)は、誤りを含んだプログラムの例です。正しいプログ

ラム(static2.c)は後ほど紹介します。

▼static.c

```
#include <stdio.h>

// 関数fの定義
void f(void) {

    // 回数を数えるための変数countを宣言し、0で初期化
    int count=0;

    // 回数に1を加算し、出力
    printf("%d\n", ++count);
}

// main関数の定義
int main(void) {

    // 関数fを3回呼び出す
    f();
    f();
    f();
}
```

上記のプログラムでは、関数fで変数count(カウント)を宣言し、関数を実行するたびにcountに1を加算します(++count)。「関数を実行するたびにcountの値が1ずつ大きくなる」ことを期待して書いたプログラムですが、実行すると、次のようにいつも1回と出力されてしまいます。

▼実行例

```
> gcc -o static static.c
> static
1  ← 1回目の呼び出し
1  ← 2回目の呼び出し
1  ← 3回目の呼び出し
```

原因は、関数内で宣言した変数countが、自動記憶域期間であることです。関数fからmain関数に戻ると、countの生存期間が終わるので、値の1は失われてしまい

ます。次に関数fを呼び出したときには、改めてcountを0で初期化してから1を加算するので、毎回1回と出力されます。

変数countを関数外で宣言すれば、静的記憶域期間になるので、プログラムの実行中はずっと値が保持されます。しかし、関数fの呼び出し回数を数えるための変数countを、どの関数からも読み書きできる必要はありません。この変数countは、関数fだけから読み書きできれば十分ですし、その方が安全です。他の関数から読み書きできないようにしておけば、うっかり値を書き換えてしまうミスを防止できます。

こういった用途には、次のように**static**（スタティック）という**指定子**（していし）を付けた上で、関数内で変数を宣言します。staticは静的（せいてき）という意味です。通常の変数と同様に ,（カンマ）で区切れば、複数の変数をまとめて宣言できます。

static指定子を付けた変数の宣言

```
static 型 変数名;
```

また、次のように初期化することも可能です。宣言だけで初期化をしなかった場合には、関数外で宣言した変数と同様に、自動的に0で初期化されます。いずれの場合も、初期化はプログラムの起動時に行われます。

static指定子を付けた変数の初期化

```
static 型 変数名=式;
```

上記のような変数は、次のようなスコープと記憶域期間があります。

● スコープ

スコープは宣言の位置からブロックの末尾まで、つまりブロックスコープです。変数を宣言したブロック内だけから読み書きできます。

● 記憶域期間

記憶域期間は静的記憶域期間です。プログラムの実行中はずっと、変数に格納した値が保持されます。

先ほどのプログラム（static.c）を書き換えてみましょう。**関数内でstaticを付けて変数を宣言し、今までにその関数を呼び出した回数を数えて出力**するプログラムを書いてください。

▼static2.c

```
#include <stdio.h>

// 関数fの定義
void f(void) {

    // 回数を数えるための変数countを宣言（自動的に0で初期化）
    static int count;

    // 回数に1を加算し、出力
    printf("%d\n", ++count);
}

// main関数の定義
int main(void) {

    // 関数fを3回呼び出す
    f();
    f();
    f();
}
```

上記のプログラムでは、関数fでstaticを付けて変数countを宣言し、関数を実行するたびにcountに1を加算します(++count)。countの値は、プログラムの実行中はずっと保持されるので、次のように関数を呼び出した回数を数えられます。

▼実行例

```
> gcc -o static2 static2.c
> static2
1  ← 1回目の呼び出し
2  ← 2回目の呼び出し
3  ← 3回目の呼び出し
```

関数によっては、前回呼び出したときに実行していた処理の続きをしたい場合があります。こういった関数では、前回の状態を保存するために、staticを付けた変数が役立ちます。

変数を宣言する方法によって、スコープや記憶域期間が変わることを学んできました。以下に学んだことをまとめます。このほか、関数外でstaticを付けて変数を宣言する方法もあります(Chapter16)。

▼変数のスコープと記憶域期間

宣言の場所	指定子	スコープ	記憶域期間
関数内	なし	ブロック	自動
関数内	static	ブロック	静的
関数外	なし	ファイル	静的

column

静的と動的

static（スタティック、静的）の対義語はdynamic（ダイナミック、動的）です。コンピュータやプログラミングの分野では、staticやdynamicという言葉がよく使われます。

例えば、メモリの部品であるRAM（ラム、Random Access Memory、ランダム・アクセス・メモリ）には、SRAM（Static RAM）とDRAM（Dynamic RAM）があります。SRAMとDRAMは構造が異なり、SRAMは高速ではあるものの構造が複雑なので小容量になりやすく、DRAMは構造が単純なので大容量にしやすい、という特徴があります。SRAMはキャッシュメモリ（遅いメモリの一部をコピーしておいて処理を高速化するためのメモリ）などに、DRAMはメインメモリ（Chapter1）などに使います。

Cプログラミングにおいては、メモリの確保について静的と動的という分類を行います。プログラムを書いた時点でメモリを確保する容量を決めてあるのが静的、プログラムを実行してからメモリを確保する容量を決めるのが動的に分類されます。今までに学んだ変数や配列の宣言（定義）は、静的なメモリ確保です。それに対して、malloc関数（Chapter14）を使ってメモリを確保するのは、動的なメモリ確保です。

本章では自分で関数を定義する方法を学びました。関数に配列や文字列を渡す方法や、変数のスコープや記憶域期間といった概念は、ぜひよく理解しておいてください。

次章では、関数をさらに便利に使いこなすための技術を紹介します。

応用編 Chapter11

関数をさらに使いこなす

前章では関数を定義する方法を学びましたが、本章では関数をさらに便利に使いこなすための技術や機能を紹介します。関数自身を呼び出す再帰呼び出し、引数の個数が変えられる可変長引数、関数呼び出しを効率化するインライン関数と関数マクロ、引数の型に応じて式を切り替える総称選択について学びます。もし先を急いでいるならば、本章は後で読んでも大丈夫です。本章の内容を知っていると大いに役立つ場面はありますが、実は知らなくてもすぐに困るわけではありません。もし多少の余裕があるならば、ぜひ本章を読んでみてください。プログラムをより簡潔に書いたり、より高速に動かしたりするための知識が手に入ります。

本章の学習内容

①再帰呼び出し
②可変長引数
③インライン関数
④関数マクロ
⑤総称選択

section 01 だんだん問題を小さくして解く 再帰呼び出し

再帰呼び出し（さいきよびだし）というのは、ある関数がその関数自身を呼び出すことです。再帰呼び出しを使うことは必須ではありませんが、問題によっては、再帰呼び出しを使うと簡潔にプログラムが書ける場合があります。そのため、プログラミングにおける技術の一つとして、再帰呼び出しを学んでおくのは有用です。

再帰呼び出しで階乗を求める

0以上の整数nについて、nから1までの全ての整数を乗算した値を、階乗（かいじょう）と呼びます。例えば、3の階乗は「3×2×1=6」です。1の階乗は1で、0の階乗も1とされています。

階乗は繰り返し文（Chapter7）を使って求めることもできますが、再帰呼び出しを使っても簡単に求まります。nの階乗を求める関数には、次のような処理を書きます。

1. nが1より大きければ、n×（n-1の階乗）を返します。
   （n-1の階乗）は、関数自身の再帰呼び出しで求めます。
2. nが1以下ならば、1を返します。
   この処理は、再帰呼び出しを終了するために必要です。

1の処理により、nが次第に減少していくことがポイントです。いずれはnが1以下になり、2の処理を実行すると、再帰呼び出しが終了します。上記を参考に、**再帰呼び出しを使って階乗を求める関数を定義し、3、6、12の階乗を求めて出力**するプログラムを書いてみてください。なお、以下のプログラム例では、負数の階乗を求めようとしたときの処理は、説明を簡単にするために省略しています。

▼rec.c

```
#include <stdio.h>

// factorial関数の定義（if文を使用）
int factorial(int n) {

    // nが1より大きければn×（n-1の階乗）を返す
    if (n>1) return n*factorial(n-1);

    // そうでなければ（nが1以下ならば）1を返す
    return 1;
}

// factorial2関数の定義（条件演算子を使用）
int factorial2(int n) {

    // nが1より大きければn×（n-1の階乗）を返し、
    // そうでなければ1を返す
    return n>1 ? n*factorial2(n-1) : 1;
}

// main関数の定義
int main(void) {

    // factorial関数の呼び出し
    printf("%d\n", factorial(3));
    printf("%d\n", factorial(6));
    printf("%d\n", factorial(12));
    puts("");

    // factorial2関数の呼び出し
    printf("%d\n", factorial2(3));
    printf("%d\n", factorial2(6));
    printf("%d\n", factorial2(12));
}
```

上記でファイル名の「rec」は、recursive call（再帰呼び出し）の略です。また、関数名のfactorialは階乗を意味します。if文を使ったfactorial関数と、条件演算子を使ったfactorial2関数を定義してみました。前者は読み解きやすさ、後者はプログラムのコンパクトさを重視して書きました。なお、階乗は非常に大きな値になるので、int型(本書の環境では32ビット)で表せるのは12の階乗が限界です。13以上の階乗を求める場合には、よりサイズが大きな(ビット数が多い)型を使う必要があります。

▼実行例

```
> gcc -o rec rec.c
> rec
6           ←  3の階乗(factorial関数)
720         ←  6の階乗(factorial関数)
479001600   ← 12の階乗(factorial関数)

6           ←  3の階乗(factorial2関数)
720         ←  6の階乗(factorial2関数)
479001600   ← 12の階乗(factorial2関数)
```

次は再帰呼び出しを使って、最大公約数を求めてみます。

❖再帰呼び出しで最大公約数を求める

0以上の整数xとyについて、最大公約数(xもyも割り切れる整数のうち最大のもの)を求める方法としては、ユークリッドの互除法(ごじょほう)がよく知られています。ユークリッドの互除法は、明文化された最古のアルゴリズムだと言われています。

ユークリッドの互除法は、繰り返し文(Chapter7)を使って実装することもできますが、再帰呼び出しを使っても簡潔に実装できます。整数xとyを引数とする、次のような関数を書きます。

1. yが0ならば、xを返します。xも0も、xで割り切れるので、xと0の最大公約数はxです。
2. xがyで割り切れなければ、yとx%y(xをyで割った余り)の最大公約数を返します。yとx%yの最大公約数は、関数自身の再帰呼び出しで求めます。
3. xがyで割り切れれば、yを返します。この処理は、再帰呼び出しを終了するために必要です。

2で「x%y」を計算することにより、最大公約数を求める2個の値が、次第に小さくなっていくことがポイントです。例えば36と28の最大公約数を求めてみましょう。

ⅰ 36は28で割り切れないので、28と8（36を28で割った余り）の最大公約数を求めます。

ⅱ 28は8で割り切れないので、8と4（28を8で割った余り）の最大公約数を求めます。

ⅲ 8は4で割り切れるので、4が最大公約数です。

上記を参考に、**再帰呼び出しを使って最大公約数を求める関数を定義し、36と28、12345と67890、12345と0の最大公約数を求めて出力**するプログラムを書いてみてください。

▼rec2.c

```
#include <stdio.h>

// gcd関数の定義（if文を使用）
int gcd(int x, int y) {

    // yが0ならば、xを返す
    if (!y) return x;

    // x%yが0でなければ（xがyで割り切れなければ）、
    // yとx%yの最大公約数を返す
    if (x%y) return gcd(y, x%y);

    // そうでなければ（xがyで割り切れれば）yを返す
    return y;
}

// gcd2関数の定義（条件演算子を使用）
int gcd2(int x, int y) {

    // yが0ならばxを返し、
    // x%yが0でなければyとx%yの最大公約数を返し、
    // そうでなければyを返す
    return !y ? x : x%y ? gcd2(y, x%y) : y;
}

// main関数の定義
int main(void) {
```

```
    // gcd関数の呼び出し
    printf("%d\n", gcd(36, 28));
    printf("%d\n", gcd(12345, 67890));
    printf("%d\n", gcd(12345, 0));
    puts("");

    // gcd2関数の呼び出し
    printf("%d\n", gcd2(36, 28));
    printf("%d\n", gcd2(12345, 67890));
    printf("%d\n", gcd2(12345, 0));
}
```

上記のプログラムにおいて、関数名のgcdは最大公約数(greatest common divisor)を意味します。if文を使ったgcd関数と、条件演算子を使ったgcd2関数を定義してみました。条件の!yは、y==0と書いても構いません。

▼実行例

```
> gcc -o rec2 rec2.c
> rec2
4      ←    36と   28の最大公約数(gcd関数)
15     ← 12345と67890の最大公約数(gcd関数)
12345  ← 12345と    0の最大公約数(gcd関数)

4      ←    36と   28の最大公約数(gcd2関数)
15     ← 12345と67890の最大公約数(gcd2関数)
12345  ← 12345と    0の最大公約数(gcd2関数)
```

再帰呼び出しは、関数を呼び出す階層が深くなるため、スタック(Chapter10)の使用量が多くなりがちです。スタックオーバーフローを起こさないようにするには、関数を呼び出す深さの上限を見積もったり、深さを制限しておくことが必要です。

次は、関数で任意個の引数を受け取る方法を学びます。

section 02 可変長引数を使って任意個の引数を受け取る

可変長引数（かへんちょうひきすう）というのは、関数で任意個の引数を受け取る機能です。可変長引数に対応した関数は、色々な個数の引数で呼び出せます。

今までに何度も使っているprintf関数（Chapter3）やscanf関数（Chapter5）は、可変長引数に対応した関数の代表例です。printf関数やscanf関数では、最初の引数が書式文字列で、残りの引数（以下で…の部分）が可変長引数になっています。書式文字列に含まれる変換指定の個数に応じて、0個以上の可変長引数を書きます。

printf関数

```
printf("書式文字列", …)
```

scanf関数

```
scanf("書式文字列", …)
```

printf関数やscanf関数のような可変長引数を持つ関数は、自分でも定義できます。次のように、1個以上の引数（通常の引数）を書いた上で、最後に...（ドット3個）を書きます。...は省略記号とも呼ばれ、この部分が可変長引数になります。

可変長引数を持つ関数の定義

```
戻り値型 関数名(引数型 引数名, …, ...) {
    宣言または文;
    …
    return 式;
}
```

可変長引数を受け取るには、標準ライブラリのstdarg.hをインクルードした上で、次のような処理を行います。以下で、「va」はvariable arguments（可変長引数）の略で、va_argの「arg」はargument（実引数）の略と思われます。また、以下の各関数は、実際には後述する関数マクロですが、ここでは簡単に関数と呼びます。

1. va_list（va_リスト）型の変数を定義します。
2. va_start（va_スタート）関数を呼び出し、可変長引数の取得を開始します。
3. va_arg（va_アーグ）関数の呼び出しを繰り返し、引数を1個ずつ取得します。

4 va_end（va_エンド）関数を呼び出し、可変長引数の取得を終了します。

各関数の使い方は次の通りです。以下でリストの部分には、va_list型の変数を指定します。また、va_startの引数名には、可変長引数の直前にある引数名を指定します。したがって、通常の（可変長引数ではない）引数が少なくとも1個は必要です。

▼可変長引数を扱う関数

使い方	機能
va_start (リスト, 引数名)	可変長引数の取得を開始する
va_arg (リスト, 型)	可変長引数の値を指定した型で取得する
va_end (リスト)	可変長引数の取得を終了する

可変長引数を使って、簡単な関数を書いてみましょう。**引数の合計を求めて返すsum（サム、合計）関数**です。可変長引数を使って、好きな個数の整数をsum関数に渡せるようにします。

sum関数の動作は以下の通りです。

1 int型の引数count（カウント、個数）と、可変長引数を受け取ります。
2 可変長引数の値をint型で取得します。
3 2で取得した値の合計を求めて返します。

sum関数が完成したら、次のように呼び出してみてください。

- 「123」「456」の合計を求めて出力する
- 「123」「456」「789」の合計を求めて出力する

▼va.c

```
#include <stdio.h>

// 可変長引数を使うために必要なインクルード
#include <stdarg.h>

// sum関数の定義
int sum(int count, ...) {

    // va_list型の変数を宣言
    va_list list;
```

```
    // 可変長引数の取得を開始
    va_start(list, count);

    // 可変長引数を1個ずつ取得し、合計を求める
    int total=0;
    for (int i=0; i<count; i++) total+=va_arg(list, int);

    // 可変長引数の取得を終了
    va_end(list);

    // 合計を返す
    return total;
}

// main関数の定義
int main(void) {

    // 2個の整数を合計して出力
    printf("%d\n", sum(2, 123, 456));

    // 3個の整数を合計して出力
    printf("%d\n", sum(3, 123, 456, 789));
}
```

▼実行例

```
> gcc -o va va.c
> va
579    ← 123+456
1368   ← 123+456+789
```

上記のsum関数が受け取るのは、複数個の同じ型（int型）の値なので、配列を使って受け取ることもできます。より可変長引数の特性を活かした使い方としては、printf関数やscanf関数のように、複数個の異なる型の値を受け取る関数が考えられます。va_arg関数では、引数の値を受け取る型を指定できるので、引数ごとに型が異なっていても大丈夫です。一方で、どの引数がどの型なのかという情報を、書式文字列のような仕組みで関数に伝える必要があります。

次は関数の呼び出しを効率化する方法を紹介します。

section 03 関数の呼び出しを効率化する インライン関数と関数マクロ

関数を呼び出したり、関数から呼び出し元に戻ったりするには、実は色々な処理が必要です。関数を呼び出す際には、引数を受け渡ししたり、スタック（Chapter10）に戻り先のアドレスを記録したり、スタック上に引数や変数の領域を確保したりします。関数から戻る際には、不要になったスタック上の領域を解放したり、戻り先のアドレスにジャンプ（プログラムを実行する位置を移動）したり、戻り値を受け渡ししたりします。

こういった処理には多少の手間がかかるので、もし関数が単純で処理に手間がかからない場合には、呼び出しや戻りの手間が相対的に大きくなってしまいます。関数を実行しているほとんどの時間は呼び出しや戻りに使っていて、やりたかった処理に使えた時間の割合はわずかだったとなると、もっと効率化したいと思うのが人情です。例えるならば、買い物に出かけるときに、ある程度まとまった買い物があれば外出の手間は気になりませんが、ほんの少しの買い物しかない場合は外出の手間が気になる…という状況に似ています。

▼関数の呼び出しと戻りの手間

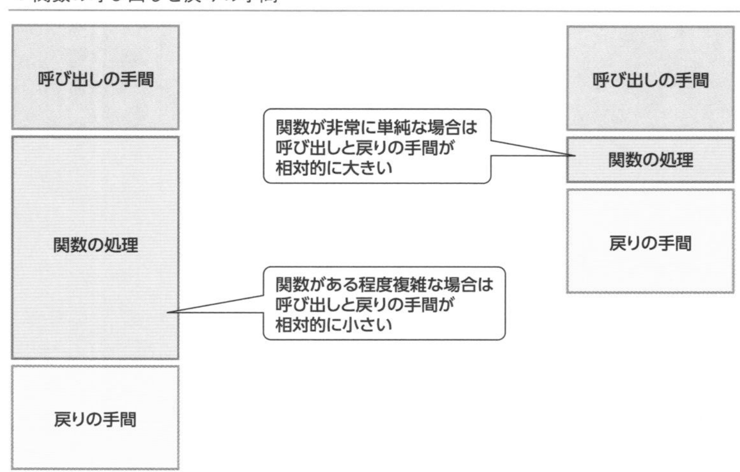

次に学ぶインライン関数や関数マクロを使うと、このような関数の呼び出しを省略して、プログラムを高速化できます。

❖インライン関数で呼び出しを省略する

関数の呼び出しや戻りの手間をなくすために、C言語にはインライン関数という機能があります。インライン関数はC++の機能でしたが、C99以降はC言語でも使えます。

インライン関数は通常の関数とは異なり、スタックを使った呼び出しや戻りの処理を行いません。代わりに、関数の内容（関数内に記述した処理）を、呼び出し元に展開（コピー）します。関数の呼び出しが、関数の内容に置き換わるイメージです。これをインライン化と呼びます。インライン化によって、呼び出しや戻りの手間がなくなるので、プログラムが高速になる可能性があります。

▼インライン関数

インライン関数を定義する方法は簡単です。通常の関数を定義する際に、先頭にinline指定子（インラインしていし）を付けると、インライン関数になります。引数がない（voidである）関数についても、以下と同様です。

インライン関数の定義

```
inline 戻り値型 関数名(引数型 引数名, …) {
    宣言または文;
    …
    return 式;
}
```

注意が必要なのは、インライン関数は必ずしもインライン化されるわけではなく、インライン化するかどうかの判定はコンパイラに任されていることです。インライン化すると、関数呼び出しごとに関数の内容を展開するので、コンパイル後の機械語プログラムが長くなり、低速化につながることがあります。プログラマがinlineを付けても、インライン化する利点がないとコンパイラが判断した場合、実際にはインライン化されない場合があります。inlineを付けるのは、コンパイラに「できればこの関数をインライン化して欲しい」という希望を伝えるようなもの、と考えるとよいでしょう。

コンパイラによっては、インライン化を有効にするために、コンパイル時に特別なオプションを指定する必要があります。例えば本書で使っているGCC/Clangでは、-O2というオプションが必要です。OはOptimize（オプティマイズ、最適化）の略で、-O2はインライン化を含む色々な最適化（高速化を目的としたプログラムの加工）を適用するためのオプションです。

最適化を適用したコンパイルは、次のように行います。以下では末尾に-O2を付けましたが、gccの直後や、実行ファイル名とソースファイル名の間に書いても構いません。また、Windowsにおいて日本語のソースファイルをコンパイルする際には、「-fexec-charset=cp932」オプションも付けてください（Chapter2）。

最適化を適用したコンパイル

```
gcc -o 実行ファイル名 ソースファイル名 -O2
```

最適化を適用したコンパイル（日本語を含むソースファイル、Windows）

```
gcc -o 実行ファイル名 ソースファイル名 -O2 -fexec-charset=cp932
```

実際にインライン関数を定義し、呼び出してみましょう。Chapter10で最初に作成したプログラム（func.c）を改造します。**int型の引数xとyを受け取り、加算した結果をint型の戻り値として返すadd関数をインライン関数として定義し、呼び出して結果を表示**するプログラムを書いてください。

▼inline.c

```
#include <stdio.h>

// add関数の定義（インライン関数）
inline int add(int x, int y) {
    return x+y;
}

// main関数の定義
int main(void) {
```

```
    // add関数の呼び出し
    printf("%d\n", add(1, 2));
    printf("%d\n", add(add(3, 4), 5));
    printf("%d\n", add(add(6, 7), add(8, 9)));
}
```

上記のプログラムをコンパイルする際には、-O2オプションを忘れずに付けてください。GCC/Clangの場合、-O2を付けないとインライン化が行われず、リンクエラー（Chapter2）になります。実行結果は改造前のプログラム（func.c）と同じです。

▼実行例

```
> gcc -o inline inline.c -O2
> inline
3    ← add(1, 2)の結果
12   ← add(add(3, 4), 5)の結果
30   ← add(add(6, 7), add(8, 9))の結果
```

インライン関数が実際にインライン化されたかどうかは、コンパイラが生成した機械語やアセンブリ言語のプログラムを読み解けば判定できますが、もっと簡単な方法もあります。例えば、上記のようにinlineを付けた関数を、GCC/Clangで-O2を指定してコンパイルした場合、リンクエラーになったかどうかで判定できます。リンクエラーが出なかったらインライン化は成功、リンクエラーが出たらインライン化は失敗です。

もし、インライン化に失敗した場合でもリンクエラーを出したくなければ、関数にinlineの代わりに**static inline**を付けてみてください。static inlineを付けると、インライン化に失敗した場合には**static関数**（ソースファイルの内部だけで使う関数、Chapter16）になり、リンクが行われないので、リンクエラーが出ません。そしてインライン化の成功・失敗にかかわらず、プログラムは正常に動作します。

static inlineを付ける方法は、状況に応じて最適化（GCC/Clangの場合は-O2オプション）の有効・無効を切り替えたいときに便利です。例えば、プログラムのデバッグ（修正）時には最適化を無効にして、プログラムのリリース（公開）時には最適化を有効にする、といった場面で役立ちます。static inlineを付けておけば、最適化の有効・無効に関わらず、問題なくコンパイルと実行ができます。

inlineやstatic inlineを付けるだけなので、インライン関数は簡単に定義できます。もし処理がごく単純な関数があり、その関数を何度も繰り返し呼び出すような場合には、インライン関数にしてみてください。

次は関数の呼び出しと戻りを省くもう一つの方法として、関数マクロを紹介します。

❖マクロを関数の代わりに使う

マクロ(Chapter5)は名前を値に置き換える用途に使えますが、関数の代わりに使うこともできます。このような関数ふうのマクロは、関数マクロと呼ばれることがあります。

関数マクロは次のように働きます。例えば「ADD(X, Y)」を「((X)+(Y))」に置換する関数マクロを定義したとします。これは引数XとYを加算するADDマクロです。このADDマクロを関数のように使って、「ADD(1, 2)」というプログラムを書いたとします。関数マクロの働きによって、このプログラムは次のように置換され、式が計算されます。()が多用されている理由は後述します。

```
ADD(1, 2) → ((1)+(2)) → (1+2) → 3
```

関数とは異なり、関数マクロはプログラム(ソースコード)を置換するだけなので、呼び出しや戻りを伴いません。そのためインライン関数と同様に、呼び出しや戻りのコストを削減する目的で使われます。インライン関数と関数マクロの使い分けについては後述します。

さて、関数マクロは次のように定義します。通常の関数とは異なり、引数型は指定せず、引数名だけを指定します。「プログラム」の部分には、式・文・宣言・ブロックといった色々なプログラムが書けますが、引数名を使った式を書くことが多いでしょう。式を書いた場合、関数マクロを実行した結果は、式を評価(計算)した値になります。関数マクロに戻り値という概念はないのですが、この値は関数の戻り値のように利用できます。

関数マクロの定義

```
#define マクロ名(引数名, …) プログラム
```

関数マクロは次のように使用します。通常の関数を呼び出すときと同様に、()(丸

括弧）の中に引数となる式を、,（カンマ）で区切って並べます。

関数マクロの使用

```
マクロ名(式, …)
```

通常の関数では、式を評価して求めた値を引数として関数に渡します。しかし関数マクロでは、マクロをプログラムに置換する際に、引数の式をそのまま埋め込むので、次のような注意が必要です。

● **プログラム内の引数名は()で囲む**

()で囲まないと、引数で使っている演算子の優先順位と、関数マクロで使っている演算子の優先順位の高低によって、意図しない計算結果になることがあります。

● **プログラムの全体も()で囲む**

()で囲まないと、関数マクロで使っている演算子の優先順位と、関数マクロを使用した式に含まれる演算子の優先順位の高低によって、意図しない計算結果になることがあります。

● **副作用のある式は渡さない**

代入・インクリメント・デクリメントなどのような、副作用（Chapter7）がある式は引数として渡さないようにします。関数マクロの中で、副作用を伴う引数が複数回使われていると、意図しない計算結果になることがあります。

このように関数に比べると注意点が多い関数マクロですが、関数とは違って呼び出しや戻りのコストがかからないので、色々な場面で使われています。本書で関数マクロを紹介しているのも、各種のライブラリなどで関数マクロを目にする機会が多いためです。ただし、C99以降ではインライン関数が使えるので、インライン関数でも処理を表現できる場合には、インライン関数を使うとよいでしょう。

さて、実際に関数マクロを定義してみましょう。Chapter10で最初に作成したプログラム（func.c）を改造して、add関数をマクロに変更します。**引数XとYを受け取り、これらを加算した結果を返すADDマクロを定義し、使用して結果を出力**するプログラムを書いてください。通常の関数と見分けやすくするためか、マクロ名や引数名は英大文字で書くことが多いので、本書でも英大文字で書きます。

▼macro.c

```
#include <stdio.h>

// ADDマクロの定義（関数マクロ）
#define ADD(X, Y) ((X)+(Y))

// main関数の定義
int main(void) {

    // ADDマクロの使用
    printf("%d\n", ADD(1, 2));
    printf("%d\n", ADD(ADD(3, 4), 5));
    printf("%d\n", ADD(ADD(6, 7), ADD(8, 9)));
}
```

上記のADDマクロにおいて、引数名のXとYを()で囲み、全体も((X)+(Y))のように()で囲んでいることに注目してください。実行結果は改造前のプログラム（func.c）と同じです。

▼実行例

```
> gcc -o macro macro.c
> macro
3    ← ADD(1, 2)の結果
12   ← ADD(ADD(3, 4), 5)の結果
30   ← ADD(ADD(6, 7), ADD(8, 9))の結果
```

上記の計算結果について、以下に計算の過程を示します。引数名やプログラムの全体を()で囲んだため、置換後は()が非常に多くなっています。

・ADD(1, 2)
 ((1)+(2)) → (1+2) → 3

・ADD(ADD(3, 4), 5))
 ((((3)+(4)))+(5)) → (((7))+(5)) → (7+5) → 12

・ADD(ADD(6, 7), ADD(8, 9))
 ((((6)+(7)))+(((8)+(9)))) → (((13))+((17))) → (13+17) → 30

こんなに()がなくてもよいのでは…と思うかもしれませんが、もし関数マクロで

引数名やプログラムの全体を()で囲まないと、何が起きるのでしょうか。以下のプログラムでは、()で囲むADDマクロと、()で囲まないADD_NGマクロ（正しくないADDマクロ）を定義してみました。**次のプログラムにおけるADDマクロとADD_NGマクロの計算結果を予想**してください。手作業でマクロを置換してみると、動きがよく理解できるのでおすすめです。

▼macro2.c

```
#include <stdio.h>

// ADDマクロの定義（関数マクロ）
#define ADD(X, Y) ((X)+(Y))

// ADD_NGマクロの定義（関数マクロ）
#define ADD_NG(X, Y) X+Y

// main関数の定義
int main(void) {

    // ADDマクロの使用
    printf("%d\n", ADD(1<<2, 3));
    printf("%d\n", ADD(1, 2)*ADD(3, 4));
    puts("");

    // ADD_NGマクロの使用
    printf("%d\n", ADD_NG(1<<2, 3));
    printf("%d\n", ADD_NG(1, 2)*ADD_NG(3, 4));
}
```

上記のプログラムをコンパイルすると、Clangは次のような警告を表示します。これはADD_NGマクロで引数名を()で囲んでいないことが原因です。Chapter2でも述べたように、警告は重要な情報を含んでいることが多いので、決して無視せずに解決してください。

▼警告メッセージ（Clang）

```
macro2.c:10:17: warning: operator '<<' has lower precedence than '+';
'+' will be evaluated first [-Wshift-op-parentheses]
（macro2.c:10行目:17桁目: 警告: <<は+よりも演算子の優先順位が低いので、+が先に評価される [-Wshift-op-parenthesesオプション]）
```

```
        printf("%d¥n", ADD_NG(1<<2, 3));
                       ^~~~~~~~~~~~~~~
…
```

今回はあえて、そのまま実行してみます。実行結果は以下で、ADDマクロとADD_NGマクロの計算結果が異なりますが、正しいのはADDマクロの方です。

▼実行例

```
> gcc -o macro2 macro2.c
> macro2
7     ← ADD(1<<2, 3)
21    ← ADD(1, 2)*ADD(3, 4)

32    ← ADD_NG(1<<2, 3)
11    ← ADD_NG(1, 2)*ADD(3, 4)
```

上記の計算結果について、以下に計算の過程を示します。演算子の優先順位(Chapter4)を見ながら、計算の手順を追ってみてください。<<は+よりも優先順位が低いことと、*は+よりも優先順位が高いことが、ADD_NG関数の結果に問題が生じる原因です。

・ADD(1<<2, 3)
　((1<<2)+(3)) → ((4)+(3)) → (4+3) → 7

・ADD(1, 2)*ADD(3, 4)
　((1)+(2))*((3)+(4)) → (1+2)*(3+4) → 3*7 → 21

・ADD_NG(1<<2, 3)
　1<<2+3 → 1<<5 → 32

・ADD_NG(1, 2)*ADD_NG(3, 4)
　1+2*3+4 → 1+6+4 → 11

次は、引数の型に応じて呼び出す関数を切り替える方法を紹介します。

section 04 総称選択を使って呼び出す関数を切り替える

総称選択(そうしょうせんたく)というのは、式の型に応じて、複数の候補から式を選択する機能です。後述するように、関数・関数マクロ・総称選択を組み合わせると、引数の型が異なる関数を一つの関数名で呼び分けられます。総称選択はC11以降で使えます。

総称選択の使用頻度は、おそらくそれほど高くはありません。ライブラリを自作するときには役立つ可能性がありますが、もし先を急いでいる場合は、このセクションは後で読んでも大丈夫です。もし余裕がある場合は、関数や関数マクロに対する理解を深めるためにも役立つので、引き続きお読みください。

まずは、こんな例を考えてみましょう。引数xの符号を反転させて返す、minus(マイナス)関数を定義します。int型の値を渡したときにはint型の結果を、double型の値を渡したときにはdouble型の結果を返して欲しいとします。しかし、関数の引数や戻り値の型は、関数の定義時にintかdoubleのいずれか一つに決める必要があります。

そこで、関数をint用とdouble用に分けることにします。**int用のminus_i関数と、double用のminus_d関数を、引数xを受け取ると-xを返すようにそれぞれ定義した上で、minus_i(123)とminus_d(1.23)の結果を出力**するプログラムを書いてください。

▼generic.c

```
#include <stdio.h>

// minus_i関数(int用)の定義
int minus_i(int x) {
    printf("int   : ");
    return -x;
}

// minus_d関数(double用)の定義
double minus_d(double x) {
    printf("double: ");
    return -x;
```

```
}

// main関数の定義
int main(void) {

    // minus_i関数（int用）の呼び出し
    printf("%d\n", minus_i(123));

    // minus_d関数（double用）の呼び出し
    printf("%g\n", minus_d(1.23));
}
```

上記のプログラムでは、どちらの関数を呼び出したのかが分かるように、minus_i関数はintと出力し、minus_d関数はdoubleと出力するようにしました。呼び出しの際には、引数の型に応じて、プログラマが手作業でminus_i関数とminus_d関数を呼び分けます。

▼実行例

```
> gcc -o generic generic.c
> generic
int   : -123    ← minus_i関数の結果
double: -1.23   ← minus_d関数の結果
```

プログラマがminus_i関数とminus_d関数を呼び分けるのは手間がかかりますし、呼び出すべき関数を間違うかもしれません。もし、minusという一つの関数名を指定するだけで、引数の型に応じてコンパイラが自動的にminus_i関数またはminus_d関数を選んでくれたら、とても便利そうです。

引数の型に応じて関数を自動的に選んで欲しい場合、C++では関数のオーバーロードという機能を使います。C言語には関数のオーバーロードはないのですが、関数・関数マクロ・総称選択を組み合わせると、似たことが実現できます。なお、逆にC++には総称選択がないので、関数のオーバーロードを使います。

総称選択は次のように書きます。_Generic（ジェネリック）というのは、日本語では総称と訳されます。プログラミングにおけるジェネリックという言葉は、具体的な型に依存しない、汎用的なプログラムを記述する手法を意味します。

総称選択

```
_Generic(制御式, 型A:式A, 型B:式B, …)
```

総称選択では、制御式を評価したときの型に一致する型を、型A・型B…の中から探して、対応する式A・式B…のいずれかを返します。例えば制御式の型がintで、型Aがintの場合には、式Aを返します。また、型の部分にdefault(デフォルト)と書くと、一致する型がない場合に返す式を指定できます。

引数型に応じて関数を自動的に選ぶには、総称選択を使って、次のような関数マクロを書きます。これは引数が1個の場合ですが、後述するように、複数の引数がある場合にも対応できます。

また、以下では紙面の都合で折り返しましたが、実際のプログラムでは1行で書いてください。もし折り返して複数行にする場合には、折り返した行末に\(バックスラッシュ)を書いてください。\には改行を打ち消して、1行として扱わせる効果があります。

引数型に応じて関数を自動的に選ぶ

```
#define 関数名(引数) _Generic((引数),
    型A:型A用の関数名, 型B:型B用の関数名, …)((引数))
```

先ほどのプログラム(generic.c)を改造して、minusという共通の関数名で、引数型に応じてminus_iまたはminus_dが自動的に選択されるようにしてみましょう。**総称選択を使って、引数型がintならばminus_i関数が、その他の型ならばminus_d関数が呼び出されるように、minusという関数マクロを定義します。そして、minus(123)、minus(1.23)、minus(1.23f)の結果を出力**するプログラムを書いてください。最後の1.23fはfloat型です(Chapter5)。

▼generic2.c

```
#include <stdio.h>

// minus_i関数 (int用) の定義
int minus_i(int x) {
    printf("int    : ");
    return -x;
}

// minus_d関数 (double用) の定義
double minus_d(double x) {
```

```
    printf("double: ");
    return -x;
}

// minusマクロの定義
#define minus(X) _Generic((X), int:minus_i, default:minus_d)((X))

// main関数の定義
int main(void) {

    // minusマクロの使用
    printf("%d\n", minus(123));
    printf("%g\n", minus(1.23));
    printf("%g\n", minus(1.23f));
}
```

上記のminusマクロは、引数型がintならばminus_i関数、その他(default)ならばminus_d関数の呼び出しに置き換わります。マクロ名は大文字で書くことが多いのですが、ここでは通常の関数のように見せかけたいので、小文字のminusにしました。

以下が実行例です。int型の引数に対してはminus_i関数、double型とfloat型の引数に対してはminus_d関数が呼び出されたことが分かります。

▼実行例

```
> gcc -o generic2 generic2.c
> generic2
int   : -123    ← minus(123)はminus_i(123)になる
double: -1.23   ← minus(1.23)はminus_d(1.23)になる
double: -1.23   ← minus(1.23f)はminus_d(1.23f)になる
```

複数の引数がある場合でも、引数型に応じて関数を自動的に選ぶことは可能です。加算を行うadd関数で試してみましょう。int型の加算を行うadd_i関数と、double型の加算を行うadd_d関数を定義します。そして、**総称選択を使って、引数型がintならばadd_i関数が、その他の型ならばadd_d関数が呼び出されるように、addという関数マクロを定義した上で、次のような計算の結果を出力**するプログラムを書いてください。

❶ add(1, 2)　　　← int + int、結果はint
❷ add(1, 2.3)　　← int + double、結果はdouble
❸ add(1.2, 3)　　← double + int、結果はdouble
❹ add(1.2, 3.4)　← double + double、結果はdouble

❶はadd_i関数を、❷❸❹はadd_d関数を使います。今回は、addマクロの引数をXおよびYとし、総称選択の制御式は「((X)+(Y))」とします。つまり、2個の引数を加算した結果の型に応じて、呼び出す関数を選択します。

▼generic3.c

```
#include <stdio.h>

// add_i関数（int用）の定義
int add_i(int x, int y) {
    printf("int   : ");
    return x+y;
}

// add_d関数（double用）の定義
double add_d(double x, double y) {
    printf("double: ");
    return x+y;
}

// addマクロの定義
#define add(X, Y) \
    _Generic((X)+(Y), int:add_i, default:add_d)((X), (Y))

// main関数の定義
int main(void) {

    // addマクロの使用
    printf("%d\n", add(1, 2));
    printf("%g\n", add(1, 2.3));
    printf("%g\n", add(1.2, 3));
    printf("%g\n", add(1.2, 3.4));
}
```

上記のaddマクロは、「(X)+(Y)」の型がintならばadd_i関数、その他（default）ならばadd_d関数の呼び出しに置き換わります。上記ではaddマクロを折り返して複数行にしたので、折り返した行末には\を付けました。

▼実行例

```
> gcc -o generic3 generic3.c
> generic3
int    : 3    ← add(1, 2)はadd_i(1, 2)になる
double: 3.3  ← add(1, 2.3)はadd_d(1, 2.3)になる
double: 4.2  ← add(1.2, 3)はadd_d(1.2, 3)になる
double: 4.6  ← add(1.2, 3.4)はadd_d(1.2, 3.4)になる
```

このように総称選択を使うと、同じ関数名を使って、色々な型に対応した関数を自動的に呼び分けられます。ライブラリを自作するときに役立ちそうな機能です。

本章では、再帰呼び出し、可変長引数、インライン関数、関数マクロ、総称選択といった、関数と組み合わせると便利な技術や機能について紹介しました。使い方の詳細は忘れても大丈夫です。こういった技術や機能があることを何となく覚えておき、必要になったら本書などで使い方を調べて、活用してみてください。

次章では、色々なデータをまとめて扱うための構造体について学びます。

応用編 Chapter12

構造体で関連する値を一括して扱う

データを処理するプログラムを書いていると、関連する値をまとめて扱いたい場面があります。例えば、商品の名前と価格を別々に扱うのではなくて、商品ごとに名前と価格をまとめて扱えれば、データを整理しやすくなります。
こういった場面で役立つのが、本章で学ぶ構造体です。構造体と似た記法で利用できる、共用体やビットフィールドについても学びましょう。

本章の学習内容

①構造体の定義と初期化
②typedef宣言
③構造体と関数
④構造体の配列
⑤パディングとアライメント
⑥共用体
⑦ビットフィールド

section 01

独自の構造体を定義して利用する

構造体（こうぞうたい）は、複数の値をまとめて扱う機能です。同じ型の値をまとめて扱う配列（Chapter8）とは異なり、構造体では値ごとに型が異なっても構いません。例えば、整数・浮動小数点数・文字列といった異なる型のデータを、一つの構造体でまとめて管理できます。

構造体が役立つのは、関連する値をまとめて扱いたい場面です。例えば、商品のデータを管理するプログラムにおいて、商品ごとに名前と価格をまとめるために構造体が役立ちます。名前（文字列）と価格（整数）は型が異なりますが、構造体を使えば一つにまとめられます。

▼構造体の活用例

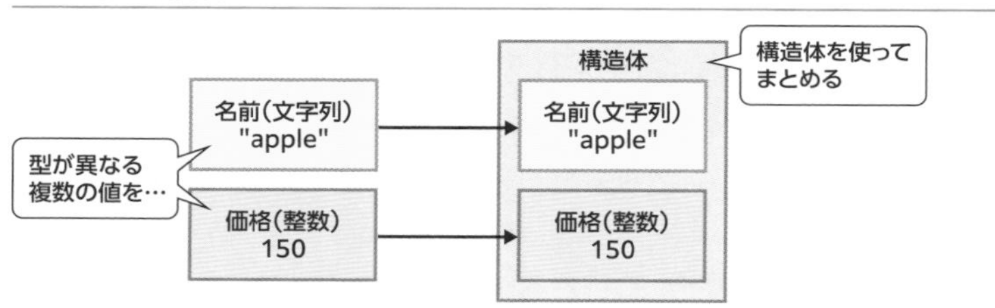

同じ型の値をまとめたいときには配列を、異なる型の値をまとめたいときには構造体を使います。一方で、両者を組み合わせた使い方もあります。例えば、多品種の商品を管理するプログラムでは、各商品の名前と価格を構造体にまとめた上で、全商品の構造体を配列にまとめる…といった使い方が考えられます。

▼構造体と配列の活用例

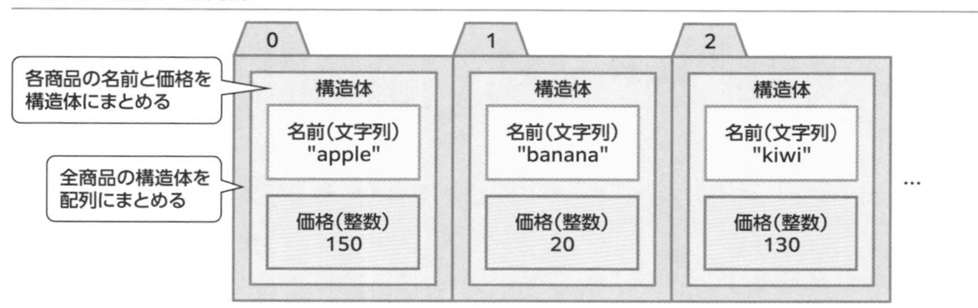

このように構造体は、データを処理するプログラムなどで非常に役立つ機能です。まずは構造体を定義する方法から学びましょう。

構造体を定義する

構造体は次のように定義します。struct（ストラクト）はstructure（ストラクチャー、構造体）の略と思われます。

構造体の定義

```
struct 構造体名 {
    型 変数名;
    …
};
```

構造体名は、構造体タグと呼ばれることもあります。構造体名の付け方は、変数名の付け方（Chapter5）と同じです。

{}（波括弧）の中には、変数の宣言を書きます。これらの変数はメンバと呼ばれます。型はメンバごとに異なっても、同じでも構いません。また、メンバとして配列を宣言することもできます。メンバ名（変数名や配列名）の付け方は、通常の変数名の付け方と同じです。型が同じメンバは、通常の変数と同様に、,（カンマ）で区切ればまとめて宣言できます。

構造体の定義は、1行で書いても、上記のように複数行に分けて書いても構いません。関数の定義とは違い、末尾に;（セミコロン）を付けることに注意してください。後述するように、;の前で構造体型の変数を宣言できます。

ところで、関数に定義と宣言があるように（Chapter10）、構造体にも定義と宣言があります。構造体の宣言は次のように書きます。

構造体の宣言

```
struct 構造体名;
```

上記のように、構造体の宣言に書くのは構造体名だけです。これは、このような名前の構造体が存在する、と宣言しているだけで、構造体の内容については別の場所で定義する必要があります。構造体の宣言を使う機会は比較的少ないのですが、相互にアドレスを参照する複数の構造体を定義する場合などに使います。

構造体を定義することは、新しい型を定義することだといえます。構造体を定義したら、次に学ぶように、構造体型の変数を宣言して利用できます。

column

構造体とオブジェクトの関係

C++のようなオブジェクト指向プログラミング言語の中心となる機能は、その名の通り**オブジェクト**です。実は、オブジェクトは本章で学ぶ構造体に似ています。特にC++のオブジェクトは、C言語の構造体を拡張した機能だといえます。なお、C言語で構造体を使うには構造体を定義しますが、C++でオブジェクトを使うにはクラスを定義します。クラスはオブジェクトの構造を記述したもので、いわばオブジェクトの設計図です。

構造体は複数の変数をまとめて扱えます。オブジェクトでは変数に加えて、これらの変数を操作する関数もまとめて扱えます。構造体のメンバは変数だけですが、オブジェクトのメンバは変数と関数です。C++では、これらを**メンバ変数**および**メンバ関数**と呼びます。

構造体に対するオブジェクトの利点は、変数に加えて関数もまとめることで、プログラムを部品に分けやすくなることです。オブジェクトを上手に使えば、大規模なプログラムの開発が容易になります。一方でC言語でも、構造体と関数を使って、オブジェクトに似た働きのプログラムを書くことは可能です。

C言語を学んで、もしプログラムを開発する効率に限界を感じたら、C++を学んでみるのも一興です。上手に使えば、どちらの言語でも開発の効率を上げることはできますが、C++が便利な場面もあります。例えばC++では、**演算子オーバーロード**という機能を使って、オブジェクトの種類ごとに演算子を定義できます。これを利用すると、例えばベクトルや行列の演算を、整数や浮動小数点数と同様に簡潔な式で書くといったことが可能になります。

また、**派生**(はせい)・**継承**(けいしょう)・**ポリモーフィズム**(多態性、たたいせい)といった、オブジェクト指向プログラミングに特有の機能を使ってみたい場合にも、C++を学んでみるとよいでしょう。実はこれらの機能は、C言語でも再現することはできますが、専用の文法が用意されているC++の方が、簡単にプログラムを書けます。

とはいえ、まずはC言語を深く理解することが、C++などのC言語から派生した言語を学ぶ上で、非常に重要かつ有用です。ぜひじっくりC言語を学んで、色々なプログラムを書いて、もし他の言語にも興味が湧いたら、新しい言語を学んでみてください。

❖構造体型の変数を宣言する

定義した構造体を使うには、構造体型の変数を宣言（定義）します。「struct 構造体名」を型のように使って、次のように書きます。structを付けるのは少し面倒に思うかもしれませんが、後ほど省略する方法も紹介します。なお、変数名を,（カンマ）で区切って並べれば、複数の変数をまとめて宣言できます。

構造体型の変数を宣言

```
struct 構造体名 変数名;
```

構造体の定義と同時に変数を宣言することもできます。構造体の定義において、}（波括弧閉じ）と;（セミコロン）の間に、次のように変数名を書きます。なお、構造体名をプログラムの他の場所で使わない場合は、構造体名を省略しても構いません。

構造体の定義と同時に変数を宣言

```
struct 構造体名 {
    型 変数名;
    …
} 変数名;
```

他の変数（Chapter5）と同様に、構造体型の変数も初期化できます。初期化は次のように書きます。配列と同様に、{}（波括弧）の中に,（カンマ）で区切って値を並べます。値の部分には式を書くこともできます。

構造体型の変数を初期化

```
struct 構造体名 変数名={値, …};
```

このように宣言または初期化した構造体型の変数に対して、次のように書くと、メンバの値を読み書きできます。.（ドット）演算子は、構造体のメンバにアクセスするための演算子です。

構造体のメンバを読み書き

```
変数名.メンバ名
```

ここまでに学んだ知識を使って、構造体を定義し、構造体型の変数を初期化して、メンバの値を取得してみましょう。**次のようなメンバを持つfruit（フルーツ）構造体を定義し、構造体型の変数をapple（アップル）、150（円）、0.4（kg）で初期化した上で、メンバの値を出力**してください。

▼fruit構造体のメンバ

メンバ名	型
name（名前）	charの配列（要素数は100）
price（価格）	int
weight（重量）	double

初期化において値を並べる順序は、構造体の定義においてメンバを宣言した順序に合わせてください。メンバの順序がname、price、weightの場合、値の順序はapple、150、0.4とします。

▼構造体の初期化

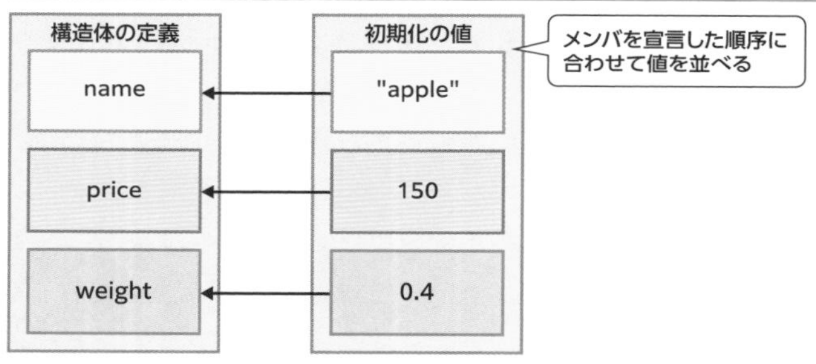

▼struct.c

```
#include <stdio.h>

// 構造体の定義
struct fruit {
    char name[100];
    int price;
    double weight;
};

// main関数の定義
int main(void) {

    // 構造体型の変数を初期化
    struct fruit a={"apple", 150, 0.4};

    // メンバの値を出力
```

```
    printf("%s, %d yen, %g kg\n", a.name, a.price, a.weight);
}
```

上記のプログラムでは、構造体型の変数をaとしましたが、変数名は何でも構いません。本書ではプログラムを簡潔にすることと、入力を楽にすることを狙って、ソースコード上の狭い範囲で使う変数には短い名前を付けています(例えばx、y、i、j、a、bなど)。ソースコード上の広い範囲で使う変数名については、より長く分かりやすい名前を付けてもよいでしょう。

▼実行例

```
> gcc -o struct struct.c
> struct
apple, 150 yen, 0.4 kg
```

次は「struct 構造体名」において、structを省略する方法を紹介します。

❖typedef宣言を使ってstructを省略する

typedef(タイプデフ)宣言というのは、型に別名を付ける機能です。「typedef」は、type (型) とdefinition (定義) を合わせた略語と思われます。

typedef宣言を使って、構造体型に別名を付けると、「struct 構造体名」のようにstructを書かなくても済むようになります。まず、基本のtypedef宣言は次のように書きます。

型に別名を付ける

```
typedef 型 別名;
```

構造体の定義と同時に別名を付ける場合には、次のように書きます。別名を付ければ、多くの場合は構造体名を使わなくて済むので、以下では構造体名を省略しています。

構造体型に別名を付ける

```
typedef struct {
    型 変数名;
    …
} 別名;
```

typedef宣言で付ける別名は、変数名や関数名と同じく識別子の一種です。別名の付け方は、変数名のように英小文字を使う方法と、定数名(Chapter5)のように英大文字を使う方法の、両方を見かけます。本書では、標準ライブラリのFILE(ファイル)型などに合わせて、英大文字を使うことにします。このFILE型は、構造体型に対してtypedef宣言で別名を付けたものです(Chapter15)。

typedef宣言で構造体型に別名を付けたら、次のように変数の宣言や初期化ができます。「struct 構造体名」と書くよりも、短く書けることが利点です。

別名を使って構造体型の変数を宣言

```
別名 変数名;
```

別名を使って構造体型の変数を初期化

```
別名 変数名={値, …};
```

先ほどのプログラム(struct.c)を改造してみましょう。**typedef宣言を使って構造体型にFRUIT(フルーツ)という別名を付けた上で、この別名を使って構造体型の変数を初期化し、メンバの値を出力**してください。構造体のメンバや初期化の値は前回と同じです。

▼struct2.c

```
#include <stdio.h>

// 構造体の定義とtypedef宣言
typedef struct {
    char name[100];
    int price;
    double weight;
} FRUIT;

// main関数の定義
int main(void) {

    // 別名を使って構造体型の変数を初期化
    FRUIT a={"apple", 150, 0.4};

    // メンバの値を出力
    printf("%s, %d yen, %g kg\n", a.name, a.price, a.weight);
}
```

▼実行例

```
> gcc -o struct2 struct2.c
> struct2
apple, 150 yen, 0.4 kg
```

次は構造体を初期化する際に、値を格納するメンバを指定する方法を紹介します。

メンバを指定して初期化する

C99以降では、構造体を初期化する際に次のように書くと、値を格納するメンバを指定できます。メンバ名を指定する値と、指定しない値を混在させても構いません。メンバ名を指定しなかった値は、直前の値が格納されたメンバの、次のメンバの値として格納されます。

メンバを指定して構造体型の変数を初期化

```
struct 構造体名 変数名={.メンバ名=値, …};
```

メンバを指定して構造体型の変数を初期化(別名を使用)

```
別名 変数名={.メンバ名=値, …};
```

上記の記法は、初期化の際に値を特別な順序で書きたい場合や、一部のメンバだけを初期化したい場合などに役立ちます。この記法を使って、前回のプログラム(struct2.c)を書き換えてみましょう。**FRUIT型の変数aを、150(価格)、0.4(重量)、apple(名前)の順に値を与えて初期化した上で、メンバの値を出力**するプログラムを書いてください。出力結果は前回と同じです。

▼struct3.c

```
#include <stdio.h>

// 構造体の定義とtypedef宣言
typedef struct {
    char name[100];
    int price;
    double weight;
} FRUIT;

// main関数の定義
int main(void) {
```

```
    // メンバを指定して構造体型の変数を初期化
    FRUIT a={.price=150, 0.4, .name="apple"};

    // メンバの値を出力
    printf("%s, %d yen, %g kg\n", a.name, a.price, a.weight);
}
```

上記の0.4については、priceの次がweightなのでメンバ名を省略できます。「.weight=0.4」のようにメンバ名を指定しても構いません。

▼実行例

```
> gcc -o struct3 struct3.c
> struct3
apple, 150 yen, 0.4 kg
```

次は変数に構造体を代入したり、他の構造体を使って変数を初期化してみましょう。

構造体を変数に代入する

構造体は、同じ構造体型の変数に代入できます。構造体の代入は次のように書きます。以下の使い方で「構造体」の部分には、構造体を格納した変数や、値が構造体になる式などを書きます。

構造体を代入

```
変数 = 構造体
```

代入と同様に、構造体型の変数を宣言する際には、他の構造体で初期化できます。以下で「構造体」の部分には、変数や式などを書きます。

構造体型の変数を他の構造体で初期化

```
struct 構造体名 変数名=構造体;
```

構造体型の変数を他の構造体で初期化(別名を使用)

```
別名 変数名=構造体;
```

以前に作成したプログラム（struct2.c）を改造して、他の構造体で変数を初期化するプログラムを書いてみましょう。メンバの値も変更してみます。**FRUIT型の変数aを、apple、150、0.4で初期化します。次に、FRUIT型の変数bをaで初期化し、価格（price）を元の値の半分に、重量（weight）を元の値の7割に変更した上で、変数aとbのメンバを出力**するプログラムを書いてください。元の商品情報（変数a）から、価格が安くて軽い商品情報（変数b）を作成するイメージです。

▼struct4.c

```
#include <stdio.h>

// 構造体の定義とtypedef宣言
typedef struct {
    char name[100];
    int price;
    double weight;
} FRUIT;

// main関数の定義
int main(void) {

    // 構造体型の変数aを初期化
    FRUIT a={"apple", 150, 0.4};

    // 構造体型の変数bを変数aで初期化
    FRUIT b=a;

    // 価格を半分に、重量を7割に変更
    b.price/=2;
    b.weight*=0.7;

    // メンバの値を出力
    printf("%s, %d yen, %g kg\n", a.name, a.price, a.weight);
    printf("%s, %d yen, %g kg\n", b.name, b.price, b.weight);
}
```

▼実行例

```
> gcc -o struct4 struct4.c
> struct4
apple, 150 yen, 0.4 kg  ← 変数aのメンバ
apple, 75 yen, 0.28 kg  ← 変数bのメンバ
```

構造体を定義し、構造体型の変数を宣言および初期化して、構造体を活用する方法を学びました。次は構造体を関数と組み合わせる方法を学びます。

section 02 構造体を関数と組み合わせる

構造体は関数と簡単に組み合わせて使えます。構造体を関数に引数として渡したり、構造体を関数の戻り値として返すことが可能です。構造体を使うことの利点は、関数との間で複数の値をまとめて受け渡しできることです。

❖構造体を関数の引数にする

引数として構造体を受け取る関数は、次のように定義します。typedef宣言で付けた別名も使えます。

構造体を受け取る関数の定義

```
戻り値型 関数名(struct 構造体名 引数名, …) { … }
```

構造体を受け取る関数の定義(別名を使用)

```
戻り値型 関数名(別名 引数名, …) { … }
```

上記では最初の引数を構造体型にしましたが、2番目以降の引数を構造体型にしても構いません。また、構造体型の引数と構造体型以外の引数を、混ぜて並べることもできます。

前回のプログラム(struct4.c)を改造して、構造体の引数を受け取る関数を書いてみましょう。**FRUIT型の引数を受け取ってメンバを出力するprint(プリント、出力)関数を定義し、main関数から呼び出す**プログラムを書いてください。引数には前回と同じ、apple、150、0.4で初期化した構造体を使います。

▼func.c

```
#include <stdio.h>

// 構造体の定義とtypedef宣言
typedef struct {
    char name[100];
    int price;
    double weight;
} FRUIT;
```

```
// print関数の定義
void print(FRUIT f) {

    // メンバの値を出力
    printf("%s, %d yen, %g kg\n", f.name, f.price, f.weight);
}

// main関数の定義
int main(void) {

    // 構造体型の変数aを初期化
    FRUIT a={"apple", 150, 0.4};

    // print関数の呼び出し
    print(a);
}
```

▼実行例

```
> gcc -o func func.c
> func
apple, 150 yen, 0.4 kg
```

次は、構造体をその場で作って関数に渡す方法を紹介します。

❖構造体をその場で作れる複合リテラル

C99以降で使える複合リテラル(Chapter10)は、変数を宣言せずに配列や構造体などを作れる機能です。構造体の複合リテラルは、次のように書きます。typedef宣言で別名を付けた場合は、別名も使えます。

構造体の複合リテラル

```
(struct 構造体名){値, …}
```

構造体の複合リテラル(別名を使用)

```
(別名){値, …}
```

複合リテラルで作成するのに向いているのは、関数に渡すだけの構造体など、一度しか使わない構造体です。変数の宣言を省略して、プログラムを短くできる場合があります。

前回のプログラム(func.c)を、複合リテラルを使って書き換えてみましょう。**main関数からprint関数に渡す構造体を、複合リテラルを使って作成**してください。print関数は元のままで大丈夫です。

▼func2.c

```
#include <stdio.h>

// 構造体の定義とtypedef宣言
typedef struct {
    char name[100];
    int price;
    double weight;
} FRUIT;

// print関数の定義
void print(FRUIT f) {
    printf("%s, %d yen, %g kg\n", f.name, f.price, f.weight);
}

// main関数の定義
int main(void) {

    // print関数の呼び出し（複合リテラルで構造体を作成）
    print((FRUIT){"apple", 150, 0.4});
}
```

▼実行例

```
> gcc -o func2 func2.c
> func2
apple, 150 yen, 0.4 kg
```

次は構造体を関数の戻り値として返す方法を学びます。

❖構造体を関数の戻り値にする

構造体を関数の戻り値として返すには、関数を定義する際に、戻り値型を構造体型にします。typedef宣言で付けた別名も使えます。

構造体を返す関数の定義

```
struct 構造体名 関数名(…) {…}
```

構造体を返す関数の定義（別名を使用）

```
別名 関数名(…) {…}
```

前回のプログラム（func2.c）を改造して、構造体の戻り値を返す関数を追加してみましょう。**キーボードから入力した名前・価格・重量をFRUIT型の構造体に格納し、戻り値として返すinput（インプット、入力）関数を定義し、main関数から呼び出して、戻り値をprint関数で出力**するプログラムを書いてください。

input関数では、scanf関数（Chapter5）を使って、構造体のメンバに値を格納します。以前学んだように、scanf関数の引数には変数のアドレスを渡す必要があります。メンバのnameはアドレス（配列の先頭アドレス）なのでそのまま渡せます。一方でpriceとweightは、次のようにアドレスを取得します。

メンバのアドレスを取得する

```
&変数.メンバ名
```

&と.は、.の方が演算子の優先順位が高いので（Chapter4）、.が先に評価されます。つまり、&(変数名.メンバ名)のように解釈されます。

▼func3.c

```
#include <stdio.h>

// 構造体の定義とtypedef宣言
typedef struct {
    char name[100];
    int price;
    double weight;
} FRUIT;

// input関数の定義
```

```
FRUIT input(void) {

    // 構造体型の変数fを宣言
    FRUIT f;

    // 入力した値を構造体のメンバに格納
    printf("name price weight: ");
    scanf("%s%d%lf", f.name, &f.price, &f.weight);

    // 作成した構造体を戻り値として返す
    return f;
}

// print関数の定義
void print(FRUIT f) {
    printf("%s, %d yen, %g kg\n", f.name, f.price, f.weight);
}

// main関数の定義
int main(void) {

    // input関数を呼び出した後に、
    // 戻り値を引数にしてprint関数を呼び出す
    print(input());
}
```

上記でmain関数の「print(input());」は、input関数の戻り値をそのままprint関数に渡しています。input関数の戻り値をいったん構造体型の変数に格納し、その変数をprint関数に渡しても構いません。以下の実行例では、banana（バナナ）、20（円）、0.2（kg）と入力してみました。

▼実行例

```
> gcc -o func3 func3.c
> func3
name price weight: banana 20 0.2   ← input関数による入力
banana, 20 yen, 0.2 kg             ← print関数による出力
```

構造体を関数と組み合わせる方法について学びました。次は構造体と配列を組み合わせてみましょう。

column

学んだ機能を組み合わせよう

今までにC言語の色々な機能を学んできましたが、これらの機能は組み合わせて使えます。組み合わせは非常に種類が多いので、組み合わせ後のパターンを暗記するのはおすすめしません。その時の目的に応じて、必要な組み合わせをその場で考え、基本的な機能を文法に沿って組み合わせるのがおすすめです。このようにすれば、少ない知識を覚えるだけで、多様な課題に対処できるようになります。

section 03 構造体を配列にする

構造体を配列にすると、さらに効果的に活用できます。例えば商品の情報を扱うプログラムにおいて、商品の名前・価格・重量を構造体にまとめた上で、配列を使ってこの構造体を並べれば、多数の商品情報を管理できます。こういった情報はデータベースを使って表現することがよくありますが、構造体とファイル入出力(Chapter15)を使って表現することも可能です。

❖構造体型の配列を宣言する

構造体を配列にするには、構造体型の配列を宣言します。次のように、配列の宣言(Chapter8)における要素の型を、構造体型にします。typedef宣言で付けた別名も使えます。

構造体型の配列を宣言

```
struct 構造体名 配列名[要素数];
```

構造体型の配列を宣言(別名を使用)

```
別名 配列名[要素数];
```

構造体型の配列を初期化するには、次のように書きます。配列の初期化には{}(波括弧)を使いますが、構造体の配列を初期化する際には、一般に{}をネストして使います。以下では内側の{}が、1個の構造体を初期化します。多次元配列(Chapter8)を初期化する際の記法に似ています。

構造体型の配列を初期化

```
struct 構造体名 配列名[]={{値, …}, …};
```

構造体型の配列を初期化(別名を使用)

```
別名 配列名[]={{値, …}, …};
```

構造体型の配列を使ってみましょう。これまでのプログラムと同様に、FRUIT型を使います。**構造体型の配列を初期化し、次のような商品一覧を出力**するプログラムを書いてください。

▼実行例

```
> gcc -o array array.c
> array
name    price weight  ← 名前、価格、重量
apple     150    0.4  ← アップル
banana     20    0.2  ← バナナ
kiwi      130    0.1  ← キウイ
melon     900    2.0  ← メロン
orange    100    0.3  ← オレンジ
pine      400    1.2  ← パイン
```

次のプログラム例では、sizeof演算子を使って配列の要素数を求めた上で(Chapter8)、for文を使って配列の全要素を出力します。一覧を見やすくするために、printf関数の変換指定で桁を揃えて出力しました(Chapter3)。

▼array.c

```
#include <stdio.h>

// 構造体の定義とtypedef宣言
typedef struct {
    char name[100];
    int price;
    double weight;
} FRUIT;

// main関数の定義
int main(void) {

    // 構造体型の配列fruitを初期化
    FRUIT fruit[]={
        {"apple", 150, 0.4},
        {"banana", 20, 0.2},
        {"kiwi", 130, 0.1},
        {"melon", 900, 2.0},
        {"orange", 100, 0.3},
        {"pine", 400, 1.2}
    };

    // 配列の要素数を計算
```

```
    int n=sizeof fruit/sizeof fruit[0];

    // 一覧を出力
    puts("name   price weight");
    for (int i=0; i<n; i++) {
        printf("%-6s %5d %6.1f\n",
            fruit[i].name, fruit[i].price, fruit[i].weight);
    }
}
```

次は上記の配列を使って、配列から情報を検索するプログラムを書いてみます。

❖構造体型の配列から情報を検索する

上記で作成した構造体型の配列を使って、より実用的なプログラムを書いてみましょう。**商品の名前と重量を入力すると、配列から商品の情報を検索し、価格を計算して出力**するプログラムを書いてください。

このプログラムは以下のように動作します。入力した名前を使って、配列から商品を検索します。そして、検索した価格と重量を使って、入力した重量に対応する価格を計算し、出力します。価格は「検索した価格＊入力した重量 / 検索した重量」で計算できます。

▼実行例

```
> gcc -o array2 array2.c
> array2
name and weight: apple 1.5     ← 入力：アップル、1.5kg
price: 562                     ← 出力：562円

name and weight: orange 2.4    ← 入力：オレンジ、2.4kg
price: 800                     ← 出力：800円

name and weight: melon 3.6     ← 入力：メロン、3.6kg
price: 1620                    ← 出力：1620円

name and weight:               ← Ctrl+Cキーかcontrol+Cキーで終了
>
```

以下のプログラムでは、商品の名前を検索するために、文字列を比較するstrcmp関数(Chapter9)を使っています。strcmp関数を使うには、string.hのインクルードが必要です。

▼array2.c

```
#include <stdio.h>
#include <string.h>

// 構造体の定義とtypedef宣言
typedef struct {
    char name[100];
    int price;
    double weight;
} FRUIT;

// main関数の定義
int main(void) {

    // 構造体型の配列fruitを初期化
    FRUIT fruit[]={
        {"apple", 150, 0.4},
        {"banana", 20, 0.2},
        {"kiwi", 130, 0.1},
        {"melon", 900, 2.0},
        {"orange", 100, 0.3},
        {"pine", 400, 1.2}
    };

    // 配列の要素数を計算
    int n=sizeof fruit/sizeof fruit[0];

    // 無限ループ
    for (;;) {

        // 名前と重量の入力
        char name[100];
        double weight;
        printf("name and weight: ");
        scanf("%s%lf", name, &weight);

```

```
        // 配列から商品を検索
        for (int i=0; i<n; i++) {

            // 入力した名前と配列上の名前が一致したら…
            if (strcmp(fruit[i].name, name)==0) {

                // 入力した重量に対応する価格を計算して出力
                int price=fruit[i].price*weight/fruit[i].weight;
                printf("price: %d\n\n", price);

                // 商品を検索するループを終了
                break;
            }
        }
    }
}
```

やや長い道のりでしたが、ようやく構造体の使いどころが見えてきたでしょうか。特に構造体の配列は、実用的なプログラムを書くのに役立ちます。筆者はC言語でゲームのプログラムを書いた際に、キャラクターを構造体の配列で管理したことがあります。個々のキャラクターに関する情報（座標や角度など）を構造体にまとめた上で、全キャラクター分の構造体を配列にまとめました。多数のキャラクターを扱いやすい形に整理できて、とても便利でした。皆さんもぜひ、色々な場面で構造体を活用してみてください。

次は、構造体がどのようにメモリに配置されているのかを学びます。

section 04

メンバの配置を左右する パディングとアライメント

構造体のメンバは、定義と同じ順序でメモリ上に配置されます。例えば、定義におけるメンバの順序がname、price、weightならば、メモリに配置される順序もname、price、weightです。しかし、メモリ上に要素が隙間なく並んでいる配列(Chapter8)とは異なり、構造体のメンバはメモリ上で隙間なく並んでいるとは限りません。メンバの配置は、ここで学ぶパディングやアライメントに左右されます。

❖各メンバの後にはパディングが入ることがある

パディングというのは、一般には詰め物のことです。構造体におけるパディングとは、メンバの配置を調整するために、メンバの後に挿入される空き領域のことです。何バイトのパディングが入るのかはメンバの型によって変わり、パディングが入らない場合もあります。以下はchar型、short型、int型のメンバがある構造体の例です。charの後に、1バイトのパディングが入っています。

なお、各型のバイト数は環境に依存し、パディングがどのように行われるかも環境に依存します。以後の解説では、分かりやすくするためにバイト数やアライメント要件(後述)に具体的な数値を使いますが、これらは一例に過ぎません。実際の数値は環境に依存します。

▼パディング

charのメンバ(1バイト)	パディング(1バイト)	shortのメンバ(2バイト)	intのメンバ(4バイト)

パディングが入ることがあるため、構造体のバイト数(サイズ)は、単純にメンバのバイト数を合計した値にはならないことがあります。また、メンバの構成が同じ構造体でも、定義におけるメンバの順序が異なると、構造体のバイト数が変わる可能性があります。

パディングと構造体のバイト数について、実際に構造体を定義して調べてみましょう。**char・short・intのメンバを持つ構造体Aと、char・int・shortのメンバを持つ構造体Bを定義し、各構造体型の変数を宣言して、構造体のバイト数・構造**

体のアドレス（先頭アドレス）・各メンバのアドレスを出力するプログラムを書いてください。2つの構造体は、メンバの構成は同じですが、メンバの順序が異なることに注意してください。

▼padding.c

```
#include <stdio.h>

// 構造体Aの定義
typedef struct {
    char c;
    short s;
    int i;
} A;

// 構造体Bの定義
typedef struct {
    char c;
    int i;
    short s;
} B;

// main関数の定義
int main(void) {

    // 構造体A型の変数aを宣言し、バイト数とアドレスを出力
    A a;
    printf("%lu\n", sizeof a);
    printf("%p\n", &a);
    printf("%p\n", &a.c);
    printf("%p\n", &a.s);
    printf("%p\n", &a.i);
    puts("");

    // 構造体B型の変数bを宣言し、バイト数とアドレスを出力
    B b;
    printf("%lu\n", sizeof b);
    printf("%p\n", &b);
    printf("%p\n", &b.c);
    printf("%p\n", &b.i);
    printf("%p\n", &b.s);
}
```

実行結果は環境によって異なります。以下はWindowsの実行例です。macOS/Linuxで実行すると、アドレスは異なりますが、構造体のバイト数は同じで、先頭から各メンバまでのバイト数(各メンバのアドレスと先頭アドレスの差分)も同じでした。

▼実行例

```
> gcc -o padding padding.c
> padding
8                   ← 構造体Aのバイト数
000000000061FE0C    ← 構造体の先頭アドレス
000000000061FE0C    ← メンバのアドレス(char)、先頭アドレスと同じ
000000000061FE0E    ← メンバのアドレス(short)、先頭アドレス+2
000000000061FE10    ← メンバのアドレス(int)、先頭アドレス+4

12                  ← 構造体Bのバイト数
000000000061FE14    ← 構造体の先頭アドレス
000000000061FE14    ← メンバのアドレス(char)、先頭アドレスと同じ
000000000061FE18    ← メンバのアドレス(int)、先頭アドレス+4
000000000061FE1C    ← メンバのアドレス(short)、先頭アドレス+8
```

上記の実行結果では、構造体Aと構造体Bのバイト数が異なることに注目してください。構造体Aと構造体Bは、メンバの構成(char・short・int)は同じですが、メンバの順序は異なります。このようにメンバの順序によって、構造体のバイト数が変わることがあります。

メンバの構成が同じならば、一般に構造体のバイト数は少なく(サイズを小さく)した方が有利です。多くのコンピュータは高速化のためにキャッシュメモリ(高速ではあるもののサイズが小さいメモリ)を使うので、扱うデータのサイズが小さければキャッシュメモリ上に収まる確率が高くなり、プログラムが高速に動作するためです。

そこで、構造体をできるだけ小さくするために、構造体のバイト数が決まる仕組みを学びましょう。前述のように、各型のバイト数やアライメント要件は環境に依存しますが、ここでは色々な環境に適用できる可能性が高い、汎用的な知識や手法を紹介します。

さて、上記の実行例における構造体Aと構造体Bのメンバは、次のように配置されています。メンバの後にはパディングが入っていますが、このパディングには次のメンバのアドレスを調整する働きがあります。

▼構造体Aにおけるメンバの配置

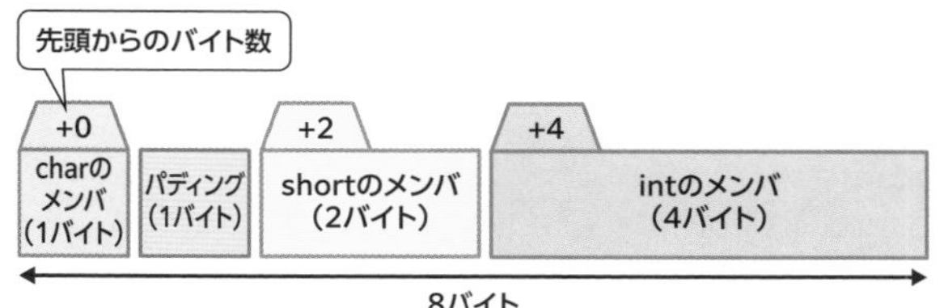

▼構造体Bにおけるメンバの配置

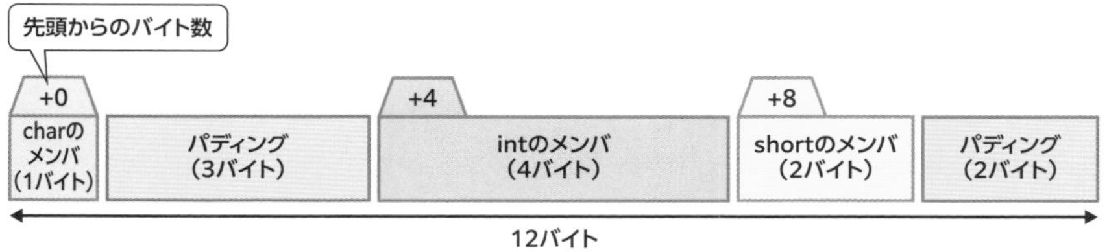

上記の構造体Aと構造体Bにおけるパディングの目的は、shortのメンバを2の倍数のアドレスに、intのメンバを4の倍数のアドレスに配置することです。後述するように、値をメモリに格納する際には、型ごとに決まった倍数のアドレスに配置する必要があるためです。そこでコンパイラは、構造体の先頭アドレスを決まった倍数のアドレスにするとともに、メンバの後にパディングを入れて、各メンバが型ごとに決まった倍数のアドレスに配置されるようにします。

構造体Aと構造体Bの場合は、先頭アドレスを4の倍数のアドレスにします。この場合、shortのメンバは2の倍数(構造体Bでは4の倍数)のアドレスに、intのメンバは4の倍数のアドレスに配置されます。例えば、構造体Aの先頭アドレスが1000番地の場合、shortのメンバは1002番地、intのメンバは1004番地に配置されます。同様に、構造体Bの先頭アドレスが1000番地の場合、intのメンバは1004番地、shortのメンバは1008番地に配置されます。

▼構造体Aの先頭とメンバのアドレス

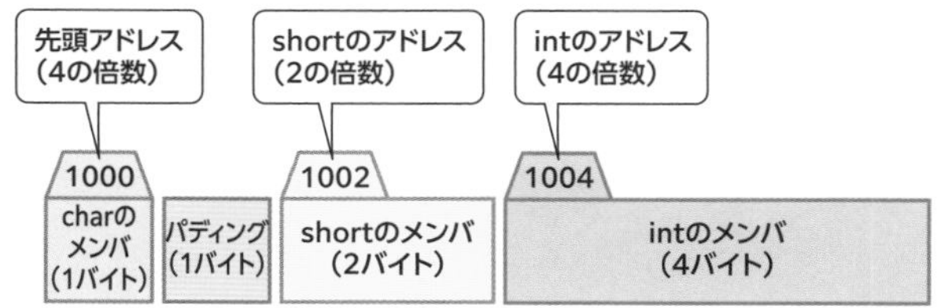

▼構造体Bの先頭とメンバのアドレス

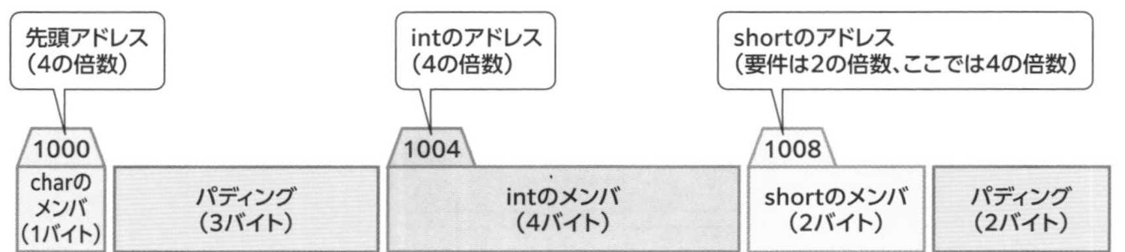

構造体Bについては、最後のメンバ(short)の後にもパディングが入っていることに注目してください。このパディングには、構造体のバイト数を4の倍数にする働きがあります。これは構造体を配列にしたときにも、前述のアドレスに対する要件(構造体の先頭は4の倍数、shortは2の倍数、intは4の倍数)を満たすためです。以下の図では分かりやすくするために、アドレスを10進数で示しました。

▼構造体Bを配列にしたときのアドレス

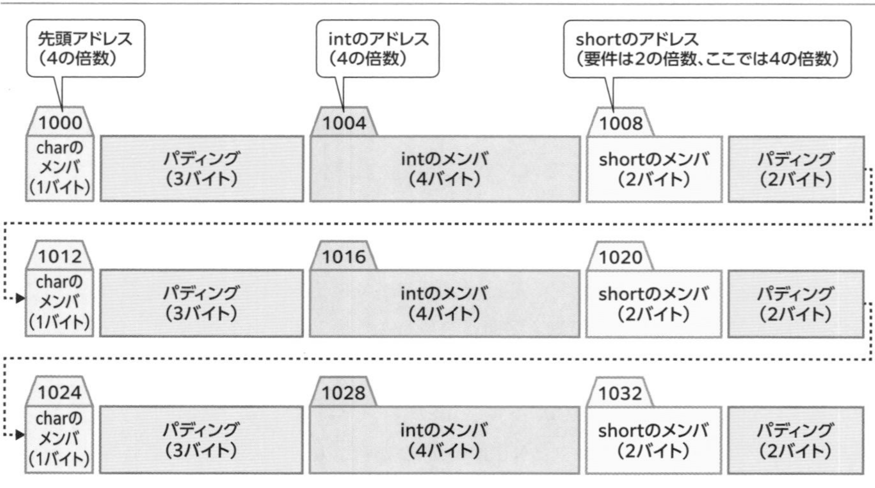

このようにパディングには、メンバを型ごとに決まった倍数のアドレスに配置する働きがあります。このような配置にする理由は、次のアライメントについて学ぶと分かります。

❖アライメントを取得する

コンピュータにおけるアライメント（整列）とは、値をメモリに格納する位置（アドレス）を調整することです。アライメントが必要な理由は、値を特定のアドレス（例えば4の倍数など）に配置したときに、高速で読み書きできる設計になっているCPUが多いためです。

例えばCPUによっては、1バイト単位でメモリを読み書きするのではなく、4の倍数のアドレスに対して、4バイト単位でメモリをまとめて読み書きします。32ビットや64ビットのCPUは、32ビット（4バイト）単位で値を扱う機会が多いので、メモリを4バイトまとめて読み書きすることで、高速化が期待できます。

このようなCPUで、int型の値（ここでは4バイトとします）をメモリに格納する場合には、アライメントを考慮して、4の倍数のアドレスに配置することが重要です。4の倍数のアドレスに配置すれば、メモリの読み書きが1回で済みますが、もし4の倍数以外のアドレスに配置すると、読み書きが2回になってしまいます。

▼アライメント

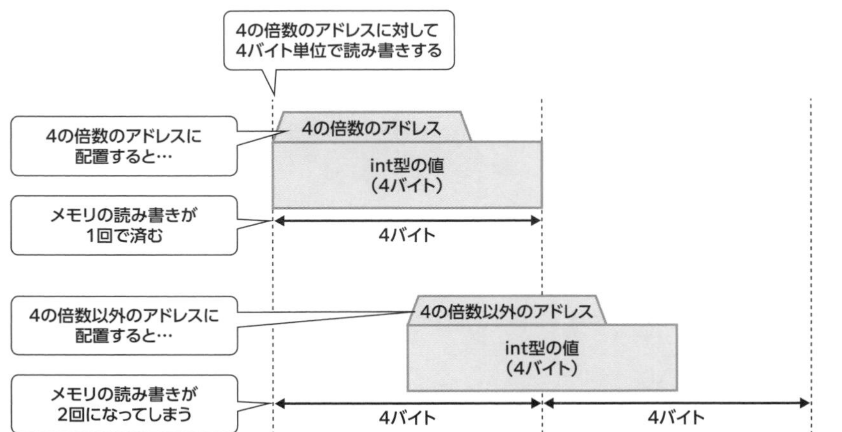

こういった事情で、C言語ではアライメントを考慮して値をメモリに配置します。構造体にパディングが入るのは、それぞれのメンバを高速で読み書きできるアドレスに配置するためです。

アライメント要件（考慮が必要なアライメント）は、値の型によって異なり、環境によっても異なります。そこでC11以降では、以下の_Alignof（アライン・オブ）

演算子を使って、型ごとのアライメント要件を取得できます。_Alignofの「align」は整列するという意味ですが、alignment（アライメント）の略とも考えられます。

アライメント要件を取得（_Alignof演算子）

```
_Alignof(型)
```

_Alignof演算子の代わりに、以下のalignofマクロを使っても構いません。この場合はstdalign.hのインクルードが必要です。

アライメント要件を取得（alignofマクロ）

```
alignof(型)
```

各種の型について、アライメント要件を調べてみましょう。**char・short・int・long・float・doubleと、前出の構造体Aと構造体Bについて、alignofマクロでアライメント要件を取得して出力**するプログラムを書いてください。alignofで取得した値をprintf関数で出力するには、sizeof演算子（Chapter5）と同じく、変換指定の%luを使います。

▼padding2.c

```
#include <stdio.h>

// alignofマクロを使うために必要なインクルード
#include <stdalign.h>

// 構造体Aの定義
typedef struct {
    char c;
    short s;
    int i;
} A;

// 構造体Bの定義
typedef struct {
    char c;
    int i;
    short s;
} B;

// main関数の定義
int main(void) {
```

```
    // 各種の型についてアライメント要件を出力
    printf("%lu\n", alignof(char));
    printf("%lu\n", alignof(short));
    printf("%lu\n", alignof(int));
    printf("%lu\n", alignof(long));
    printf("%lu\n", alignof(float));
    printf("%lu\n", alignof(double));
    puts("");

    // 構造体Aと構造体Bのアライメント要件を出力
    printf("%lu\n", alignof(A));
    printf("%lu\n", alignof(B));
}
```

以下の実行例では、char・short・intのアライメント要件に注目してください。前出の、構造体Aと構造体Bにおけるメンバの配置と見比べると、各メンバのアライメント要件を満たすようにパディングが入っていることが分かります。アライメント要件に合わせて、shortは2の倍数のアドレス、intは4の倍数のアドレスに配置されます。

▼実行例

```
> gcc -o padding2 padding2.c
> padding2
1  ← char
2  ← short
4  ← int
4  ← long(Windowsでは4、macOS/Linuxでは8)
4  ← float
8  ← double

4  ← 構造体A
4  ← 構造体B
```

また、構造体Aと構造体Bのアライメント要件にも注目してください。どちらの構造体についても、最大のアライメント要件を持つintのメンバに合わせて、アライメント要件が4となっています。これは構造体の先頭アドレスを4の倍数にしておかないと、パディングでメンバの配置を調整しても、intのメンバが4の倍数のアドレスに配置されないからです。以下は構造体Aの先頭アドレスを変化させた例で、構造体Bについても同様です。

▼構造体のアライメント要件

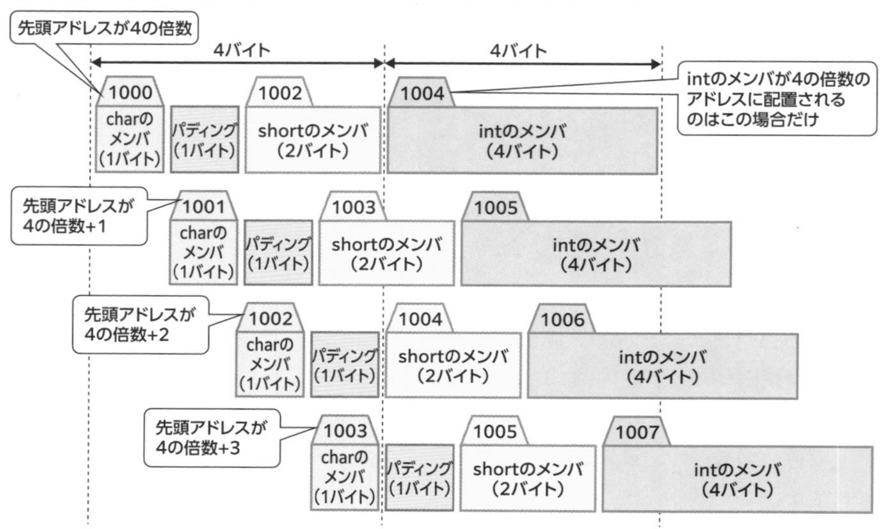

さて、構造体にパディングが入るのは、メンバのアライメント要件を満たすためだということを学びました。この知識を使うと、構造体のバイト数が少なく(サイズが小さく)なるように、メンバを並べられます。実は、メンバをアライメント要件の小さい順または大きい順に並べればよいのです。例えばchar・short・intの場合は、char・short・intと並べるか、int・short・charと並べます。

次はアライメントに関連して、アライメントを指定する方法を紹介します。

❖アライメントを指定する

通常はアライメントを明示的に指定しなくても済みますが、CPUの特別な数値演算機能を使うときなどには、アライメントの指定が必要な場合があります。こういった数値演算機能は、「値を16の倍数のアドレスに配置すること」といった制約を設けていることがあります。この場合は、以下の_Alignas(アライン・アズ)演算子を使って、アライメントを指定します。

_Alignas演算子は、指定した変数や構造体のメンバについて、アライメント要件を指定した式の値にします。式は整数定数式(Chapter8)、つまり値が整数であり、コンパイル時に値が決まる式である必要があります。

アライメント要件を指定（_Alignas演算子）

```
_Alignas(式) 型 変数名;
```

_Alignas演算子の代わりに、以下のalignasマクロを使っても構いません。alignofマクロと同様に、この場合もstdalign.hのインクルードが必要です。

アライメント要件を指定（alignasマクロ）

```
alignas(式) 型 変数名;
```

_Alignas演算子とalignasマクロは、式の代わりに型を書くこともできます。型を書くと、変数やメンバのアライメント要件を、その型のアライメント要件に合わせます。

構造体のメンバについて、アライメント要件を指定してみましょう。**前出の構造体Aと構造体Bについて、int型のメンバiにalignas(8)を指定した上で、構造体Aと構造体Bのバイト数（sizeof）とアライメント要件（alignof）を取得して出力**するプログラムを書いてください。

▼padding3.c

```
#include <stdio.h>

// alignasマクロとalignofマクロを使うために必要なインクルード
#include <stdalign.h>

// 構造体Aの定義
typedef struct {
    char c;
    short s;

    // アライメント要件を指定
    alignas(8) int i;
} A;

// 構造体Bの定義
typedef struct {
    char c;
```

```
    // アライメント要件を指定
    alignas(8) int i;

    short s;
} B;

// main関数の定義
int main(void) {

    // 構造体Aについてバイト数とアライメント要件を出力
    printf("%lu\n", sizeof(A));
    printf("%lu\n", alignof(A));
    puts("");

    // 構造体Bについてバイト数とアライメント要件を出力
    printf("%lu\n", sizeof(B));
    printf("%lu\n", alignof(B));
}
```

▼実行例

```
> gcc -o padding3 padding3.c
> padding3
16   ← 構造体Aのバイト数
8    ← 構造体Aのアライメント要件

16   ← 構造体Bのバイト数
8    ← 構造体Bのアライメント要件
```

上記の構造体Aと構造体Bについて、アライメント要件を指定したことでメンバの配置がどう変わったのか、考えてみてください。次のような配置になります。

▼構造体Aにおけるメンバの配置（アライメント要件を指定）

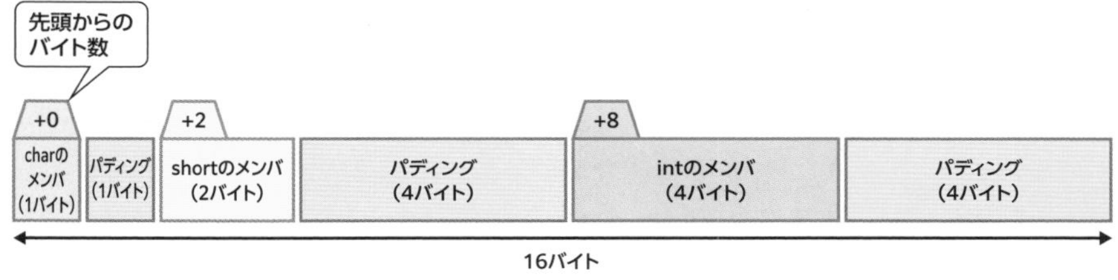

▼構造体Bにおけるメンバの配置（アライメント要件を指定）

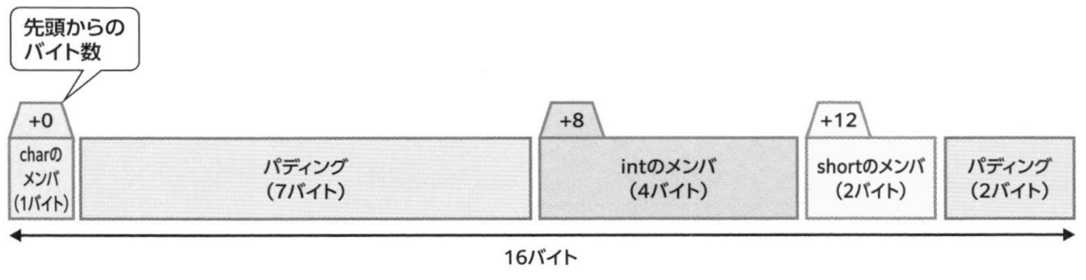

構造体について、使い方から仕組みまでを詳しく学んできました。次は構造体に見た目は似ているけれども働きは異なる、共用体について学びます。

section 05

同じメモリを複数の型で操作できる共用体

共用体(きょうようたい)は、複数の値でメモリを共用するための機能です。構造体と同様に、共用体には複数のメンバがありますが、これらのメンバは同じメモリに配置されます。言い換えれば、同じメモリを複数の型で読み書きできます。

例えば4バイトのメモリを、1個のintとして読み書きする一方で、4個のcharとしても読み書きできます。これは後述するように、エンディアン(バイトオーダー)を入れ替える処理などに使えます。以下のビッグエンディアンとリトルエンディアンについても後ほど説明します。

▼共用体の活用例

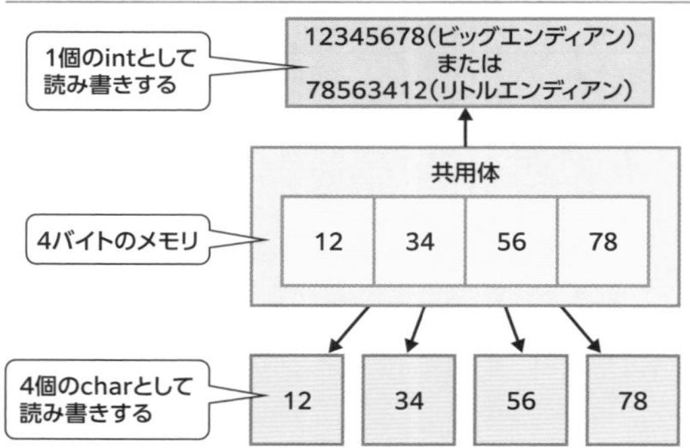

構造体に比べると共用体は使用頻度が低いので、もし先を急いでいたら、このセクションは後で読んでも構いません。共用体を表す「union」というキーワードだけ今は覚えておいて、読み解かなければならないプログラムに「union」が出現したら、改めてこのセクションを学ぶというのでも大丈夫です。もし余裕があったら、プログラムを移植する際に重要なエンディアンの概念についても学べるので、引き続きお読みください。

まずは共用体の基本的な使い方を学びましょう。

共用体を定義する

共用体は次のように定義します。union(ユニオン)には結合などの意味がありますが、C言語では共用体のことです。

共用体の定義

```
union 共用体名 {
    型 変数名;
    …
};
```

構造体と同様に、{}（波括弧）の中には変数の宣言を書きます。これらの変数はメンバと呼ばれます。共用体名やメンバ名の付け方は、通常の変数名の付け方（Chapter5）と同じです。

また、構造体と同様にtypedef宣言を使って、共用体型に別名を付けられます。別名を付けると、共用体型の変数を宣言する際などに、unionを書かなくても済むようになります。別名の付け方は構造体型と同様で、英小文字を使う方法と、英大文字を使う方法があります。

共用体型に別名を付ける

```
typedef union {
    型 変数名;
    …
} 別名;
```

定義した共用体を使うには、構造体と同じ要領で、共用体型の変数を宣言（定義）します。typedef宣言で付けた別名も使えます。,（カンマ）で区切って並べれば、複数の変数をまとめて宣言することも可能です。

共用体型の変数を宣言

```
union 共用体名 変数名;
```

別名を使って共用体型の変数を宣言

```
別名 変数名;
```

他の変数（Chapter5）と同様に、共用体型の変数も初期化できます。以下で値の部分は、式でも構いません。typedef宣言で付けた別名も使えます。

共用体型の変数を初期化

```
union 共用体名 変数名={値, …};
```

別名を使って共用体型の変数を初期化

```
別名 変数名={値, …};
```

上記は構造体の初期化に似ていますが、共用体の場合には、定義で最初に書いたメンバに対してのみ、値が格納されることに注意してください。例えば、最初のメンバがint型の変数、次のメンバがchar型の配列ならば、値はint型の変数のみに格納されます。なお、構造体と同様にメンバを指定して初期化することもできます。

最初のメンバのみに値が格納されるのに、なぜ上記のように初期化で複数の値が書けるのか、疑問に思ったかもしれません。初期化で複数の値を書くのは、最初のメンバが配列や構造体の場合です。最初のメンバが配列や構造体ではない場合は、値を1個だけ書きます。

このように宣言または初期化した共用体型の変数に対して、次のように書くと、メンバの値を読み書きできます。構造体と同様に、.(ドット)演算子を使います。例えば、共用体のメンバが「int型の変数」と「char型の配列」の場合、共用体を「int型の変数」として読み書きしたいときには前者のメンバを指定し、「char型の配列」として読み書きしたいときには後者のメンバを指定します。

共用体のメンバを読み書きする

```
変数名.メンバ名
```

これで共用体の使い方を一通り学びました。次は共用体を使って、エンディアンに関するプログラムを書いてみましょう。

❖共用体を使ってエンディアンを調べる

エンディアン(バイトオーダー)というのは、複数のバイトで構成される値をメモリに格納するときに、バイトを並べる順序のことです。例えば、16進数の0x12345678という値について、上位から先に12・34・56・78のように並べる方法をビッグエンディアンと呼び、下位から先に78・56・34・12のように並べる方法をリトルエンディアンと呼びます。

▼エンディアン

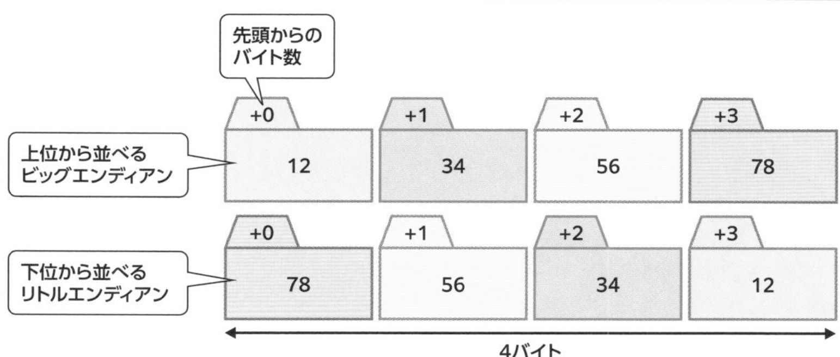

どのエンディアンを採用しているのかは、CPUによって異なります。例えば、x86やx64という仕様に基づいたCPU（IntelやAMDなど）は、リトルエンディアンを採用しています。ARM（アーム）という仕様に基づいたCPU（Appleなど）は、リトルエンディアンとビッグエンディアンのいずれも選択できる、バイエンディアンになっています。

通常のプログラミングでは、エンディアンについて意識しなくても大丈夫です。しかし、エンディアンが異なるCPUを搭載したコンピュータの間でデータを交換する場合や、ネットワークを通じてデータを送受信する場合には、エンディアンを意識したプログラミングが必要です。例えば、色々なパソコンやゲーム機などが接続するオンラインゲームを開発するような場合は、エンディアンについて検討するべきです。

さて、先ほど学んだ共用体を使うと、今使っている環境がどちらのエンディアンなのかを調べられます。**int型の変数と、char型で要素数が4個の配列をメンバに持つ共用体を定義した上で、共用体型の変数をint型の0x12345678で初期化し、char型の配列で読み出して出力**するプログラムを書いてください。出力された値の並び方を見れば、どちらのエンディアンなのかが分かります。16進数を出力するので、変換指定には%xを使います（Chapter3）。

▼union.c

```
#include <stdio.h>

// 共用体の定義とtypedef宣言
typedef union {
```

```
    int i;
    char c[4];
} INT_CHAR;

// main関数の定義
int main(void) {

    // 共用体型の変数を初期化
    INT_CHAR a={0x12345678};

    // int型として読み出して出力
    printf("%x\n", a.i);

    // char型の配列として読み出して出力
    printf("%x %x %x %x\n", a.c[0], a.c[1], a.c[2], a.c[3]);
}
```

上記のプログラムでは、共用体を定義し、typedef宣言でINT_CHARという別名を付けました。int型のメンバを先に書いたので、共用体型の変数を初期化する際には、値はint型のメンバに格納されます。

以下の実行例では、78・56・34・12のように出力されました。この環境はリトルエンディアンだということが分かります。

▼実行例

```
> gcc -o union union.c
> union
12345678      ← int型で読み出した値
78 56 34 12   ← char型の配列で読み出した値
```

次は共用体を使って、エンディアンを変換するプログラムを書いてみます。

❖共用体を使ってエンディアンを変換する

エンディアンが異なる環境の間でデータを交換する際には、エンディアンを変換する必要があります。例えば、ビッグエンディアンとリトルエンディアンの変換を行うには、次のようにバイトの順序を入れ替えます。

▼エンディアンの変換

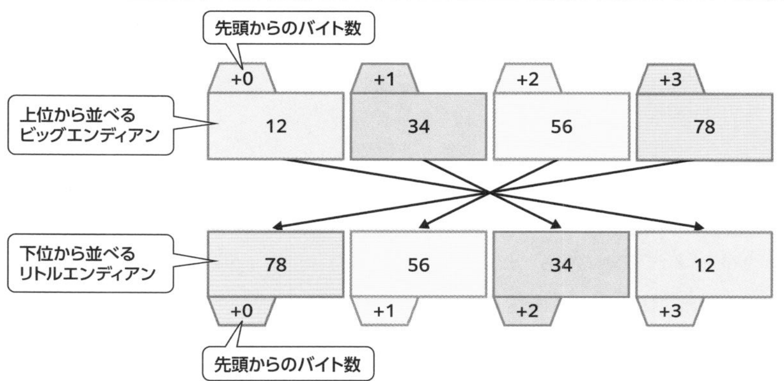

共用体を使って、上記のようにバイトを入れ替えてみましょう。前回のプログラム（union.c）で定義した共用体型のINT_CHARを、引き続き使います。**共用体型の変数をint型の0x12345678で初期化し、char型の配列を使ってバイトの順序を入れ替えた後に、int型で読み出して出力**するプログラムを書いてください。0x12345678が0x78563412に変化すれば成功です。

▼union2.c

```
#include <stdio.h>

// 共用体の定義とtypedef宣言
typedef union {
    int i;
    char c[4];
} INT_CHAR;

// main関数の定義
int main(void) {

    // 共用体型の変数を初期化
    INT_CHAR a={0x12345678};

    // int型で読み出して出力
    printf("%x\n", a.i);

    // バイトの順序を入れ替える
```

```
    char b;
    b=a.c[0], a.c[0]=a.c[3], a.c[3]=b;
    b=a.c[1], a.c[1]=a.c[2], a.c[2]=b;

    // 再びint型で読み出して出力
    printf("%x\n", a.i);
}
```

バイトの順序を入れ替える部分は、カンマ(,)演算子(Chapter7)を使って短く書きました。添字0と3の要素、添字1と2の要素を、それぞれ入れ替えます。カンマ演算子を使わずに、複数行に分けて書いても構いません。

▼実行例

```
> gcc -o union2 union2.c
> union2
12345678
78563412
```

共用体の使い方と、代表的な使い方の一つであるエンディアンの操作について学びました。次は構造体や共用体と一緒に使う、ビットフィールドについて学びます。

column

構造体と共用体を組み合わせる

構造体と共用体を組み合わせて使う例を紹介しましょう。共用体は、型が異なる構造体を一つの配列に混在させたい場合にも使えます。例えば、FRUIT(フルーツ)型の構造体(名前・価格・重量)と、CAKE(ケーキ)型の構造体(名前・価格・個数)は、型が異なるので一つの配列には格納できません。配列に格納できるのは、同じ型の値だけだからです。しかし、FRUIT型とCAKE型を共用体のメンバにすれば、同じ共用体型の値になるので、一つの配列に格納できます。配列の各要素を、それぞれFRUIT型とCAKE型のどちらで扱うのかは、プログラムが何らかの方法(商品の種別を表す番号を付けるなど)で判定する必要があります。

section 06 ビット単位で値を詰め込める ビットフィールド

ビットフィールドは、構造体や共用体のメンバについて、ビット数を指定する機能です。少ないビット数の中に色々な情報を詰め込みたいときや、ビット単位で配置された情報を読み書きしたいときに便利です。使用頻度はそれほど高くないので、もし先を急いでいたら、このセクションは後で読んでも構いません。

構造体や共用体のメンバは、charは8ビット、shortは16ビット、intは32ビットのように、一般に8ビットの倍数です。しかしビットフィールドを使うと、例えば1ビットや5ビットや10ビットといった、8の倍数以外のビット数を持つメンバを宣言できます。

ビットフィールドを使うには、メンバを次のように宣言します。ビット数は整数定数式(Chapter8)です。型はunsigned int、signed int、int(符号の有無は処理系定義)、bool(_Bool)の4種類から選べます。複数のメンバをまとめて宣言するには、「変数名:ビット数」を,(カンマ)で区切って並べます。なお、変数名を省略すると、指定したビット数のパディングになります。

ビットフィールド

```
型 変数名:ビット数;
```

ビットフィールドを使ってみましょう。題材としては、高品質な映像の形式として使われているHDR(エイチ・ディー・アール)を扱います。HDRはHigh Dynamic Range(ハイ・ダイナミック・レンジ)の略で、従来の映像よりも明暗の範囲が広いことが特徴です。

一般にコンピュータでは、光の3原色(赤・緑・青)を混ぜ合わせて色を表現します。色の成分はR・G・Bと呼ばれ、それぞれ赤・緑・青の輝度(明るさ)を表します。各成分は0%から100%(浮動小数点数にすると0.0から1.0)の値を取り、全成分が0%のときは黒、100%のときは白が表現されます。各成分に割り当てられるビット数が増えると、輝度を細かく表せるので、より多数の色を扱えるようになり、微妙な色の差を表現することが可能になります。

HDRの中でもよく使われているHDR10という形式は、R(Red、赤)・G(Green、緑)・B(Blue、青)の各成分に10ビットずつを割り当てて、色を表現します。従来使われてきた、R・G・Bの各成分に8ビットずつを割り当てる形式に比べて、ビット数が増えています。

このHDR10形式を、16ビットのunsigned short型で表現した場合と、10ビットのビットフィールドで表現した場合について、構造体のバイト数を比較してみましょう。ビットフィールドを使うと、バイト数を節約できることを確認するのが目的です。**unsigned short型のメンバr・g・bを持つCOLOR_ST構造体と、unsigned int型で10ビットのメンバr・g・bを持つCOLOR_BF構造体を定義した上で、各構造体のバイト数をsizeofで取得して出力**するプログラムを書いてください。COLOR_STの「ST」はshortの略、COLOR_BFの「BF」はbit field（ビットフィールド）の略です。

▼bit.c

```
#include <stdio.h>
#include <stdbool.h>

// COLOR_ST構造体の定義
typedef struct {
    unsigned short r, g, b;
} COLOR_ST;

// COLOR_BF構造体の定義
typedef struct {
    unsigned int r:10, g:10, b:10;
} COLOR_BF;

// main関数の定義
int main(void) {

    // 各構造体のバイト数を出力
    printf("%lu\n", sizeof(COLOR_ST));
    printf("%lu\n", sizeof(COLOR_BF));
}
```

上記のCOLOR_STは通常の構造体で、COLOR_BFはビットフィールドを使った構造体です。以下の実行例を見ると、ビットフィールドの働きでバイト数を2/3に節約できています。

▼実行例

```
> gcc -o bit bit.c
> bit
6  ← COLOR_ST構造体(unsigned short) のバイト数
4  ← COLOR_BF構造体(ビットフィールド) のバイト数
```

上記のCOLOR_BF構造体を使って、別のプログラムを書いてみましょう。入力した色の成分を、ビットフィールドに格納するプログラムです。**キーボードからR・G・Bの各成分を0.0〜1.0の浮動小数点数で入力すると、10ビットの符号なし整数(0〜1023)に変換し、COLOR_BF構造体に格納した上で、各メンバを出力**するプログラムを書いてください。

▼bit2.c

```
#include <stdio.h>
#include <stdbool.h>

// COLOR_BF構造体の定義
typedef struct {
    unsigned int r:10, g:10, b:10;
} COLOR_BF;

// main関数の定義
int main(void) {

    // 無限ループ
    for (;;) {

        // R・G・Bの各成分を入力
        double r, g, b;
        printf("r g b : ");
        scanf("%lf%lf%lf", &r, &g, &b);

        // 1より大きければ1に、0より小さければ0に直す
        r = r>1 ? 1 : r<0 ? 0 : r;
        g = g>1 ? 1 : g<0 ? 0 : g;
        b = b>1 ? 1 : b<0 ? 0 : b;

        // COLOR_BF構造体に各成分を変換して格納
        COLOR_BF c={r*1023, g*1023, b*1023};
```

```
        // COLOR_BF構造体のメンバを出力
        printf("%d %d %d\n", c.r, c.g, c.b);
    }
}
```

入力した各成分の値が0.0～1.0の範囲に収まっていない場合には、範囲内の値に直す必要があります。上記のプログラムでは、条件演算子(Chapter6)を使って値を補正します。if文で書いても構いませんが、条件演算子を使うと短く書けます。0.0～1.0から0～1023へは、1023を乗算すれば変換できます。プログラムを終了するには、Ctrl+Cキー(Windows/Linux)かcontrol+Cキー(macOS)を入力してください。

▼実行例

```
> gcc -o bit2 bit2.c
> bit2
r g b : 0 0.5 1         ← 各成分を0.0～1.0で入力
0 511 1023              ← 0～1023に変換して出力
r g b : 0.8 0.4 0.2     ← 各成分を0.0～1.0で入力
818 409 204             ← 0～1023に変換して出力
r g b :                 ← Ctrl+Cキーかcontrol+Cキーで終了
>
```

本章では、構造体・共用体・ビットフィールドについて、使い方と代表的な用途を学びました。この中でも構造体は使用頻度が高く、例えば標準ライブラリでもファイル構造体(Chapter15)などで使われています。

次章ではいよいよ、C言語を学ぶ上で難関だと評されることが多い、ポインタについて学びます。

応用編 Chapter13

ポインタはアドレスを使って対象を指し示す

ポインタは難解だと言われることがありますが、仕組みや利点を理解すれば実は分かりやすいので、安心してください。ポインタは、メモリのアドレスを使って、対象（変数・配列・文字列・構造体・共用体・関数など）を指す（指し示す）機能です。ポインタを使うと、大きなデータを効率よく受け渡したり、動的にメモリを確保したりできます。
本章ではポインタの基本的な使い方を学びます。最初はポインタの宣言と、ポインタによるメモリ（変数）の読み書きから始めます。次に、ポインタを使って配列・文字列・構造体を操作します。

本章の学習内容

①アドレスの取得
②ポインタの宣言と初期化
③ポインタによるメモリの操作
④ポインタによる配列の操作
⑤ポインタによる文字列の操作
⑥ポインタによる構造体の操作

section 01 ポインタを宣言してアドレスを格納する

C言語におけるポインタは、変数の一種だといえます。整数型の変数には整数を、浮動小数点数型の変数には浮動小数点数を格納しますが、ポインタにはアドレスを格納します。アドレスとは、メモリを読み書きする位置を指定するための整数です(Chapter5)。「アドレスが整数ならば、なぜ整数型の変数に格納しないのか？」と疑問に思うかもしれませんが、実は整数型とポインタが区別されていることには、いくつかの利点があります。

まず、整数とアドレスの混同を防ぐ効果があります。もし整数型とポインタの区別がないと、ある変数に格納されているのが整数なのかアドレスなのかをうっかり忘れて、例えば「アドレスが示すメモリに格納された整数を使って計算」するつもりが、「アドレス自体を整数として使って計算」してしまうかもしれません。変数に何を格納したのかは、複雑なプログラムを書いていると忘れがちです。整数型やポインタといった型の区別は、こういった間違いを防止してくれます。

また、整数型とポインタに対して、異なる計算の機能が提供されることも利点です。例えば、整数型で1を加算したときに増える値は1ですが、ポインタで1を加算したときに増える値は1とは限らず、ポインタが指す型によって変わります。後述するように、これはポインタで配列を操作する際に便利な機能です。こういった機能も、整数型とポインタが区別されているからこそ実現できます。

さて、ポインタを使うには他の変数と同様に、ポインタを宣言したり、ポインタを初期化してアドレスを格納したり、といった準備が必要です。まずはポインタの仕組みを学び、次に使い方を学びましょう。

❖ポインタの仕組み

以前学んだように、C言語の変数はメモリ上に配置されます(Chapter5)。配列・文字列・構造体・共用体・関数なども同様です。メモリには位置を示すアドレスがあるので、変数を配置してある位置もアドレスで示せます。

次の図では、変数xが配置されているメモリのアドレスを、仮に1000番地としました。変数xには整数123が格納されているとします。

▼変数はメモリに配置する

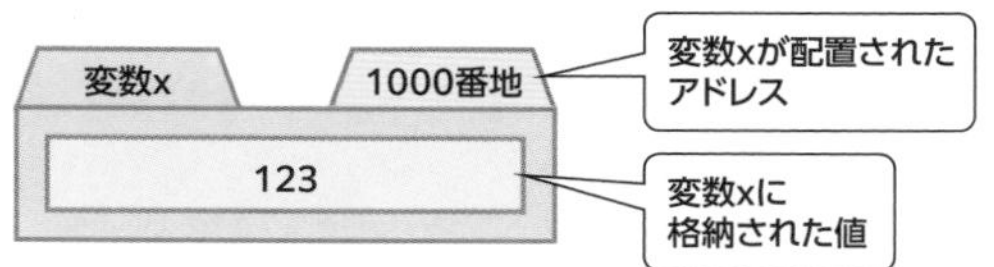

さて、ポインタにはアドレスを格納できます。そこで次の図のように、上記のアドレス(1000)を、ポインタpに格納したとします。

アドレスを知っていれば、そのメモリを読み書きできます。ポインタpを使うと、1000番地のメモリ、つまり変数xのメモリを読み書きすることが可能です。これは、ポインタpが変数xを指している、とも言えます。

▼ポインタにはアドレスを格納する

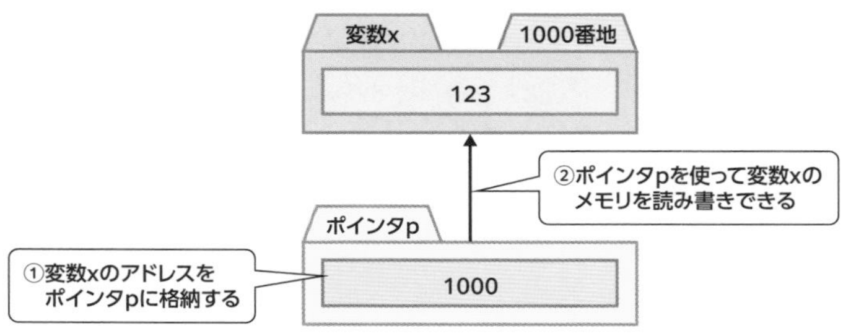

これがポインタの仕組みです。以下に要点をまとめます。

①ポインタには対象のアドレスを格納する
②アドレスを使って対象のメモリを読み書きできる

さて、ポインタにはどんな利点があるのでしょうか。実は先ほどの図で、変数をポインタで指す例を挙げたのは、例をシンプルにするためです。実際には、この例においてはポインタを使わずに、変数を直接読み書きした方が簡単でしょう。

一方、サイズが大きな(バイト数が多い)配列・文字列・構造体などをポインタで指すと、ポインタの利点が見えてきます。例えば、構造体を関数に渡すことを考えてみましょう。

以前に学んだように、構造体は引数として関数に渡せます(Chapter12)。関数呼び出しにおいては実引数から仮引数へのコピーが行われるので(Chapter10)、もし構造体のサイズが大きな場合や、何度も関数を呼び出す場合には、コピーの処理に時間がかかる可能性があります。

▼構造体を関数に渡す

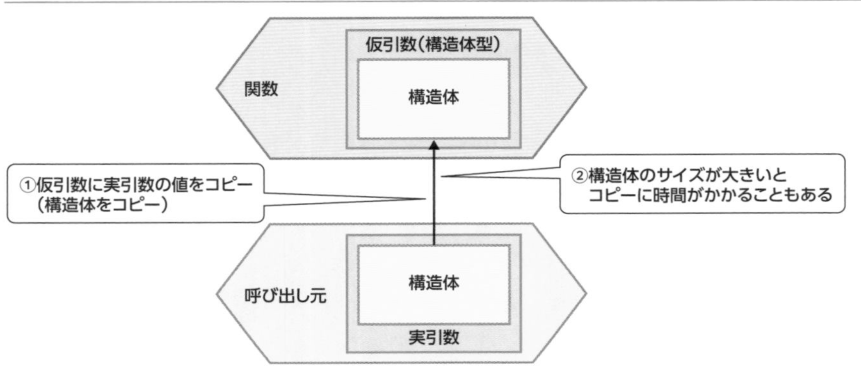

コピーの処理時間が気になる場合には、構造体のアドレスを関数に渡すことができます。アドレスのサイズは、4バイト(32ビット)や8バイト(64ビット)といった、比較的少ないバイト数です。そのため、構造体のサイズが大きな場合は、アドレスを渡した方がコピーの処理時間を短縮できる可能性があります。

アドレスを渡された関数では、何らかの方法でアドレスを受け取り、このアドレスを使って呼び出し元にある構造体を読み書きします。ここで役立つのがポインタです。ポインタを関数の仮引数にすることによって、実引数として渡されたアドレスを受け取り、構造体のメモリを読み書きできます。

▼構造体のアドレスを関数に渡す

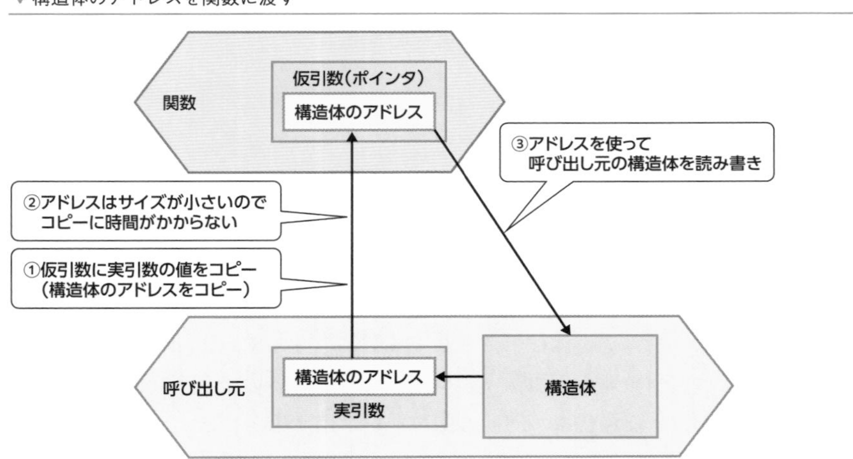

このようにポインタは、プログラムの処理を高速化するために使われることがあります。一方、特定のデータ構造(データを格納する方法)を実現するために、ポインタを使うこともあります。例えば「連結(れんけつ)リスト」と呼ばれるデータ構造は、前後の要素をポインタで連結することによって実現します。この連結によって各要素が一直線につながり、先頭の要素から順に、次の要素へ、そのまた次の要素へとアクセスできるようになります.

以下は連結リストの例です。1000・2000・3000番地にある要素を、ポインタを使って連結します。各要素には、次の要素を差すポインタと、要素に格納されたデータ(値)があります。ポインタを使って次の要素に移動すれば、先頭から末尾まで、要素を1個ずつ辿って処理できます。

▼ポインタを使った連結リスト

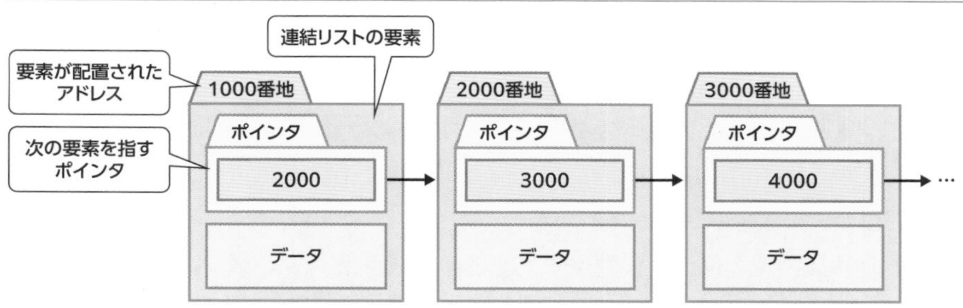

上記のように、各要素が次の要素を指す連結リストを、単方向(たんほうこう)リストと呼びます。各要素がポインタを2個ずつ持っていて、前後の要素を指す連結リストは、双方向(そうほうこう)リストと呼びます。

このように、C言語では色々な場面でポインタが使われています。ポインタにはアドレスを格納し、このアドレスを使って対象のメモリを読み書きできる…という基本を押さえた上で、これから具体的な使い方を学びましょう。

次はメモリのアドレスを取得する方法を学びます。

column

ポインタという言葉の意味

ポインタという言葉は、C言語を含むプログラミングの色々な分野で使われています。ポインタは対象を指す機能です。ポインタの実現方法としては、メモリのアドレスを使うことが多いです。

ポイント(point)というのは指すことで、ポインタ(pointer)というのは指すという行為をする人や物のことです。プログラミング以外の分野では、プレゼンテーションで図などを指すために使うレーザーポインターや、狩猟において獲物の位置を指す(知らせる)ポインターという犬種などに、ポインタという言葉が見られます。

❖メモリのアドレスを取得する

ポインタに格納するアドレスを取得するには、アドレス演算子(アドレス取得演算子)を使います。アドレス演算子は、scanf関数に変数のアドレスを渡すときに、既に利用しています(Chapter5)。

アドレス演算子を使って変数のアドレスを取得するには、次のように書きます。&(アンパサンド)の記号は、ビット演算子の論理積(AND)にも使われていますが(Chapter4)、記法が異なることに注意してください。アドレス演算子の&は単項演算子(演算の対象が1個)で、ビット演算子の&は二項演算子(演算の対象が2個)です。

アドレス演算子

```
&変数
```

アドレス演算子を使ってみましょう。**int型の変数xを宣言し、xのアドレスを取得して出力**するプログラムを書いてください。printf関数でアドレスを出力するには、変換指定の%pを使います(Chapter3)。

▼pointer.c

```
#include <stdio.h>

int main(void) {
    int x;
    printf("%p\n", &x);
}
```

上記のプログラムが出力するアドレスは環境によって異なり、同じ環境でも実行するたびに異なる可能性があります。以下はWindowsの実行例です。macOS/Linuxでも同様にアドレスが出力されます。

▼実行例

```
> gcc -o pointer pointer.c
> pointer
000000000061FE1C   ← 変数xのアドレス
```

次は取得したアドレスを、ポインタに格納してみましょう。

ポインタを宣言してアドレスを格納する

ポインタを使うには、変数と同様に、ポインタを宣言する必要があります。ポインタの宣言は次のように書きます。ポインタが指す値の型を書いた上で、*（アスタリスク）を付けます。ポインタ名は変数名と同じ方法（Chapter5）で命名します。

ポインタの宣言（*をポインタ名に付ける）

```
型 *ポインタ名;
```

上記のように*をポインタ名に付ける書き方は、C言語のプログラムでよく見かけます。一方で、以下のような型に*を付ける書き方は、C++のプログラムでよく見かけます。

ポインタの宣言（型に*を付ける）

```
型* ポインタ名;
```

プログラムを書くときには、上記いずれの書き方を使っても構いません。空白を入れずに「型*ポインタ名;」と書いても大丈夫ですが、これはあまり見かけません。

本書では後者の「型* ポインタ名;」という書き方を使います。ポインタは「型*」という型の変数である、と理解すると分かりやすいためです。例えばintを指すポインタは、int*（イント・アスタリスク）型の変数である、と理解します。イント・アスタリスクと呼ぶのは長いので、相手に通じるならば、イント・アスタと短縮して呼ぶ方法もあります。

▼ポインタが指す値の型とポインタの型

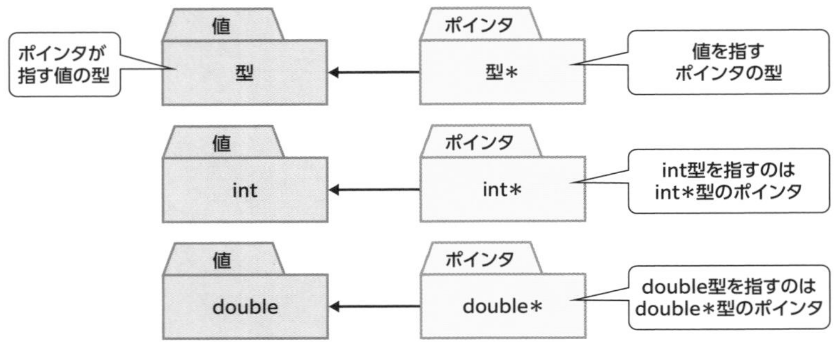

複数のポインタをまとめて宣言することもできます。この場合は次のように、ポインタ名ごとに*を付ける必要があるので、注意してください。

複数のポインタを宣言

```
型 *ポインタ名A, *ポインタ名B, …;
```

もし「型* A, B, …;」のように書くと、Aはポインタ、Bは普通の変数になります。また「型* A, *B, …;」のようにも書けますが、AとBの書き方を揃えて、上記のように「型 *A, *B, …;」と書くのが分かりやすいでしょう。

さて、次のようにポインタを初期化すると、宣言と同時にアドレスを格納できます。これは変数の初期化(Chapter5)と同様です。

ポインタの初期化

```
型* ポインタ名=アドレス;
```

また、次のようにポインタへアドレスを代入することもできます。これは変数への値の代入と同様です。

ポインタへの代入

```
ポインタ=アドレス
```

初期化や代入において、ポインタの型と、アドレスが示すメモリに格納された値の型は、合わせる必要があります。例えばint*型のポインタには、int型の値が格納されたメモリのアドレスを格納します。

また、上記でアドレスの部分には、値がアドレスになる式も書けます。例えば、ポインタを書いたり、ポインタを使った式を書くことも可能です。

ポインタを初期化してみましょう。**int型の変数xを宣言し、int*型のポインタpをxのアドレスで初期化した上で、&x（xのアドレス）とpを出力**するプログラムを書いてください。

▼pointer2.c

```
#include <stdio.h>

int main(void) {
    int x;
    int* p=&x;
    printf("%p\n", &x);
    printf("%p\n", p);
}
```

以下はWindowsの実行例です。macOS/Linuxでも同様に、2個のアドレスが出力されます。2個のアドレスが等しいことから、変数xのアドレスがポインタpに格納されたことが分かります。

▼実行例

```
> gcc -o pointer2 pointer2.c
> pointer2
000000000061FE14   ← 変数xのアドレス
000000000061FE14   ← ポインタpの値（変数xのアドレス）
```

次はポインタが指すメモリを読み書きしてみましょう。

ポインタが指すメモリを読み書きする

ポインタに格納されたアドレスを使って、メモリを読み書きするには、次のように間接演算子（間接参照演算子）を使います。*（アスタリスク）は乗算にも使いますが（Chapter4）、記法の違いに注意してください。間接演算子の*は単項演算子で、乗算の*は二項演算子です。なお、以下の使い方で「ポインタ」の部分には、ポインタを使った式（次のセクションで説明）も書けます。

ポインタが指すメモリを参照

```
*ポインタ
```

次のように書くと、ポインタが指すメモリに、式の値を代入できます。値の型は、ポインタが指す型に合わせる必要があります。

ポインタが指すメモリを変更

```
*ポインタ=式
```

間接演算子を使った式の型は、ポインタが指す値の型、つまりポインタの型から*を取り除いた型になることに注目してください。例えば、int*型のポインタpに対して、間接演算子を使った*pの型は、int*から*を取り除いたintになります。この関係を覚えておくと、ポインタを使った式を読み解くのがとても簡単になります。

▼間接演算子と型

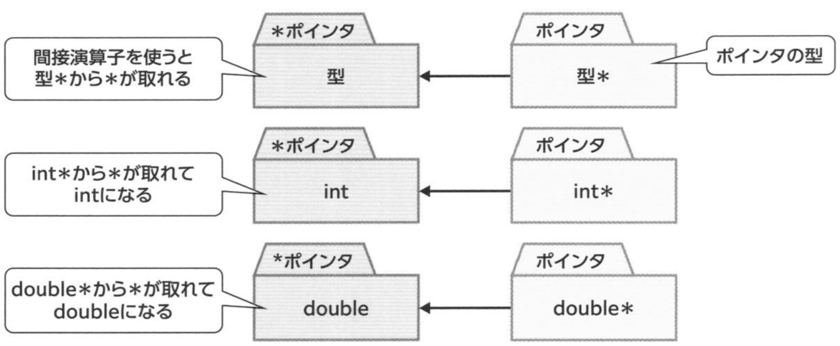

間接演算子を使ってみましょう。**int型の変数xを123で初期化し、ポインタpをxのアドレスで初期化した上でxと*pを出力し、さらに*pに456を代入した上でxと*pを出力**するプログラムを書いてください。

▼pointer3.c

```
#include <stdio.h>

int main(void) {

    // ポインタpは変数xを指す
    int x=123;
    int* p=&x;

    // 変数xの値を出力
    printf("%d\n", x);
    printf("%d\n", *p);
```

```
    // ポインタpが指すメモリ（変数x）の値を変更
    *p=456;

    // 変数xの値を出力
    printf("%d\n", x);
    printf("%d\n", *p);
}
```

このプログラムの目的は、変数xを指すポインタpから、変数xの値を参照および変更することです。以下の実行例から、xの値を「*p」で参照・変更できることが分かります。また、前回のプログラム（pointer2.c）でpを出力した結果と、今回のプログラムで*pを出力した結果を比べてみてください。pを出力すると変数xのアドレスが出力され、*pを出力すると変数xの値が出力されます。

▼実行例

```
> gcc -o pointer3 pointer3.c
> pointer3
123  ← 変数xの値
123  ← ポインタpが指すメモリ（変数x）の値
456  ← 変数xの値
456  ← ポインタpが指すメモリ（変数x）の値
```

次はヌルポインタという、ポインタの特別な値について学びます。

❖何も指していないヌルポインタ

ヌルポインタというのは、何も指していないポインタのことです。ポインタを使っていると、何も指していないポインタが必要になることが、ときどきあります。例えば、この先にはもうデータがない（ここがデータの終点である）ことを表す場合などです。こんなときに役立つのが、ヌルポインタです。

ヌルポインタを作るには、ポインタにNULL（ヌル）または整数の0を格納します。NULLは標準ライブラリで定義されているマクロで、特定のヘッダファイル（stdio.h、stdlib.h、string.hなどのいずれか）をインクルードすると使えます。NULLや0は、あらゆる型のポインタに格納できます。

以下はデータ構造の連結リストでヌルポインタを使った例です。この先にはもう要素がないことを、ヌルポインタで表します。C言語では、通常のアドレスとしては0以外を使うので、通常のポインタ（対象を指すポインタ）とヌルポインタ（何も指さないポインタ）は区別できます。

▼ヌルポインタの用途

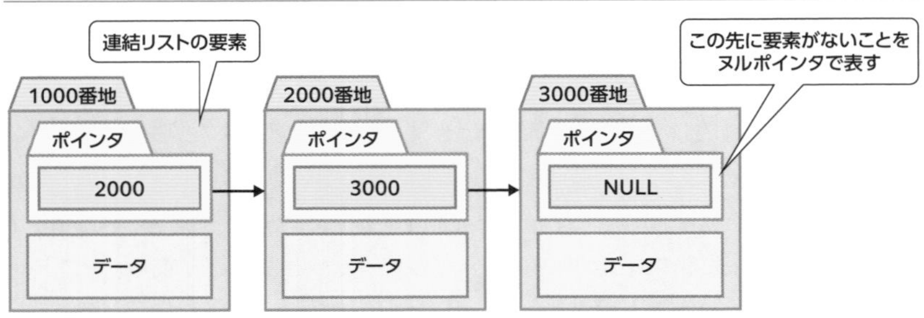

NULLは、文字列の末尾を表すヌル文字（'\0'）とは異なることに注意してください（Chapter9）。どちらも値は0ですが、NULLはヌルポインタに使い、'\0'は文字として使います。なお、C++（C++11以降）にはnullptr（ヌルポインタ）というキーワードがあり、NULLの代わりに使います。

簡単なプログラムで、ヌルポインタを使ってみましょう。**int*型のポインタpをNULLで初期化した上で、pを出力**するプログラムを書いてください。

▼pointer4.c

```
#include <stdio.h>

int main(void) {
    int* p=NULL;
    printf("%p\n", p);
}
```

以下のように、環境ごとに表現は異なりますが、値としてはいずれも0が出力されます。Linuxの場合に出力されるnil（ニル）は無や零を意味する言葉です。

▼Windowsにおける実行結果

```
> gcc -o pointer4 pointer4.c
> pointer4
0000000000000000  ← ヌルポインタの値
```

▼macOSにおける実行結果

```
> gcc -o pointer4 pointer4.c
> pointer4
0x0  ← ヌルポインタの値
```

▼Linuxにおける実行結果

```
> gcc -o pointer4 pointer4.c
> pointer4
(nil)  ← ヌルポインタの値
```

ここまででポインタの基本的な使い方を学びました。次はポインタを使って配列を操作する方法を学びます。

column

ヌルポインタを使ってメモリを読み書きしてはいけない

ヌルポインタは何も指していないポインタです。ヌルポインタ(NULLや0が格納されているポインタ)に対し、うっかり間接演算子を使って、メモリを読み書きしてはいけません。これは未定義の動作(Chapter4)になります。

プログラミング言語によっては、ヌルポインタ(に相当する機能)を使ってメモリを読み書きすると、エラーを表示して知らせてくれる場合があります。しかしC言語は、プログラムの実行時にはエラーの確認や表示などを極力省いて高速化を図るので、エラーが表示されるとは限りません。OSが不正なメモリアクセスを検知してプログラムを強制終了させる場合もあれば、不正な処理をしたままプログラムが動き続けてしまう場合もあります。

ヌルポインタに限らず、ポインタを使ったプログラムは、原因が見つけにくいバグを抱えがちです。ポインタによるバグを避けるには、ポインタが何を指しているのかを正確に把握した上で、慎重にプログラムを書くのがおすすめです。曖昧な理解で、何となくプログラムを書いて動かしてみるのは、おすすめしません。本書に掲載した図のように、ポインタとポインタが指す値の関係を簡単に図示し、設計図として参照しながらプログラムを書くのも効果的です。

section 02

ポインタを使って配列を操作する

配列の要素は、ポインタを使って読み書きすることもできます。このときポインタは、メモリ上にある配列の各要素を指します。

配列の要素は配列名を使って読み書きできますが(Chapter8)、処理によってはポインタを使った方が、プログラムを簡潔に書ける場合があります。配列名を使う方法と、ポインタを使う方法の両方を知っておくと、場面に応じて書きやすい方法を選べます。

まずはポインタで配列を指す方法から学びましょう。

ポインタで配列を指す

以前に学んだように、配列名は配列の先頭アドレスを表します(Chapter8)。このアドレスは、次のように初期化や代入を使って、ポインタに格納できます。

ポインタを配列の先頭アドレスで初期化

```
型* ポインタ名=配列名;
```

ポインタに配列の先頭アドレスを代入

```
ポインタ=配列名
```

上記において、ポインタの型は配列の型(要素の型)に合わせます。例えばint型の配列ならば、ポインタはint*型にします。int型の要素を指すポインタなので、int*型になるというわけです。

▼ポインタで配列を指す

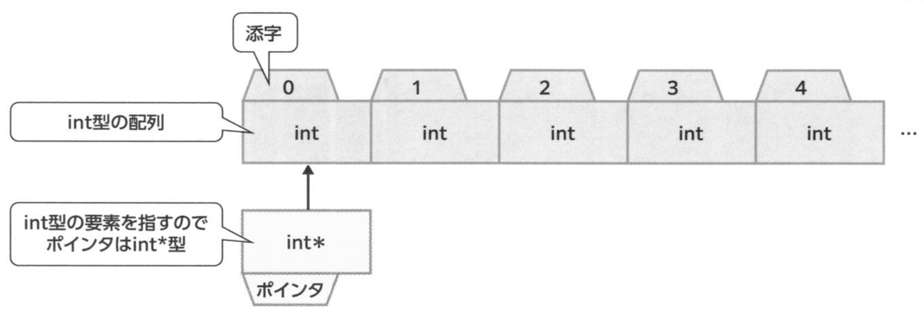

まずは配列の先頭アドレスをポインタに格納するだけのプログラムを書いてみましょう。飲料の容量(ml、ミリリットル)を一覧表にした、bottle(ボトル)という配列を使います。要素は300、500、700、1000、1500、0とします。最後の0は、配列の末尾を表します。**int型の配列bottleを初期化し、int*型のポインタpをbottleで初期化した上で、bottleとpを出力**するプログラムを書いてください。

▼array.c

```
#include <stdio.h>

int main(void) {
    int bottle[]={300, 500, 700, 1000, 1500, 0};
    int* p=bottle;
    printf("%p\n", bottle);
    printf("%p\n", p);
}
```

以下はWindowsの実行例で、macOS/Linuxも同様の結果です。出力されるアドレスは環境によって異なりますが、bottleとpの値(アドレス)が同じなので、ポインタpに配列bottleの先頭アドレスを格納できたことが分かります。

▼実行例

```
> gcc -o array array.c
> array
000000000061FE00   ← 配列の先頭アドレス
000000000061FE00   ← ポインタpの値(配列の先頭アドレス)
```

次はポインタと間接演算子を使って、配列の要素を読み書きします。

❖ポインタと間接演算子で配列の要素を読み書きする

本章で学んだように、ポインタが指すメモリを読み書きするには、間接演算子を使います。配列を指すポインタに関しては、次のように書くと、指定した添字の要素を参照できます。

ポインタと間接演算子で配列の要素を参照

```
*(ポインタ+添字)
```

次のように代入を使って、要素の値を変更することも可能です。式の値が要素に格納されます。

ポインタと間接演算子で配列の要素を変更

```
*(ポインタ+添字)=式
```

ポインタには整数を加算または減算できます。ポインタに対する加減算では、ポインタが指す型のバイト数に応じて、加減算されるバイト数が変わることに注意してください。ポインタに整数を加算すると、ポインタに格納されたアドレスには「整数×型のバイト数」が加算されます。減算も同様です。

例えば、int*型のポインタに対して「1」を加算すると、intのバイト数が4バイトの場合は「4」(1×4)が加算されます。同様に、「2」を加算すれば「8」(2×4)、「3」を加算すれば「12」(3×4)が加算されます。

このようにポインタの加減算に対して、ポインタが指す型のバイト数が乗算されるのは、ポインタで配列の要素を読み書きするときに便利です。例えばint型の配列では、intが4バイトの場合、要素が先頭アドレス+4、+8、+12のように4バイトごとに並びます。ポインタが配列の先頭を指している場合、各要素は「*(ポインタ+1)」「*(ポインタ+2)」「*(ポインタ+3)」のように、ポインタに添字を加算すれば読み書きできます。こうした書き方ができるので、「intのバイト数は何バイトだろうか」「各型のバイト数は環境に依存するから…」といった気遣いをする必要がありません。なお以下の例では、配列の先頭アドレスを1000とし、アドレスを10進数で示しました。

▼ポインタに対する加減算と配列

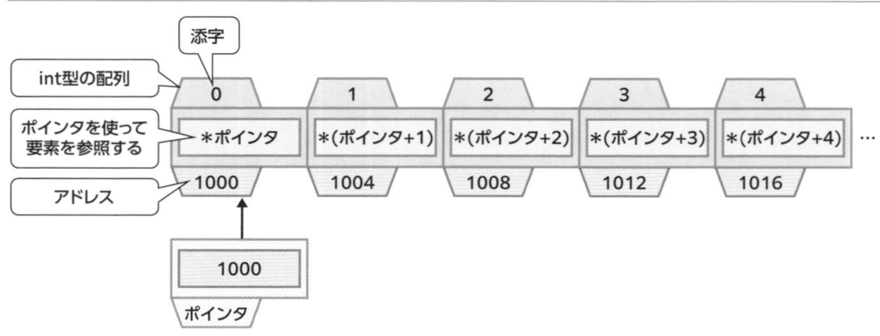

ポインタと間接演算子を使って、配列の各要素を参照してみましょう。前回のプログラム(array.c)を改造します。**配列bottleを指すポインタpと間接演算子を使って、0以外の全要素を出力**するプログラムを書いてください。以下のプログラム例では、参考のために各要素のアドレスも一緒に出力しています。

▼array2.c

```
#include <stdio.h>

int main(void) {
    int bottle[]={300, 500, 700, 1000, 1500, 0};
    int* p=bottle;
    printf("%p\n", p);
    for (int i=0; *(p+i); i++) printf("%p %d\n", p+i, *(p+i));
}
```

上記のプログラムにおいて、各要素のアドレスは「p+i」、各要素の値は「*(p+i)」で出力します。for文の条件式に書いた「*(p+i)」は、添字iの要素が0以外である限り繰り返すことを表します。配列の末尾の要素には0が書きこんであるので、この要素に達したら繰り返しを終了します。「*(p+i)!=0」と書いても構いません。

以下はWindowsの実行例です。アドレスは異なりますが、macOS/Linuxも同様の結果になります。いずれの場合も、要素のアドレスが4バイトずつ変化していることが分かります。

▼実行例

```
> gcc -o array2 array2.c
> array2
000000000061FDF0          ← 配列の先頭アドレス
000000000061FDF0 300      ← p+0(先頭アドレス+0)
000000000061FDF4 500      ← p+1(先頭アドレス+4)
000000000061FDF8 700      ← p+2(先頭アドレス+8)
000000000061FDFC 1000     ← p+3(先頭アドレス+12)
000000000061FE00 1500     ← p+4(先頭アドレス+16)
```

次はポインタと添字演算子を使って、配列の要素を読み書きします。

❖ポインタと添字演算子で配列の要素を読み書きする

配列に対して使う添字演算子(Chapter8)は、実はポインタに対しても使えます。つまり、ポインタと添字演算子を使って、配列の要素を読み書きできます。次のように、配列名の代わりにポインタを書きます。

ポインタと添字演算子で配列の要素を参照

```
ポインタ[添字]
```

ポインタと添字演算子で配列の要素を変更

```
ポインタ[添字]=式
```

実は間接演算子と添字演算子は、配列名にもポインタにも使えます。間接演算子については、配列名と添字のどちらを先に書いても構いません。添字演算子については、添字を[]の中に書く方法の他に、あまり見かけませんが、添字を[]の外([]の前)に書く方法もあります。ポインタに配列の先頭アドレスが格納されている場合、以下のどの方法を使っても、配列の要素を読み書きできます。

▼配列の要素を読み書きする方法

種類	配列名を使用	ポインタを使用
間接演算子(添字が後)	*(配列名+添字)	*(ポインタ+添字)
間接演算子(添字が前)	*(添字+配列名)	*(添字+ポインタ)
添字演算子(添字が中)	配列名[添字]	ポインタ[添字]
添字演算子(添字が外)	添字[配列名]	添字[ポインタ]

つまり間接演算子と添字演算子は、場面によってプログラムが書きやすい方を選んで使えます。途中で切り替えても、混ぜて使っても構いません。例えば、ポインタpと添字iに関しては、「*(p+i)」、「*(i+p)」、「p[i]」、「i[p]」のどの書き方でもよいということです。

ポインタと間接演算子を使った前回のプログラム(array2.c)を改造して、ポインタと添字演算子を使ったプログラムを書いてみましょう。**配列bottleを指すポインタpと添字演算子を使って、0以外の全要素を出力**するプログラムを書いてください。以下のプログラム例では、添字を中に書く方法と外に書く方法の、両方を使ってみました。

▼array3.c

```
#include <stdio.h>

int main(void) {
    int bottle[]={300, 500, 700, 1000, 1500, 0};
    int* p=bottle;

    // ポインタ[添字]で要素を出力
    for (int i=0; p[i]; i++) printf("%d ", p[i]);
    puts("");

    // 添字[ポインタ]で要素を出力
    for (int i=0; i[p]; i++) printf("%d ", i[p]);
    puts("");
}
```

▼実行例

```
> gcc -o array3 array3.c
> array3
300 500 700 1000 1500   ← ポインタ[添字]の出力
300 500 700 1000 1500   ← 添字[ポインタ]の出力
```

次は添字を使わずに、ポインタ自体を変化させて配列の要素を読み書きしてみます。

❖ポインタを変化させて配列の要素を読み書きする

ポインタは変化します。つまり、ポインタに格納したアドレスは、変更することが可能です。この性質を利用すると、ポインタと添字を組み合わせるのではなく、ポインタだけで配列の要素を読み書きできます。

次のような方法で、ポインタを加算または減算できます。代入演算子・複合代入演算子（Chapter5）を使う方法と、インクリメント演算子・デクリメント演算子（Chapter7）を使う方法があります。以下で紹介したのは基本的な方法で、もっと複雑な式を使ってポインタを加算または減算することも可能です。

▼ポインタの加算

使い方	演算子
ポインタ=ポインタ+整数	代入演算子
ポインタ+=整数	複合代入演算子
++ポインタ	前置インクリメント演算子
ポインタ++	後置インクリメント演算子

▼ポインタの減算

使い方	演算子
ポインタ=ポインタ-整数	代入演算子
ポインタ-=整数	複合代入演算子
--ポインタ	前置デクリメント演算子
ポインタ--	後置デクリメント演算子

間接演算子のときに学んだように、ポインタに対する加減算においては、ポインタが指す型のバイト数が乗算されることに注意してください。例えば、int型が4バイトの場合に、int*型のポインタに対して「1」を加算すると、「4」(1×4)が加算されます。

ポインタの加算を使って、配列の要素を出力するプログラムを書いてみましょう。**配列bottleを指すポインタpに1を加算することを繰り返して、0以外の全要素を出力**するプログラムを書いてください。

▼array4.c

```
#include <stdio.h>

int main(void) {
    int bottle[]={300, 500, 700, 1000, 1500, 0};
    for (int* p=bottle; *p; p++) printf("%d ", *p);
    puts("");
}
```

上記のプログラムにおいて、for文における条件式の「*p」は、pが指す値(配列の要素)が0以外である限り繰り返すことを表します。この条件式は「*p!=0」と書いても構いません。上記のプログラムを、添字を使ったプログラム(array2.cやarray3.c)

と比べてみてください。

▼実行例

```
> gcc -o array4 array4.c
> array4
300 500 700 1000 1500
```

これまでに学んだように、配列の要素を読み書きするには、間接演算子を使う方法、添字演算子を使う方法、そしてポインタ自体を変化させる方法があります。どの方法を使っても構いません。場面に応じて、プログラムを書きやすいと感じた方法を使ってみてください。

次はポインタの引数で配列を受け取る方法を学びます。

❖ポインタの引数で配列を受け取る

関数が引数で1次元配列を受け取るときには、配列で受け取る方法(Chapter10)と、ポインタで受け取る方法があります。2次元以上の配列はポインタでは受け取りにくいので、配列で受け取るのがおすすめです。

配列をポインタで受け取るには、関数を次のように定義します。ポインタの型は、配列の要素の型に合わせます。例えばint型の配列を受け取るには、ポインタをint*型にします。なお、以下では第1引数をポインタにしましたが、第2引数以降をポインタにしても構いません。ポインタの引数とポインタ以外の引数を、混ぜて並べることもできます。

配列をポインタで受け取る関数の定義

```
戻り値型 関数名(型* ポインタ名, …) { … }
```

上記の引数で受け取るのは配列の先頭アドレスです。もし配列の要素数が必要な場合には、別の引数を使って渡します。配列の末尾を検出するための特別な要素を入れておけば、要素数を省略できる場合があります。例えば、前述の配列bottleでは、末尾に0を入れています。

配列をポインタで受け取ってみましょう。**配列をポインタで受け取り、0以外の全要素を出力する関数を定義した上で、main関数から配列bottleを渡して呼び出す**プログラムを書いてください。

▼array5.c

```
#include <stdio.h>

// 配列をポインタで受け取って出力する関数の定義
void print_p(int* p) {
    while (*p) printf("%d ", *p++);
    puts("");
}

// 配列を配列で受け取って出力する関数の定義
void print_a(int a[]) {
    for (int i=0; a[i]; i++) printf("%d ", a[i]);
    puts("");
}

// main関数の定義
int main(void) {
    int bottle[]={300, 500, 700, 1000, 1500, 0};
    print_p(bottle);
    print_a(bottle);
}
```

上記のプログラムでは比較のために、ポインタで受け取るprint_p関数（pはpointerの略）と、配列で受け取るprint_a関数（aはarrayの略）の両方を定義しました。書き方は異なっても、得られる実行結果はprint_p関数とprint_a関数で同じです。

print_p関数では、while文の条件式を「*p」として、pが指す値が0以外である限り繰り返します。この条件式は「*p!=0」と書いても構いません。printf関数には、後置インクリメント演算子を使った「*p++」を渡して、現在のpが指す値（*p）を出力した後に、pに1を加算します。演算子の優先順位（Chapter4）は、間接演算子（*）よりも後置インクリメント演算子（++）の方が高いので、「*p++」は「*(p++)」のように解釈されます。

▼実行例

```
> gcc -o array5 array5.c
> array5
300 500 700 1000 1500   ← 配列をポインタで受け取って出力
300 500 700 1000 1500   ← 配列を配列で受け取って出力
```

section 03 ポインタを使って文字列を操作する

ポインタで文字列(文字配列)を指すと、ポインタを使って文字(配列の要素)を読み書きできます。配列と同様に文字列も、ポインタを使った方がプログラムを簡潔に書ける場合があります。文字配列名を使う書き方(Chapter9)と、ポインタを使う書き方の両方を学んで、場面に応じて書きやすい方法を選ぶのがおすすめです。

以前に書いた文字列を処理するプログラム(Chapter10)を、ポインタを使って書き直してみましょう。まずは文字列の長さを調べる関数です。

❖ポインタで文字列の長さを調べる

文字列の長さを調べるプログラム(Chapter10のstr.c)を、ポインタを使って書き直します。**len関数の引数をポインタに変更し、ポインタを使って文字数を調べて返す**ように改造してください。

後述するプログラム例では、次のようなポインタの差分を使って、文字列の長さを求めます。以下の差分は、ポインタBからポインタAまでの要素数を表します。

ポインタの差分

```
ポインタA-ポインタB
```

上記はアドレスの差分ではなく、ポインタが指す型に応じた要素数になることに注意してください。例えばint型(ここでは4バイトと仮定します)を指すポインタについては、アドレスの差分が「4」であっても、ポインタの差分は要素数を表す「1」(4÷4)になります。char型(1バイト)を指すポインタについては、アドレスの差分がそのまま要素数を表します。

以下のプログラム例では、文字列の先頭を指すポインタsと、末尾のヌル文字を指すポインタpを使って、文字列の長さ(ヌル文字を除くバイト数)を求めます。pはsで初期化しておき、ヌル文字が見つかるまで、文字列の末尾に向かって進めます。

▼ポインタの差分で文字列の長さを求める

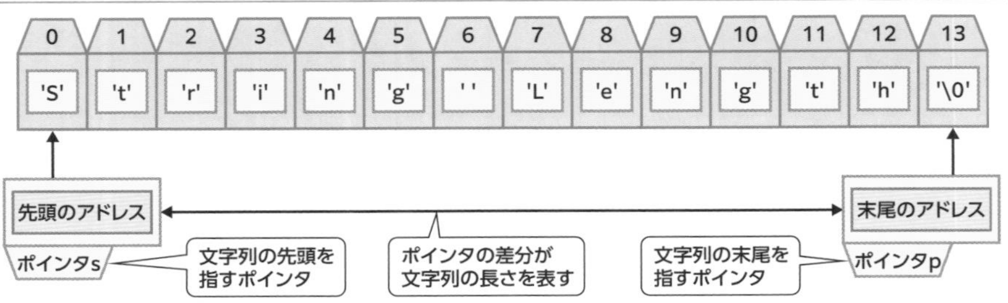

▼str.c

```
#include <stdio.h>

// len関数の定義
int len(char* s) {

    // ポインタpをポインタs（文字列の先頭）で初期化
    char* p=s;

    // ヌル文字が見つかるまでポインタpを進める
    while (*p) p++;

    // ポインタpとポインタsの差分が文字列の長さを表す
    return p-s;
}

// main関数の定義
int main(void) {

    // len関数を呼び出して、戻り値を出力
    printf("%d\n", len("String Length"));
}
```

上記のlen関数におけるwhile文の条件式「*p」は、pが指す要素（文字）が0（'\0'、ヌル文字）でない限り繰り返すことを表します。この条件式は「*p!=0」または「*p!='\0'」と書いても構いません。

▼実行例

```
> gcc -o str str.c
> str
13  ← 文字列の長さ
```

次はポインタを使って、文字列をコピーする関数を書きます。

❖ポインタで文字列をコピーする

文字列をコピーするプログラム（Chapter10のstr2.c）を、ポインタを使って書き直します。**copy関数の引数をポインタに変更し、ポインタを使って文字列をコピーする**ように改造してください。

▼str2.c

```
#include <stdio.h>

// copy関数の定義
void copy(char* to, char* from) {

    // ヌル文字が見つかるまで、toにfromの文字をコピーする
    while (*from) *to++=*from++;

    // toの末尾にヌル文字を付ける
    *to='\0';
}

// main関数の定義
int main(void) {

    // コピー先の文字配列
    char s[100];

    // copy関数を呼び出す
    copy(s, "String Copy");

    // コピー先の文字配列を出力
    puts(s);
}
```

上記のcopy関数では、while文と後置インクリメント演算子を使って、「*to」(コピー先の要素)に「*from」(コピー元の要素)をコピー(1文字分)した後に、toとfromに1を加算する(1文字進める)ことを繰り返します。while文の条件式「*from」は、fromが指す要素(文字)が0('\0'、ヌル文字)でない限り繰り返すことを表します。この条件式は「*from!=0」または「*from!='\0'」と書いても構いません。最後に、to(コピー先)の末尾にヌル文字を付けることを忘れないでください。

▼実行例

```
> gcc -o str2 str2.c
> str2
String Copy  ← コピーの結果
```

ポインタで文字列を操作する方法を学びました。もしポインタを使うのが難しいと感じたら、無理にポインタを使わずに、文字配列名を使っても構いません。ポインタを使った方が簡潔に書けると感じる場面があったら、ぜひポインタを使ってみてください。

次はポインタを使って構造体を操作します。

column

値渡し・参照渡し・ポインタ渡し・アドレス渡し

Chapter10で解説したように、C言語における関数呼び出しは全て「値渡し」です。関数の引数としてポインタやアドレスを渡した場合も、仕組みとしては値渡しですが、「ポインタ渡し」や「アドレス渡し」と呼ぶ流儀もあります。

一方で、関数の引数としてポインタやアドレスを渡すことを「参照渡し」と呼んで、値渡しと区別する考え方もあります。値渡しでは呼び出し元の値が変更される心配がありませんが、ポインタやアドレスを渡した場合には、関数内で不用意に呼び出し元の値を変更してしまっていないか、注意する必要があります。プログラマの注意を喚起するために便利なので、「値渡し」と「参照渡し」の対比で説明されてきたものと思われます。

なお、C++には「参照」という機能があり、関数の引数として参照を渡すことを「参照渡し」と呼びます。参照とポインタの混同を避けるために、ポインタやアドレスを渡す場合には「参照渡し」と呼ばずに、「ポインタ渡し」や「アドレス渡し」と呼ぶのがよいでしょう。

section 04

ポインタを使って構造体を操作する

ポインタで構造体を指すと、ポインタを使って構造体を操作できます。サイズが大きい(バイト数が多い)構造体の場合には、関数に構造体のアドレスを渡し、ポインタで受け取って操作することにより、関数呼び出しを高速化できる可能性があります。

まずはポインタで構造体を指す方法と、ポインタを使って構造体のメンバを参照する方法を学びましょう。

ポインタで構造体を指す

構造体を指すポインタは、次のように宣言します。typedef宣言(Chapter12)で構造体型に別名を付けた場合は、別名を使ってポインタを宣言できます。構造体を指すポインタを関数の引数にする場合も、以下と同様の方法で宣言します。

構造体型のポインタを宣言

```
struct 構造体名* ポインタ名;
```

構造体型のポインタを宣言(別名を使用)

```
別名* ポインタ名;
```

構造体型のポインタには、初期化や代入によって、構造体のアドレスを格納できます。通常のポインタと同様に、構造体を指すポインタに間接演算子を使えば、構造体を読み書きすることが可能です。

一方、ポインタを使って構造体のメンバを参照する場合は、間接演算子とドット演算子(Chapter12)を組み合わせる方法と、->という演算子を使う方法があります。->はポインタを使って構造体のメンバを参照するための演算子で、見た目が矢印(英語でarrow、アロー)に似ていることから、アロー演算子と呼ばれます。以下はどちらの方法を使っても構いませんが、アロー演算子を使った方が簡潔に書けます。

構造体のメンバをポインタで参照(間接演算子とドット演算子)

```
(*ポインタ).メンバ名
```

構造体のメンバをポインタで参照（アロー演算子）

```
ポインタ->メンバ名
```

ポインタを使って構造体のメンバを変更する場合も、参照と同様に2種類の方法が使えます。次のように書くと、式の値がメンバに代入されます。

構造体のメンバをポインタで変更（間接演算子とドット演算子）

```
(*ポインタ).メンバ名=式
```

構造体のメンバをポインタで変更（アロー演算子）

```
ポインタ->メンバ名=式
```

間接演算子とドット演算子を使う場合、(*ポインタ)のように()が付くことに注目してください。間接演算子(*)よりも、ドット演算子(.)の優先順位が高いためです。*を先に評価する必要があるので、(*ポインタ)のように()を付けます。(*ポインタ)として構造体を参照した後に、この構造体に.を適用してメンバを参照する、という動作です。

ポインタで構造体を指して、メンバを参照してみましょう。以前に作成した、構造体を関数で受け取るプログラム（Chapter12のfunc.c）を、ポインタを使うように改造します。**FRUIT型のアドレスをポインタで受け取ってメンバを出力するprint関数を定義し、main関数から呼び出す**プログラムを書いてください。引数には以前と同じ、apple、150、0.4で初期化した構造体を使います。

▼struct.c

```
#include <stdio.h>

// 構造体の定義とtypedef宣言
typedef struct {
    char name[100];
    int price;
    double weight;
} FRUIT;

// print関数の定義
void print(FRUIT* f) {
    printf("%s, %d yen, %g kg\n", f->name, f->price, f->weight);
}
```

```
// main関数の定義
int main(void) {

    // 構造体型の変数aを初期化
    FRUIT a={"apple", 150, 0.4};

    // print関数の呼び出し
    print(&a);
}
```

上記のprint関数では、構造体のアドレスをFRUIT*型のポインタで受け取り、->演算子を使ってメンバを参照します。FRUIT型の構造体は112バイトですが、アドレスは8バイトです。アドレスを渡すことにより、実引数から仮引数にコピーするバイト数を減らせます。

上記のプログラムでは、print関数を1回呼び出すだけなので、コピーするバイト数を減らしても、実行時間はほとんど変わらないでしょう。しかし、何度も関数を呼び出すプログラムの場合には、高速化の効果を体感できる可能性があります。

▼実行例

```
> gcc -o struct struct.c
> struct
apple, 150 yen, 0.4 kg
```

次は構造体を指すポインタを使って、メンバのアドレスを取得する方法を紹介します。

column

ポインタを使って共用体を操作する

ポインタを使って構造体を操作するのと全く同様に、ポインタを使って共用体を操作できます。共用体型のポインタを宣言し、共用体のアドレスを格納し、間接演算子・ドット演算子・アロー演算子を使ってメンバを参照・変更することが可能です。次に紹介する、ポインタを使ってメンバのアドレスを取得する方法も、共用体に適用できます。

メンバのアドレスを取得する

scanf関数で構造体のメンバに値を格納する場合、メンバのアドレスが必要でした。このアドレスは「&変数名.メンバ名」のように取得できます(Chapter12)。一方、構造体を指すポインタを使う場合には、次のようにメンバのアドレスを取得します。

メンバのアドレスを取得

```
&ポインタ->メンバ名
```

&演算子よりも->演算子の優先順位が高いので(Chapter4)、上記は&(ポインタ->メンバ名)のように解釈されます。先に->でメンバを参照してから、&でそのメンバのアドレスを取得します。

構造体をポインタで受け取る関数で、scanf関数を使ってメンバに値を格納してみましょう。前回のプログラム(struct.c)に、入力用のinput関数を追加します。**FRUIT型のアドレスをポインタで受け取り、キーボードから入力した値をメンバに格納するinput関数を定義し、main関数から呼び出す**プログラムを書いてください。input関数を呼び出した後に、前回作成したprint関数を呼び出して、入力した内容を出力します。

▼struct2.c

```
#include <stdio.h>

// 構造体の定義とtypedef宣言
typedef struct {
    char name[100];
    int price;
    double weight;
} FRUIT;

// input関数の定義
void input(FRUIT* f) {

    // 入力した値を構造体のメンバに格納
    printf("name price weight : ");
    scanf("%s%d%lf", f->name, &f->price, &f->weight);
}
```

```
// print関数の定義
void print(FRUIT* f) {
    printf("%s, %d yen, %g kg\n", f->name, f->price, f->weight);
}

// main関数の定義
int main(void) {

    // 構造体型の変数aを初期化
    FRUIT a;

    // input関数の呼び出し
    input(&a);

    // print関数の呼び出し
    print(&a);
}
```

上記のinput関数では、メンバのpriceとweightのアドレスを取得して、scanf関数に渡します。メンバのnameについては配列なので、「ポインタ->メンバ名」とすれば先頭アドレスが得られます。&を使う必要はありません。

▼実行例

```
> gcc -o struct2 struct2.c
> struct2
name price weight : banana 20 0.2   ← input関数による入力
banana, 20 yen, 0.2 kg              ← print関数による出力
```

column

ポインタが必要な場合、不要な場合、避けるべき場合

ポインタが必要なのは、バイト数が多い構造体などを関数に渡す場合、動的メモリ確保（Chapter14）を使う場合、ポインタを使ったデータ構造を作成する場合などです。逆に、ポインタを使わなくても通常の変数や配列でプログラムが書ける場合には、ポインタを使うことは必須ではありません。

バイト数が多い構造体を受け渡す場合など、ポインタを使うとプログラムが高速になる場合もあります。しかし、ポインタを使ったからといって全てのプログラムが高速になるわけではないので、無理にポインタを使おうとする必要はありません。

ポインタを使いこなすには、プログラムの動きを正確に理解する必要があります。プログラミングに不慣れで、ポインタを使うとバグが数日間取れない（解決できない）ような場合は、まだポインタを使う時ではないかもしれません。もう少しプログラミングに習熟してから、本格的にポインタを使い始めても大丈夫です。

本章では、ポインタの基本的な使い方を学びました。ポインタを宣言し、アドレスを格納して、変数・配列・文字列・構造体のメモリを操作できるようになりました。次章では、より複雑なポインタの使い方を学びます。

応用編 Chapter14

ポインタでメモリを自在に操作する

前章ではポインタの基本的な使い方を学びましたが、本章ではポインタを利用した色々な機能について学びます。プログラムの起動時に値を渡すコマンドライン引数、ポインタを指すポインタ、実行時に指定したサイズのメモリを取得する動的メモリ確保、柔軟な処理を実現する関数ポインタなど、いずれも作れるプログラムの幅を広げてくれる機能です。少し難しく感じる機能があるかもしれませんが、必要に応じて前章でポインタの基礎を見直しながら、学んでみてください。

本章の学習内容

①コマンドライン引数
②ポインタを指すポインタ
③動的メモリ確保
④動的に確保したメモリのサイズ変更
⑤関数ポインタ

section 01 コマンドライン引数でプログラムの実行時に値を渡す

コマンドラインとは、Windowsのコマンドプロンプトやmac OS/Linuxのターミナルのように、キーボードからコマンドを入力して実行するユーザインタフェースのことです。そしてコマンドライン引数とは、実行するコマンドに対して渡す値のことです。

例えば、本書で「hello.c」というファイルをコンパイルするときには、「gcc -o hello hello.c」のように入力します。最初のgccがコマンドで、-o、hello、hello.cがコマンドライン引数です。この場合はコマンドライン引数を使って、gccコマンドに対し、オプションやファイル名を渡しています。

C言語にはコマンドライン引数を受け取るための仕組みがあります。この仕組みを使うと、gccのようにコマンドライン引数を受け取って処理するプログラムを自作できます。

❖コマンドライン引数の個数と内容を取得する

コマンドライン引数を受け取るには、main関数を次のように定義します。以下で「char* argv[]」の部分は、「char *argv[]」のように書いても構いません。どちらも動作は同じです。

コマンドライン引数を受け取るmain関数の定義

```
int main(int argc, char* argv[]) {
    …
}
```

argc（アーグ・シー）はコマンドライン引数の個数を、argv（アーグ・ブイ）はコマンドライン引数の内容を受け取ります。「arg」はargument（アーギュメント、実引数）、「c」はcount（カウント、個数）、「v」はvector（ベクター、配列）の略と思われます。引数名argcおよびargvは、実は好きな名前を付けても構いません。しかしargcとargvを用いる例が多いので、本書でもその習慣にならうことにしました。

argcは実行ファイル名（コマンド名）を含むコマンドライン引数の個数を表します。例えば「gcc -o hello hello.c」の場合、実行ファイル名のgccも引数として数えるので、argcは4です。

argvは文字列を指すポインタ（char*）の配列です。例えば「gcc -o hello hello.c」の場合、argvは以下のような構造になります。アドレスは分かりやすく1000・2000・3000・4000としました。実際のアドレスとは異なりますが、仕組みは同じです。argvの要素数は5で、最後のargv[4]は末尾を表すヌルポインタになっています。argv[0]は実行ファイル名（gcc）の文字列を指し、argv[1]〜argv[3]はコマンドライン引数の各文字列を指します。

▼argvの構造

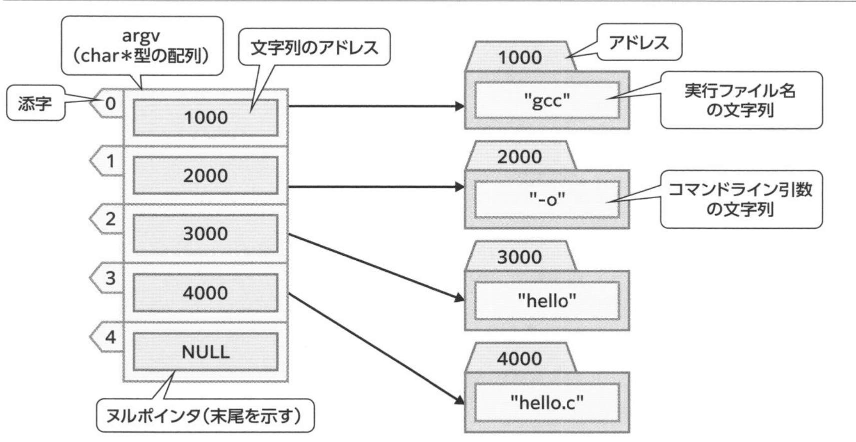

argcとargvを使ってみましょう。**コマンドライン引数をargcとargvで受け取り、コマンドライン引数の個数と内容を出力**するプログラムを書いてください。argvには複数の要素があるので、for文を使って処理します。

▼arg.c

```
#include <stdio.h>

int main(int argc, char* argv[]) {
    printf("argc    : %d\n", argc);
    for (int i=0; i<argc; i++) printf("argv[%d]: %s\n", i, argv[i]);
}
```

上記のプログラムでは、argvとコマンドライン引数の対応が分かるように、argvの添字も出力します。以下の実行例では、実行ファイル名のみを指定する場合と、

3個の引数を指定する場合を示しました。argcの個数やargvの内容には、実行ファイル名も含まれることに注意してください。

▼実行例

```
> gcc -o arg arg.c
> arg                       ← 実行ファイル名のみを指定
argc   : 1
argv[0]: arg
> arg apple banana kiwi     ← 実行ファイル名と3個の引数を指定
argc   : 4
argv[0]: arg
argv[1]: apple              ← アップル
argv[2]: banana             ← バナナ
argv[3]: kiwi               ← キウイ
```

次はコマンドライン引数を利用して、簡単な計算を行うプログラムを書いてみます。

❖コマンドライン引数を利用するプログラム

コマンドライン引数を使って、より実用的なプログラムを書いてみましょう。**コマンドライン引数で複数の整数を渡すと、それらの合計と平均を求めて出力**するプログラムを書いてください。

以下は実行例です。実行ファイル名のみを指定すると、使い方（usage）を出力します。1個以上の整数を指定すると、それらの合計（total）と平均（average）を出力します。

▼実行例

```
> gcc -o arg2 arg2.c
> arg2                      ← 実行ファイル名のみを指定
usage: arg2 integer ...     ← 使い方(1個以上の整数を指定)
> arg2 84 93 100 75 64      ← 実行ファイル名と5個の引数を指定
total  : 416                ← 合計
average: 83.2               ← 平均
```

このプログラムを実現するには、argvで受け取った文字列を、整数に変換する必要があります。文字列のままでは、合計や平均を計算できないためです。

文字列を整数に変換するには、標準ライブラリのatoi（エー・トゥー・アイ、アトイ）関数などを使います（Chapter9）。atoi関数を使うには、stdlib.hのインクルードが必要です。atoiはASCII to integer（アスキー・トゥ・インテジャー）の略で、ASCII（Chapter2）の文字列を整数に変換するという意味です。

文字列を整数に変換（atoi関数）

```
atoi(文字列)
```

atoi関数を使う際には注意点があります。文字列を整数に変換できない場合、atoi関数は0を返すのですが、これは"0"という文字列を整数に変換した場合との区別がつきません。変換に成功したかどうかを厳密に知りたいときには、例えばstrtol関数を使います（Chapter9）。詳しい使い方は、処理系のマニュアルやWebで調べてみてください。

▼arg2.c

```
#include <stdio.h>
#include <stdlib.h>

int main(int argc, char* argv[]) {

    // コマンドライン引数の個数が足りない場合、使い方を出力して終了
    if (argc<2) {
        printf("usage: %s integer ...\n", argv[0]);
        return 1;
    }

    // コマンドライン引数を整数に変換して合計を計算
    int total=0;
    for (int i=1; i<argc; i++) total+=atoi(argv[i]);

    // 合計と平均を出力
    printf("total  : %d\n", total);
    printf("average: %g\n", (double)total/(argc-1));
}
```

上記のプログラムでは、最初にargcを確認して、コマンドライン引数の個数が足りない場合、使い方を出力して終了します。使い方の出力では、argv[0]を使って実行ファイル名を出力していることに注目してください。

main関数においてreturn文（Chapter10）を使うと、プログラムを終了します。一般にmain関数の戻り値は、正常に処理が終了した場合は0を返し、何かエラーが起きたときには0以外のエラーコード（エラーの種類を表す番号）などを返す習慣になっています。上記のプログラムは1を返します。

main関数以外の関数を実行している際に、main関数に戻らずにプログラムを終了したい場合には、stdlib.hをインクルードした上で、以下のexit（エグジット）関数を使います。exitは終了するという意味です。終了コードはmain関数の戻り値と同様に、正常終了ならば0、異常終了ならば0以外を返すのが一般的です。

プログラムを終了

```
exit(終了コード)
```

コマンドライン引数を使うと、色々な作業に役立つコマンドを、C言語を使って自作できます。Cプログラミングの練習を兼ねて、ぜひ自分が欲しいコマンドを作成してみてください。実践編のChapter17では、仕事の自動化に役立ちそうなコマンドの作成例を紹介します。

次はポインタを指すポインタについて学びます。

section
02 ポインタを指すポインタ

ポインタは変数を指せます。そして、ポインタも変数の一種なので、ポインタでポインタを指すことも可能です。プログラムを書いていると、あるいは既存のプログラムを読み解いていると、このようなポインタを指すポインタがときどき出現します。例えば、ポインタを格納している配列を、ポインタを使って操作したいときには、ポインタを指すポインタを使用します。この用法は、本セクション内で後ほど解説します。

ポインタを指すポインタは、「**」のように複数のアスタリスクを使うので、ダブルポインタと呼ばれることがあります。もしポインタが難しいと感じていたら、ダブルポインタは一層難しく感じるかもしれませんが、ポインタが指す対象がポインタであるというだけで、実は難しくありません。仕組みを理解してしまえば、「***」や「****」のように、さらに多くのアスタリスクを使ったポインタについても、恐れずに使いこなせます。本書に掲載しているような図を描いてみるのも、理解の助けになります。

ただし、ポインタがまだ使いこなせていないなら、かつ、ポインタを指すポインタを使ったプログラムを読み書きする今すぐ必要がないのなら、ポインタを指すポインタについては「そんなものがあるらしい」程度に把握しておくのも現実的でしょう。このセクションは後で読むことにして、先に進んでも構いません。色々なプログラムを書くことを通じて、基本的なポインタをマスターし、その後にポインタを指すポインタに挑戦するのもおすすめです。

もし余裕があったら、ポインタに対する理解がより深まるので、ぜひ引き続き読んでみてください。まずはポインタを指すポインタについて、基本的な使い方を学びましょう。

❖ポインタを指すポインタを宣言する

ポインタを指すポインタは、次のように宣言します。*(アスタリスク)を2個使って、**のように書くことが特徴です。

*が1個の場合と同様に、**はポインタ名に付けても、型に付けても構いません。

あまり見かけませんが、**の前後に空白を入れずに「型**ポインタ名;」としても、*と*の間に空白を入れて「型* *ポインタ名;」としても大丈夫です。本書では、ポインタの型が分かりやすくなるので、型に**を付けて「型** ポインタ名;」と書きます。

ポインタを指すポインタの宣言(**をポインタ名に付ける)

```
型 **ポインタ名;
```

ポインタを指すポインタの宣言(型に**を付ける)

```
型** ポインタ名;
```

ポインタを指すポインタを使って、次のような状態を作ってみましょう。

1 int型の変数xを123で初期化します。
2 int*型のポインタpを、&x (xのアドレス) で初期化します。
3 int**型のポインタqを、&p (pのアドレス) で初期化します。

以下のように、xをpが指し、pをqが指す状態です。int型のxを指すポインタpはint*型で、int*型のpを指すポインタqはint**型であることに注目してください。ポインタが対象を指すごとに、型の*が増えていきます。

▼ポインタを指すポインタ

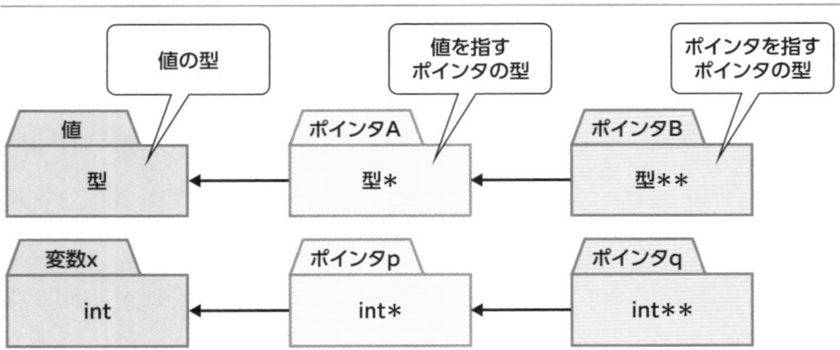

ポインタが指すメモリを参照するには、*(間接演算子)を使うのでした。ポインタを指すポインタについても同様ですが、複数個の*を使うことがあります。例えば、上記のポインタqに関しては、「*q」でpを参照し、「**q」でxを参照できます。qはint**型、*qはint*型、**qはint型です。間接演算子の*が増えるたびに、型の*が減ることに注目してください。

▼ポインタを指すポインタを使ったメモリの参照

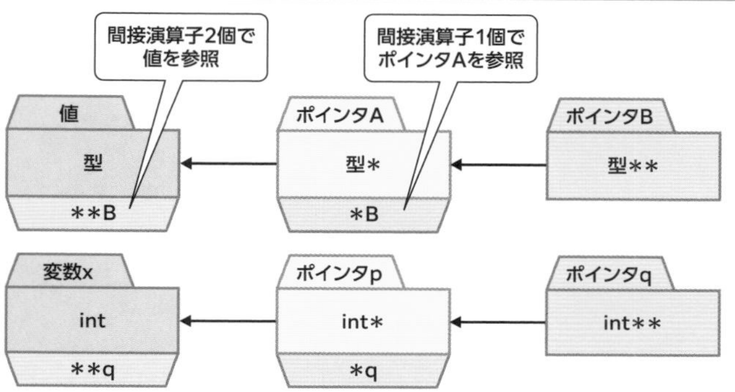

上記のような状態を作るプログラムを書いてみましょう。**int型の変数xを123で、int*型のポインタpを&xで、int**型のポインタqを&pで初期化した上で、x、p、*p、q、*q、**qを出力**するプログラムを書いてください。

▼ptop.c

```
#include <stdio.h>

int main(void) {

    // int型の変数
    int x=123;
    printf("x  : %d\n", x);

    // int型を指すポインタ
    int* p=&x;
    printf("p  : %p\n", p);
    printf("*p : %d\n", *p);

    // int型を指すポインタを指すポインタ
    int** q=&p;
    printf("q  : %p\n", q);
    printf("*q : %p\n", *q);
    printf("**q: %d\n", **q);
}
```

上記でファイル名の「ptop」は、pointer to pointerの略です。以下の実行例では、xと「*p」と「**q」が一致し、pと「*q」が一致していることが分かります。以下はWindowsの実行例ですが、macOS/Linuxでも同様です。メモリのアドレスは環境によって異なります。間接演算子の*が増えるごとに、ポインタの型から*が減ることも確認してください。

▼実行例

```
> gcc -o ptop ptop.c
> ptop
x  : 123                 ← int型
p  : 000000000061FE14    ← int*型
*p : 123                 ← int型
q  : 000000000061FE18    ← int**型
*q : 000000000061FE14    ← int*型
**q: 123                 ← int型
```

ポインタを指すポインタの基本的な性質を学んだところで、次は実際のプログラムに出現する、ポインタを指すポインタの例を紹介します。

❖ポインタを指すポインタを利用する

ポインタを指すポインタの例として、コマンドライン引数を受け取るためのargvを取り上げます。本章で学んだように、argvはchar*型の配列です。この配列の先頭アドレス（argv）は、char*型の要素が格納されたアドレスなので、char**型になります。

char**型のポインタ（char*型のポインタを指すポインタ）を宣言して、配列の先頭アドレス（argv）を格納し、配列の要素（文字列）を参照してみましょう。**ポインタを使って、以下の実行結果のように、実行ファイル名とコマンドライン引数を1文字ずつ空白で区切って出力**するプログラムを書いてください。char**型のポインタを使ってargvの要素を順に処理し、char*型のポインタを使って文字列の文字を順に出力します。

▼実行例

```
> gcc -o ptop2 ptop2.c
> ptop2 apple banana kiwi
p t o p 2    ← argv[0]
a p p l e    ← argv[1]
b a n a n a  ← argv[2]
k i w i      ← argv[3]
```

以下のプログラム例では、char**型のポインタpを使ったfor文と、char*型のポインタqを使ったfor文をネストして、多重ループ(Chapter7)にしています。外側のfor文における条件式の*pは、要素がNULLでない限り繰り返すことを表します。内側のfor文における条件式の*qは、要素がヌル文字('\0')でない限り繰り返すことを表します。これらの条件式は、NULLとヌル文字の値が、いずれも0として扱われることを利用しています。各条件式を「*p!=NULL」および「*q!='\0'」と書いても構いません。

▼ptop2.c

```
#include <stdio.h>

int main(int argc, char* argv[]) {

    // argv (char**型) に対するループ
    // 全てのコマンドライン引数を処理する
    for (char** p=argv; *p; p++) {

        // argvの要素 (char*型) に対するループ
        // 文字列を空白で区切って出力する
        for (char* q=*p; *q; q++) printf("%c ", *q);

        // 改行を出力
        puts("");
    }
}
```

もし上記のプログラムが難しいと感じたら、pとqが何を指すのかを、簡単な図にしてみてください。pはargvの要素を順に処理し、qは文字列の文字を順に処理します。このプログラムに限らず、ポインタを使ったプログラムを読み解くには、簡単な図を描いてみることが有効です。

▼ポインタを指すポインタを利用するプログラム（ptop2.c）の動作

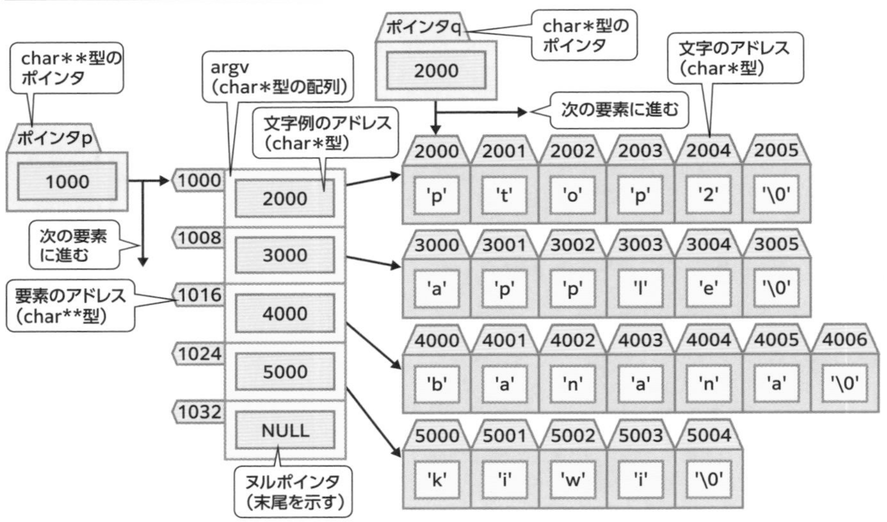

次は動的メモリ確保を使って、実行時にメモリを取得する方法を学びます。

section 03

動的メモリ確保で取得するメモリのサイズを実行時に決める

動的メモリ確保(どうてきメモリかくほ)は、ポインタの重要な用途の一つです。動的メモリ確保とは、プログラムの実行時にサイズ(バイト数)を指定して、メモリを確保する機能です。この機能は、実行時にならないと必要なメモリのバイト数が分からない場合に役立ちます。

普段使っているソフトウェアには、実行時にならないと必要なメモリのバイト数が分からないものが、珍しくありません。例えばテキストエディタは、ユーザがどんなサイズのテキストファイルを開くのかが、実行時まで分かりません。そのため、テキストエディタのプログラムを開発している時点では、必要なメモリが1KB(キロバイト)なのか1MB(メガバイト)なのかといったことを決められません。

Webブラウザなども同様です。ユーザがどんなWebページを開くのかは、実行時にならないと分かりません。Webページによって文章や画像の分量が異なるので、必要なメモリの量は、Webページを開いたときに初めて分かります。

こうしたプログラムで役立つのが、動的メモリ確保です。まずは動的にメモリを確保する方法を学び、次に配列・構造体・文字列のメモリを動的に確保しましょう。

メモリを確保して解放する

動的にメモリを確保するには、malloc(エム・アロック、マロック)関数を使います。mallocはmemory allocation(メモリ・アロケーション、メモリ確保)の略と思われます。malloc関数を使うには、標準ライブラリのstdlib.hをインクルードします。

malloc関数は次のように書きます。引数には確保するメモリのバイト数を指定します。式を書いても構いません。

メモリの確保

```
ポインタ=malloc(バイト数)
```

int型やdouble型といった、指定した型のバイト数に合わせてメモリを確保するには、次のようにsizeof演算子(Chapter5)を組み合わせます。なお、指定した型の配列用にメモリを確保する方法は後述します。

指定した型用のメモリを確保

```
ポインタ=malloc(sizeof(型))
```

malloc関数は、メモリの確保に成功するとそのメモリのアドレスを返し、失敗するとNULLを返します。空きメモリが十分なかった場合などには、malloc関数はメモリの確保に失敗しますので、次のように戻り値がNULLでないかどうかをチェックするとよいでしょう。ただし、本書ではプログラム例を簡単にするために、チェックを省略しています。

メモリの確保(戻り値を確認)

```
ポインタ=malloc(バイト数);
if (!ポインタ) エラー処理;
```

さて、malloc関数が返したアドレスは、色々な型のポインタに格納できます。これは、malloc関数の戻り値がvoid*型であるためです。voidは引数や戻り値がないことを表しますが(Chapter10)、void*は指す型が決まっていないポインタやアドレスを表します。void*型のポインタやアドレスは、任意のポインタに格納できます。逆に、void*型のポインタには、任意のポインタやアドレスを格納できます。なおC++では、void*型からvoid*以外の型への変換については、キャスト(Chapter4)が必要です。

malloc関数で確保したメモリは、アドレスを格納したポインタを使って操作できます。*(間接演算子)を使って、メモリに値を書き込んだり、メモリの値を読み出したりすることが可能です。

動的にメモリを確保する関数としては、malloc関数以外にも次のようなバリエーションがあります。aligned_alloc関数はC11以降で使えます。realloc関数については、後ほど詳しく学びます。

▼動的にメモリを確保する関数

関数	機能
malloc	メモリを確保する
calloc	メモリを確保して0で初期化する
realloc	確保したメモリのバイト数を変更する
aligned_alloc	アライメント(Chapter12)を指定してメモリを確保する

動的に確保したメモリは、プログラマが忘れずに**解放**（かいほう）する必要があります。メモリの解放とは、不要になったメモリを標準ライブラリに返却し、別の目的に転用できるようにする操作です。解放したメモリは、標準ライブラリが「空きメモリ」として管理します。プログラムが再度メモリを確保しようとしたときには、この空きメモリ（解放後のメモリ）が活用される可能性があります。

実世界で部屋を借りるように、メモリを標準ライブラリから借りていると考えると、分かりやすいかもしれません。メモリの確保はメモリを借りることに相当し、メモリの解放はメモリを返すことに相当します。プログラムがメモリ（部屋）の確保を要求すると、標準ライブラリは手持ちの空きメモリ（空き部屋）を使い、指定されたサイズのメモリを用意して貸します。プログラムがメモリ（部屋）を解放すると、標準ライブラリは返されたメモリを手持ちの空きメモリ（空き部屋）に加えて、次回の要求に備えます。実世界の部屋とは異なり、メモリの場合は空きメモリから必要なサイズを柔軟に切り取って貸せます。

さて、上記の関数（mallocなど）で確保したメモリは、次のような**free**（フリー）関数を使って解放します。引数には、確保したメモリのアドレス（malloc関数の戻り値）を格納したポインタを指定します。

メモリの解放

```
free(ポインタ)
```

free関数で解放したメモリについては、読み書きしたり、再び解放したりしてはいけません。これらは未定義の動作になります。なお、NULLをfree関数に渡すのは大丈夫です（何も起きません）。

メモリの確保と解放を試してみましょう。**int1個分のメモリを動的に確保し、ポインタを使って整数123を格納した上で、このメモリのアドレスと格納された値を出力して、最後にメモリを解放**するプログラムを書いてください。

▼malloc.c

```
#include <stdio.h>
#include <stdlib.h>

int main(void) {

    // メモリを確保
    int* p=malloc(sizeof(int));

    // メモリに値を格納
    *p=123;

    // アドレスと値を出力
    printf("%p\n", p);
    printf("%d\n", *p);

    // メモリを解放
    free(p);
}
```

以下の実行例では、メモリが確保できたことと、メモリに対する値の読み書きができたことが分かります。以下はWindowsの実行例ですが、macOS/Linuxも同様です。メモリのアドレスは環境によって異なります。

▼実行例

```
> gcc -o malloc malloc.c
> malloc
00000000006423F0   ← 確保したメモリのアドレス
123                ← メモリに格納した値
```

なおC++では、malloc関数とfree関数の代わりに、new（ニュー）演算子とdelete（デリート）演算子を使います。C++でもmallocとfreeは使えますが、newとdeleteは確保するメモリの型を指定できる点や、オブジェクトの初期化と連動している点が便利なので、newとdeleteを使うのが一般的です。

次は配列用のメモリを確保してみます。

❖配列用のメモリを確保する

プログラムの実行時まで要素数が決まらない配列を使いたいときには、動的メモリ確保が役立ちます。次のように書くと、指定した型と要素数を持つ配列に相当するバイト数のメモリを確保し、アドレスをポインタに格納できます。このポインタに間接演算子や添字演算子を組み合わせて(Chapter13)、配列の要素を読み書きします。

配列用のメモリを確保(初期化)

```
型* ポインタ名=malloc(sizeof(型)*要素数);
```

配列用のメモリを確保(代入)

```
ポインタ=malloc(sizeof(型)*要素数)
```

実行時に配列の要素数を決めるプログラムを書いてみましょう。**キーボードから入力した要素数を持つint型の配列を、動的メモリ確保を使って作成した上で、キーボードから入力した複数の整数を格納し、それらの値を出力**するプログラムを書いてください。プログラム例では、以下のようにアドレスと値をあわせて出力しています。以下はWindowsの実行例ですが、macOS/Linuxも同様です。アドレスは環境によって異なります。

▼実行例

```
> gcc -o malloc2 malloc2.c
> malloc2
count: 3                ← 要素数を入力
123                     ← 値を入力
456
789
0000000000A76E20 123    ← アドレスと値を出力
0000000000A76E24 456
0000000000A76E28 789
```

以下のプログラム例では、確保したメモリのアドレスをポインタpに格納します。配列の要素については、アドレスは「p+i」で、値は「p[i]」(あるいは「*(p+i)」、「*(i+p)」、「i[p]」)で得られます。最後にfree関数を使って、確保したメモリを解放します。

▼malloc2.c

```
#include <stdio.h>
#include <stdlib.h>

int main(void) {

    // 要素数を入力
    int count;
    printf("count: ");
    scanf("%d", &count);

    // メモリを確保
    int* p=malloc(sizeof(int)*count);

    // 値を入力してメモリに格納
    for (int i=0; i<count; i++) scanf("%d", p+i);

    // アドレスと値を出力
    for (int i=0; i<count; i++) printf("%p %d\n", p+i, p[i]);

    // メモリを解放
    free(p);
}
```

次は構造体用のメモリを確保してみます。

❖構造体用のメモリを確保する

構造体用のメモリも、動的メモリ確保を使って確保できます。typedef宣言で構造体型に別名を付けた場合は、別名も使えます。また、以下は代入の書き方ですが、初期化も同様に書けます。

構造体用のメモリを確保

```
ポインタ=malloc(sizeof(struct 構造体名))
```

構造体用のメモリを確保（別名を使用）

```
ポインタ=malloc(sizeof(別名))
```

構造体の配列用にメモリを確保するには、次のように書きます。これは、実行時まで要素数が決まらない配列を使いたいときに便利です。

構造体の配列用にメモリを確保

```
ポインタ=malloc(sizeof(struct 構造体名)*要素数)
```

構造体の配列用にメモリを確保(別名を使用)

```
ポインタ=malloc(sizeof(別名)*要素数)
```

前回のプログラム(malloc2.c)を改造して、キーボードから入力した値を、構造体の配列に格納するプログラムを書いてみましょう。構造体としては、前章でも使ったFRUIT型を使います。**キーボードから入力した要素数を持つFRUIT型の配列を、動的メモリ確保を使って作成した上で、キーボードから入力した複数の名前・価格・重量を格納し、その値を出力**するプログラムを書いてください。

以下は実行例です。配列に格納した値に合わせて、メモリのアドレスも出力しました。以下はWindowsの実行例で、macOS/Linuxではアドレスは異なりますが、結果は同様です。

▼実行例

```
> gcc -o malloc3 malloc3.c
> malloc3
count: 3                             ← 要素数を入力
apple 150 0.4                        ← 値を入力
banana 20 0.2
kiwi 130 0.1
0000000000656E20 apple 150 0.4       ← アドレスと値を出力
0000000000656E90 banana 20 0.2
0000000000656F00 kiwi 130 0.1
```

以下はプログラム例です。処理の流れは改造前のプログラム(malloc2.c)に似ています。2個のfor文については、いずれも文が1個なので(scanf関数およびprintf関数の呼び出し)、{}(波括弧)は省略しても構いません。

▼malloc3.c

```
#include <stdio.h>
#include <stdlib.h>

// 構造体の定義とtypedef宣言
typedef struct {
    char name[100];
    int price;
    double weight;
} FRUIT;

// main関数の定義
int main(void) {

    // 要素数を入力
    int count;
    printf("count: ");
    scanf("%d", &count);

    // メモリを確保
    FRUIT* p=malloc(sizeof(FRUIT)*count);

    // 値を入力してメモリに格納
    for (int i=0; i<count; i++) {
        scanf("%s%d%lf", p[i].name, &p[i].price, &p[i].weight);
    }

    // アドレスと値を出力
    for (int i=0; i<count; i++) {
        printf("%p %s %d %g\n",
            p+i, p[i].name, p[i].price, p[i].weight);
    }

    // メモリを解放
    free(p);
}
```

メモリの動的な確保と解放の方法を学びました。次は、確保したメモリのサイズを変更する方法を学びます。

section 04

動的に確保したメモリのサイズを変える

動的メモリ確保を使えば、プログラムの実行時にサイズ(バイト数)を指定して、必要な大きさのメモリを確保できます。一方で、これから学ぶように、確保したメモリのサイズを後から変更することも可能です。この機能は、処理を進める中で必要なメモリが増えていくようなプログラムで役立ちます。

例えば、ユーザが次々に入力する値を、メモリに格納するプログラムを考えてみましょう。ユーザが入力する値の個数は不明で、特定の値(例えば0)を入力したら、入力を終えることにします。

この場合は、入力する値の個数が不明なので、あらかじめ必要なサイズのメモリを確保できません。ある程度のメモリを確保しておいても、ユーザの入力が多ければ、メモリが足りなくなる可能性があります。

確保したメモリのサイズを変える機能は、こういったプログラムで役立ちます。まずはメモリのサイズを変える方法を学んでから、個数が不明な入力をメモリに格納するプログラムを書いてみましょう。

確保したメモリのサイズを変更する

確保したメモリのサイズを変更するには、realloc(リアロック)関数を使います。「realloc」はreallocation(リアロケーション、再割り当て)の略と思われます。

realloc関数は次のように使います。引数には、malloc関数などで確保したメモリのアドレスを格納したポインタと、変更後のバイト数を指定します。

確保したメモリのサイズを変更

```
ポインタ=realloc(ポインタ, バイト数)
```

realloc関数は、可能な場合は引数で渡されたメモリのバイト数を変更し、不可能な場合(隣接するメモリが使用済みの場合など)は別のメモリを確保して、元のメモリから内容(データ)をコピーします。いずれの場合も、realloc関数はメモリ(元のメモリまたは別のメモリ)のアドレスを戻り値として返すので、最初のポインタに格納して使います。

▼realloc関数の動作（元のメモリを拡張）

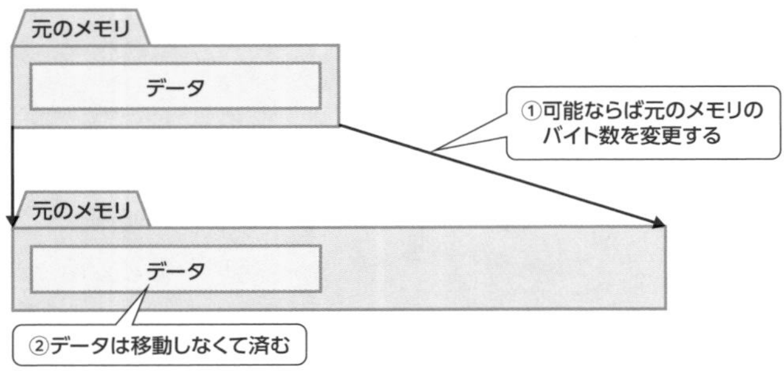

▼realloc関数の動作（別のメモリを確保）

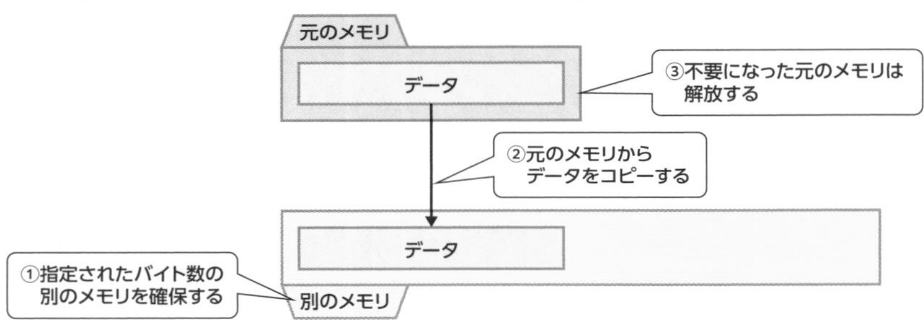

メモリの確保に失敗した場合、realloc関数はNULLを返します。大量のメモリを確保する場合などには、realloc関数がメモリの確保に失敗する可能性があるので、次のように戻り値がNULLでないかどうかをチェックするとよいでしょう。ただし本書では、プログラム例を簡単にするために、チェックを省略しています。

確保したメモリのサイズを変更（戻り値を確認）

```
ポインタB=realloc(ポインタA, バイト数);
if (!ポインタB) エラー処理; else ポインタA=ポインタB;
```

上記のポインタAは、malloc関数などで確保したメモリのアドレスを格納したポインタです。ポインタAが指すメモリのサイズを、realloc関数で変更しようとしています。realloc関数の戻り値を直接ポインタAには格納せず、いったんポインタBに格納し、NULLかどうかをチェックしていることに注目してください。上記で「!ポインタB」の部分は、「ポインタB==NULL」と書いても構いません。ポインタBがNULLである（メモリの確保に失敗した）場合は、何らかのエラー処理を行います。

ポインタBがNULLでない(メモリの確保に成功した)場合は、ポインタAにポインタB(realloc関数の戻り値)を代入します。

メモリの確保に失敗したとき、realloc関数は渡されたメモリ(ポインタAが指すメモリ)を解放しません。もし、realloc関数の戻り値を直接ポインタAに格納すると、realloc関数がNULLを返した場合に、ポインタAに格納されたアドレスがNULLで上書きされてしまい、ポインタAが指していたメモリを解放できなくなってしまいます。上記のように書けば、エラー処理の段階ではポインタAに元のアドレスが残っているので、必要ならばメモリを解放できます。

さて、realloc関数がどんな動作をするのか、確かめてみましょう。**malloc関数で1バイトのメモリを確保した後に、realloc関数で確保したメモリのバイト数を2から99まで順に変更しながら、アドレスとバイト数を出力**するプログラムを書いてください。最後はfree関数でメモリを解放します。

▼realloc.c

```
#include <stdio.h>
#include <stdlib.h>

int main(void) {

    // 最初のメモリを確保(1バイト)
    char* p=malloc(1);

    // アドレスとバイト数を出力
    printf("%p 1\n", p);

    // 確保したメモリのバイト数を繰り返し変更(2~99バイト)
    for (int i=2; i<100; i++) {

        // 確保したメモリのバイト数を変更
        p=realloc(p, i);

        // アドレスとバイト数を出力
        printf("%p %d\n", p, i);
    }

    // メモリを解放
    free(p);
}
```

実行結果は環境によって異なります。本書で試した環境ではいずれも、最初に少し大きめのメモリが割り当てられているようでした。そして、realloc関数で指定したバイト数が、割り当てられたメモリの範囲内ならば、アドレスは変化せずにメモリのバイト数だけが変わっていく、という動作でした。

以下はWindowsにおける実行例です。16バイトから17バイトに変更する際に、アドレスが変化します。

▼実行例(Windows)

```
> gcc -o realloc realloc.c
> realloc
00000000006A5E10 1    ← 1バイトのメモリを確保
00000000006A5E10 2    ← 2バイトに変更
…
00000000006A5E10 16   ← 16バイトに変更
00000000006A6E40 17   ← 17バイトに変更(ここでアドレスが変わる)
…
00000000006A6E40 98   ← 98バイトに変更
00000000006A6E40 99   ← 99バイトに変更
```

以下はmacOSの実行例です。16バイトの倍数(16・32・48・64・80・96バイト)を超えるごとに、アドレスが変化しました。

▼実行例(macOS)

```
> gcc -o realloc realloc.c
> realloc
0x600000868030 1    ← 1バイトのメモリを確保
0x600000868030 2    ← 2バイトに変更
…
0x600000868030 16   ← 16バイトに変更
0x600000a6d100 17   ← 17バイトに変更(ここでアドレスが変わる)
…
0x600000a6d100 32   ← 32バイトに変更
0x60000046c240 33   ← 33バイトに変更(ここでアドレスが変わる)
…
0x60000216c000 98   ← 98バイトに変更
0x60000216c000 99   ← 99バイトに変更
```

以下はLinuxの実行例です。24バイトから25バイトに変更する際に、アドレスが変化しました。

▼実行例(Linux)

```
> gcc -o realloc realloc.c
> realloc
0x7fffd357e2a0 1    ← 1バイトのメモリを確保
0x7fffd357e2a0 2    ← 2バイトに変更
…
0x7fffd357e2a0 24   ← 24バイトに変更
0x7fffd357e4d0 25   ← 25バイトに変更(ここでアドレスが変わる)
…
0x7fffd357e4d0 98   ← 98バイトに変更
0x7fffd357e4d0 99   ← 99バイトに変更
```

realloc関数の基本的な使い方と性質が分かったところで、realloc関数を利用したプログラムを書いてみましょう。

個数が不明な入力をメモリに格納する

ユーザが入力した値をメモリに格納したいけれども、ユーザが何個の値を入力するのかが事前には分からない、ということはよくあります。あらかじめ一定量のメモリを確保しておいても、ユーザの入力が多いとメモリが足りなくなるかもしれません。こういった問題を、realloc関数を使って解決してみましょう。

ユーザが入力した整数をメモリに格納します。**malloc関数でint型2個分のメモリを確保しておき、キーボードから入力した整数を次々に格納します。メモリが足りなくなるたびに、realloc関数でメモリのバイト数をint型2個分だけ増やし、0を入力するまで繰り返します。そして、最後にメモリのアドレスと値の一覧を出力**するプログラムを書いてください。

以下が実行例です。プログラム例では、realloc関数でメモリのバイト数を変更する様子が分かりやすいように、アドレス、格納した整数の個数、メモリの容量(格納できる整数の個数)を出力しています。以下はWindowsの実行例ですが、macOS/Linuxも同様の結果になります。出力されるアドレスや、アドレスが変わるタイミングは、環境によって異なります。

▼実行例

```
> gcc -o realloc2 realloc2.c
> realloc2
0000000000B15E10 0/2    ← アドレス・個数・容量を出力
1                       ← 値を入力
0000000000B15E10 1/2    ← 個数1、容量2
2
0000000000B15E10 2/2
3
0000000000B15E10 3/4
4
0000000000B15E10 4/4
5
0000000000B16E40 5/6    ← 個数5、容量6(ここでアドレスが変わる)
0                       ← 0を入力して終了

0000000000B16E40 1      ← 先頭アドレス
0000000000B16E44 2      ← 先頭アドレス+4
0000000000B16E48 3      ← 先頭アドレス+8
0000000000B16E4C 4      ← 先頭アドレス+12
0000000000B16E50 5      ← 先頭アドレス+16
```

以下のプログラム例では、格納した整数の個数を変数count（カウント）で、格納できる整数の個数を変数capacity（キャパシティ、容量）で管理します。入力を繰り返すfor文では、条件式で「scanf("%d", &x), x」のようにカンマ演算子（Chapter7）を使って、scanfで整数を入力した後に、xが0以外かどうかを判定しています。この条件式は「scanf("%d", &x), x!=0」のように書いても構いません。

値をメモリに格納する前には、countとcapacityを比較して、メモリが足りるかどうかを調べます。メモリが足りない場合には、realloc関数を使ってバイト数を増やします。int型の値を格納するので、バイト数を計算する際に、sizeof(int)を乗算していることに注目してください。

▼realloc2.c

```
#include <stdio.h>
#include <stdlib.h>

int main(void) {
```

```
    // 個数と容量
    int count=0, capacity=2;

    // 最初のメモリを確保
    int* p=malloc(sizeof(int)*capacity);

    // アドレス・個数・容量を出力
    printf("%p %d/%d\n", p, count, capacity);

    // 入力が0以外である限り繰り返す
    for (int x; scanf("%d", &x), x; ) {

        // 個数が容量以上になったら…
        if (count>=capacity) {

            // 確保したメモリのバイト数を変更
            capacity+=2;
            p=realloc(p, sizeof(int)*capacity);
        }

        // 値を格納
        p[count++]=x;

        // アドレス・個数・容量を出力
        printf("%p %d/%d\n", p, count, capacity);
    }
    puts("");

    // アドレスと値を出力
    for (int i=0; i<count; i++) printf("%p %d\n", p+i, p[i]);

    // メモリを解放
    free(p);
}
```

上記のプログラムでは、realloc関数の動作を観察しやすいように、小さな単位（int型2個分）でメモリを増やしました。実用的なプログラムにおいては、より大きな単位（例えばint型数十個分など）でメモリを増やせば、realloc関数を呼び出す頻度を抑えられます。realloc関数の速度は環境や使い方によって変わりますが、低速な場合には呼び出す頻度を抑えることで、プログラムを高速化できる可能性があります。

次はユーザが入力する文字数が不明な場合について、realloc関数を使って対処してみましょう。

文字数が不明な入力をメモリに格納する

ユーザが入力した文字列をメモリに格納するときに、何文字入力されるか分からないので、確保するメモリのバイト数を決められない…ということがあります。100文字や1000文字といった適当な上限を決めることも多いのですが、ここではrealloc関数を使って、メモリを確保できる限り、いくらでも長い文字列を入力できるプログラムを書いてみましょう。

ユーザが入力した文字列をメモリに格納します。**malloc関数で1バイト(文字1個分)のメモリを確保しておき、キーボードから入力した文字を次々に格納します。メモリが足りなくなったら、realloc関数でメモリのバイト数を倍に増やし、改行を入力するまで繰り返します。そして、最後に文字列を出力**するプログラムを書いてください。

以下が実行例です。英小文字のa〜z(26文字)を入力してみました。realloc関数の動作を知るため、文字をメモリに格納するたびに、アドレス・格納した文字数・格納できる文字数(メモリの容量)を出力しています。なお、文字の入力にはgetchar関数(Chapter9)を使いました。以下はWindowsの実行例ですが、macOS/Linuxも同様の結果になります。出力されるアドレスや、アドレスが変わるタイミングは、環境によって異なります。

▼実行例

```
> gcc -o realloc3 realloc3.c
> realloc3
abcdefghijklmnopqrstuvwxyz   ← 文字列を入力
0000000000B45E10  2/ 2 a     ← アドレス・個数・容量・文字を出力
0000000000B45E10  3/ 4 b
0000000000B45E10  4/ 4 c
0000000000B45E10  5/ 8 d
…
0000000000B45E10 16/16 o
0000000000B46E40 17/32 p     ← 個数17、容量32(ここでアドレスが変わる)
…
```

```
0000000000B46E40 26/32 y
0000000000B46E40 27/32 z
abcdefghijklmnopqrstuvwxyz  ← 文字列を出力
```

以下のプログラム例では、前回のプログラム(realloc2.c)と同様に、格納した文字数を変数countで、格納できる文字数を変数capacityで管理します。入力を繰り返すfor文では、条件式で「(c=getchar())!='\n'」のように=(代入演算子)と!=(比較演算子)を組み合わせて、getchar関数で文字を入力した上で、入力した文字が'\n'(改行)以外かどうかを判定します。=は!=よりも優先順位が低いので(Chapter4)、代入を比較よりも先に実行するために、代入の式を()で囲んでいます。

文字列は末尾にヌル文字('\0')を付ける必要があるので、メモリのバイト数は「ヌル文字以外の文字数+1」が必要です。そのため、「count+1」がcapacity以上になった時点で、realloc関数を使ってメモリのバイト数を増やします。

▼realloc3.c

```
#include <stdio.h>
#include <stdlib.h>

// input関数の定義
char* input(void) {

    // 個数と容量
    int count=0, capacity=1;

    // 最初のメモリを確保
    char* p=malloc(capacity);

    // 入力が改行以外である限り繰り返す
    for (int c; (c=getchar())!='\n'; ) {

        // 個数+1が容量以上になったら…
        if (count+1>=capacity) {

            // 確保したメモリのバイト数を変更
            capacity*=2;
            p=realloc(p, capacity);
        }
```

```
        // 文字を格納
        p[count++]=c;

        // アドレス・個数・容量・文字を出力
        printf("%p %2d/%2d %c\n", p, count+1, capacity, c);
    }

    // 末尾にヌル文字を追加
    p[count]='\0';

    // 入力した文字列（確保したメモリのアドレス）を返す
    return p;
}

// main関数の定義
int main(void) {

    // 文字列を入力
    char* p=input();

    // 文字列を出力
    puts(p);

    // メモリを解放
    free(p);
}
```

上記のプログラムでは、メモリが足りなくなるたびに、確保するメモリのバイト数を2倍にします。2倍というのは分かりやすさを優先して、適当に決めた値です。メモリが足りなくなったときに、realloc関数でどの程度バイト数を増やすとよいかは、プログラムの内容やライブラリの特性によって変わります。

realloc関数が十分に高速な場合や、realloc関数を呼び出す頻度があまり高くない場合には、メモリが足りるか足りないかをプログラムでは管理せずに、毎回realloc関数を呼び出す方法もあります。この方法の利点は、バイト数の管理をrealloc関数に任せるので、プログラムが簡単になることです。実践編（Chapter17）のプログラム（ext_sub.c）は、この方法を採用しています。

確保するメモリのバイト数をプログラムで調整する方法と、realloc関数に任せる方法の、どちらを使っても構いません。例えば、とりあえず後者の方法を採用して、楽にプログラムを書くのもよいでしょう。もし「realloc関数を呼び出す頻度が高いためにプログラムが遅くなっている」という様子が見受けられたら、前者の方法を試します。

さて、動的メモリ確保に関して、malloc関数によるメモリの確保、free関数によるメモリの解放、そしてrealloc関数によるサイズの変更について学びました。これらの関数を使えば、動的メモリ確保については一通りのことができます。プログラムを書いていると、実行時まで必要なメモリのサイズが決まらなくて困る…という場面がよくありますが、動的メモリ確保を使って解決できます。

次は関数をポインタで指す、関数ポインタについて学びます。

section 05 関数ポインタで柔軟な処理を実現する

今までは変数・配列・文字列・構造体・共用体・ポインタを指すポインタを紹介してきましたが、関数を指すポインタもあります。ポインタが関数を指す、というと不思議に感じるかもしれませんが、関数のプログラム（関数をコンパイルした機械語プログラム）もメモリに配置されるので、そのアドレスをポインタに格納することは可能です。このような関数を指すポインタを、関数ポインタと呼びます。

関数ポインタを使うと、配列に関数の一覧を並べておいて順に呼び出したり、ある関数に別の関数を引数として渡したりといった、柔軟な処理が実現できます。こういった処理は、通常の関数呼び出しとif文のような判定を組み合わせても実現できますが、関数ポインタを使った方が簡潔に書けます。また、標準ライブラリの中には、引数として関数ポインタを使うものがあります。

まずは関数ポインタを宣言し、ポインタを使って関数を呼び出す方法を学びましょう。

関数ポインタを使って関数を呼び出す

関数ポインタを使うには、他のポインタと同様に、ポインタの宣言や初期化が必要です。関数ポインタは次のように宣言します。今までのポインタとは異なる、少し風変わりな書き方をすることに注目してください。

関数ポインタの宣言

```
戻り値型 (*ポインタ名)(引数型, …);
```

関数ポインタの宣言（引数名を記述）

```
戻り値型 (*ポインタ名)(引数型 引数名, …);
```

関数ポインタの宣言は、関数の宣言（Chapter10）に似ています。引数名は省略しても構いません。関数の宣言では引数名を書くのがおすすめですが、関数ポインタの宣言では引数名を書かない例が多いようです。引数名を省略した方が宣言を簡潔にできるので、本書でも引数名を省略しています。一方、引数の個数が多く、引数名を書かないと各引数の役割が分かりにくい場合は、引数名を書くとよいでしょう。

関数ポインタの宣言では、関数の宣言における関数名に相当する部分が、(*ポインタ名)となることに注目してください。ポインタ名を囲む()は省略できません。

宣言した関数ポインタに、関数のアドレスを格納するには、次のように初期化または代入を使います。配列名が配列の先頭アドレスを表すように、関数名は関数のアドレスを表します。

関数ポインタの初期化

```
戻り値型 (*ポインタ名)(引数型, …)=関数名;
```

関数ポインタへの代入

```
ポインタ=関数名
```

関数ポインタの型と関数の型は、合わせる必要があります。関数ポインタに格納したい関数の型に合わせて、関数ポインタを宣言します。

関数ポインタを使って関数を呼び出すには、次のように書きます。以下でポインタの部分には、結果が関数のアドレスになる式も書けます。関数呼び出しの()は優先順位が高いので、必要に応じて「(式)(引数, …)」のように式を()で囲みます。

関数ポインタによる関数の呼び出し

```
ポインタ(引数, …)
```

次のように*と()を付けて書くこともできます。上記の方が簡潔ですが、下記のプログラムも見かけます。両者の動作は同じです。

関数ポインタによる関数の呼び出し(*と()を使用)

```
(*ポインタ)(引数, …)
```

関数ポインタを使って簡単なプログラムを書いてみましょう。**2つの整数を加算して返すadd関数を定義し、関数ポインタpをaddで初期化した上で、pを使って関数を呼び出す**プログラムを書いてください。

▼func.c

```
#include <stdio.h>

// add関数の定義
int add(int x, int y) {
    return x+y;
}
```

```
// main関数の定義
int main(void) {

    // 関数ポインタの初期化
    int (*p)(int, int)=add;

    // 関数ポインタによる関数の呼び出し
    printf("%d\n", p(1, 2));
}
```

上記のプログラムでは、関数ポインタpを宣言し、add関数で初期化します。pはadd関数に合わせて、int型の引数を2個受け取り、int型の戻り値を返す関数ポインタにしてあります。そして、pを使ってadd関数を呼び出します。呼び出し時には、引数として1と2を与えます。

▼実行例

```
> gcc -o func func.c
> func
3  ← 1+2(add関数)
```

次は関数ポインタを配列にしてみましょう。

関数ポインタを配列にする

関数ポインタを配列にすると、色々な関数を一覧にまとめられます。この一覧を使って、複数の関数を順に呼び出したり、呼び出す関数を切り替えたり、といった処理が実現できます。

関数ポインタを配列にするには、関数ポインタの配列を宣言する必要があります。次のように少し複雑な書き方をしますが、関数ポインタの宣言におけるポインタ名の部分が、配列名[要素数]に変わったと考えれば、分かりやすいでしょう。

関数ポインタの配列を宣言

```
戻り値型 (*配列名[要素数])(引数型, …);
```

関数ポインタの配列を初期化するには、他の配列を初期化するときと同様に(Chapter8)、{}の中に値を並べます。関数ポインタには関数のアドレスを格納するので、以下のように関数名を並べることが多いでしょう。

関数ポインタの配列を初期化

```
戻り値型 (*配列名[])(引数型, …)={関数名, …};
```

関数ポインタの配列を使って関数を呼び出すには、次のように書きます。関数ポインタを使った関数呼び出しにおけるポインタの部分が、配列名[添字]という式に変わったと考えれば、分かりやすいかと思います。

関数ポインタの配列による関数の呼び出し

```
配列名[添字](引数, …)
```

関数ポインタの配列を使ってみましょう。加算(add)・減算(sub)・乗算(mul)・除算(div)・剰余(mod)の各関数を定義して、関数ポインタの配列にまとめた上で、繰り返しを使って順に呼び出します。**関数ポインタの配列pを、add・sub・mul・div・modで初期化した上で、for文を使って各関数を順に呼び出す**プログラムを書いてください。

▼func2.c

```
#include <stdio.h>

// 計算用の関数を定義
int add(int x, int y) { return x+y; }
int sub(int x, int y) { return x-y; }
int mul(int x, int y) { return x*y; }
int div(int x, int y) { return x/y; }
int mod(int x, int y) { return x%y; }

// main関数の定義
int main(void) {

    // 関数ポインタの配列を初期化
    int (*p[])(int, int)={add, sub, mul, div, mod};

    // 配列の要素数
    int n=sizeof p/sizeof p[0];
```

```
    // 関数ポインタの配列による関数の呼び出し
    for (int i=0; i<n; i++) printf("%d\n", p[i](12, 3));
}
```

上記のプログラムでは、引数に12と3を与え、p[i]を使って各関数を呼び出します。なお、「sub」はsubtract、「mul」はmultiply、「div」はdivide、「mod」はmoduloの略です。

▼実行例

```
> gcc -o func2 func2.c
> func2
15   ← 12+3(add関数)
9    ← 12-3(sub関数)
36   ← 12*3(mul関数)
4    ← 12/3(div関数)
0    ← 12%3(mod関数)
```

次は標準ライブラリで関数ポインタを使う例を紹介します。

column

C++でも活用されている関数ポインタ

関数ポインタを配列にする方法を学びましたが、これと似た手法はC++でも使われています。C++には、オブジェクトの種類ごとに呼び出す関数を切り替えるための、仮想関数(かそうかんすう)という機能があります。この仮想関数を実現するために、仮想関数テーブルと呼ばれる仕組みがあるのですが、これは関数ポインタの配列になっています。関数ポインタを使うことによって、if文のような判定を行わずに呼び出す関数を切り替えられ、処理の高速化が図れます。

C言語でも同様に、関数ポインタを使って呼び出す関数を切り替える手法は使えます。さらに構造体を組み合わせれば、C++のオブジェクトや仮想関数に相当する動作を、C言語で実現することも可能です。こういった手法は実際のプログラムでも使われています。例えば、プログラミング言語のPython(パイソン)は、主要な処理系(CPython)がC言語で書かれていますが、処理系のソースコードを読むと、構造体や関数ポインタを使ってオブジェクトの機能を実現していることが分かります。

❖関数ポインタを標準ライブラリで活用する

コンピュータでよく行う処理の一つがソート(整列)です。ソートは、複数の値を昇順(小さい順)や降順(大きい順)などの決まった順序に並べ替える処理です。

C言語の標準ライブラリにも、qsort(キュー・ソート)関数という、ソートを行う関数があります。「qsort」はquick sort(クイック・ソート)の略と思われます。ただし、qsort関数がクイックソート(代表的なソート手法の一つ)を使って実装されているかどうかは、処理系によります。

実はqsort関数は、関数ポインタを利用しています。ソートを行うには、値の大小を比較する必要がありますが、比較の方法は値の種類(整数・浮動小数点数・文字列・構造体など)によって異なります。特に構造体の場合には、値の大小を決める基準が、構造体の内容によって全く異なるでしょう。そこでqsort関数は、プログラマが定義した比較用の関数を、関数ポインタで受け取る仕組みになっています。プログラマはソートの対象に合わせて、独自に比較用の関数を定義できるので、色々なソートにqsort関数を利用できるというわけです。

比較用の関数は次のように定義します。比較する2個の値を指すconst void*型のポインタを引数として受け取り、大小をint型の戻り値で返します。ポインタAが指す値をA、ポインタBが指す値をBとすると、A<Bの場合は負数、A>Bの場合は正数、A==Bの場合は0を返します。

比較用の関数を定義

```
int 関数名(const void* ポインタA, const void* ポインタB) {
    …
    return 式;
}
```

constは値の変更を禁止するために使いますが(Chapter5)、次のように書くと、ポインタが指す値の変更を禁止します。上記の場合は、比較用の関数に渡されたポインタを使って、ポインタが指す値を変更することを禁止しています。

ポインタが指す値の変更を禁止する

```
const 型* ポインタ名
```

上記のようにconstを型の前に書くと、ポインタが指す値の変更を禁止します。一方、次のように*とポインタ名の間にconstを書くと、ポインタ自体の変更を禁止します。

ポインタの変更を禁止する

```
型* const ポインタ名
```

両方にconstを書くこともできます。この場合は、ポインタが指す値もポインタ自体も、変更を禁止します。

ポインタが指す値もポインタも変更を禁止する

```
const 型* const ポインタ名
```

比較用の関数については、ポインタがvoid*であることにも注目してください。比較する値の型は色々なので、int*やdouble*といった具体的な型を指すポインタではなく、指す先の型が決まっていないvoid*を使います。値を読み書きするときには、int*やdouble*などの具体的な型のポインタに格納して使うか、int*やdouble*にキャストして使います。

さて、ソートを実行するには、以下のqsort関数を呼び出します。qsort関数を使うには、stdlib.hのインクルードが必要です。

ソートの実行

```
qsort(先頭アドレス, 要素数, 要素のバイト数, 比較用の関数名)
```

qsort関数の引数には、ソートの対象になる配列などの先頭アドレス、要素数、要素1個あたりのバイト数、そして比較用の関数名（関数のアドレス）を指定します。qsortは関数のアドレスを関数ポインタで受け取り、値を比較するために呼び出します。

qsort関数を使ってみましょう。**整数の得点（84、93、100、75、64）を昇順にソートし、結果を出力**するプログラムを書いてください。比較用の関数名は任意ですが、以下のプログラム例ではcompare（コンペア、比較する）としました。

▼func3.c

```
#include <stdio.h>
#include <stdlib.h>

// 比較用のcompare関数を定義
int compare(const void* p, const void* q) {
    return *(int*)p-*(int*)q;
}
```

```
// main関数の定義
int main(void) {

    // 配列の初期化
    int a[]={84, 93, 100, 75, 64};

    // 配列の要素数
    int n=sizeof a/sizeof a[0];

    // ソートを実行
    qsort(a, n, sizeof a[0], compare);

    // 配列を出力
    for (int i=0; i<n; i++) printf("%d ", a[i]);
    puts("");
}
```

上記のプログラムでは、得点をint型の配列aに格納して、qsort関数に先頭アドレス(a)、要素数(sizeof a/sizeof a[0])、要素のバイト数(sizeof a[0])、比較用の関数名(compare)を渡します。compare関数では、引数のポインタpとポインタqを、int*型(int型を指すポインタの型)にキャストした上で、*(間接演算子)を使って値を参照します。pが指す値から、qが指す値を引く(減算する)ことで、前者が大きいときは正数、前者が小さいときは負数、等しいときは0が求まるので、これを戻り値とします。

▼実行例

```
> gcc -o func3 func3.c
> func3
64 75 84 93 100   ← 昇順にソート
```

上記は昇順にソートしましたが、降順にソートするにはどうしたらよいでしょうか。これは比較用のcompare関数を書き換えれば可能です。pが指す値からqが指す値を引くのではなく、逆にqが指す値からpが指す値を引けばよいのです。簡単にできるので、試してみてください。

column

メモリリーク

確保したメモリの解放を忘れることを、メモリリークと呼びます。リーク(leak)というのは水などが漏れることですが、メモリリークの場合はメモリの解放漏れを意味します。

C言語においては、malloc関数で確保したメモリをfree関数で解放し忘れた場合、メモリリークが起きます。ただしプログラムが終了した場合には、多くのOSはプログラムが使っていたメモリを解放するので、あまり問題になりません。

問題になるのは、メモリリークが起きたまま、プログラムの実行が続く場合です。プログラマの心づもりでは「プログラムがメモリの確保と解放を繰り返すので、使用メモリ量の最大値は無難な値に収まる」という見込みでも、解放が適切に行われないと、使用メモリ量がうなぎ登りに増大することがあります。空きメモリが不足して、プログラムやOSの性能を落としてしまうかもしれません。

メモリリークへの対策は、動的に確保したメモリを忘れずに解放することが基本です。一方で、メモリリークはソフトウェアの典型的なバグなので、メモリリークを検出するツールも存在します。こういったツールを利用することも、メモリリークへの対策になります。

プログラムの終了時にメモリの解放を省略しても、おそらく問題は起きません。しかし、プログラムの終了時以外にメモリの解放を省略すると、問題が起きる可能性があります。「メモリの解放をしなくて済むかどうか」を検討するのも負担になりますので、プログラマにとって楽なスタイルは、「確保したメモリを忘れずに解放する習慣」を身につけることだろうと考えました。そこで本書では、確保したメモリを解放することに慣れていただけるよう、プログラムの終了時に関しても省略せずに、メモリの解放(free関数の呼び出し)を実施しています。

本章では、ポインタを利用した色々な機能について学びました。いずれの機能も、書き方は少し難しそうに見えますが、仕組みは難しくありません。色々なプログラムを作るときに役立つので、興味を持った機能から、じっくりと学んでみてください。

次章では実用的なプログラムを作るのに欠かせない、ファイルの読み書きを学びます。構造体とポインタの知識も使うので、確認しながら読み進めてください。

応用編 Chapter15

ファイルを読み書きする

本章ではファイルを読み書きする方法を学びます。実用的なソフトウェアの多くは、ファイルの入出力を伴います。例えば、プログラムの記述に使うテキストエディタには、ソースファイルを読み込んで編集し、再びファイルに書き込む機能があります。また例えば、Cプログラムのコンパイルに使うCコンパイラは、ソースファイルを読み込んで機械語に変換し、オブジェクトファイルに書き込みます。ファイルを読み書きする方法を学んで、このようなソフトウェアを自作できるようになりましょう。

本章の学習内容

①テキストファイルとバイナリファイル
②ファイルのオープンとクローズ
③文字列の入出力
④文字の入出力
⑤複数バイトの入出力
⑥書式付きの入出力

section 01

テキストファイルの入出力

テキストファイルとは、文字を並べたファイルのことです。文字の並びとして解釈できるファイルともいえます。テキストエディタなどの、テキストファイルに対応したソフトウェアで開くと、文字の並びを画面に表示したり、編集したりできます。

テキストファイルの中には、文字を表す文字コードの値や、特定の文字エンコーディングで文字を表現した値が並んでいます。文字コードや文字エンコーディングの種類はテキストファイルによって異なりますが、最近はASCIIやUTF-8などがよく使われます(Chapter1)。

テキストファイルとは異なり、文字を並べたわけではないファイル、あるいは文字の並びとしては解釈できないファイルのことを、バイナリファイルと呼びます。例えば、画像や音声のファイルは、一般にバイナリファイルです。また、Cコンパイラが生成するオブジェクトファイルや実行ファイルも、バイナリファイルの例です。バイナリファイルには色々な形式があり、それぞれの形式に対応したソフトウェアで扱えます。

本章ではテキストファイルとバイナリファイルの両方について、入出力の方法を学びます。まずはテキストファイルの入出力です。

❖ファイルを開いて閉じる

ファイルの入出力は、次のような手順で行います。最初にファイルを開き、ファイルを読み書きして、最後にファイルを閉じます。こういったファイル操作を行う標準ライブラリの関数を使うには、stdio.hをインクルードしておきます。

①ファイルを開く

fopen(エフ・オープン)関数を使ってファイルを開きます。fopenの「f」はfile(ファイル)の略と思われます。fopen関数は、開いたファイルを管理するための情報をまとめたFILE型の値を用意し、この値のアドレスを返します。後述するように、典型的なFILE型は「構造体にtypedef宣言でFILEという別名を付けたもの」です。

fopen関数が返したアドレスは、**FILE*型のポインタ**に格納して、以後のファイル操作に使います。このFILE*型のポインタは、**ファイルポインタ**という通称で呼ばれるので、本書でもファイルポインタと呼ぶことにします。

▼ファイルを開く

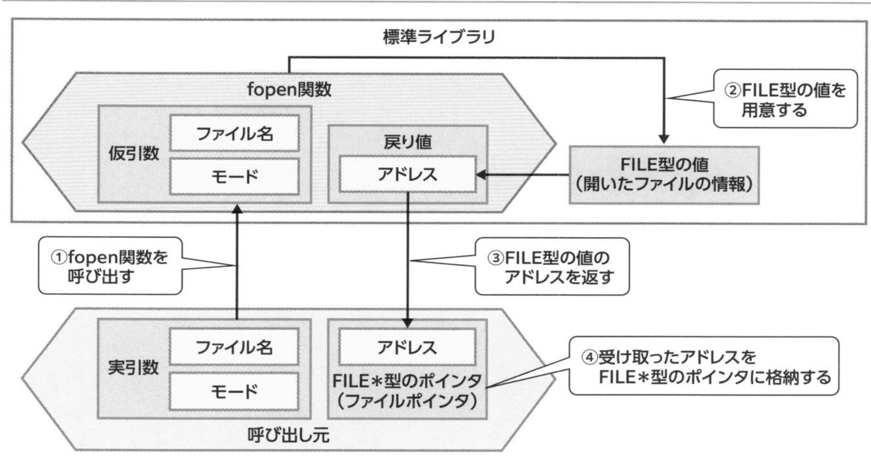

②ファイルを読み書きする

標準ライブラリにはファイルを読み書きする色々な関数があります。文字列・文字・複数バイトなど、どんな単位でファイルを入出力したいかに応じて、関数を使い分けます。これらの関数を呼び出す際には、ファイルポインタ（に格納したアドレス）を引数で渡します。関数は受け取ったアドレスを使って、①で用意したFILE型の値を参照し、ファイルを読み書きします。

▼ファイルを読み書きする

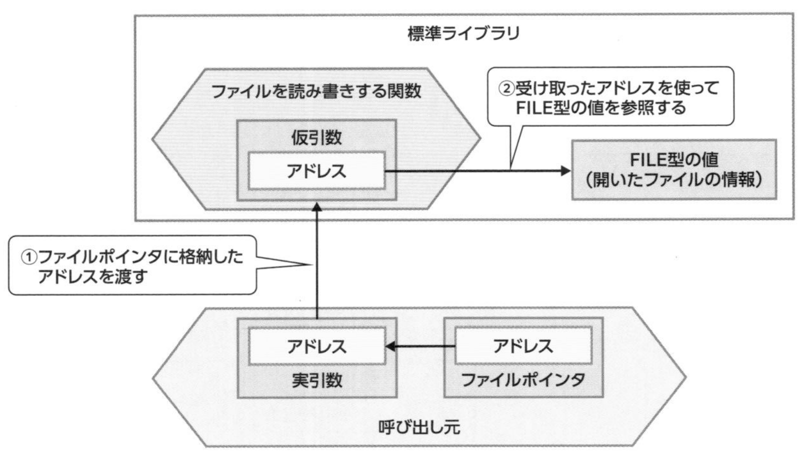

③ファイルを閉じる

fclose（エフ・クローズ）関数を使ってファイルを閉じます。ファイルを開いたままでいると、同時に開けるファイル数の上限に達して、他のファイルが開けなくなることがあります。また、書き込みの際にファイルを閉じないと、ファイルの一部が出力されないこともあります。そのため、ファイルの操作が終わったら、忘れずにファイルを閉じます。なお、同時に開けるファイル数は環境によって異なりますが、「同時に開けることが保証されているファイル数の下限」は、stdio.hで定義されているFOPEN_MAXマクロに記載されています。本書で利用した処理系（GCC/Clang）におけるFOPEN_MAXの値は、Windows/macOSでは20、Linuxでは16でした。

FILE型の内容は処理系によって異なります。典型的なFILE型は、ファイルを管理するための情報をまとめた構造体に、typedef宣言を使ってFILEという別名を付けたものです。つまりファイルポインタ（FILE*型のポインタ）は、構造体（Chapter12）を指すポインタ（Chapter13）です。

ファイルポインタは次のように宣言します。ポインタ名の付け方は、通常のポインタ名や変数名と同じです（Chapter5）。

ファイルポインタの宣言

```
FILE* ファイルポインタ名;
```

ファイルを開くには、次のようにfopen関数を呼び出します。fopen関数の戻り値は、ファイルポインタの初期化に使うか、宣言済みのファイルポインタに代入します。なお、ファイルが開けなかったときの処理については後述します。

ファイルを開く（ファイルポインタを初期化）

```
FILE* ファイルポインタ名=fopen(ファイル名, モード);
```

ファイルを開く（ファイルポインタに代入）

```
ファイルポインタ=fopen(ファイル名, モード)
```

上記でファイル名の部分には、"hello.c"のようなファイル名の文字列を書きます。"chapter2/hello"のようなパス（ファイルの場所を表す文字列）を書くこともできます。どのようなファイル名やパスの形式が有効なのかは、処理系定義（Chapter4）となります。

本書で利用した処理系（GCC/Clang）では、"chapter2/hello"のように/（スラッシュ）で区切ったパスは、Windows/macOS/Linuxで有効でした。"chapter2\\hello.c"あるいは"chapter2¥¥hello.c"のように、\（バックスラッシュ）または¥（円記号）で区切ったパスは、Windowsのみで有効でした。なお、\や¥を文字列に含めるときは、エスケープシーケンスを使って、「\\」や「¥¥」のように2個続けて書く必要があります（Chapter2）。

モードに関しては、次のような文字列で指定します。入力・出力・追加の3種類があります。ファイル名で指定したファイルが存在するかどうかによって、動作が変わります。

▼fopenのモード

モード	意味	ファイルがある場合	ファイルがない場合
r	read（リード、入力）	先頭から読む	エラー
w	write（ライト、出力）	破棄して上書きする	新規に作成する
a	append（アペンド、追加）	末尾に追記する	新規に作成する

上記のモードには、次のようなバリエーションがあります。特に必要がない場合には、上記の「r」「w」「a」をそのまま使えば大丈夫です。

● 読み書きの両方に対応(+)

「r+」「w+」「a+」のように「+」を付けると、開いたファイルに対して読み書きの両方ができます。ファイルの有無による動作の違いは、「+」を付けない「r」「w」「a」と同様です。

● バイナリファイル(b)

「rb」「wb」「ab」のように「b」を付けると、バイナリファイルを扱えます。「b」はbinary（バイナリ）の略と思われます。「r+b」「w+b」「a+b」あるいは「rb+」「wb+」「ab+」のように、「+」と組み合わせることもできます。

「b」を付けない「r」「w」「a」などはテキストファイル用のモードで、「b」を付ける「rb」「wb」「ab」などはバイナリファイル用のモードです。

テキストファイル用のモードでは、ファイルを読み書きする際に、改行コードなどに対して特別な処理を行います。バイナリファイル用のモードでは、特別な処理は行わずに、元のファイルをそのまま読み書きします。読み書きするファイルがテキストファイルかバイナリファイルかによって、「b」を付けないか付けるかを選びます。

さて、ファイルを閉じるには、次のようにfclose関数を呼び出します。引数はファイルポインタです。

ファイルを閉じる

```
fclose(ファイルポインタ)
```

ファイルを開いて閉じる方法を学びました。次は、ファイルから文字列を読み込んでみましょう。

column

改行コードの変換

改行コード（改行を表す文字コード）には、CR（キャリッジ・リターン、\r）とLF（ライン・フィード、\n）があります（Chapter9）。macOS/LinuxではLFを使いますが、WindowsではCR+LF（CRとLFを並べたもの）を使います。Windowsにおいてテキストファイル用のモードを使うと、ファイルを読む際にはCR+LFをLFに変換し、ファイルに書く際にはLFをCR+LFに変換してくれます。この変換によって、環境による改行コードの違いが吸収されるので、複数の環境に対応したプログラムが書きやすくなります。

❖ファイルから文字列を読み込む

ファイルを読み書きするための関数は数多くありますが、本書ではいくつかの代表的な関数を紹介します。まずはfgets（エフ・ゲット・エス）関数を使って、ファイルから文字列を読んでみましょう。fgets関数はキーボードから文字列を入力するために使いましたが（Chapter9）、次のようにファイルポインタを指定すると、ファイルから文字列を入力できます。

ファイルから文字列を読み込む

```
fgets(文字配列名, 要素数, ファイルポインタ)
```

fgets関数は改行を区切りとして、ファイルから1行の文字列を読み込み、改行（\n）も含めて配列（文字配列）に格納します。格納した文字列の末尾には、自動的にヌル文字（\0）を付けます。もしファイルの1行が長くて、引数で渡された配列に格納できない場合は、この配列に格納できる範囲で、1行を途中まで読み込みます。残りの部分は、再びfgets関数を呼び出せば読み込めます。ファイルの文字コードがASCIIの場合、配列に格納できる最大の文字数（ヌル文字を除く）は、「配列の要素数-1」です。

fgets関数を使ってみましょう。簡単なプログラムから始めます。**テキストファイルから最初の1行だけを読み込んで画面に出力**するプログラムを書いてください。fopen関数でファイルを開き、fgets関数でファイルから1行を読み込んで、画面に出力し、fclose関数でファイルを閉じます。

▼str.c

```
#include <stdio.h>

int main(void) {

    // ファイルを開く
    FILE* fp=fopen("str.c", "r");

    // 読み込んだ文字列を格納するための配列
    char s[1000];

    // ファイルから1行の文字列を読み込む
    fgets(s, sizeof s, fp);

    // 読み込んだ文字列を画面に出力
    printf("%s", s);

    // ファイルを閉じる
    fclose(fp);
}
```

上記のプログラムでは、このプログラム自体のソースファイル(str.c)を開いて、最初の1行を読み込みます。読み込んだ文字列には改行が含まれているので、自動的に改行するputs関数ではなく、printf関数を使って画面に出力しました。なお、ポインタ名の「fp」は、file pointer(ファイル・ポインタ)の略です。

▼実行例

```
> gcc -o str str.c
> str
#include <stdio.h>   ← ファイル(str.c) の1行目を出力
```

とりあえず、ファイルから1行だけを読み込むことができました。次は繰り返しを使って、ファイルの末尾まで読み込んでみましょう。

❖ファイルの末尾まで読み込む

ファイルを1行ずつ末尾まで読み込むには、fgets関数の戻り値を使います。ファイルの末尾に達すると、fgets関数はNULL（ヌル）を返します。そこで、fgets関数の戻り値を調べて、NULLでない限り読み込みを繰り返せば、ファイルの末尾まで読み込めます。

前回のプログラム（str.c）を改造して、**テキストファイルの末尾まで1行ずつ読み込んで画面に出力**するプログラムを書いてください。while文やfor文による繰り返しを使います。

▼str2.c

```
#include <stdio.h>

int main(void) {

    // ファイルを開く
    FILE* fp=fopen("str2.c", "r");

    // ファイルの末尾まで1行ずつ読み込んで画面に出力
    char s[1000];
    while (fgets(s, sizeof s, fp)) printf("%s", s);

    // ファイルを閉じる
    fclose(fp);
}
```

上記のプログラムでは、while文の条件式にfgets関数の呼び出しを書きました。NULLの値は0なので、fgets関数の戻り値がNULL以外ならば繰り返しを続け、NULLならば繰り返しを終わります。「fgets(…)!=NULL」のように書いても構いません。

以下の実行例ではコメントが出力されていませんが、これは本書のダウンロードファイルに収録したソースファイルにはコメントが含まれていないためで、正しい動作です。また、インデントが半角4文字分ではなく半角8文字分で出力されているのは、インデントにタブを使っており、タブが半角何文字分で出力されるのかは環境によって変わるためなので、やはり正しい動作です。本書ではインデントを半角4文字分で掲載していますが、コマンドプロンプトやターミナルでは半角8文字分などで出力されることがあります。

▼実行例

```
> gcc -o str2 str2.c
> str2
#include <stdio.h>   ← ファイル(str2.c) の内容を出力

int main(void) {
        FILE* fp=fopen("str2.c", "r");
        char s[1000];
        while (fgets(s, sizeof s, fp)) printf("%s", s);
        fclose(fp);
}
```

上記のプログラム(str2.c)を、より実用的なツールに改造してみましょう。**テキストファイルに行番号を付けて画面に出力**するプログラムを書いてください。ファイルを読み込む方法は同じですが、行番号を数えておき、読み込んだ文字列と一緒に出力します。

▼str3.c

```
#include <stdio.h>

int main(void) {

    // ファイルを開く
    FILE* fp=fopen("str3.c", "r");

    // ファイルを1行ずつ読み込み、行番号を付けて出力
    char s[1000];
    for (int i=1; fgets(s, sizeof s, fp); i++) printf("%2d %s", i, s);

    // ファイルを閉じる
    fclose(fp);
}
```

上記のプログラムでは、for文を使って行番号を数え、ファイルから読み込んだ文字列と一緒に出力します。行番号については、printf関数の変換指定を%2dとして、2桁で出力しました(Chapter3)。

▼実行例

```
> gcc -o str3 str3.c
> str3
 1 #include <stdio.h>   ← ファイル(str3.c)の内容を行番号付きで出力
 2
 3 int main(void) {
 4       FILE* fp=fopen("str3.c", "r");
 5       char s[1000];
…
```

ファイルから文字列を読み込む方法を学びました。今度は逆に、ファイルに文字列を書き込む方法を学びましょう。

❖ファイルに文字列を書き込む

fgets関数には、対になるfputs(エフ・プット・エス)関数があります。getは入力、putは出力を意味します。次のようにfputs関数を呼び出すと、文字配列の内容(文字列)をファイルに出力します。なお、puts関数は自動的に改行を出力しますが(Chapter2)、fputs関数は改行を出力せずに、文字列だけを出力します。

ファイルに文字列を書き込む

```
fputs(文字配列名, ファイルポインタ)
```

fgets関数とfputs関数を使って、ファイルをコピーするプログラムを書いてみましょう。前回のプログラム(str3.c)を改造し、**テキストファイルを1行ずつ読み込んで、別のファイルに1行ずつ書き込む**プログラムを書いてください。ここでは、読み込むファイルを入力ファイル、書き込む先のファイルを出力ファイルと呼ぶことにします。今回のプログラムでは、入力ファイルと出力ファイルを同時に開いて、入力ファイルから出力ファイルに1行ずつコピーします。

同時に開いた複数のファイルを区別するには、ファイルポインタを使います。例えば、ファイルAとファイルBを同時に開くと、ファイルポインタAとファイルポインタBが得られます。ファイルを読み書きしたり、ファイルを閉じたりする際には、ファイルポインタを指定することによって、どちらのファイルを操作するのかを切り替えます。ファイルポインタAを指定すればファイルAを、ファイルポインタBを指定すればファイルBを操作できます。

▼str4.c

```
#include <stdio.h>

int main(void) {

    // 入力ファイルを開く
    FILE* ifp=fopen("str4.c", "r");

    // 出力ファイルを開く
    FILE* ofp=fopen("str4.out", "w");

    // 入力ファイルを1行ずつ読み込んで、出力ファイルに書き込む
    char s[1000];
    while (fgets(s, sizeof s, ifp)) fputs(s, ofp);

    // 入力ファイルを閉じる
    fclose(ifp);

    // 出力ファイルを閉じる
    fclose(ofp);
}
```

上記のプログラムでは、入力ファイルのファイルポインタ(ifp)と、出力ファイルのファイルポインタ(ofp)を使い、複数のファイルを同時に開いて操作します。ifpの「i」はinput(インプット、入力)、ofpの「o」はoutput(アウトプット、出力)の略です。前回はprintf関数を使って画面に出力していましたが、今回はfputs関数を使ってファイルに出力します。

以下は実行例です。実行しても画面には何も出力されませんが、「str4.c」を「str4.out」というファイルにコピーします。type(Windows)やcat(macOS/Linux)などのコマンドを使って、str4.outの内容を表示し、str4.cがコピーされたことを確認してみてください。

▼実行例

```
> gcc -o str4 str4.c
> str4
> type str4.out        ← macOS/Linuxは「cat str4.out」
#include <stdio.h>   ← str4.cの内容がstr4.outにコピーされている

int main(void) {
        FILE* ifp=fopen("str4.c", "r");
        FILE* ofp=fopen("str4.out", "w");
…
```

これでファイルの読み書きができるようになりました。今までは読み書きするファイルをプログラムで指定していましたが、次はコマンドライン引数を使ってファイルを指定できるようにしましょう。

❖コマンドライン引数でファイルを指定する

読み書きするファイルをコマンドライン引数(Chapter14)で指定できると、プログラムがより実用的になります。以前に作成したプログラム(str3.c)を改造して、**コマンドライン引数で指定したテキストファイルを行番号付きで出力**するプログラムを書いてみてください。

以下は実行例です。起動時にコマンドライン引数の個数(argc)を調べて、もし実行ファイル名だけの場合(開くテキストファイルが指定されていない場合)には、以下のように使い方を出力した上で、プログラムを終了してください。

また、ファイルが開けなかったときには、以下のようにエラーを出力した上で、プログラムを終了してください。ファイルが開けなかった場合、fopen関数はNULLを返します。ファイルポインタ(fopen関数の戻り値)がNULLかどうかを調べて、NULLならばエラーを出力し、プログラムを終了します。

▼実行例

```
> gcc -o str5 str5.c
> str5                  ← ファイルを指定せずに実行
usage: str5 file        ← 使い方(usage) を出力
> str5 hello.c          ← 存在しないファイル(hello.c) を指定して実行
Can't open hello.c      ← ファイルが開けないというエラーを出力
> str5 str5.c           ← 存在するファイル(str5.c) を指定して実行
 1 #include <stdio.h>   ← ファイルの内容を行番号付きで出力
 2
 3 int main(int argc, char* argv[]) {
 4     if (argc!=2) {
 5             printf("usage: %s file\n", argv[0]);
…
```

以下のプログラムでは、argcが2（実行ファイル名とコマンドライン引数1個）以外のときには、使い方を出力した後に、return文（Chapter10）を使ってプログラムを終了します。また、fopen関数を呼び出した後に、if文でファイルポインタ（fp）がNULLかどうかを調べ、NULLの場合にはエラーを出力して終了します。NULLの値は0なので、「!fp」という式を使って、「fpが0である（fpが0以外ではない）」という条件を表現します。「fp==NULL」と書いても構いません。

▼str5.c

```
#include <stdio.h>

// main関数の定義（コマンドライン引数を受け取る）
int main(int argc, char* argv[]) {

    // コマンドライン引数の個数が不適切な場合は、
    // 使い方を出力して終了
    if (argc!=2) {
        printf("usage: %s file\n", argv[0]);
        return 1;
    }

    // ファイルを開く
    FILE* fp=fopen(argv[1], "r");

    // ファイルが開けなかった場合は、
    // エラーメッセージを出力して終了
```

```
    if (!fp) {
        printf("Can't open %s\n", argv[1]);
        return 1;
    }

    // ファイルを1行ずつ読み込んで、行番号を付けて出力
    char s[1000];
    for (int i=1; fgets(s, sizeof s, fp); i++) printf("%2d %s", i, s);

    // ファイルを閉じる
    fclose(fp);
}
```

コマンドライン引数で指定したファイルを読み書きするプログラムを作成しました。コマンドライン引数の個数を確認して使い方を出力したり、ファイルが開けなかったときにエラーを出力する方法も学びました。これで、ファイルを操作する各種のコマンド（gccなど）のようなプログラムを、自作できるようになりました。Cプログラミングの練習を兼ねて、ぜひ何か興味があるコマンドを自作してみてください。

今までは文字列単位のファイル入出力について学んできました。次は文字単位のファイル入出力を学んでみましょう。

section 02 文字単位のファイル入出力

ファイルは1文字ずつ読み書きすることもできます。文字列単位の読み書きと、文字単位の読み書きは、作成するプログラムの内容に応じて、どちらを使っても構いません。ここでは文字単位でファイルを読み込んで画面に出力するプログラムと、文字単位でファイルをコピーするプログラムを書いてみましょう。

❖ファイルから文字を読み込む

次のようなfgetc（エフ・ゲット・シー）関数を使うと、ファイルから1文字を読み込めます。fgetcのcはcharacter（キャラクター、文字）の略と思われます。

ファイルから文字を読み込む

```
fgetc(ファイルポインタ)
```

fgetc関数はファイルから1文字を読み込み、文字コードをint型で返します。fgetc関数はファイルから読み込みますが、動作としてはキーボードから1文字を読み込むgetchar関数（Chapter9）に似ています。

fgetc関数を使ってみましょう。**テキストファイルの末尾まで1文字ずつ読み込んで画面に出力**するプログラムを書いてください。

ファイルの末尾に到達すると、fgetc関数はEOF（End Of File、ファイルの末尾）という値を返します。EOFはstdio.hで定義されているマクロ（Chapter5）で、負の整数です。fgetc関数の戻り値がEOFかどうかを調べれば、ファイルの末尾に到達したかどうかが分かります。

▼char.c

```
#include <stdio.h>

int main(void) {

    // ファイルを開く
    FILE* fp=fopen("char.c", "r");

    // ファイルの末尾まで1文字ずつ読み込んで画面に出力
```

```
    for (int c; (c=fgetc(fp))!=EOF; putchar(c));

    // ファイルを閉じる
    fclose(fp);
}
```

上記のプログラムでは、for文の条件式がポイントです。最初に「c=fgetc(fp)」で、ファイルから読み込んだ1文字を変数cに代入します。次に「(c=fgetc(fp))!=EOF」として、「c=fgetc(fp)」という式の値(cの値と同じ)とEOFを比較し、EOF以外である限り繰り返しを続けます。

=(代入演算子)は!=(比較演算子)よりも優先順位が低いので(Chapter4)、(c=fgetc(fp))のように()で囲んでいることに注目してください。カンマ(,)演算子を使って、「c=fgetc(fp), c!=EOF」と書くこともできます。

▼実行例

```
> gcc -o char char.c
> char
#include <stdio.h>  ← ファイル(char.c)の内容を出力

int main(void) {
        FILE* fp=fopen("char.c", "r");
        for (int c; (c=fgetc(fp))!=EOF; putchar(c));
        fclose(fp);
}
```

次はファイルを文字単位でコピーするプログラムを書きます。

column

fgetc関数と文字コード・文字エンコーディングの関係

fgetc関数はファイルから1バイトを読み込みます。そのため、ASCII(Chapter1)のように1文字が1バイトの文字コードを使ったファイルについては、fgetc関数は1文字を読み込むことになります。一方、UTF-8(Chapter1)のように1文字が1バイトではない文字エンコーディングを使ったファイルについては、fgetc関数が1文字を読み込むとは限らない(1文字を構成する複数バイトのうち1バイトを読み込むことがある)ので、注意してください。

❖ファイルに文字を書き込む

ファイルに1文字を書き込むには、次のようなfputc(エフ・プット・シー)関数を使います。fputc関数はファイルに書き込みますが、動作としては画面に1文字を出力するputchar関数(Chapter9)に似ています。putchar関数と同様に、文字の部分には文字コードをint型の値で指定します。

ファイルに文字を書き込む

```
fputc(文字, ファイルポインタ)
```

fputc関数を使ってみましょう。**テキストファイルを1文字ずつ読み込んで、別のファイルに1文字ずつ書き込む**プログラムを書いてください。以前に書いた、1行単位でファイルをコピーするプログラム(str3.c)に似ているので、このプログラムを改造するとよいでしょう。

▼char2.c

```
#include <stdio.h>

int main(void) {

    // 入力ファイルを開く
    FILE* ifp=fopen("char2.c", "r");

    // 出力ファイルを開く
    FILE* ofp=fopen("char2.out", "w");

```

```
    // 入力ファイルを1文字ずつ読み込んで、出力ファイルに書き込む
    for (int c; (c=fgetc(ifp))!=EOF; fputc(c, ofp));

    // 入力ファイルを閉じる
    fclose(ifp);

    // 出力ファイルを閉じる
    fclose(ofp);
}
```

上記のプログラムは、入力ファイルのファイルポインタ(ifp)と、出力ファイルのファイルポインタ(ofp)を使います。fgetc関数で入力ファイルから1文字を読み込み、fputc関数で出力ファイルに1文字を書き込みます。前回のプログラム(char.c)と同様に、fgetc関数の戻り値がEOFかどうかを調べて、ファイルの末尾まで読み込みます。

以下は実行例です。「char2.c」の内容を「char2.out」にコピーします。type(Windows)やcat(macOS/Linux)などのコマンドを使って、char2.outの内容を表示し、正しくコピーされたことを確認してみてください。

▼実行例

```
> gcc -o char2 char2.c
> char2
> type char2.out       ← macOS/Linuxは「cat char2.out」
#include <stdio.h>     ← char2.cの内容がchar2.outにコピーされている

int main(void) {
        FILE* ifp=fopen("char2.c", "r");
        FILE* ofp=fopen("char2.out", "w");
…
```

テキストファイルに関して、文字列単位と文字単位の読み書きを行いました。次はバイナリファイルを読み書きしてみましょう。

section
03 バイナリファイルの入出力

前述のように、fopen関数のモードにbを付けると、バイナリファイル用のモードになります。今まで使ってきたテキストファイル用のモードでは、読み書きの際に改行コードの変換などを行います。例えば画像や音声といったバイナリファイルを扱うときには、ファイルの内容が改変されてしまうと不都合なので、このような変換などを行わないバイナリファイル用のモードを使います。

ここではバイナリファイルを読み書きする基本的な方法を学びましょう。バイナリファイルを1バイトずつ読み込む方法と、複数バイトをまとめて読み書きする方法を学びます。

❖ファイルを1バイトずつ読み込む

バイナリファイルを1バイトずつ読み書きするには、fopen関数のモードにbを付けてファイルを開いた上で、fgetc関数やfputc関数を使います。fopen関数のモードが異なるだけで、fgetc関数やfputc関数の使い方はテキストファイルの場合と同じです。fgetc関数の戻り値がEOFかどうかを調べれば、ファイルの末尾を検出できることも同様です。

ファイルをバイナリファイル用のモードで読み込むプログラムを書いてみましょう。**ファイルをバイナリファイル用のモードで開き、1バイトずつ読み込み、16進数で出力**するプログラムを書いてください。以前に書いた、テキストファイルを1文字ずつ読み込んで出力するプログラム（char.c）に似ているので、このプログラムを改造するとよいでしょう。

以下は実行例です。bin.c（今回作成するプログラム）の内容を、1バイトずつ16進数で出力しています。結果が見やすくなるように、1バイトを2桁で出力し、16バイトごとに改行しました。なお、この実行例で出力したのは、本書のダウンロードファイルに収録したbin.cで、本書に掲載したbin.cのようなコメントは含まれていません。

▼実行例

```
> gcc -o bin bin.c
> bin
23 69 6e 63 6c 75 64 65 20 3c 73 74 64 69 6f 2e   ← bin.cの内容を出力
68 3e 0a 0a 69 6e 74 20 6d 61 69 6e 28 76 6f 69
…
28 22 22 29 3b 0a 09 66 63 6c 6f 73 65 28 66 70
29 3b 0a 7d 0a
```

以下のプログラムでは、fopen関数のモードにrb（バイナリファイルの読み込み）を指定しています。ファイルの末尾まで1バイトずつ読み込む方法は、テキストファイルを読み込むプログラム（char.c）と同じです。

読み込んだバイトを2桁の16進数で出力するために、printf関数の変換指定で%02xを使っています（Chapter3）。また、16個ごとに改行するために、変換指定の%cと条件演算子（Chapter6）を組み合わせています。読み込んだ個数（i）を16で割った余り（i%16）が、0以外ならば空白（' '）を、0ならば改行（'\n'）を出力します。

▼bin.c

```
#include <stdio.h>

int main(void) {

    // ファイルを開く
    FILE* fp=fopen("bin.c", "rb");

    // ファイルの末尾まで1バイトずつ読み込む
    for (int i=1, c; (c=fgetc(fp))!=EOF; i++) {

        // 読み込んだバイトを2桁の16進数で出力、16個ごとに改行
        printf("%02x%c", c, i%16?' ':'\n');
    }
    puts("");

    // ファイルを閉じる
    fclose(fp);
}
```

このようにfopen関数のモードを変えるだけで、テキストファイルを1文字ずつ入出力するのと同じ方法で、バイナリファイルを1バイトずつ入出力できます。次は複数のバイトをまとめて入出力する方法を学びましょう。

❖ファイルを複数バイトまとめて読み書きする

大きなファイルを扱うときや、配列を格納したファイルを扱うときには、複数のバイトをまとめて読み書きできると便利です。こういった場合は、次のようなfread（エフ・リード）関数とfwrite（エフ・ライト）関数を使います。

ファイルから複数バイトを読み込む

```
fread(配列名, 要素のバイト数, 要素数, ファイルポインタ)
```

ファイルに複数バイトを書き込む

```
fwrite(配列名, 要素のバイト数, 要素数, ファイルポインタ)
```

fread関数とfwrite関数は、いずれも配列を使います。fread関数はファイルから読み込んだ値を配列に格納し、逆にfwrite関数は配列に格納された値をファイルに書き込みます。引数には配列名のほか、配列の要素1個あたりのバイト数（要素のサイズ）や、読み書きを行う要素数を指定します。

fread関数を使う際には、次のような注意点があります。

● 要素数

読み込んだ値が配列の範囲を越えないように、配列の要素数以下の要素数を指定します。指定した要素数を読み込む前に、ファイルの末尾に到達した場合には、fread関数は読み込めた要素だけを配列に格納します。

● 戻り値

fread関数の戻り値は、実際に読み込んだ要素数です。ファイルの末尾に到達した場合は、戻り値が0になるので、末尾かどうかが分かります。

fread関数とfwrite関数を使って、ファイルをコピーしてみましょう。**ファイルをバイナリファイル用のモードで開き、末尾まで100バイトずつ読み込んで、別のファイルに100バイトずつ書き込む**プログラムを書いてください。以前に書いた、1文字単位でファイルをコピーするプログラム(char2.c)に似ているので、このプログラムを改造するとよいでしょう。

fread関数とfwrite関数を使うには、作業用の配列が必要です。今回は100バイトずつ読み書きするために、char型で要素数が100の配列を宣言します。char型は1バイトと決められているので(Chapter9)、この配列のサイズは100バイトです。

ファイルをコピーするには、fread関数とfwrite関数を繰り返し呼び出します。fread関数の戻り値が0より大きい限り繰り返しを続ければ、ファイルの末尾までコピーできます。

▼bin2.c

```
#include <stdio.h>

int main(void) {

    // 入力ファイルを開く
    FILE* ifp=fopen("bin2.c", "rb");

    // 出力ファイルを開く
    FILE* ofp=fopen("bin2.out", "wb");

    // 読み込み用の配列
    char c[100];

    // 読み込んだ要素数
    int n;

    // 入力ファイルを100バイト（配列cのバイト数）ずつ読み込んで、
    // 出力ファイルに書き込む
    while ((n=fread(c, 1, sizeof c, ifp))>0) fwrite(c, 1, n, ofp);

    // 入力ファイルを閉じる
    fclose(ifp);

    // 出力ファイルを閉じる
    fclose(ofp);
}
```

上記のプログラムでは、while文を使ってfread関数とfwrite関数を繰り返し呼び出します。前述のようにchar型は1バイトと決められているので、要素のバイト数には1を指定しました。1の代わりに「sizeof (char)」を指定しても構いません。一方で要素数については、fread関数には配列の要素数(sizeof c)を指定し、fwrite関数には実際に読み込んだ要素数(n)を指定しました。fread関数の戻り値が0より大きい(要素が読み込めている)間、繰り返しを続けます。

以下は実行例です。「bin2.c」の内容を「bin2.out」にコピーします。type (Windows)やcat (macOS/Linux)などのコマンドを使って、bin2.outの内容を表示し、正しくコピーされたことを確認してみてください。

▼実行例

```
> gcc -o bin2 bin2.c
> bin2
> type bin2.out        ← macOS/Linuxは「cat bin2.out」
#include <stdio.h>     ← bin2.cの内容がbin2.outにコピーされている

int main(void) {
        FILE* ifp=fopen("bin2.c", "rb");
        FILE* ofp=fopen("bin2.out", "wb");
…
```

バイナリファイルの入出力について学びました。次は再びテキストファイルに戻り、書式付きのファイル入出力について学びます。

section 04 書式付きのファイル入出力

printf関数（Chapter3）やscanf関数（Chapter5）を使うと、キーボードや画面に対して、書式を指定した入出力ができます。一方、ファイルに対してprintf関数やscanf関数と同様の入出力を行うために、fprintf（エフ・プリント・エフ）関数とfscanf（エフ・スキャン・エフ）関数が用意されています。これらの関数を使って、構造体型の配列（Chapter12）をファイルに書き込んだり、ファイルから読み込んだりするプログラムを作成してみましょう。

❖書式を指定してファイルに書き込む

fprintf関数は次のように使います。fprintfの最初の「f」はfile（ファイル）の略で、最後の「f」はformat（フォーマット、形式）の略と思われます。printf関数との違いは、最初の引数がファイルポインタであることです。

書式を指定してファイルに書き込む

```
fprintf(ファイルポインタ, 書式文字列, 式, …)
```

fprintf関数の書式文字列や式の使い方は、printf関数と同じです。書式文字列の変換指定に沿って、式の値をファイルに出力します。

ここではfprintf関数を使って、構造体型の配列をファイルに書き込んでみましょう。以前に作成した、フルーツの名前・価格・重量を表すFRUIT型の構造体を使います。構造体型の配列を宣言するプログラム（Chapter12のarray.c）を改造して、**構造体型（FRUIT型）の配列をファイルに書き込む**プログラムを書いてください。

以下は実行例です。以前のプログラムでは画面へ出力していた処理を、ファイル（struct.out）へ出力する処理に変更します。また、以前は冒頭に「name price weight」（名前・価格・重量）という項目名を出力していましたが、今回は出力しません。

▼実行例

```
> gcc -o struct struct.c
> struct
> type struct.out      ← macOS/Linuxは「cat struct.out」
apple    150    0.4   ← ファイル(struct.out) の内容
banana    20    0.2
kiwi     130    0.1
melon    900    2.0
orange   100    0.3
pine     400    1.2
```

以下のプログラムでは、以前のプログラムでprintf関数だった部分を、fprintf関数に変更しました。また、fopen関数でファイルを開く処理と、fclose関数でファイルを閉じる処理も追加しました。

▼struct.c

```
#include <stdio.h>

// 構造体の定義とtypedef宣言
typedef struct {
    char name[100];
    int price;
    double weight;
} FRUIT;

// main関数の定義
int main(void) {

    // 構造体型の配列fruitを初期化
    FRUIT fruit[]={
        {"apple", 150, 0.4},
        {"banana", 20, 0.2},
        {"kiwi", 130, 0.1},
        {"melon", 900, 2.0},
        {"orange", 100, 0.3},
        {"pine", 400, 1.2}
    };

    // 配列の要素数を計算
    int n=sizeof fruit/sizeof fruit[0];
```

```
    // ファイルを開く
    FILE* fp=fopen("struct.out", "w");

    // 配列を要素ごとにファイルへ書き込む
    for (int i=0; i<n; i++) {
        fprintf(fp, "%-6s %5d %6.1f\n",
            fruit[i].name, fruit[i].price, fruit[i].weight);
    }

    // ファイルを閉じる
    fclose(fp);
}
```

このようにfprintf関数を使うと、printf関数と同じ方法で、書式を指定してファイルに書き込むことができます。次はfscanf関数を使って、ファイルから値を読み込んでみましょう。

❖書式を指定してファイルから読み込む

fscanf関数を使うと、書式を指定してファイルから値を読み込めます。fscanf関数は次のように使います。scanf関数との違いは、最初の引数がファイルポインタであることです。

書式を指定してファイルから読み込む

```
fscanf(ファイルポインタ, 書式文字列, 式, …)
```

fscanf関数の書式文字列や式の使い方は、scanf関数と同じです。書式文字列の変換指定に沿って、ファイルから値を読み込み、式で指定された変数や文字配列などに格納します。scanf関数と同様に、式にはアドレスを指定します。変数の場合はアドレス演算子を使って「&変数」と書き(Chapter5)、文字配列の場合は配列名をそのまま書きます(Chapter9)。

fscanf関数を使って、前回のプログラム(struct.c)で書き込んだファイルを、構造体型の配列に読み込んでみましょう。**ファイル(struct.out)を読み込んで、構造体型(FRUIT型)の配列に格納し、全要素を画面に出力**するプログラムを書いてください。

以下は実行例です。ファイルから構造体型の配列に値を読み込んだ上で、画面に全要素を出力します。ファイルの末尾まで読み込むには、fscanf関数の戻り値を使います。fscanf関数はファイルの末尾に到達するとEOFを返すので、戻り値がEOFでない限りfscanf関数を繰り返し呼び出せば、ファイルの末尾まで読み込めます。

配列の要素数は、今回は仮に100個とします。ファイルに格納された要素数に応じて、配列の要素数を決めるプログラムにした方が、使い勝手は良さそうです。しかし、少し処理が複雑になるので、この点については次のプログラム(struct3.c)で改良します。

▼実行例

```
> gcc -o struct2 struct2.c
> struct2
apple     150    0.4  ← 読み込んだ構造体を出力
banana     20    0.2
kiwi      130    0.1
melon     900    2.0
orange    100    0.3
pine      400    1.2
```

以下のプログラムでは、while文を使ってfscanf関数を繰り返し呼び出します。戻り値がEOFでない限り繰り返すことで、ファイルの末尾まで読み込みます。読み込んだ値を格納する配列fruitの要素数は100個なので、配列の範囲を越えないように、読み込んだ個数が100個に達したかどうかをif文で確認し、達した場合はbreak文を使って読み込みを終了します。

▼struct2.c

```
#include <stdio.h>

// 構造体の定義とtypedef宣言
typedef struct {
    char name[100];
    int price;
    double weight;
} FRUIT;

// main関数の定義
int main(void) {
```

```
    // 構造体型の配列fruitを宣言
    FRUIT fruit[100];

    // 構造体の個数
    int n=0;

    // ファイルを開く
    FILE* fp=fopen("struct.out", "r");

    // 構造体を1個ずつファイルから読み込んで、配列に格納
    while (fscanf(fp, "%s%d%lf", fruit[n].name,
        &fruit[n].price, &fruit[n].weight)!=EOF) {

        // 読み込んだ個数に1を加算した上で、
        // もし個数が配列の要素数に達したら、途中で読み込みを終了
        if (++n>=sizeof fruit/sizeof fruit[0]) break;
    }

    // ファイルを閉じる
    fclose(fp);

    // 読み込んだ全ての構造体を出力
    for (int i=0; i<n; i++) {
        printf("%-6s %5d %6.1f\n",
            fruit[i].name, fruit[i].price, fruit[i].weight);
    }
}
```

今回のプログラムでは要素数を仮に100個としましたが、次のプログラムではファイルの内容に応じて要素数を変化させてみましょう。

❖個数が分からない値を読み込む

ファイルから値を読み込むときには、値の個数が事前には分からないことがよくあります。個数が分からないと、値を格納する配列の要素数などを決められません。このように個数が分からない値を読み込むには、例えば次のような方法があります。

①確保したメモリのサイズを変更する

malloc関数とrealloc関数を使って(Chapter14)、メモリを動的に確保した上で、読み込んだ値の個数に応じてメモリのサイズ(バイト数)を変更します。最初にmalloc関数でメモリを確保しておき、値を読み込むうちにメモリが足りなくなったら、realloc関数でメモリを拡張します。この方法の利点はファイルを1回だけ読み込めば済むことで、欠点はメモリを拡張する処理の負担があることです。本章とChapter17ではこの方法を使います。

②個数を調べてから値を読み込む

最初は値を読み込まずに、ファイルに含まれる値の個数だけを調べます。次に、調べた個数に応じたメモリをmalloc関数で確保し、改めてファイルから値を読み込みます。この方法の利点はメモリの拡張が不要なことで、欠点はファイルを2回読み込むことです。Chapter18ではこの方法を使います。

扱うファイルの内容や、使用するコンピュータの特性によって、どちらの方法が適しているのかは変わります。実行速度を重視する場合には、両方の方法でプログラムを書いて、高速な方法を選ぶとよいでしょう。

ここでは①の方法を使って、実際にプログラムを書いてみましょう。前回のプログラム(struct2.c)を改造します。**ファイル(struct.out)を読み込んで、動的にメモリを確保した構造体型(FRUIT型)の配列に格納し、全要素を画面に出力**するプログラムを書いてください。

realloc関数の使い方は、個数が不明な入力をメモリに格納するプログラム(Chapter14のrealloc2.c)が参考になります。今回はFRUIT*型のポインタを宣言し、最初にmalloc関数で構造体1個分のメモリを確保しておきます。そして、構造体を1個ずつファイルから読み込んでメモリに格納するとともに、読み込んだ個数がメモリの容量に達したら、realloc関数でメモリを拡張します。

▼struct3.c

```
#include <stdio.h>
#include <stdlib.h>

// 構造体の定義とtypedef宣言
typedef struct {
```

```
    char name[100];
    int price;
    double weight;
} FRUIT;

// main関数の定義
int main(void) {

    // 構造体型のポインタfruitを宣言し、
    // 動的メモリ確保で最初のメモリ（構造体1個分）を確保
    FRUIT* fruit=malloc(sizeof(FRUIT));

    // 構造体の個数と容量
    int n=0, capacity=1;

    // ファイルを開く
    FILE* fp=fopen("struct.out", "r");

    // 構造体を1個ずつファイルから読み込んで、メモリに格納
    while (fscanf(fp, "%s%d%lf", fruit[n].name,
        &fruit[n].price, &fruit[n].weight)!=EOF) {

        // 読み込んだ個数に1を加算した上で、
        // もし個数が容量に達したら…
        if (++n>=capacity) {

            // 確保したメモリのバイト数を変更
            capacity*=2;
            fruit=realloc(fruit, sizeof(FRUIT)*capacity);
        }
    }

    // ファイルを閉じる
    fclose(fp);

    // 読み込んだ全ての構造体を出力
    for (int i=0; i<n; i++) {
        printf("%-6s %5d %6.1f\n",
            fruit[i].name, fruit[i].price, fruit[i].weight);
    }
```

```
    // メモリを解放
    free(fruit);
}
```

上記のプログラムでは、読み込んだ構造体の個数を変数nで、メモリの容量(メモリに格納できる構造体の個数)を変数capacityで管理します。読み込んだ個数が容量に達したら、realloc関数でメモリの容量を2倍にします。2倍というのは適当に決めた値です。Chapter14でも述べたように、容量をどの程度拡張するのが最適なのかは、プログラムの内容やライブラリの特性によって異なります。

▼実行例

```
> gcc -o struct3 struct3.c
> struct3
apple     150    0.4   ← 読み込んだ構造体を出力
banana     20    0.2
kiwi      130    0.1
melon     900    2.0
orange    100    0.3
pine      400    1.2
```

本章ではファイルの入出力について学びました。色々なファイルを読み書きしましたが、ファイルを開く、読み書きする、閉じるという手順は共通です。

ファイルの入出力自体はそう難しくはないのですが、もし思ったようにプログラムが書けないと感じたら、それは繰り返しを記述するのが難しいのかもしれません。思い通りに繰り返しを書くには、少し練習が必要です。ファイルを文字列・文字・バイトなどの単位で読み込む処理を、ファイルの末尾まで繰り返す…という仕組みを理解した上で、慌てずに簡単な繰り返しを何度も書いてみてください。少し時間がかかるかもしれませんが、繰り返しのプログラムを頭の中で実行できるようになれば、スムーズにプログラムが書けるようになります。

次章では、大規模なプログラムを開発するときに役立つ、プログラムの分割について学びます。

応用編 Chapter16

プログラムを分割する

本章ではプログラムを複数のソースファイルに分割する方法を学びます。プログラムが小さいうちは、プログラムを分割せずに、単独のソースファイルに書くのが簡単でおすすめです。プログラムが大きくなり、ソースファイルが長くて扱いにくくなったり、色々なプログラムから使う処理をライブラリにまとめたくなったりしたら、プログラムを分割してみてください。本章では、分割したプログラムをコンパイルする方法、ヘッダファイルを書く方法、異なるソースファイル間で関数や変数を共有する方法などを学びます。

本章の学習内容

①別のソースファイルで定義した関数の呼び出し
②分割したプログラムのコンパイルとリンク
③ヘッダファイルの作成
④複数のソースファイルにおける変数の共有
⑤extern指定子
⑥ソースファイルの内部で使う関数や変数の作成
⑦static指定子

section 01 別のソースファイルで定義した関数を呼び出す

ソースコード(プログラムのテキスト)を保存したファイルのことを、ソースファイルと呼びます(Chapter1)。今まではプログラムを単独のソースファイルに書いてきましたが、将来もっと大規模なプログラムを開発するときに備えて、本章ではプログラムを複数のソースファイルに分けて書く方法を学びます。

プログラムを複数のソースファイルに分割すると、別のソースファイルで定義した関数を呼び出す必要が生じます。こういった関数を、関数の宣言を使って呼び出す方法を学びましょう。複数のソースファイルをコンパイルする方法や、ヘッダファイルの書き方についても学びます。

❖同じソースファイルに書いた関数を呼び出す

手始めに、同じソースファイルで定義した関数を呼び出してみましょう。**2個の整数を加算した値を返すadd(アッド、加算)関数を定義し、main関数から呼び出して、1と2を加算した結果を出力**するプログラムを書いてください。これは関数を定義する例(Chapter10のfunc.c)を簡単にしたようなプログラムです。以下でファイル名の「func」は、function(関数)の略です。

▼func.c

```
#include <stdio.h>

// add関数の定義
int add(int x, int y) {
    return x+y;
}

// main関数の定義
int main(void) {

    // add関数の呼び出し
    printf("%d\n", add(1, 2));
}
```

▼実行例

```
> gcc -o func func.c
> func
3          ← 1+2の結果
```

次は上記のプログラムを、複数のソースファイルに分割してみます。

❖別のソースファイルに書いた関数を呼び出す

プログラムを分割してみましょう。**前回のプログラム(func.c)を、次のような複数のソースファイルに分割**してください。以下で使用するファイル名の「calc」は、calculation(計算)の略です。

- **func2.c**

  add関数を宣言し、main関数を定義します。

- **calc2.c**

  add関数を定義します。

main関数にはadd関数の定義がないので、add関数を呼び出すには、add関数の宣言が必要です。関数の宣言(プロトタイプ)を書くには、関数の定義から{…}(ブロック)を取り除き、;(セミコロン)に置き換えます(Chapter10)。

▼func2.c

```
#include <stdio.h>

// add関数の宣言
int add(int x, int y);

// main関数の定義
int main(void) {

    // add関数の呼び出し
    printf("%d\n", add(1, 2));
}
```

▼calc2.c

```
// add関数の定義
int add(int x, int y) {
    return x+y;
}
```

上記のように、複数のソースファイルに分割したプログラムをコンパイルするには、次のようにコンパイラを使います(GCC/Clangの場合)。ソースファイル名は、いくつでも必要なだけ並べられます。実行ファイル名を指定しない場合は、「-o 実行ファイル名」を省略します。

複数のソースファイルをコンパイル

```
gcc -o 実行ファイル名 ソースファイル名A ソースファイル名B …
```

この方法で、**前述のソースファイル(func2.cとcalc2.c)をコンパイルし、実行**してみてください。実行ファイル名はfunc2とします。

▼実行例

```
> gcc -o func2 func2.c calc2.c
> func2
3
```

プログラムを分割する前と同じ結果が得られました。次は、各ソースファイルを個別にコンパイルする方法を紹介します。

❖各ソースファイルを個別にコンパイルする

次の方法を使うと、複数のソースファイルに分割されたプログラムについて、各ソースファイルを個別にコンパイルできます。このような操作を、分割コンパイルと呼ぶことがあります。

ソースファイルを個別にコンパイル

```
gcc -c ソースファイル名
```

GCC/Clangは、通常はコンパイルとリンクをまとめて行いますが、上記のように-cオプションを付けると、コンパイルのみを行います。リンクを行う際には、プログラムに必要な全ての関数や変数が揃っている必要があります。そのため、複数のソースファイルに分割されたプログラムについて、各ソースファイルを個別にリンクしようとすると、関数や変数が揃っていないのでリンクエラーが発生します。コンパイルのみを行えば、エラーは発生しません。

コンパイルのみを行うと、コンパイラはオブジェクトファイル(GCC/Clangの場合は拡張子「.o」のファイル)を生成します。全てのソースファイルをコンパイルした後に、全てのオブジェクトファイルを指定して以下の操作をすると、Cコンパイラはオブジェクトファイルをリンクして、実行ファイルを生成します。実行ファイル名を指定しない場合は、「-o 実行ファイル名」を省略します。

全てのオブジェクトファイルをリンク

```
gcc -o 実行ファイル名 オブジェクトファイル名A オブジェクトファイル名B …
```

分割コンパイルを体験してみましょう。**前回のプログラム(func2.c、calc2.c)について、各ソースファイルを個別にコンパイルした後に、オブジェクトファイルをリンクして実行ファイルを生成**してください。

▼実行例

```
> gcc -c func2.c                    ← func2.cをコンパイル
> gcc -c calc2.c                    ← calc.2cをコンパイル
> gcc -o func2 func2.o calc2.o      ← func2.oとcalc2.oをリンク
> func2                             ← 実行
3
```

複数のソースファイルを全てコンパイルしても時間がかからないときは、分割コンパイルの必要はありません。全てコンパイルする方が操作も簡単で、一部のコンパイルを忘れるなどの間違いも起こりにくいので、おすすめです。

コンパイルに時間がかかるような大規模なプログラムにおいては、分割コンパイルが役立ちます。プログラムの開発中には、一部のソースファイルだけを変更し、実行して動作を確認したいことがよくあります。この場合、変更したソースファイルだけをコンパイルしてリンクすれば、全てのソースファイルをコンパイルしてリンクするよりも、短い時間で済む可能性があります。

次はヘッダファイルを書く方法を学びます。

column

makeの役割

分割コンパイルは手作業でも行えるのですが、make（メイク）などのツールを使うことが多いでしょう。本書のダウンロードファイルはmakeを活用しています（Chapter2）。

makeはソースファイルやオブジェクトファイルの更新日時を調べて、前回のコンパイル以後に更新（変更）されたソースファイルを検出し、これらのソースファイルだけコンパイルした上で、全体をリンクします。こういった操作は手作業では間違いやすいので、makeなどのツールを使うのがおすすめです。

Visual StudioやXcodeといった多くの統合開発環境（IDE、Integrated Development Environment）は、makeに相当する機能を内蔵しています。こういった統合開発環境で「ビルド」というコマンドを実行すると、更新されたソースファイルをコンパイルし、リンクして実行ファイルを生成してくれます。

ヘッダファイルに関数の宣言を書く

前述のように、別のソースファイルで定義した関数を呼び出すには、呼び出し側のソースファイルで関数を宣言する必要があります。しかし、関数の宣言を書くのは少し手間がかかり、間違いやすくもあります。

今までは標準ライブラリの関数を呼び出すために、stdio.hやstdlib.hといった既存のヘッダファイルを利用してきました。これらのヘッダファイルには、printf関数やscanf関数などの宣言が書かれています（Chapter10）。ヘッダファイルをインクルードすれば、関数の宣言がソースファイルに挿入され、その関数が呼び出せるようになります。

ヘッダファイルを作成して関数の宣言を書いておけば、このヘッダファイルをインクルードするだけで関数が呼び出せるようになり、とても便利です。特に複数の関数がある場合には、宣言を1個ずつ書くことに比べて大幅に省力化できます。

自作のヘッダファイルは、ソースファイルと同じディレクトリや、ソースファイルに近いディレクトリに配置することが多いでしょう。このようなヘッダファイルをインクルードするには、次のように書きます。標準ライブラリのヘッダファイルをインクルードする場合（Chapter2）とは異なり、<>（山括弧）が"（ダブルクォート）

になっていることに注意してください。

ソースファイルと同じディレクトリからインクルード

```
#include "ファイル"
```

"を使った場合、多くの処理系はソースファイルと同じディレクトリにあるファイルをインクルードします。ヘッダファイルがソースファイルと同じディレクトリにある場合は、例えば「"calc3.h"」のように、ヘッダファイル名を書けば大丈夫です。ヘッダファイルがソースファイルとは異なるディレクトリにある場合は、例えば「"chapter16/calc3.h"」のように、ヘッダファイルの場所を表すパスを書きます。本書で使用しているGCC/Clangでは、OS(Windows/macOS/Linux)を問わず、パスの区切り文字に/(スラッシュ)が使えました。

さて、ヘッダファイルは次のように書きます。ヘッダファイルには、関数の宣言(Chapter10)、変数の定義ではない宣言(本章で後述)、マクロの定義や列挙型の宣言(Chapter5)、インライン関数の定義(Chapter11)、構造体や共用体の定義(Chapter12)などを書きます。ヘッダファイルの中に#includeを書いて、別のヘッダファイルをインクルードすることもよくあります。

ヘッダファイル

```
#pragma once

宣言や定義など…
```

上記の#pragma(プラグマ)は、#includeと同様にプリプロセッサ指令の一種です。#pragmaは処理系定義の動作(Chapter4)をしますが、多くの処理系において、「#pragma once」(プラグマ・ワンス)はヘッダファイルの重複を防止します。

あるソースファイルで、同じヘッダファイルを重複して(2回以上)インクルードすると、コンパイルエラーになることがあります。例えば、構造体の定義が書かれたヘッダファイルを重複してインクルードすると、「同じ名前の構造体を再定義した」というコンパイルエラーが発生します。

インクルードの際に注意すれば、同じヘッダファイルを重複してインクルードすることは避けられそうにも思えます。しかし、異なるヘッダファイルが同じヘッダファイルをインクルードしていると、重複が避けられないことがあります。例えば、ヘッダファイルA・B・CとソースファイルXがある、以下のような状況を考えてみましょう。B・CはAをインクルードし、XはB・Cをインクルードします。

▼ヘッダファイルB

```
#include "A"   ← Aをインクルードしている
```

▼ヘッダファイルC

```
#include "A"   ← Aをインクルードしている
```

▼ソースファイルX

```
#include "B"   ← B経由でAがインクルードされる
#include "C"   ← C経由でAがインクルードされる
```

ソースファイルXがヘッダファイルB・Cをインクルードすると、B・Cは内部でヘッダファイルAをインクルードしているため、結果としてXはAを重複してインクルードすることになります。もしB・CがAを必要とし、XがB・Cを必要としているならば、この重複を避けることは困難です。

そこで役立つのが#pragma onceです。ヘッダファイルに#pragma onceを書いておくと、このヘッダファイルを重複してインクルードした場合にも、内容を処理するのを一度だけにしてくれます。ヘッダファイルを作成するときには、#pragma onceを書いておくか、後述するインクルードガードを書いておいてください。

実際にヘッダファイルを書いてみましょう。**前回のプログラム(func2.c、calc2.c)を改造して、次のようなソースファイルとヘッダファイルを作成**してください。

● func3.c(ソースファイル)

calc3.hをインクルードし、main関数を定義します。

● calc3.c(ソースファイル)

calc3.hをインクルードし、add関数を定義します。

● calc3.h(ヘッダファイル)

#pragma onceを書いた上で、add関数を宣言します。

ヘッダファイルの拡張子は「.h」です。今回はcalc3.cに関するヘッダファイルなので、ファイル名を「calc3.h」としました。

▼func3.c

```
#include <stdio.h>

// calc3.hのインクルード
#include "calc3.h"

// main関数の定義
int main(void) {
    printf("%d\n", add(1, 2));
}
```

▼calc3.c

```
// calc3.hのインクルード
#include "calc3.h"

// add関数の定義
int add(int x, int y) {
    return x+y;
}
```

▼calc3.h

```
// ヘッダファイルの重複を防止
#pragma once

// add関数の宣言
int add(int x, int y);
```

実は「calc3.c」において、「calc3.h」のインクルードは必須ではありません。calc3.cではadd関数を定義するので、calc3.hに書かれたadd関数の宣言は不要だからです。しかし、calc3.hをインクルードしておけば、calc3.hに書いたadd関数の宣言と、calc3.cに書いたadd関数の定義が食い違うときにエラーが発生するので、間違いに気づけます。このように、関数を宣言したヘッダファイルを、その関数を定義したソースファイルでインクルードしておくことは有用です。

以下は実行例です。コンパイルの際には、ソースファイル名として「func3.c」と「calc3.c」を指定します。「calc3.h」は指定しないことに注意してください。一般にヘッダファイルは、インクルードによってソースファイルに挿入されるので、コンパイルの際には指定しません。

▼実行例

```
> gcc -o func3 func3.c calc3.c
> func3
3
```

これでヘッダファイルが書けるようになりました。とても簡単なプログラムを使って説明しましたが、同じ方法で大規模なプログラムを開発したり、ライブラリを自作したりすることも可能です。

次はヘッダファイルの重複を防止する、もう一つの方法を紹介します。

column

プログラムを分割する方法

プログラムを複数のソースファイルに分割する方法には、さまざまなバリエーションがあるかと思います。ここでは本書がおすすめする方法を、一例として紹介します。

プログラムを書くときは、まず単独のソースファイルに書くのがおすすめです。最初から複数のソースファイルに分割して書くこともできますが、途中でプログラムを手直ししたくなったときに、ソースファイルが1個だけの方が素早く修正できるからです。プログラムがある程度仕上がって、修正が少なくなるまで、単独のソースファイルで作業するのが効率的です。

プログラムが大きくなり、ソースファイルが長くなって扱いにくくなったら、プログラムの分割を検討します。プログラムの中で、仕上がって修正が少なくなった部分に注目し、この部分を別のソースファイルに切り出します。そして、元のソースファイルと連携するために、必要なヘッダファイルを書きます。まだ仕上がっていない部分については、仕上がるまで分割しないでおきます。

できればプログラムの一部を単純に切り出すのではなく、汎用的に使える形にして切り出すのが理想です。上手にプログラムを切り出すと、色々なプログラムから利用できるライブラリになります。プログラムを書いていて、よく使う処理の存在に気づいたら、上手に切り出して自作のライブラリにしてみてください。

❖インクルードガードでヘッダファイルの重複を防止する

インクルードガードと呼ばれる方法を使って、ヘッダファイルの重複を防止することもできます。前述の#pragma onceの方が簡単に書けるので、処理系が対応している場合は、#pragma onceを使うとよいでしょう。一方、ここで紹介するインクルードガードは、どの処理系でも対応していることが利点です。

インクルードガードを使ったヘッダファイルは、次のように書きます。最初に#ifndef（イフ・エヌ・デフ）と#define（ディファイン）を書き、最後に#endif（エンド・イフ）を書きます。識別子には、他のヘッダファイルと重複しない適当な名前（ヘッダファイル名を変形した名前など）を指定します。例えば、ヘッダファイル名がcalc4.hならば、識別子をCALC4_Hにするといった要領です。

インクルードガード

```
#ifndef 識別子
#define 識別子

宣言や定義など…

#endif
```

#ifndefは、if not defined（もし定義されていなければ）を意味します。指定した識別子が#defineで定義されていない場合、#endifまでの間をコンパイルの対象に含めます。指定した識別子が定義済みの場合には、#endifまでの間をコンパイルの対象から外します。

#defineはマクロを定義するときに使いました（Chapter5）。インクルードガードは、#ifndefで指定した識別子を#defineで定義することにより、2回目以降のインクルードでは、#ifndefから#endifまでをコンパイルの対象から外します。

例えば、ヘッダファイルAとソースファイルXがある、以下のような状況を考えてみましょう。Aにはインクルードガードが書かれています。XはAを重複してインクルードします。

▼ヘッダファイルA

```
#ifndef A_H
#define A_H
(Aの内容)
#endif
```

▼ソースファイルX

```
#include "A"  ← 1回目のインクルード
#include "A"  ← 2回目のインクルード
```

#includeがXにAの内容を挿入すると、以下のような状態になります。2回目以降は#defineや(Aの内容)が、コンパイルの対象から外れることが分かります。

▼ソースファイルX(#includeの処理後)

```
#ifndef A_H  ← A_Hは未定義なので、#endifまでをコンパイルに含める
#define A_H  ← A_Hを定義する
(Aの内容)    ← ここはコンパイルする
#endif
#ifndef A_H  ← A_Hは定義済みなので、#endifまでをコンパイルから外す
#define A_H  ← ここはコンパイルしない
(Aの内容)    ← ここもコンパイルしない
#endif
```

インクルードガードを書いてみましょう。**前回のプログラム(func3.c、calc3.c、calc3.h)を改造して、次のようなソースファイルとヘッダファイルを作成**してください。

- **func4.c(ソースファイル)**
  calc4.hをインクルードし、main関数を定義します。

- **calc4.c(ソースファイル)**
  calc4.hをインクルードし、add関数を定義します。

- **calc4.h(ヘッダファイル)**
  インクルードガードを書いた上で、add関数を宣言します。

▼func4.c

```
#include <stdio.h>

// calc4.hのインクルード
#include "calc4.h"

// main関数の定義
int main(void) {
    printf("%d\n", add(1, 2));
}
```

▼calc4.c

```
// calc4.hのインクルード
#include "calc4.h"

// add関数の定義
int add(int x, int y) {
    return x+y;
}
```

▼calc4.h

```
// インクルードガード
#ifndef CALC4_H
#define CALC4_H

// add関数の宣言
int add(int x, int y);

// インクルードガード
#endif
```

実は、関数の宣言は2回以上書いても構わないので、上記のような関数の宣言だけのヘッダファイルは、#pragma onceやインクルードガードがなくても大丈夫です。とはいえ、構造体の定義などを追加した場合は問題が起こるので、最初から#pragma onceやインクルードガードを書いておくのがおすすめです。

以下は実行例です。コンパイルの際には、ソースファイル名としてfunc4.cとcalc4.cを指定し、ヘッダファイルのcalc4.hは指定しません。

▼実行例

```
> gcc -o func4 func4.c calc4.c
> func4
3
```

これでプログラムを複数のソースファイルに分割し、ヘッダファイルを作成し、別のソースファイルで定義した関数を呼び出せるようになりました。次は、複数のソースファイルで変数を共有する方法を学びます。

column

大規模なプログラムの開発

大規模なプログラムを開発するときには、複数のソースファイルに分割する必要性が高くなります。プログラムを分割する場合に重要なのは、ソースファイル間の連携です。他のソースファイルにある関数や変数を利用することが増えるので、関数や変数の使い方を明確に定めて、正しく使えるようにする必要があります。これはドキュメントを詳しく書くということではなく、関数や変数の使い方をシンプルにして、間違った使い方がされにくい設計にすることが有効です。

ソースファイルを分割すると、複数の開発者が連携しやすくなるという利点もあります。例えば、開発者ごとに担当するソースファイルを分ければ、複数の開発者が並行してプログラムを書き進められます。ソースファイルの変更履歴を管理するために、Git（ギット）のようなバージョン管理システムを利用してもよいでしょう。「誰がどのソースファイルをどのように変更したのか」や「最新のソースファイルはどれなのか」を把握する助けになります。

section 02 複数のソースファイルで変数を共有する

複数のソースファイルで同じ変数を共有する方法を学びましょう。こういった変数は、プログラム全体で共有したい情報があるときに、役立つことがあります。どこからでも読み書きできる変数なので、正しく使われるように、使い方をシンプルに整理しておくことがおすすめです。

さて、変数には宣言と定義があることを思い出してください(Chapter5)。変数の宣言は変数名と型を示します。変数の定義は宣言の一種で、変数名と型を示した上で、メモリの確保も行います。

複数のソースファイルで同じ変数を共有するには、いずれか一つのソースファイルで変数を定義し、他のソースファイルでは変数を定義せずに宣言します。変数を定義せずに宣言するには、後述するextern(エクスターン)指定子を使います。

変数の定義は宣言の一種なので、本書の大部分では、定義と宣言を一括して宣言と呼んでいます。このセクションでは、「定義」(定義である宣言)と「定義ではない宣言」の違いを意識する必要があるので、両者を区別して呼ぶことにします。

❖同じソースファイルに書いた変数を使う

まずは、同じソースファイルで定義した変数を利用してみましょう。ソフトウェアのバージョンを表す変数を定義します。メジャーバージョン(バージョンの上位の桁)と、マイナーバージョン(バージョンの下位の桁)を、別々の変数に格納します。**int型の変数major(メジャー)とminor(マイナー)を関数外で定義(宣言)し、1と23で初期化した上で、main関数で1.23と出力(majorとminorの値を.で区切って出力)**するプログラムを書いてください。

▼var.c

```
#include <stdio.h>

// 変数の定義
int major=1, minor=23;

// main関数の定義
int main(void) {

    // 変数の値を出力
    printf("%d.%d\n", major, minor);
}
```

上記でファイル名の「var」は、variable（変数）の略です。変数majorとminorを関数外で定義するのは、別のソースファイルから利用するためです。関数内で定義した変数は、その関数内だけで有効であり、別のソースファイルからは利用できません（Chapter10）。

▼実行例

```
> gcc -o var var.c
> var
1.23  ← バージョンを出力
```

次は、別のソースファイルに書いた変数を使ってみます。

❖別のソースファイルに書いた変数を使う

別のソースファイルで定義した変数を利用するには、次のようにextern（エクスターン）指定子を付けて変数を宣言します。externはexternal（外部の）の略と思われます。

変数の定義ではない宣言

```
extern 型 変数名;
```

変数の定義ではない宣言（複数個）

```
extern 型 変数名A, 変数名B, …;
```

上記は変数の定義ではない宣言であり、**extern宣言**とも呼ばれます。extern宣言は、関数外にも関数内にも書けます。

変数の定義ではないので、メモリは確保されません。代わりに、別のソースファイルで定義した変数のメモリを共有します。extern宣言は「この名前と型を持つ変数が、どこか別の場所で定義されている」という意味に理解してもよいでしょう。

extern宣言を使って、別のソースファイルで定義した変数を利用してみましょう。**前回のプログラム(var.c)を、次のような複数のソースファイルに分割**してください。

● var2.c

externを付けて変数majorとminorを宣言し(extern宣言)、main関数を定義します。

● version2.c

変数majorとminorを定義し、1と23で初期化します。

▼var2.c

```
#include <stdio.h>

// 変数の定義ではない宣言 (extern宣言)
extern int major, minor;

// main関数の定義
int main(void) {

    // 変数の値を出力
    printf("%d.%d\n", major, minor);
}
```

▼version2.c

```
// 変数の定義
int major=1, minor=23;
```

以下が実行例です。version2.cで定義した変数majorとminorを、var2.cから利用(この場合は値を参照)できていることが分かります。

▼実行例

```
> gcc -o var2 var2.c version2.c
> var2
1.23
```

このように、別のソースファイルで定義した変数を利用するには、externを付けて変数を宣言します。次は、変数の宣言をヘッダファイルに書いてみます。

❖ヘッダファイルに変数の宣言を書く

関数の宣言と同様に、変数の定義ではない宣言(extern宣言)も、ヘッダファイルに書くのがおすすめです。**前回のプログラム(var2.c、version2.c)を改造して、次のようなソースファイルとヘッダファイルを作成**してみてください。

- **var3.c(ソースファイル)**

  version3.hをインクルードし、main関数を定義します。

- **version3.c(ソースファイル)**

  version3.hをインクルードし、変数majorとminorを定義して、1と23で初期化します。

- **version3.h(ヘッダファイル)**

  #pragma onceを書いた上で、externを付けて変数majorとminorを宣言します(extern宣言)。

▼var3.c

```
#include <stdio.h>

// version3.hのインクルード
#include "version3.h"

// main関数の定義
int main(void) {
    printf("%d.%d\n", major, minor);
}
```

▼version3.c

```
// version3.hのインクルード
#include "version3.h"

// 変数の定義
int major=1, minor=23;
```

▼version3.h

```
// ヘッダファイルの重複を防止
#pragma once

// 変数の定義ではない宣言（extern宣言）
extern int major, minor;
```

version3.cでversion3.hをインクルードすることは必須ではありませんが、関数の場合（calc3.cとcalc3.h）と同様に、インクルードしておくことがおすすめです。変数の宣言と定義が食い違うときにエラーが発生して、間違いに気づけます。

▼実行例

```
> gcc -o var3 var3.c version3.c
> var3
1.23
```

変数を複数のソースファイルで共有する場合には、一つのソースファイルだけに変数の定義を書き、ヘッダファイルに定義ではない宣言（extern宣言）を書きます。もし、変数がどこにも定義されていなかったり、複数のソースファイルで定義されていると、リンクエラーになります。

ここまでに学んだ方法で、別のソースファイルで定義した関数を呼び出したり、複数のソースファイルで変数を共有したりできるようになりました。次は、あるソースファイルの内部だけで使う関数や変数を作成する方法を学びます。

column

変数の仮定義

本章で学んだように、「extern 型 変数名;」は定義ではない宣言(extern宣言)になります。一方、関数外に書いた「型 変数名;」は、仮定義(かりていぎ)と呼ばれます。実は、仮定義は必ず定義になるわけではなく、状況によって定義になったり、宣言になったりします。大まかには、他に定義がなければ定義になり、他に定義があれば宣言になります。なお、「型 変数名=式;」のように初期化した場合は、仮定義ではなく定義になります。

仮定義はC言語の概念で、C++にはありません。関数外に書いた「型 変数名;」は、C言語では仮定義ですが、C++では定義になります。そのため、Cコンパイラでは問題なくコンパイルできるプログラムが、C++コンパイラではコンパイルエラーになる場合があります。C言語とC++の両方で使えるプログラムにするには、一つのソースファイルだけに「型 変数名;」を書けば大丈夫です。

本書の大部分では、宣言と定義を一括して宣言と呼んでいます。この呼び方を選んだことには、仮定義も関係しています。仮定義には、同じ書き方をしても定義になるときと宣言になるときがある、という複雑さがあります。そこで本書では、用語の正確さと簡潔さを考慮し、変数の定義は宣言の一種なので、一括して宣言と呼ぶことにしました。

section 03

ソースファイルの内部だけで使う関数や変数を作成する

今までに学んだように、あるソースファイルに書いた関数や変数は、別のソースファイルからも利用できます。一方で、あるソースファイルの内部だけで使う関数や変数も作成可能です。これらの関数や変数は、別のソースファイルからは利用できないので、公開したくない関数を呼び出されてしまったり、変数の値をいつの間にか変更されてしまったりといった心配がありません。このような関数や変数は、static（スタティック）指定子を使って作成します。

❖ソースファイルの内部だけで使う関数を定義する

まずは関数から学びましょう。ソースファイルの内部だけで使う関数は、次のようにstatic指定子を付けて定義します。

ソースファイルの内部だけで使う関数の定義

```
static 戻り値型 関数名(引数型 引数名, …) {
    …
}
```

上記のように定義した関数は、static関数とも呼ばれます。static関数は、別のソースファイルからは呼び出せません。また、別のソースファイルにおいて、同じ名前の関数を定義しても構いません。static関数は、別のソースファイルからは「存在しない関数」のように扱われます。

static関数を書いてみましょう。**static関数を含む、次のようなソースファイルを作成**してください。「static_sub.c」は、「static.c」に付属するプログラムなので、ファイル名を「sub」（サブ）としました。

● **static.c**

「static.c」と出力するstatic関数fの定義、関数gの宣言、関数fと関数gを呼び出すmain関数の定義を書きます。

● static_sub.c

「static_sub.c」と出力するstatic関数fの定義、関数fを呼び出す関数gの定義を書きます。

static.cとstatic_sub.cの両方で、static関数fを定義することがポイントです。static関数でない場合はリンクエラーになりますが、static関数の場合は、複数のソースファイルで同じ名前の関数を定義できます。static.cからstatic_sub.cのstatic関数fを直接呼び出すことはできませんが、次のようにstaticではない関数gを経由して呼び出すことは可能です。

▼static関数の使用例

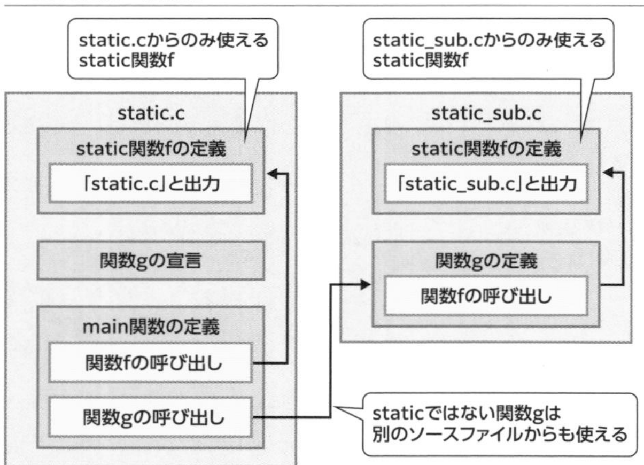

▼static.c

```
#include <stdio.h>

// static関数fの定義
static void f(void) {
    puts("static.c");
}

// 関数gの宣言
void g(void);
```

```
// main関数の定義
int main(void) {
    f();
    g();
}
```

▼static_sub.c

```
#include <stdio.h>

// static関数fの定義
static void f(void) {
    puts("static_sub.c");
}

// 関数gの定義
void g(void) {
    f();
}
```

以下は実行例です。同じ名前で異なる内容のstatic関数fが、無事に呼び分けられていることが分かります。

▼実行例

```
> gcc -o static static.c static_sub.c
> static
static.c        ← static.cの関数fによる出力
static_sub.c    ← static_sub.cの関数fによる出力
```

次は、ソースファイルの内部だけで使う変数を作成してみましょう。

❖ソースファイルの内部だけで使う変数を宣言する

次のようにstatic指定子を付けて、関数外で変数を宣言すると、ソースファイルの内部だけで使う変数を作成できます。この変数は、ソースファイルの内部については宣言以降のどこでも使えます。

ソースファイルの内部だけで使う変数の宣言

```
static 型 変数名;
```

staticを付けない場合と同様に、次のように変数を初期化することもできます。式を計算した結果の値が、変数に格納されます。

ソースファイルの内部だけで使う変数の初期化

```
static 型 変数名=式;
```

上記のように宣言した変数は、static変数とも呼ばれます。static変数という呼び方は、関数内でstaticを付けて変数を宣言する場合(Chapter10)と、関数外でstaticを付けて変数を宣言する場合(本章)の両方に使われますが、ここでは後者について学びます。前者はstaticローカル変数、後者はstaticグローバル変数とも呼ばれます。

static関数と同様に、static変数は別のソースファイルからは使えません。別のソースファイルにおいて、同じ名前の変数を宣言しても構いません。static変数は、別のソースファイルからは「存在しない変数」のように扱われます。

static変数を書いてみましょう。**static変数(staticな文字配列)を含む、次のようなソースファイルを作成**してください。

● static.c

staticな文字配列sの初期化(値は"static2.c")、関数fの宣言、sを出力し関数fを呼び出すmain関数の定義を書きます。

● static_sub2.c

staticな文字配列sの初期化(値は"static_sub2.c")、sを出力する関数fの定義を書きます。

static2.cとstatic_sub2.cの両方で、staticな文字配列sを宣言することがポイントです。これらは同じ名前ですが、staticなので別の変数になります。メモリも個別に確保されるので、各々に異なる値を格納できます。static2.cからstatic_sub2.cのstaticな文字配列sを直接使うことはできませんが、次のようにstatic_sub2.cで定義した関数fを経由して使うことは可能です。

▼static変数の使用例

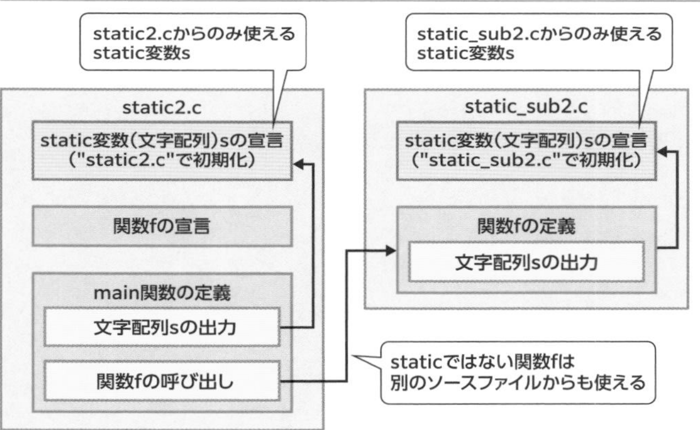

▼static2.c

```
#include <stdio.h>

// staticな文字配列sの初期化
static char s[]="static2.c";

// 関数fの宣言
void f(void);

// main関数の定義
int main(void) {
    puts(s);
    f();
}
```

▼static_sub2.c

```
#include <stdio.h>

// staticな文字配列sの初期化
static char s[]="static_sub2.c";

// 関数fの定義
void f(void) {
    puts(s);
}
```

以下は実行例です。同じ名前で異なる内容のstaticな文字配列sが、無事に出力されていることが分かります。

▼実行例

```
> gcc -o static2 static2.c static_sub2.c
> static2
static2.c        ← static.cの文字配列s
static_sub2.c    ← static_sub2.cの文字配列s
```

次は変数の宣言について、今までに学んできた知識を整理してみましょう。

column

多人数の開発で役立つstatic指定子

プログラムを多人数で開発していて、開発者ごとに担当するソースファイルを分けている場合は、staticを付けた関数や変数が役立ちます。プログラムを開発していると、自分だけが使う関数や変数が欲しくなることがあります。こういった関数や変数をstaticを付けないで作成すると、他の開発者が同じ名前の関数や変数を作成したときに、名前が衝突する恐れがあります。例えばprint（プリント）やtest（テスト）といった、ありふれた名前を使うと、衝突の危険性が高まります。

そこで、staticを付けて関数や変数を作成します。staticを付けた関数や変数は、別のソースファイルからは「存在しない」ように扱われるので、名前が衝突する心配がありません。多人数でプログラムを開発している間に、自分だけが使う関数や変数を作成するときには、ぜひstaticを活用してみてください。

変数を宣言する方法のまとめ

変数を宣言する方法によって、スコープや記憶域期間が変わることは、以前学びました（Chapter10）。本章ではexternと、staticの新しい使い方を学んだので、今までに学んだことを整理しておきましょう。以下の表に、変数を宣言する場所と、指定子（なし・static・extern）によって、スコープや記憶域期間がどう変化するのかをまとめました。

▼変数のスコープ・記憶域期間・リンケージ

宣言の場所	指定子	スコープ	記憶域期間	リンケージ	メモリの確保
関数内	なし	ブロック	自動	なし	あり
	static	ブロック	静的	なし	あり
	extern	ブロック	静的	外部	なし
関数外	なし	ファイル	静的	外部	あり
	static	ファイル	静的	内部	あり
	extern	ファイル	静的	外部	なし

リンケージというのは、変数が宣言されたスコープ以外から使えるかどうかを表す概念です。リンケージには次の3種類があります。

- **リンケージなし**

  変数は宣言されたブロックのみで使えます。

- **内部リンケージ**

  変数は同じファイルの全域で使えます。

- **外部リンケージ**

  変数は同じファイルの全域に加えて、別のファイルからも使えます。

メモリの確保についても上記の表に示しました。「あり」の項目は、変数の定義であり(仮定義が宣言になった場合は除く)、値を格納するためのメモリを確保します。「なし」の項目は、変数の定義ではない宣言であり、別のソースファイル(または同じソースファイル)で定義された変数のメモリを利用します。

上記の表を見ながら、次のプログラムを読み解いてみてください。**以下のプログラム(static3.c)について、各変数(a〜g)がどのような宣言または定義なのかを考えた上で、実行例のような出力をするように初期化や引数を追加**してください。別のソースファイル(static_sub3.c)も作成し、必要な変数の宣言・定義・初期化を書きます。

▼static3.c（未完成）

```
#include <stdio.h>

int a;
extern int b;
static int c;

// 関数hの定義
void h(int d) {
    int e;
    extern int f;
    static int g;

    // 全ての変数を出力
    printf("%d%d%d%d%d%d%d\n", a, b, c, d, e, f, g);
}

// main関数の定義
int main(void) {

    // 関数hを呼び出す（引数が必要）
    h(…);
}
```

▼実行例

```
> gcc -o static3 static3.c static_sub3.c
> static3
1234567
```

以下は解答例です。初期化や引数を追加し、各変数の意味についてコメントを付けました。

▼static3.c

```
#include <stdio.h>

// 別のソースファイルからも使える変数の定義
int a=1;

// 別のソースファイルで定義した変数の宣言（ファイルの末尾まで有効）
extern int b;

// このソースファイルだけで使う変数の定義
static int c=3;

// 関数の引数（生存期間は関数の終了時まで）
void h(int d) {

    // この関数だけで使う変数の定義（生存期間は関数の終了時まで）
    int e=5;

    // 別のソースファイルで定義した変数の宣言（関数の末尾まで有効）
    extern int f;

    // この関数だけで使う変数の定義（生存期間はプログラムの終了時まで）
    static int g=7;

    // 全ての変数を出力
    printf("%d%d%d%d%d%d%d\n", a, b, c, d, e, f, g);
}

// main関数の定義
int main(void) {

    // 実引数の4は仮引数のdに格納される
    h(4);
}
```

上記のように、externは関数外と関数内のどちらでも使えます。宣言した変数のスコープは、関数外の場合はファイルの末尾まで、関数内の場合は関数の末尾までです。

以下はstatic_sub3.cです。static3.cにおいて、変数bと変数fは定義ではない宣言（extern宣言）なので、static_sub3.cでbとfを定義します。

▼static_sub3.c

```
// 別のソースファイルからも使える変数の定義
int b=2, f=6;
```

このように変数には色々な宣言の方法があります。上記のプログラムや前述の表を参考に、その場の目的に合った宣言の方法を選んでみてください。

column

volatileとrestrict

変数に関連して、volatile（ヴォラタイル）とrestrict（リストリクト）という修飾子も紹介しておきましょう。これらはconst（Chapter5）と同様に、変数を宣言する際に使います。以下で紹介するように、いずれもコンパイラの最適化（プログラムを高速化するための加工）に関する機能です。

volatileは最適化を抑制する機能で、「volatile 型 変数名;」のように使います。volatileは「揮発性の」や「不安定な」という意味がある言葉です。C言語でvolatileと宣言した変数は、読み書きに関する最適化が抑制されます。コンパイラは最適化のために、変数を読み書きするプログラムについて、可能な場合には読み書きを省略することがあります。この最適化は通常は問題ありませんが、変数への読み書きを通じてハードウェアを制御する場合などには問題が起きます。こういった場合は、volatileを使って最適化を抑制します。

restrictは最適化を促進する機能で、「型* restrict ポインタ名;」のように、ポインタに対して使います。restrictは「制限する」という意味がある言葉です。C言語でポインタをrestrictと宣言すると、ポインタが指す対象（値・変数・配列・文字列・構造体・共用体・関数など）を、必ずそのポインタを経由して読み書きすることを、コンパイラに伝えます。コンパイラは、複数のポインタを経由して対象を読み書きする場合にはできない、より効果的な最適化を行います。

本章ではプログラムを複数のソースファイルに分割する方法を学びました。プログラムが小さいうちは、単独のソースファイルで軽快に書き進めるのがおすすめです。プログラムが大きくなって扱いにくくなったら、仕上がった部分を別のソースファイルに切り出し、再びプログラムを扱いやすい大きさにします。

次章からは実践編です。ここまでに学んだ文法やライブラリの機能を使って、色々なC言語らしいプログラムを開発します。

実践編 Chapter17

仕事の自動化に役立つプログラムを作る

本章からは実践編として、今までに学んだ知識を活かして、色々なC言語らしいプログラムを開発します。この実践編については、興味がある章から読んでも構いません。本章では日常の仕事を自動化するために役立つプログラムというテーマで、ストレージの整理に活躍しそうな、ファイルの個数やサイズを拡張子別に集計するツールを作成します。作成を通じて、C言語によるファイルやディレクトリの操作に習熟することも狙っています。
今までは、できるだけシンプルなプログラム例を使って、C言語の文法を学んできました。実践編には、今までよりも長くて複雑なプログラムも含まれているので、内容に関する詳しいコメントを書き、ポイントとなる文法については該当する章（Chapter）を示しました。ぜひプログラムを読み解きながら、今までに学んだ知識を整理し、理解を深めてみてください。

本章の学習内容

①プログラムの設計
②ファイルやディレクトリの一覧を取得
③再帰的なディレクトリの処理
④構造体の配列を使った情報の管理
⑤色々な基準による配列のソート
⑥コマンドラインオプションの処理

section 01

プログラムを設計する

プログラムを設計する方法には色々な流儀がありますが、本書ではその一例を紹介します。本書の方法や、仕事や学業を通じて学んだ方法などを参考に、正確かつ効率的に開発を進められる、自分に合った設計の方法を見つけてください。本書では、以下の手順でプログラムを設計します。

1. 何を作るのかを決める
2. 必要な技術について調べる
3. 完成までの段階を分ける

この手順は、プログラムの開発をどのように進めるか、という道筋の設計も含んでいます。

❖何を作るのかを決める

まずは何を作るのかを決めます。どんなプログラムが欲しいのか、あるいはどんなプログラムを書いてみたいのか、色々とアイディアを出してみます。本章では仕事の自動化がテーマなので、普段の仕事に役立ちそうで、かつC言語で書けそうな題材を探してみました。

そこで思いついたのが、ストレージ（HDDやSSD）の整理です。仕事でコンピュータを使っていると、いつの間にかストレージの容量が残り少なくなっていることがありませんか。ときどき手作業で、容量を消費していそうなファイルを外部のストレージに移動したり、圧縮したりするのですが、意外に手間がかかります。「このファイルが容量を圧迫していそう…」と予想して片付けても、思ったよりもストレージに空きが生じないことが珍しくありません。

状況を分析すると、「どんな種類のファイルが容量を消費しているのか」を判断するのに手間がかかっていて、かつ手作業では正確に判断できていないことが、作業の効率が上がらない原因のようです。もし、ファイルの種類（拡張子）ごとに、個数やサイズを自動的に集計してくれるツールがあれば、格段に作業が楽になりそう…と考えました。

このように、どんなプログラムが欲しいのかを大まかに考えたところで、プログラムの機能をより具体化します。具体化には色々な方法があり、プログラムの内容によって向いている方法も変わります。本書でおすすめするのは、そのプログラムを実行したときのイメージを、簡単なテキストや絵などで表現してみることです。

今回は、次のような実行時のイメージを、テキストで書いてみました。コマンドライン引数でパスを指定してプログラムを実行すると、サブディレクトリ（下層のディレクトリ）も含めてファイルの一覧を調査し、拡張子ごとにファイルの個数やサイズを集計して出力してくれます。

▼実行時のイメージ

```
> プログラム名 オプション パス
拡張子名     個数     合計サイズ     平均サイズ
.c            43        543210          12632
.exe          36        975310          27091
.h            21         24680           1175
…
```

結果をソート（並べ替え）して出力すると、ファイルの個数が多い拡張子や、サイズが大きい拡張子をすぐに見つけられて便利そうです。ソートの基準としては、拡張子名・個数・合計サイズ・平均サイズがあり、さらに昇順と降順があるので、コマンドラインオプション（コマンドライン引数で指定するオプション）で選べるとよさそうです。

これで、どんなプログラムを作るのかが具体的になってきました。次は、このプログラムを開発する上で必要な技術を調べます。

❖必要な技術について調べる

何を作るのかが決まったら、そのプログラムを作るために必要な技術について調べます。プログラムが持つ機能を実現するには、どんな技術が必要になりそうかを考えます。今回のプログラムでは、次のような技術が必要そうです。

①ファイルやディレクトリの一覧を取得する

ファイルの個数やサイズを調査するには、指定したパスにあるファイルやディレクトリの一覧を取得する必要があります。いくつかの方法がありますが、本書ではdirent.hというヘッダファイルで宣言されている各種の関数を使うことにしました。これらの関数は、POSIX（ポジックス）という、主にUnix系のOSを対象にした規格に基づいています。全ての処理系で使えるわけではないので、お使いの処理系がdirent.hに対応していない場合は、本書と同じGCC/Clangを使ってください。

②ディレクトリを再帰的に調査する

あるディレクトリの中にあるファイルを調査するだけではなく、サブディレクトリがある場合は、その中にあるファイルも調査する必要があります。サブディレクトリに、さらにサブディレクトリがある場合には、その中も調査して…という具合に、再帰的な処理が必要です。こういった処理は、関数の再帰呼び出し（Chapter11）を使うと、比較的簡単に実装できます。

③拡張子ごとに集計する

拡張子ごとにファイルの個数やサイズを集計するには、①と②で取得した拡張子名・個数・サイズを構造体にまとめた上で、配列にして管理するとよさそうです（Chapter12）。拡張子の種類数は実行するまで分からないので、この配列の要素数も実行するまで決まりません。動的メモリ確保（Chapter14）を使ってメモリを確保し、必要に応じてメモリを拡張するとよいでしょう。構造体の配列と動的メモリ確保の組み合わせは、以前に書いた、ファイルから構造体を読み込むプログラムが参考になります（Chapter15）。

④結果をソートする

結果をソートするには、③で作成した構造体の配列を、qsort関数（Chapter14）でソートすればよいでしょう。ソートの基準を切り替えるには、拡張子名・個数・サイズなどに対応した比較用の関数を複数用意しておき、コマンドラインオプションに応じて、qsort関数に渡せばよさそうです。

プログラムが持つ機能について、一通り実現の目処がついたら、技術の調査はとりあえず完了です。後で細かな技術上の課題が発生する可能性はありますが、「おそらくプログラムを完成させることができそうだ」という見通しは立ったといえます。

次は、プログラムを完成させるまでの道筋を設計します。

❖ 完成までの段階を分ける

プログラムを開発するときに重要なのは、正しく動作していることを確認しながら開発を進めることです。一気に大量のプログラムを書いて、実行してみたら思ったように動かない…となると、どこを直せばよいのかが分かりません。少しずつ、正しく動くことを確かめながら次に進めば、もし意図した動きではなかったときにも、直前にどんなプログラムを書いたのかが分かるので、間違いの原因を見つけやすくなります。

少しずつ動作を確認しながら開発を進めるには、プログラムが完成するまでの**段階を分割**することが有効です。つまり、いきなりプログラムの完成版を作るのではなく、まずは単純な機能のプログラムを作り、動作を確認しながら、何段階かに分けて機能を追加していきます。本章で開発するプログラムの場合には、例えば次のような段階に分けられます。

①ファイルの一覧を出力する

指定したパスについて、ファイルやディレクトリの一覧を取得し、そのまま画面に出力します。サブディレクトリの処理は後にして、とりあえずdirent.hの使い方を確認することが目的です。

②サブディレクトリを処理する

再帰呼び出しを使って、再帰的にサブディレクトリを処理します。正しく動作しているかどうかを確認しやすくするために、まだ結果を構造体には格納せずに、そのまま画面に出力します。

③構造体に格納する

調査の結果を構造体に格納し、最後にまとめて出力します。構造体を定義したり、配列のメモリを確保したりする必要があるので、この段階は新規に書くプログラムが多そうです。難しく感じたら、メモリを動的に確保するのは後にして、とりあえず要素数が固定の配列を使う方法もあります。

④結果をソートする

作成した構造体の配列をソートします。まずは比較用の関数を一つ用意して、正しくソートできることを確認するとよいでしょう。次に、比較用の関数を複数用意したり、コマンドラインオプションに応じて関数を切り替えたりする処理を書きます。

①～④の各段階について、プログラムを書き、正しく動作することが確認できてから、次の段階に進みます。各段階でプログラムが動いたら、ソースファイルやヘッダファイルをバックアップしておくとよいでしょう。次の段階が思ったように動かない場合に、書いたプログラムをいったん破棄し、前の段階に戻して書き直すことができます。

さて、これでプログラムの設計と、プログラムが完成するまでの道筋の設計ができました。この設計に沿って、いよいよプログラムを書き始めます。

section 02 ファイルの一覧を出力する

指定したパスについて、ファイルやディレクトリの一覧を取得し、画面に出力します。dirent.hで宣言されている各種の関数を使います。

最初は以下のopendir（オープン・ディレクトリ）関数を使って、指定したパスのディレクトリを開きます。戻り値はDIR*型のポインタで、NULL以外ならば成功、NULLならば失敗です。

ディレクトリを開く

```
opendir(パス)
```

上記で取得したDIR*型のポインタは、次のreaddir（リード・ディレクトリ）関数で使います。readdir関数は、ディレクトリの内部にある項目（ファイルやディレクトリ）を1個ずつ取得します。戻り値はstruct dirent*型のポインタ（構造体を指すポインタ）です。最後まで項目を取得した場合や、エラーが起きた場合は、NULLを返します。項目の名前（ファイル名やディレクトリ名）は、struct dirent構造体のd_nameメンバに格納されています。

ディレクトリ内部の項目を取得する

```
readdir(DIR*型のポインタ)
```

項目の取得が終わったら、次のclosedir（クローズ・ディレクトリ）関数を使って、ディレクトリを閉じます。これで一覧の取得は完了です。

ディレクトリを閉じる

```
closedir(DIR*型のポインタ)
```

さて、本書の基礎編・応用編では、「…のようなプログラムを書いてください」と出題してきました。実践編ではプログラムが今までよりも長く複雑なので、プログラムを書くこととは違った形式で出題しますが、もちろんプログラムを自作していただいても大丈夫です。

dirent.hの関数を使って、ファイルやディレクトリの一覧を出力するプログラムを書いてみます。**以下のプログラムを読み解いて、サブディレクトリを再帰的に処理するには、どこを改造すればよいのかを考えて**ください。解答例は後ほど紹介します。

▼ext.c

```
#include <dirent.h>
#include <stdio.h>

// ファイルやディレクトリの一覧を出力する関数
void find_files(char* path) {

    // パスをディレクトリとして開く
    DIR* dir=opendir(path);

    // 開くのに成功したら…
    if (dir) {

        // 内部の項目（ファイルやディレクトリ）を取得
        struct dirent* entry;
        while ((entry=readdir(dir))!=NULL) {

            // 取得した項目のパスを出力
            printf("%s/%s\n", path, entry->d_name);
        }

        // ディレクトリを閉じる
        closedir(dir);
    }
}

// main関数
int main(int argc, char* argv[]) {

    // コマンドライン引数（Chapter14）がない場合、
    // 使い方を出力して終了
    if (argc<2) {
        printf("usage: %s path\n", argv[0]);
        return 1;
    }

    // ファイルの一覧を出力
    find_files(argv[1]);
}
```

上記でファイル名の「ext」は、extension（拡張子）の略です。プログラムを実行する際には、コマンドライン引数にパス（path）を指定します。以下ではカレントディレクトリ（.）と、親ディレクトリ（..）を指定してみました。

▼実行例

```
> gcc -o ext ext.c
> ext              ← パスを指定せずに実行
usage: ext path    ← 使い方を出力

> ext .            ← パスを指定して実行(カレントディレクトリ)
./.                ← カレントディレクトリ
./..               ← 親ディレクトリ
./ext              ← 以下、ファイルとディレクトリの一覧
./ext.c
./ext.exe
…

> ext ..           ← パスを指定して実行(親ディレクトリ)
../.               ← 親ディレクトリ
../..              ← 親ディレクトリの親ディレクトリ
../chapter10       ← 以下、ファイルとディレクトリの一覧を出力
../chapter11
../chapter12
…
```

今回のプログラムでは、取得した項目のパスをprintf関数で画面に出力します。この部分を改造して、出力の代わりにfind_files関数にパスを渡して呼び出せば（再帰呼び出し）、取得した項目に含まれるサブディレクトリを開けそうです。次のプログラムで、実際に改造してみます。

❖サブディレクトリを処理する

サブディレクトリを開くには、取得した項目のパスを使って、find_files関数を再帰呼び出しします。そのためには、今までのパスに、区切り文字の/（スラッシュ）と、取得した項目を連結して、新しいパスの文字列を作る必要があります。例えば、今までのパス「..」に、/と取得した項目「chapter17」を連結して、「../chapter17」という文字列を作ります。

以下のsprintf（エス・プリント・エフ）関数を使うと、こういった文字列の加工ができます。sprintfのsは、string（文字列）の略と思われます。sprintf関数は、printf関数（Chapter3）と同様に書式付きの出力を行いますが、画面ではなく文字配列に出力します。sprintf関数を使うには、stdio.hをインクルードします。

書式付きで文字列に出力

```
sprintf(文字配列, 書式文字列, 式, …)
```

今回はsprintf関数を使って、2個の文字列を/で区切って連結します。別の方法としては、文字列を連結するstrcat関数（Chapter9）を使ってもよいでしょう。

サブディレクトリを処理するプログラムを書いてみます。**以下のプログラムを読み解いて、再帰呼び出しによってどんな処理が行われるのか、具体的な例で仕組みを考えて**みてください。

▼ext2.c

```
#include <dirent.h>
#include <stdio.h>
#include <string.h>

// ファイルやディレクトリの一覧を出力する関数
void find_files(char* path) {

    // パスをディレクトリとして開く
    DIR* dir=opendir(path);

    // ディレクトリとして開けたら…
    if (dir) {

        // 項目（ファイルやディレクトリ）を取得
        struct dirent* entry;
        while ((entry=readdir(dir))!=NULL) {

            // .（ディレクトリ自身）や..（親ディレクトリ）以外ならば…
            if (strcmp(".", entry->d_name)!=0 &&
                strcmp("..", entry->d_name)!=0) {

                // 可変長配列（Chapter8）を使って用意した文字配列に、
                // sprintf関数で項目のパスを出力
                char s[strlen(path)+strlen(entry->d_name)+2];
```

```
                sprintf(s, "%s/%s", path, entry->d_name);

                // 関数の再帰呼び出し（Chapter11）を使って項目を再帰的に開く
                find_files(s);
            }
        }

        // ディレクトリを閉じる
        closedir(dir);
    }

    // ディレクトリとして開けなかったら、パスを出力
    else {
        puts(path);
    }
}

// main関数
int main(int argc, char* argv[]) {

    // コマンドライン引数がない場合、使い方を出力して終了
    if (argc<2) {
        printf("usage: %s path\n", argv[0]);
        return 1;
    }

    // ファイルの一覧を出力
    find_files(argv[1]);
}
```

上記ではsprintf関数の出力先となる文字配列を、可変長配列（Chapter8）を使って作成しています。連結する2個の文字列の長さと、/およびヌル文字の2文字分を合計した長さの配列を作成します。可変長配列の代わりに、動的メモリ確保（Chapter14）を使っても構いません。

▼実行例

```
> gcc -o ext2 ext2.c
> ext2 ..                  ← パスを指定して実行(親ディレクトリ)
../chapter10/array         ← ファイルとディレクトリの一覧を再帰的に出力
../chapter10/array.c
../chapter10/array.exe
…
```

上記の実行例では、../chapter10以下のファイルを取得している様子が見られます。プログラムは、今までのパス「..」に、/と取得した項目「chapter10」を連結して、「../chapter10」という文字列を作ります。この文字列を渡してfind_files関数を再帰呼び出しすると、「../chapter10」以下のファイルやディレクトリの一覧を取得できる…という仕組みです。

次は拡張子ごとにファイルの個数やサイズを集計してみましょう。

section 03 拡張子ごとに集計する

次のような構造体を使って、拡張子ごとに情報をまとめてみましょう。typedef宣言（Chapter12）を使って、「EXT」という別名を付けます。EXTはextension（拡張子）の略です。

▼拡張子ごとにファイルの個数とサイズを格納する構造体（EXT）

メンバ名	内容	型
ext	拡張子名	char*（文字配列へのポインタ）
count	個数	long
size	サイズ	long

拡張子の文字数はプログラムを実行するまで不明です。十分な長さの配列を用意しておく方法もありますが、今回は動的メモリ確保（Chapter14）を使って、拡張子の文字数に応じたメモリを確保することにします。

個数とサイズは、int型よりもサイズが大きいlong型（Chapter5）にします。今回の環境では、ファイルのサイズがlong型で表されているためです。個数はint型でもよさそうですが、サイズに合わせてlong型にしました。

ファイルのサイズは以下の方法で調べられます。ファイル内で読み書きを行う位置を、ファイルの末尾に移動した後に、現在の位置を取得するという方法です。

1. fopen関数（Chapter15）を使って、ファイルをバイナリファイルとして開きます。
2. fseek（エフ・シーク）関数でファイルの末尾に移動します。
3. ftell（エフ・テル）関数で現在の位置を取得します。
4. fclose関数（Chapter15）でファイルを閉じます。

fseek関数とftell関数は標準ライブラリに含まれています。fopen関数やfclose関数と同様に、stdio.hをインクルードすれば使えます。

fseek関数は、ファイル内で読み書きを行う位置を移動します。開始位置にオフセットを加算（開始位置が末尾の場合は減算）した位置に移動します。開始位置としては、SEEK_SET（ファイルの先頭）、SEEK_CUR（現在の位置）、SEEK_END（ファイルの末尾）が選べます。

ファイル内で読み書きする位置を移動

```
fseek(ファイルポインタ, オフセット, 開始位置)
```

ftell関数は、ファイル内で読み書きする位置を取得します。バイナリファイルとして開いている場合、戻り値(long型)は先頭からのバイト数です。

ファイル内で読み書きする位置を取得

```
ftell(ファイルポインタ)
```

拡張子を集計するプログラムを書いてみます。今回のプログラムは、一部を後のプログラム(ext4.c)でも使うので、次のようにファイルを分けました。

▼作成するプログラム

ファイル名	種類	概要
ext3.c	ソースファイル	main関数を定義
ext_sub.h	ヘッダファイル	構造体(EXT型)を定義し、変数や関数を宣言
ext_sub.c	ソースファイル	ext_sub.hで宣言した変数や関数を定義

以下がプログラムです。ヘッダファイル(ext_sub.h)については、インクルードの重複への対策として「#pragma once」を書いています(Chapter16)。**ext_sub.cのadd_ext関数において、どんな方法でパスから拡張子を切り出しているのか、読み解いて**みてください。

▼ext3.c

```
#include <stdio.h>
#include "ext_sub.h"

// main関数
int main(int argc, char* argv[]) {

    // コマンドライン引数がない場合、使い方を出力して終了
    if (argc<2) {
        printf("usage: %s path\n", argv[0]);
        return 1;
    }

    // 開始(メモリの確保)
    ext_begin();
```

```
    // ファイルやディレクトリの一覧を調査
    ext_find_files(argv[1]);

    // 結果の出力
    ext_report();

    // 終了（メモリの解放）
    ext_end();
}
```

▼ext_sub.h

```
#pragma once

// 拡張子ごとにファイルの個数とサイズを格納する構造体
typedef struct {
    char* ext;
    long count, size;
} EXT;

// 構造体型のポインタと構造体の個数をextern宣言（Chapter16）
extern EXT* ext_p;
extern int ext_n;

// 開始、終了、ファイル一覧の取得、結果の出力、の関数を宣言
void ext_begin(void);
void ext_end(void);
void ext_find_files(char* path);
void ext_report(void);
```

▼ext_sub.c

```
#include <dirent.h>
#include <stdio.h>
#include <stdlib.h>
#include <string.h>
#include "ext_sub.h"

// 構造体型のポインタと構造体の個数を定義
EXT* ext_p;
```

```
int ext_n;

// 開始時にメモリを確保する関数
void ext_begin(void) {

    // 構造体1個分のメモリを確保
    ext_p=malloc(sizeof(EXT));

    // 個数は0から開始
    ext_n=0;
}

// 終了時にメモリを解放する関数
void ext_end(void) {

    // 構造体のextメンバ（文字配列）に対するメモリを解放
    for (int i=0; i<ext_n; i++) free(ext_p[i].ext);

    // 構造体のメモリを解放
    free(ext_p);
}

// 拡張子を登録するstatic関数（Chapter16）
static void add_ext(char* path) {

    // パスの末尾に最も近い/を探し、
    // 見つかった場合は次の文字以降をファイル名（file）とし、
    // 見つからなかった場合はパス全体（path）をファイル名とする
    char* file=strrchr(path, '/');
    if (file) file++; else file=path;

    // ファイル名の末尾に最も近い.を探し、以降を拡張子（ext）とする
    char* ext=strrchr(file, '.');
    if (!ext) ext="";

    // ファイルを開く
    FILE* fp=fopen(path, "rb");
    if (fp) {

        // ファイルのサイズ（size）を調べる
```

```
        fseek(fp, 0, SEEK_END);
        long size=ftell(fp);
        fclose(fp);

        // 構造体の配列から拡張子（ext）に一致する要素を探す
        int i;
        for (i=0; i<ext_n && strcmp(ext_p[i].ext, ext); i++);

        // 拡張子が登録済みならば、個数とサイズを加算
        if (i<ext_n) {
            ext_p[i].count++;
            ext_p[i].size+=size;
        }

        // 拡張子が未登録ならば、新規に登録
        else {

            // メモリを拡張（Chapter14）
            ext_n++;
            ext_p=realloc(ext_p, sizeof(EXT)*ext_n);

            // 拡張子の文字配列を確保し、文字列をコピー
            ext_p[i].ext=malloc(strlen(ext)+1);
            strcpy(ext_p[i].ext, ext);

            // 個数とサイズを格納
            ext_p[i].count=1;
            ext_p[i].size=size;
        }
    }
}

// ファイルやディレクトリの一覧を出力する関数
void ext_find_files(char* path) {

    // 以下は前回のプログラム（ext2.c）と同じ
    DIR* dir=opendir(path);
    if (dir) {
        struct dirent* entry;
        while ((entry=readdir(dir))!=NULL) {
```

```
            if (strcmp(".", entry->d_name)!=0 &&
                strcmp("..", entry->d_name)!=0) {
                char s[strlen(path)+strlen(entry->d_name)+2];
                sprintf(s, "%s/%s", path, entry->d_name);
                ext_find_files(s);
            }
        }
        closedir(dir);
    }

    // ディレクトリではなくファイルの場合は、拡張子を登録
    else {
        add_ext(path);
    }
}

// 結果を出力する関数
void ext_report(void) {

    // 項目名(拡張子・個数・合計サイズ・平均サイズ)を出力
    printf("%-14s %14s %14s %14s\n",
        "ext", "count", "size(total)", "size(average)");

    // 構造体の配列を出力
    for (int i=0; i<ext_n; i++) {
        EXT* p=&ext_p[i];
        printf("%-14s %14ld %14ld %14ld\n",
            p->ext, p->count, p->size, p->size/p->count);
    }
    puts("");
}
```

上記ではadd_ext関数をstatic関数(Chapter16)にしてみました。add_ext関数はこのソースファイルのみで使い、別のソースファイルからは使わないためです。別のソースファイルから使う関数(ext_begin、ext_end、ext_find_files、ext_report)については、static関数にしません。

拡張子の切り出しは、add_ext関数の冒頭において、次のように行います。例えばパスが「../chapter10/array.c」の場合は、末尾に近い/を探し、次の文字以降を切

り出します。これでファイル名の「array.c」が得られるので、次は末尾に近い.を探し、.以降を切り出して、拡張子の「.c」を取得します。もし、ファイル名が「Makefile」のように.を含まない場合は、拡張子なしという扱いで、拡張子を空文字列("")にします。

上記のプログラムでは、add_ext関数で配列のメモリを拡張する処理にも注目してください。今までのプログラム例(Chapter14、Chapter15)では、メモリを少し大きめに確保しておいて、容量が足りなくなったときだけrealloc関数を呼び出していました。今回はプログラムを簡単にするためにrealloc関数を毎回呼び出しています。拡張子の種類数はある程度限られているので、realloc関数を毎回呼び出しても、呼び出しの回数はそれほど多くないはず、という想定に基づいています。

以下は実行例です。拡張子(ext)ごとに、ファイルの個数(count)、合計サイズ(size(total))、平均サイズ(size(average))を出力します。以下で出力の2行目(extの欄が空)は、拡張子がないファイル(Makefileや、macOS/Linuxにおける実行ファイルなど)です。

▼実行例

```
> gcc -o ext3 ext3.c ext_sub.c
> ext3 ..   ← パスを指定して実行(親ディレクトリ)
ext                    count    size(total)  size(average)
                         274        4414299          16110
.c                       367         758890           2067
.exe                     245       13510666          55145
.txt                       2         114811          57405
.h                        30         105257           3508
.csv                       2           7779           3889
.lrf                       1            580            580
…
```

これで拡張子ごとにファイルの個数やサイズを集計するという、今回のプログラムにおける主要な機能が実現できました。次は結果をソートして、より使いやすくしてみましょう。

section 04 結果をソートする

前回のプログラムで作成した構造体を、色々な基準でソートして出力しましょう。ソートの基準を指定するために、次のようなコマンドラインオプションを考えてみました。オプションの2文字目（-eaのaや、-edのdなど）について、「a」はascending order（昇順）、「d」はdescending order（降順）の略です。

▼ソートの基準を指定するコマンドラインオプション

昇順	降順	ソートの基準
-ea	-ed	拡張子名（ext）
-ca	-cd	ファイルの個数（count）
-ta	-td	ファイルの合計サイズ（total）
-aa	-ad	ファイルの平均サイズ（average）

ソートの基準を指定するには、比較用の関数を書いて、qsort関数（Chapter14）に渡します。降順の関数は、引数の順序を逆にして昇順の関数を呼び出せば、簡単に作成できます。

比較用の関数が多いので、どのように関数を選択するのかが工夫のしどころです。**以下のプログラムについて、コマンドラインオプションに応じてどのように比較用の関数を選択しているのか、読み解いて**みてください。

▼ext4.c

```
#include <stdio.h>
#include <stdlib.h>
#include <string.h>
#include "ext_sub.h"

// 比較用の関数（拡張子名の昇順でソート）
static int cmp_ext_asc(const void* va, const void* vb) {

    // 構造体型（EXT）を指すポインタに変換
    const EXT *a=va, *b=vb;

    // 文字列を比較した結果を返す
```

```
    return strcmp(a->ext, b->ext);
}

// 比較用の関数（拡張子名の降順でソート）
static int cmp_ext_desc(const void* va, const void* vb) {

    // 引数の順序を逆にして、昇順用の関数を呼び出す
    return cmp_ext_asc(vb, va);
}

// 比較用の関数（個数の昇順でソート）
static int cmp_count_asc(const void* va, const void* vb) {
    const EXT *a=va, *b=vb;
    return a->count-b->count;
}

// 比較用の関数（個数の降順でソート）
static int cmp_count_desc(const void* va, const void* vb) {
    return cmp_count_asc(vb, va);
}

// 比較用の関数（合計サイズの昇順でソート）
static int cmp_total_asc(const void* va, const void* vb) {
    const EXT *a=va, *b=vb;
    return a->size-b->size;
}

// 比較用の関数（合計サイズの降順でソート）
static int cmp_total_desc(const void* va, const void* vb) {
    return cmp_total_asc(vb, va);
}

// 比較用の関数（平均サイズの昇順でソート）
static int cmp_average_asc(const void* va, const void* vb) {
    const EXT *a=va, *b=vb;
    return a->size/a->count-b->size/b->count;
}

// 比較用の関数（平均サイズの降順でソート）
static int cmp_average_desc(const void* va, const void* vb) {
```

```
    return cmp_average_asc(vb, va);
}

// main関数
int main(int argc, char* argv[]) {

    // オプションの文字列と比較用の関数を指す関数ポインタを
    // まとめた構造体の配列
    struct {
        char str[3];
        int (*cmp)(const void*, const void*);
    } opt[]={
        {"ea", cmp_ext_asc}, {"ed", cmp_ext_desc},
        {"ca", cmp_count_asc}, {"cd", cmp_count_desc},
        {"ta", cmp_total_asc}, {"td", cmp_total_desc},
        {"aa", cmp_average_asc}, {"ad", cmp_average_desc}
    };

    // 選択しているオプションの番号、オプションの個数
    int opt_i=0, opt_n=sizeof opt/sizeof opt[0];

    // コマンドライン引数がない場合、使い方を出力して終了
    if (argc<2) {
        printf("usage: %s [", argv[0]);

        // オプションの一覧を出力
        for (int i=0; i<opt_n-1; i++) printf("-%s|", opt[i].str);
        printf("%s] path\n", opt[opt_n-1].str);

       // プログラムを終了
       return 1;
    }

    // コマンドライン引数を順番に処理
    for (int i=1; i<argc; i++) {

        // -から始まる場合はオプションとして扱う
        if (argv[i][0]=='-') {

            // 構造体の配列から、一致するオプションを探す
            for (opt_i=0; opt_i<opt_n &&
```

```
                strcmp(opt[opt_i].str, argv[i]+1); opt_i++);

            // 一致するオプションが見つからなかったら、エラーを出力して終了
            if (opt_i==opt_n) {
                printf("unknown option: %s\n", argv[i]);
                return 1;
            }
        }

        // -から始まらない場合はパスとして扱う
        else {

            // メモリの確保
            ext_begin();

            // ファイルやディレクトリの一覧を調査
            ext_find_files(argv[i]);

            // 結果をソート（Chapter14）
            qsort(ext_p, ext_n, sizeof(EXT), opt[opt_i].cmp);

            // 結果を出力
            ext_report();

            // メモリの解放
            ext_end();
        }
    }
}
```

上記のプログラムでは、オプションの文字列と、比較用の関数を指す関数ポインタを、構造体の配列（opt）にまとめています。コマンドラインオプションを受け取ったら、配列に格納された文字列と比較して、対応する関数ポインタを取得し、qsort関数に指定します。この方法を使うと、if文で場合分けをするのに比べてプログラムが簡潔になりますし、オプションの種類が増えた場合も簡単に対応できます。なお、比較用の関数群（cmp_…）はこのソースファイルのみで使うので、static関数（Chapter16）にしてみました。

以下は実行例です。色々なコマンドライン引数を指定して実行してみました。

ファイルの個数が多い拡張子や、ファイルのサイズが大きい拡張子を素早く見つけられるので、ストレージを整理する仕事に役立つのではないでしょうか。

▼実行例

```
> gcc -o ext4 ext4.c ext_sub.c

> ext4                     ← 引数なしで実行すると、使い方を出力
usage: ext4 [-ea|-ed|-ca|-cd|-ta|-td|-aa|-ad] path

> ext4 ..                  ← デフォルトは拡張子名の昇順で出力
ext                        count    size(total)  size(average)
                             274        4414299          16110
.a                             1         173820         173820
.ac                            1           3900           3900
…

> ext4 -ca ..              ← 個数の昇順で出力
ext                        count    size(total)  size(average)
.awk                           1            286            286
.ac                            1           3900           3900
.sub                           1          32560          32560
…

> ext4 -cd ..              ← 個数の降順で出力
ext                        count    size(total)  size(average)
.c                           367         758890           2067
                             274        4414299          16110
.exe                         245       13510666          55145
…

> ext4 -td .. -ad ..       ← 合計サイズの降順と平均サイズの降順で出力
ext                        count    size(total)  size(average)
.exe                         245       13510666          55145
                             274        4414299          16110
.c                           367         758890           2067
…
ext                        count    size(total)  size(average)
.a                             1         173820         173820
.txt                           2         114811          57405
.exe                         245       13510666          55145
…
```

上記のプログラムでは、拡張子名を出力する際の桁数を固定にしています。多くの場合は十分な桁数ですが、とても長い拡張子については出力が乱れるので、最長の拡張子に合わせて桁数を決めたり、拡張子を途中で省略したりといった改造をしてもよいでしょう。

本章では仕事の自動化に役立つプログラムというテーマで、拡張子ごとにファイルの個数やサイズを集計してくれるツールを作成しました。このプログラムを改造して、特定の拡張子を持つファイルが一定の分量に達したら、自動的に他のストレージに移動する…といったツールに仕上げることも可能です。

多くのデータを正確・高速に処理したいときには、自動化が有効な手段です。今回のプログラムを通じて学んだ技術は、例えば次のような自動化ツールの開発にも応用できます。

● **テキストファイル加工ツール**

テキストファイルやCSVファイル（Chapter18）などを加工するツールです。例えば、文字コード（文字エンコーディング）を変換したり、大文字と小文字を変換したり、語句の表記を統一したりといった加工を行います。ファイルが少数ならば手作業でも加工できますが、多数のファイルが色々なディレクトリに散らばっているような状況では、自動化の助けが必要です。ディレクトリの再帰的な調査（本章）、ファイルの入出力（Chapter15）、文字や文字列の操作（Chapter9）といった技術を組み合わせれば、階層的なディレクトリに配置された多数のファイルを一括して加工するツールが作れます。

● **ソースファイル管理ツール**

本格的な開発プロジェクトでは、ソースファイルの数や量が膨大になりがちです。こういったソースファイル群に対して、例えば著作権表示を追加したり、開発中のコメントを削除したりといった処理を一括して行うには、自動化ツールを活用するのが効果的です。こういったツールを作成するために必要な技術は、前述のテキストファイル加工ツールと共通です。また、同様の技術を使って、Git（ギット）のようなソースファイルのバージョン管理システムを作成することも可能です。既存のシステムでは目的が達成できない場合には、自作するのも一つの方法です。

● レポート作成ツール

色々な人が提出した報告書を集めて読みやすいレポートにまとめたり、色々な人が受験したテストの結果を集めて成績を表にまとめたりといった作業は、人数や件数が多いと手作業では困難です。上記のテキストファイル加工ツールやソースファイル管理ツールと同じ技術を使えば、報告書や結果のファイルを集めて、レポートや表のファイルを自動的に出力するツールを開発できます。また、可視化(Chapter18)の技術を組み合わせれば、結果を分かりやすいグラフにすることも可能です。

ファイルを操作する自動化ツールの開発中には、プログラムのバグのために、誤ってファイルを壊してしまうことがよくあります。そのため、入力ファイルに出力ファイルを上書きするのではなく、入力ファイルと出力ファイルを別にしておくことがおすすめです。元の入力ファイルが無事に残っていれば、プログラムを修正し、再びツールを適用すれば済みます。

本章で学んだ技術を参考に、Cプログラミングの練習を兼ねて、ぜひ欲しいツールを自作してみてください。次章では、AI(人工知能)に関するプログラムを開発します。

実践編 Chapter18

ゼロからのプログラミングでAIの仕組みを学ぶ

本章では流行のAI（人工知能）を扱います。AIのプログラミングというと、Pythonなどの言語で、既存のライブラリを使ってプログラムを書く…という方法をよく見かけますが、実はC言語でもAIのプログラミングが可能です。本書ではC言語らしいAIプログラミングの楽しみ方として、既存のライブラリを使うのではなく、ゼロからAIのプログラムを自作することで、AIの仕組みを深く理解することを狙います。
C言語は高速なプログラムが書けるので、AIのライブラリには、C言語やC++で書かれているものが珍しくありません。本章で学ぶことを活用すれば、AIのライブラリを自作することも可能です。本章では比較的簡単にプログラムが書けるAIのアルゴリズムとして、k-meansによるクラスタリングを取り上げます。

本章の学習内容

①CSVファイルの読み込み
②k-meansによるクラスタリング
③SVGとHTMLによる可視化

section 01 プログラムを設計する

既存のライブラリは使わずに、AIのプログラムをゼロから自作します。まずはChapter17で紹介した手順に沿って、プログラムと道筋の設計を行いましょう。

①何を作るのかを決める
②必要な技術について調べる
③完成までの段階を分ける

❖何を作るのかを決める

AIに関する色々なアルゴリズムの中から、仕組みが分かりやすく、プログラムが書きやすく、結果も面白い題材を探したところ、k-means（ケー・ミーンズ、k平均法）によるクラスタリングがよさそうに思いました。クラスタリング（clustering）は、入力データをいくつかのクラスタ（cluster、群れ）に分ける処理です。

クラスタリングを使うと、例えば顧客の購入履歴を入力データとして、顧客をいくつかのクラスタに分けられます。同じクラスタに属する顧客は、購入の傾向が似ているといえます。クラスタごとに傾向に合った広告を作成すれば、効果的な宣伝ができるかもしれません。一人一人の顧客に合わせて広告を作るのは困難ですが、数個のクラスタごとに広告を作ることは可能です。

クラスタリングを行うには、入力データが必要です。今回は結果を分かりやすく図示しやすいので、2次元のデータ、つまり項目が2個のデータを使うことにしました。用意したのは、世界の都市における人口（population）と緯度（latitude）のデータです。1行目は項目名で、2行目以降に実際のデータが並びます。

▼入力ファイル（city.csv）

```
population,latitude  ← 人口、緯度（項目名）
585097,24.47         ← 人口、緯度（実際のデータ）
778567,9.07
1640507,5.55
50,-25.07
3040740,9.02
…
```

上記のように、,(カンマ)で値を区切り、複数行にデータを並べたファイルのことを、CSV(シーエスブイ)ファイルと呼びます。CSVはComma-Separated Values(カンマで区切った値)の略です。AIの分野では、CSVファイルは入力ファイルとして広く使われています。CSVファイルはテキストファイルなので、テキストエディタで編集できます。Excelなどの表計算ソフトウェアで開くことも可能です。

上記のデータについて、人口をX座標、緯度をY座標として平面に点(円)を描くと、次のような図になります。平面に多数の点が分布している状態です。

▼クラスタリング前(city.csv)

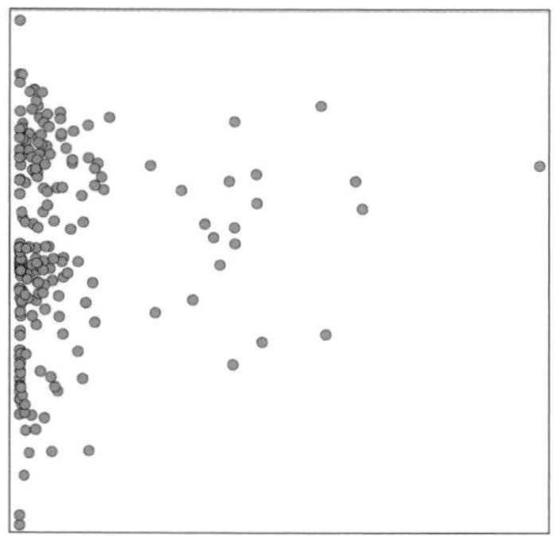

これらの点をクラスタリングして、いくつかのクラスタに分けます。k-meansによるクラスタリングでは、クラスタの個数をユーザが指定できます。例えば5個を指定すると、次のような結果になります。以下ではクラスタごとに点を色分けしています。正方形は各クラスタの中心を表します。

▼クラスタリング後(city.csv)

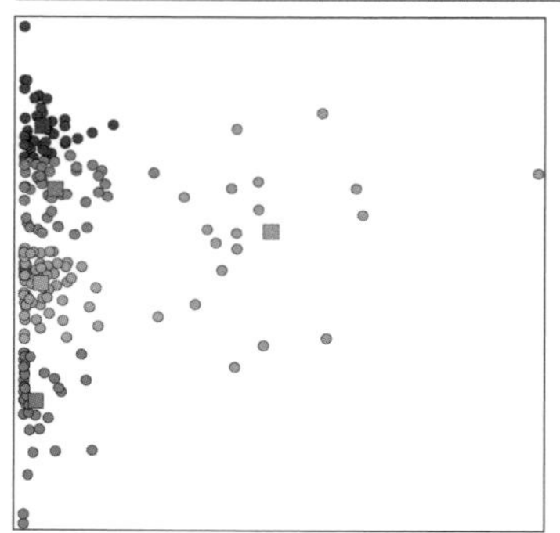

上記のように、クラスタリングの結果を色分けして出力すると、とても見やすくなります。このように計算の結果を分かりやすく図示する処理を、可視化（かしか）と呼びます。

このようなクラスタリングを実行するプログラムを書いてみましょう。つまり、CSVファイルを読み込み、クラスタリングを行い、結果をグラフィックスで可視化するプログラムです。

次は、このプログラムを作成するために必要な技術を調べます。

❖必要な技術について調べる

今回のプログラムに必要な技術としては、以下が考えられます。C言語でプログラムが書きやすく、色々な環境（Windows/macOS/Linux）で動作することも重視しました。

①CSVファイルの読み込み

CSVファイルはテキストファイルとして読み込めます（Chapter15）。値はfscanf関数で読み込めそうですが、問題は,（カンマ）の処理です。実は、scanf関数やfscanf関数は、書式文字列に変換指定以外の文字を書くと、その文字を読み飛ばします（Chapter5）。この機能を使えば、,を読み飛ばして、人口や緯度の値だけを読み込めそうです。読み込んだ値は、構造体の配列（Chapter12）に格納します。

②k-meansによるクラスタリング

k-meansでは、データ間の距離に基づいて、互いに距離が近いデータを同じクラスタにまとめます。一度でクラスタを決めるのではなく、何度かクラスタを決め直すことを繰り返し、結果が安定したところで終了します。詳しい手順は後述します。

③グラフィックスによる可視化

クラスタリングの結果は、前出のようにグラフィックスで出力すると分かりやすいです。簡単なプログラムでグラフィックスが出力できて、色々な環境で動作する方法…という条件で考えたところ、SVG（エスブイジー、Scalable Vector Graphics）を使うことを思いつきました。SVGはWebページを記述するHTML（エイチティーエムエル、HyperText Markup Language）と組み合わせて使うと、Web

ページに図形を描画できる機能です。今回はSVGで円や正方形を描画し、SVGを含むHTMLファイルを出力することで、結果を可視化します。出力されたHTMLファイルは、一般のWebブラウザで表示できます。

さて、k-meansの詳しい手順は次の通りです。クラスタの中心（重心とも呼びます）を計算することを、結果が安定するまで繰り返します。今回は座標として、2次元の座標（XY座標）を使いますが、3次元以上の座標でも同様に計算できます。つまり、3個以上の項目があるデータについても、k-meansを使ってクラスタリングできます。

1. 指定されたクラスタの個数だけ、クラスタの中心を作成し、座標をランダムに決めます。
2. 各点（各データ）と各中心の距離を求め、各点を最も距離が近いクラスタに属させます。
3. 各クラスタに属する点の座標を平均し、各中心の新しい座標を求めます。
4. 全ての中心について古い座標と新しい座標が同じ（あるいは十分に近い）ならば終了し、異なれば2に戻って繰り返します。

上記の手順で使う乱数（ランダムな数）については、標準ライブラリのstdlib.hで宣言されている、srand（エス・ランド）関数やrand（ランド）関数が使えます。srand関数は乱数の種（乱数の元になる数）を設定する関数で、rand関数は乱数を生成する関数です。「s」はseed（種）の略、「rand」はrandom（ランダム）の略と思われます。

これで技術上の見通しが立ちました。次は完成までの道筋を設計します。

❖完成までの段階を分ける

今回のように初めて使う技術（k-meansや可視化など）があるときには、一つの技術ごとに段階を分けて、動作を確認しながら開発を進めるのがおすすめです。ここでは以下のように、3段階に分けてみました。

①CSVファイルの読み込み

CSVファイルを読み込んで、値を構造体の配列に格納します。動作を確認するために、配列の内容を画面に出力するプログラムも書きます。

②k-meansによるクラスタリング

①で読み込んだ値を、k-meansを使ってクラスタリングします。各点が属するクラスタの番号や、求めた中心の座標を画面に出力して、動作を確認します。

③SVGとHTMLによる可視化

クラスタリングの結果をSVGを使って描画し、HTMLファイルを出力します。このHTMLファイルをWebブラウザで開き、可視化された結果を表示します。

これでプログラムの設計と、道筋の設計ができました。早速、プログラムを書き始めましょう。

section 02 入力データのCSVファイルを読み込む

CSVファイルを読み込んで、値を構造体の配列に格納するプログラムを作ります。まずは本書のサンプルファイル(Chapter2)に収録されたプログラムを、次のようにコンパイルし、実行してみてください。

以下ではコンパイラ(GCC/Clang)に「-lm」というオプションを付けていますが、これは数学関連のライブラリをリンクするためのオプションです。-lmの「l」はlibrary(ライブラリ)、「m」はmath(数学)の略と思われます。本章のプログラムでは、標準ライブラリのmath.hで宣言されている数学関連機能の中から、浮動小数点数の最小値を求めるfmin関数、最大値を求めるfmax関数、累乗を求めるpow関数を使っています。こういった数学関連機能を使う場合、環境によってはコンパイル時に-lmオプションが必要です。本書で使った環境については、Windows/macOSでは-lmを省略可能で、Linuxでは-lmが必要でした。

▼実行例

```
> gcc -o clustering clustering.c points.c load.c print.c -lm

> clustering
usage: clustering in-csv
↑ 使い方: clustering 入力CSVファイル

> clustering city.csv
     original-x      original-y          x          y    cluster
      585097.00           24.47       0.03       0.59          0
      778567.00            9.07       0.04       0.48          0
     1640507.00            5.55       0.08       0.45          0
          50.00          -25.07       0.00       0.22          0
     3040740.00            9.02       0.14       0.48          0
↑ 元のXY座標、正規化したXY座標、クラスタ番号
…
number of points: 211  ← 点の個数
```

上記では211件のデータを読み込み、画面に出力します。original-xとoriginal-yは、元のX座標(人口)とY座標(緯度)です。xとyは、X座標とY座標の範囲を0.0～1.0

に正規化(せいきか)した値です。全てのデータを調べて、座標の最小値が0.0に、最大値が1.0になるように、値を変換します。最後のclusterはクラスタの情報ですが、まだクラスタリングを行う前なので、値は全て0です。

今回書いたプログラムは次の通りです。点に関するファイル名は「point」(ポイント)、読み込みに関するファイル名は「load」(ロード)としました。point.hで定義している、点や点群(点の集まり)を表す構造体は、クラスタの中心を表すためにも使います。

▼作成するプログラム

ファイル名	種類	概要
point.h	ヘッダファイル	点を表す構造体と、点群を表す構造体を定義
point.c	ソースファイル	点群を作成する関数と、点群を破棄する関数を定義
load.h	ヘッダファイル	点群をファイルから読み込む関数を宣言
load.c	ソースファイル	点群をファイルから読み込む関数を定義
print.h	ヘッダファイル	点群を画面に出力する関数を宣言
print.c	ソースファイル	点群を画面に出力する関数を定義
clustering.c	ソースファイル	main関数を定義

以下がプログラムです。ヘッダファイルについては、インクルードの重複への対策として「#pragma once」を書いています(Chapter16)。**load.cのload_points関数において、CSVファイルの,(カンマ)を、どのように処理しているのかを読み解いて**みてください。

▼points.h

```
#pragma once

// 点を表す構造体
typedef struct {

    // 元のXY座標、正規化したXY座標
    double orig_x, orig_y, x, y;

    // クラスタ情報（クラスタの番号、または属する点の個数）
    int cluster;
} POINT;
```

```
// 点群（点の集まり）を表す構造体
typedef struct {

    // 点の配列を指すポインタ
    POINT* point;

    // 点の個数
    int count;
} POINTS;

// 点群を作成および破棄する関数の宣言
POINTS* new_points(int count);
void delete_points(POINTS* points);
```

▼points.c

```
#include <stdlib.h>
#include "points.h"

// 点群を作成する関数
POINTS* new_points(int count) {

    // 点群を表す構造体のメモリを確保（Chapter14）
    POINTS* points=malloc(sizeof(POINTS));

    // 複合リテラル（Chapter12）を使って、
    // 点の配列を指すポインタと、点の個数を設定
    *points=(POINTS){malloc(sizeof(POINT)*count), count};

    // 作成した点群を指すポインタを返す
    return points;
}

// 点群を破棄する関数
void delete_points(POINTS* points) {

    // 点の配列を格納するメモリを解放
    free(points->point);

    // 点群を表す構造体のメモリを解放
    free(points);
}
```

▼load.h

```
#pragma once
#include "points.h"

// 点をファイルから読み込む関数の宣言
POINTS* load_points(const char* file);
```

▼load.c

```
#include <ctype.h>
#include <math.h>
#include <stdio.h>
#include <stdlib.h>
#include "load.h"

// 点をファイルから読み込む関数
POINTS* load_points(const char* file) {

    // 作業用の文字配列
    char s[1000];

    // テキストファイルを読み込み用に開く（Chapter15）
    FILE* fp=fopen(file, "r");

    // ファイルが開けなければエラーを出力し、プログラムを終了
    if (!fp) {
        printf("Can't open %s\n", file);
        exit(1);
    }

    // ファイルの中で数字から始まる行を数えて、点の個数を調べる
    // isdigitは数字かどうかを調べる標準ライブラリ関数（ctype.h）
    int n=0;
    while (fgets(s, sizeof s, fp)) {
        if (isdigit(s[0])) n++;
    }

    // 点群を表す構造体を作成
    POINTS* points=new_points(n);
```

```
    // ファイルの先頭に戻る
    rewind(fp);

    // 点の座標を読む
    for (POINT* p=points->point; fgets(s, sizeof s, fp); ) {
        if (fscanf(fp, "%lf,%lf", &p->x, &p->y)!=2) continue;
        p->orig_x=p->x, p->orig_y=p->y, p->cluster=0, p++;
    }
    fclose(fp);

    // 点のXY座標について、最小値（min）と最大値（max）を求める
    // fminは最小値、fmaxは最大値をdouble型で求める関数（math.h）
    double min_x, min_y, max_x, max_y;
    min_x=min_y=INFINITY, max_x=max_y=-INFINITY;
    for (int i=0; i<points->count; i++) {
        POINT* p=&points->point[i];
        min_x=fmin(min_x, p->x), min_y=fmin(min_y, p->y);
        max_x=fmax(max_x, p->x), max_y=fmax(max_y, p->y);
    }

    // 正規化した（値の範囲を0.0～1.0にした）XY座標を求める
    for (int i=0; i<points->count; i++) {
        POINT* p=&points->point[i];

        // 座標から最小値を減算し、「最大値-最小値」で除算する
        //「最大値-最小値」が0の場合は、座標を中央（0.5）にする
        p->x=max_x-min_x ? (p->x-min_x)/(max_x-min_x) : 0.5;
        p->y=max_y-min_y ? (p->y-min_y)/(max_y-min_y) : 0.5;
    }

    // 点群を指すポインタを返す
    return points;
}
```

CSVファイルの「,」は、上記の「load.c」で処理しています。fscanf関数の"%lf,%lf"という書式文字列に注目してください。%lfはdouble型の浮動小数点数を表す変換指定です。scanf関数やfscanf関数は、書式文字列に空白を表す文字(空白・タブ・改行など)以外が書かれると、その文字を読み飛ばします(Chapter5)。この場合は、%lfで2個の浮動小数点数を読み込み、間の,は読み飛ばします。

scanf関数やfscanf関数は、変換できた項目の個数を戻り値として返します。今回は2個の浮動小数点数を読み込むので、戻り値が2かどうかを確認すれば、正しく読み込めたかどうかが分かります。

上記のload.cでは、点群を格納する配列の要素数を決めるために、ファイルを一度最後まで読み、行数を数えます。ファイルの先頭に戻るには、ファイルを一度閉じて再び開く方法もありますが、上記ではrewind（リワインド、巻き戻す）関数を使っています。rewind関数はstdio.hで宣言されていて、使い方は次の通りです。

ファイルの先頭に戻る

```
rewind(ファイルポインタ)
```

以下は残りのプログラムです。点群の情報を画面に出力する関数と、main関数です。

▼print.h

```
#pragma once
#include "points.h"

// 点群の情報を出力する関数の宣言
void print_points(POINTS* points);
```

▼print.c

```
#include <stdio.h>
#include "print.h"

// 点群の情報を出力する関数
void print_points(POINTS* points) {

    // 項目名（元のXY座標、正規化したXY座標、クラスタ情報）を出力
    printf("%15s %15s %10s %10s %10s\n",
        "original-x", "original-y", "x", "y", "cluster");

    // 点の座標とクラスタ情報を出力
    for (int i=0; i<points->count; i++) {
        POINT* p=&points->point[i];
        printf("%15.2f %15.2f %10.2f %10.2f %10d\n",
            p->orig_x, p->orig_y, p->x, p->y, p->cluster);
    }
```

```
    // 点の個数を出力
    printf("number of points: %d\n\n", points->count);
}
```

▼clustering.c

```
#include <stdio.h>
#include "load.h"
#include "print.h"

// main関数
int main(int argc, char* argv[]) {

    // コマンドライン引数の個数が違う場合は、使い方を出力して終了
    if (argc!=2) {
        printf("usage: %s in-csv\n", argv[0]);
        return 1;
    }

    // 点群をファイルから読み込む
    POINTS* points=load_points(argv[1]);

    // 点群の情報を出力
    print_points(points);

    // 点群を破棄
    delete_points(points);
}
```

これでCSVファイルを読み込み、点群を構造体の配列に格納できました。準備が整ったので、次はクラスタリングを行います。

section 03 k-meansでクラスタリングする

構造体の配列に格納した点群を、k-meansを使ってクラスタリングします。まずはプログラムを動かしてみましょう。

▼実行例

```
> gcc -o clustering2 clustering2.c points.c load.c print.c kmeans.c
-lm

> clustering2
usage: clustering2 in-csv clusters
↑ 使い方: clustering2 入力CSVファイル クラスタ数

> clustering2 city.csv 5
iteration 0:  ← 0回目の繰り返し(最初の状態)
     original-x      original-y          x          y    cluster
      556425.00            0.38       0.03       0.41          0
       18573.00           62.00       0.00       0.88          0
      797000.00           23.60       0.04       0.59          0
      907802.00           47.92       0.04       0.77          0
     1369797.00          -34.88       0.06       0.15          0
↑ 中心のXY座標、正規化したXY座標、クラスタに属する点の個数
number of points: 5  ← 点の個数

iteration 1:  ← 1回目の繰り返し
     original-x      original-y          x          y    cluster
     1243220.95           -0.03       0.06       0.41         55
      357438.50           61.84       0.02       0.88         10
     1883570.08           21.12       0.09       0.57         63
     2274438.17           44.81       0.11       0.75         60
      994923.22          -26.98       0.05       0.21         23
number of points: 5

iteration 2:  ← 2回目の繰り返し
     original-x      original-y          x          y    cluster
     1384999.89            1.31       0.06       0.42         45
      403752.67           57.42       0.02       0.84         18
```

```
    1563411.91          18.13       0.07       0.55          57
    2819957.27          42.03       0.13       0.73          62
     566262.17         -24.73       0.03       0.22          29
number of points: 5
…

result(points):  ← 結果(点)
     original-x      original-y          x          y     cluster
      585097.00           24.47       0.03       0.59           2
      778567.00            9.07       0.04       0.48           2
     1640507.00            5.55       0.08       0.45           0
          50.00          -25.07       0.00       0.22           4
     3040740.00            9.02       0.14       0.48           0
↑ 点のXY座標、正規化したXY座標、点が属するクラスタの番号
…
number of points: 211

result(centroids):  ← 結果(中心)
     original-x      original-y          x          y     cluster
      902547.55            0.92       0.04       0.42          33
     1077079.57           45.79       0.05       0.76          74
      675446.85           16.44       0.03       0.53          55
    10380362.17           24.04       0.48       0.59          18
      531674.94          -23.90       0.02       0.23          31
↑ 中心のXY座標、正規化したXY座標、クラスタに属する点の個数
number of points: 5
```

前述のように、k-meansはクラスタの中心が動かなくなるまで(座標が変化しなくなるまで)、計算を繰り返します。今回のプログラムでは、繰り返しごとに中心の座標と、そのクラスタに属する点の個数を出力します。点群が次第にクラスタへ分けられていく様子が確認できます。

クラスタが確定したら、全ての点について座標とクラスタの番号を出力します。上記の場合は5個のクラスタに分けたので、クラスタの番号は0〜4です。k-meansでは最初に中心の座標をランダムに決めるので、実行するたびに結果が変わる可能性があります。

最後に、確定した中心の座標と、そのクラスタに属する点の個数を出力します。上記のプログラムでは、元の座標(original-x, y)と、正規化した座標(x, y)の両方

を出力しています。

さて、k-meansには乱数が必要です。前述のように、stdlib.hで宣言されているsrand関数とrand関数を使うと、乱数が得られます。コンピュータで使う乱数の多くは計算で生成されており、擬似乱数（ぎじらんすう）と呼ばれます。srand関数は乱数の種（乱数を計算するための元になる値）を設定するための関数で、rand関数は乱数を生成する関数です。

srand関数は次のように使います。引数は任意の符号なし整数です。同じ整数を与えると、同じ乱数の並びが生成されます。

乱数の種を設定

```
srand(符号なし整数)
```

プログラムを実行するたびに乱数の並びを変えたい場合は、次のように現在時刻（1970年1月1日0時0分0秒からの経過秒数）を返すtime（タイム）関数と組み合わせます。time関数を使うには、time.hをインクルードします。プログラムを実行する際の時刻（秒単位）が異なれば、time関数の戻り値が変わるので、乱数の並びも変化します。

現在の時刻を使って乱数の種を設定

```
srand(time(NULL))
```

乱数を生成するには、次のようにrand関数を呼び出します。rand関数は0以上RAND_MAX以下の乱数を返します。RAND_MAXはstdlib.hで定義されているマクロで、環境によって値は異なりますが、少なくとも32767（16ビットの符号なし整数の最大値）以上です。

乱数の生成

```
rand()
```

さて、今回は次のようなプログラムを書きました。「kmeans.c」は少し長いプログラムです。

▼作成するプログラム

ファイル名	種類	概要
kmeans.h	ヘッダファイル	k-meansによるクラスタリングの関数を宣言
kmeans.c	ソースファイル	k-meansによるクラスタリングの関数を定義
clustering2.c	ソースファイル	main関数を定義

以下がプログラムです。**k-meansにおける中心の座標を、どんな方法でランダムに決めているのかを読み解いて**みてください。

▼kmeans.h

```
#pragma once
#include "points.h"

// k-meansで点群をクラスタリングする関数の宣言
POINTS* kmeans(POINTS* points, int num_clusters);
```

▼kmeans.c

```
#include <math.h>
#include <stdio.h>
#include <stdlib.h>
#include "print.h"
#include "kmeans.h"

// k-meansで点群をクラスタリングする関数
POINTS* kmeans(POINTS* points, int num_clusters) {

    // 中心群を作成
    POINTS* centroids=new_points(num_clusters);

    // 古い中心群を作成
    POINTS* old_centroids=new_points(num_clusters);

    // 中心群の座標をランダムに決定
    for (int i=0; i<centroids->count; i++) {
        centroids->point[i]=points->point[rand()%points->count];
    }

    // 無限ループ
    for (int n=0; ; n++) {
```

```
// 何回目の繰り返しなのかを出力
printf("iteration %d:\n", n);

// 中心群の情報を出力
print_points(centroids);

// 各点を最も近い中心のクラスタに属させる
for (int i=0; i<points->count; i++) {
    POINT* p=&points->point[i];
    double min_dist=INFINITY;

    // 全ての中心について調べる
    for (int j=0; j<centroids->count; j++) {
        POINT* c=&centroids->point[j];

        // 点から中心への距離を求める
        // pow(a, b)はaのb乗を求める関数（math.h）
        double dist=pow(p->x-c->x, 2)+pow(p->y-c->y, 2);

        // 今までに調べた中で最も近ければ、
        // 点をこの中心のクラスタに属させる
        if (dist<min_dist) min_dist=dist, p->cluster=j;
    }
}

// 古い中心群に現在の中心群をコピーし、
// 現在の中心群は0でリセットする
for (int i=0; i<centroids->count; i++) {
    old_centroids->point[i]=centroids->point[i];
    centroids->point[i]=(POINT){0, 0, 0, 0, 0};
}

// 各クラスタに属する点の座標を合計し、
// 各クラスタに属する点の個数も数える
for (int i=0; i<points->count; i++) {
    POINT* p=&points->point[i];
    POINT* c=&centroids->point[p->cluster];
    c->orig_x+=p->orig_x, c->orig_y+=p->orig_y;
    c->x+=p->x, c->y+=p->y, c->cluster++;
```

```
        }

        // 中心が移動したかどうかを調べる
        int moved=0;
        for (int i=0; i<centroids->count; i++) {
            POINT* c=&centroids->point[i];

            // クラスタに属する点の座標の合計を、
            // クラスタに属する点の個数で割って、中心の座標を求める
            int n=c->cluster;
            if (n) {
                c->orig_x/=n, c->orig_y/=n;
                c->x/=n, c->y/=n;
            }

            // 古い中心の座標と比べて、
            // 中心が移動したかどうかを調べる
            POINT* oc=&old_centroids->point[i];
            if (c->x!=oc->x || c->y!=oc->y) moved=1;
        }

        // 中心が移動しなかったら、ループを終了
        if (!moved) break;
    }

    // 古い中心群を破棄
    delete_points(old_centroids);

    // 中心群を指すポインタを返す
    return centroids;
}
```

中心の座標をランダムに決めているのは、上記の「kmeans.c」における「rand()%points->count」という式です。この式は0以上「points->count」未満の乱数を生成します。正の整数nを使って、次のような式を書くと、0以上n未満（n-1以下）の乱数を生成できます。

0以上n未満の乱数を生成

```
rand()%n
```

上記の「kmeans.c」では、点群の中からランダムな点を選び、その点の座標を中心の座標にします。つまり、点群の中からランダムに選んだ点を、とりあえずクラスタの中心にするわけです。点の個数は「points->count」個で、添字は0から「points->count-1」までなので、「rand()%points->count」という式を使って、ランダムに点を選びます。

以下はmain関数の定義です。最初にsrand関数を呼び出して、乱数の種を設定します。srand関数はrand関数を呼び出すたびに呼ぶのではなく、プログラムの開始時などに一度だけ呼び出せばよいことに注意してください。rand関数は、設定した種から乱数を計算し、次回はこの乱数を新しい種にするので、srand関数を繰り返し呼び出す必要はありません。

▼clustering2.c

```
#include <stdio.h>
#include <stdlib.h>
#include <time.h>
#include "load.h"
#include "print.h"
#include "kmeans.h"

// main関数
int main(int argc, char* argv[]) {

    // 現在時刻を使って、乱数の種を設定
    srand(time(NULL));

    // コマンドライン引数の個数が違う場合は、使い方を出力して終了
    if (argc!=3) {
        printf("usage: %s in-csv clusters\n", argv[0]);
        return 1;
    }

    // 点群をファイルから読み込む
    POINTS* points=load_points(argv[1]);

    // k-meansによるクラスタリングを行い、中心群を取得
    POINTS* centroids=kmeans(points, atoi(argv[2]));

```

```
    // 点群の情報を出力
    puts("result(points):");
    print_points(points);

    // 中心群の情報を出力
    puts("result(centroids):");
    print_points(centroids);

    // 点群を破棄
    delete_points(points);

    // 中心群を破棄
    delete_points(centroids);
}
```

k-meansを使ったクラスタリングを行い、点群をクラスタに分けました。今回のプログラムは2次元の座標（項目が2個のデータ）を使いますが、点を管理する構造体（POINT）、点を読み込む処理（load_points関数）、クラスタリングの処理（kmeans関数）を改造すれば、3次元以上の座標（項目が3個以上のデータ）にも対応可能です。3次元以上になると可視化の方法に工夫が必要ですが、ここまでのプログラムは比較的簡単に改造できるので、試してみてください。

次はクラスタリングの結果を可視化します。

section

04 SVGとHTMLで可視化する

クラスタリングの結果を、SVGとHTMLを使って可視化します。次のようにプログラムを実行してみてください。

▼実行例

```
> gcc -o clustering3 clustering3.c points.c load.c print.c kmeans.c plot.c -lm

> clustering3
usage: clustering3 in-csv out-html clusters
↑ 使い方: clustering3 入力CSVファイル 出力HTMLファイル クラスタ数

> clustering3 city.csv city.html 5
…
result(centroids):
     original-x      original-y          x          y    cluster
     1457065.68           34.08       0.07       0.67         37
    10380362.17           24.04       0.48       0.59         18
      523228.11          -21.52       0.02       0.25         37
      746582.97           10.18       0.03       0.49         72
      767970.49           50.75       0.04       0.79         47
↑ 中心のXY座標、正規化した中心のXY座標、クラスタに属する点の個数
number of points: 5
```

上記は前回のプログラム(clustering2)と同様ですが、今回はHTMLファイル(city.html)も出力されています。このHTMLファイルを、Webブラウザ(例えばChrome/Safari/Edge/Firefoxなど)で開いてみてください。クラスタリングの結果が、本章の冒頭に掲載したようなグラフィックスで表示されます。円や正方形にカーソルを合わせると、その点の値(人口と緯度)も表示されます。

上記で使ったCSVファイル(city.csv)は、点が左端に集まっています。そこで、点が広い範囲に散らばっている例として、別のCSVファイル(city_log.csv)も用意しました。元のCSVファイル(city.csv)の人口を、常用対数(10の何乗かを表す値)にしてあります。

▼入力ファイル（city_log.csv）

```
population,latitude
5.767227871334465,24.47      ← 人口の対数、緯度
5.891295991956472,9.07
6.214978087849094,5.55
1.6989700043360187,-25.07
6.482979287163977,9.02
…
```

以下が実行例です。入力ファイルをcity_log.csvに、出力ファイルをcity_log.htmlに変更しました。

▼実行例

```
> clustering3 city_log.csv city_log.html 5
…
result(centroids):
     original-x       original-y          x          y    cluster
           6.19            43.31       0.81       0.74         65
           6.05            10.88       0.79       0.49         63
           4.38            48.70       0.51       0.78         20
           3.78             4.62       0.41       0.44         35
           5.32           -22.17       0.66       0.24         28
↑ 中心のXY座標、正規化した中心のXY座標、クラスタに属する点の個数
number of points: 5
```

出力ファイル（city_log.html）をWebブラウザで開いてみてください。この場合も、距離が近い点が同じクラスタに属していることが分かります。

▼クラスタリング前/クラスタリング後（city_log.csv）

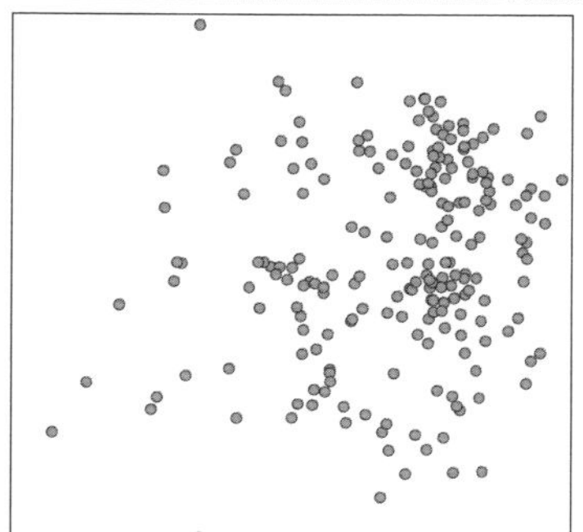

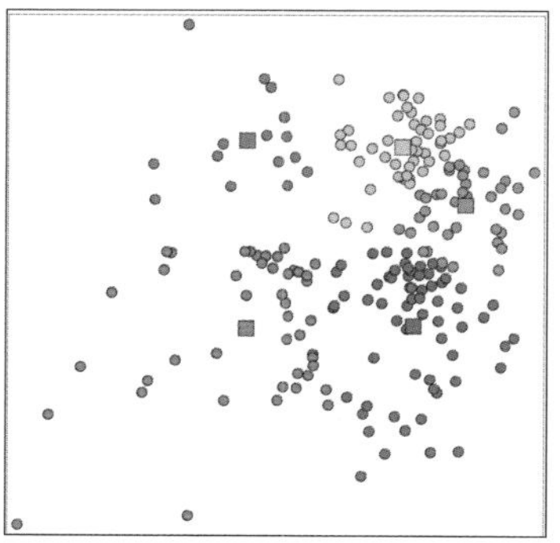

さて、以下はプログラムが出力したHTMLファイルの例です。HTMLとSVGは、<…>のようなタグを使って、ドキュメント（文書）を構成する要素を記述します。

▼出力ファイル（city.html）

```
<!DOCTYPE html>
<html>  ← HTMLドキュメントの開始
<body>  ← ドキュメント本体の開始
<svg width=1040 height=1040>  ← SVGの開始、図の幅と高さを指定

<rect width=1040 height=1040 fill="white" stroke="black"/>  ← 図の外枠

<circle cx=47 cy=426 r=10 fill=rgb(212,94,0) stroke="black"> ← 1個目の円
    <title>(585097.00, 24.47)</title></circle>

<circle cx=178 cy=333 r=10 fill=rgb(212,94,0) stroke="black"> ← 2個目の円
    <title>(3415811.00, 36.77)</title></circle>
…

<rect x=72 y=339 width=30 height=30 fill=rgb(212,94,0)  ←クラスタの中心
    stroke="black"><title>(1457065.68, 34.08)</title></rect>
…

</svg>   ← SVGの終了
</body>  ← ドキュメント本体の終了
</html>  ← HTMLドキュメントの終了
```

今回使ったSVGのタグは次の通りです。<circle>は円を描くタグで、<rect>は矩形（くけい、長方形）を描くタグです。カーソルを合わせたときに値を表示するために、文字列を表示する<title>タグも使いました。

SVGで円を描く

```
<circle cx=X座標 cy=Y座標 r=半径 fill=中の色 stroke=線の色>
<title>表示する文字列</title>
</circle>
```

SVGで矩形を描く

```
<rect x=X座標 y=Y座標 width=幅 height=高さ fill=中の色 stroke=線の色>
<title>表示する文字列</title>
</rect>
```

今回書いたのは、次のようなプログラムです。plot（プロット）というのは、点を描画することです。

▼作成するプログラム

ファイル名	種類	概要
plot.h	ヘッダファイル	点群を描画する関数を宣言
plot.c	ソースファイル	点群を描画する関数を定義
clustering3.c	ソースファイル	main関数を定義

以下がプログラムです。**各クラスタをどんな方法で色分けしているのかを読み解いて**みてください。

▼plot.h

```
#pragma once
#include "points.h"

// 点群を描画する関数の宣言
void plot_points(POINTS* points, POINTS* centroids, const char* file);
```

▼plot.c

```
#include <stdio.h>
#include <stdlib.h>
#include "plot.h"

// 点群を描画する関数
void plot_points(POINTS* points, POINTS* centroids, const char* file) {

    // テキストファイルを書き込み用に開く
    FILE* fp=fopen(file, "w");

    // ファイルが開けなければエラーを出力し、プログラムを終了
    if (!fp) {
        printf("Can't open %s\n", file);
        exit(1);
    }

    // HTMLドキュメントの開始部分を出力
    fputs("<!DOCTYPE html>\n<html>\n<body>\n", fp);
```

```
// 図の幅、高さ、円の半径
int w=1000, h=1000, size=10;

// SVGの開始部分を出力
fprintf(fp, "<svg width=%d height=%d>\n", w+size*4, h+size*4);

// 外枠を出力
fprintf(fp, "<rect width=%d height=%d "
    "fill=\"white\" stroke=\"black\"/>", w+size*4, h+size*4);

// 各クラスタを出力
for (int i=0; i<centroids->count; i++) {
    POINT* c=&centroids->point[i];

    // 色（RGB値）をランダムに決める
    int r=rand()%256, g=rand()%256, b=rand()%256;

    // クラスタに属する点群を出力
    for (int j=0; j<points->count; j++) {
        POINT* p=&points->point[j];
        if (p->cluster!=i) continue;

        // 点を表す円を出力
        fprintf(fp, "<circle cx=%d cy=%d r=%d "
            "fill=rgb(%d,%d,%d) stroke=\"black\">",
            (int)(p->x*w)+size*2, h-(int)(p->y*h)+size*2,
            size, r, g, b);
        fprintf(fp, "<title>(%.2f, %.2f)</title></circle>",
            p->orig_x, p->orig_y);
    }

    // 中心を表す正方形を出力
    fprintf(fp, "<rect x=%d y=%d width=%d height=%d "
        "fill=rgb(%d,%d,%d) stroke=\"black\">\n",
        (int)(c->x*w)+size/2, h-(int)(c->y*h)+size/2,
        size*3, size*3, r, g, b);
    fprintf(fp, "<title>(%.2f, %.2f)</title></rect>",
        c->orig_x, c->orig_y);
}
```

```
    // SVGとHTMLドキュメントの終了部分を出力
    fputs("</svg>\n</body>\n</html>\n", fp);

    // ファイルを閉じる
    fclose(fp);
}
```

上記の「plot.c」は、点や中心をクラスタごとにランダムな色で出力します。SVGで色を指定するには、「white」や「black」のような名前で指定する方法と、RGB（Chapter12）で指定する方法がありますが、ここではRGBを使いました。SVGにおけるRGBの各成分（輝度）は0〜255の範囲なので、「rand()%256」という式で0〜255の乱数を生成し、RGBの各成分に設定することで、ランダムな色を作ります。

以下はmain関数の定義です。plot_points関数を呼び出す以外は、前回のプログラム（clustering2.c）と同様です。

▼clustering3.c

```
#include <stdio.h>
#include <stdlib.h>
#include <time.h>
#include "load.h"
#include "print.h"
#include "kmeans.h"
#include "plot.h"

// main関数
int main(int argc, char* argv[]) {

    // 現在時刻を使って、乱数の種を設定
    srand(time(NULL));

    // コマンドライン引数の個数が違う場合は、使い方を出力して終了
    if (argc!=4) {
        printf("usage: %s in-csv out-html clusters\n", argv[0]);
        return 1;
    }

    // 点群をファイルから読み込む
    POINTS* points=load_points(argv[1]);
```

```
    // k-meansによるクラスタリングを行い、中心群を取得
    POINTS* centroids=kmeans(points, atoi(argv[3]));

    // 点群の情報を出力
    puts("result(points):");
    print_points(points);

    // 中心群の情報を出力
    puts("result(centroids):");
    print_points(centroids);

    // 点群を描画
    plot_points(points, centroids, argv[2]);

    // 点群を破棄
    delete_points(points);

    // 中心群を破棄
    delete_points(centroids);
}
```

本章ではAIのプログラミングというテーマで、k-meansを使ったクラスタリングに挑戦しました。AIのプログラミングというと、既存のライブラリを使うことが多いのですが、AIのアルゴリズムをゼロからプログラムにしてみると、仕組みがよく理解できます。また、AIのライブラリを自作するための足がかりにもなるでしょう。ぜひ色々なアルゴリズムについて、プログラムを書いてみてください。

次章ではインタラクティブなプログラムを開発します。

実践編 Chapter19

インタラクティブなプログラムを作る

C言語は高速な処理ができるので、ユーザの操作に対して即座にレスポンスを返すような、インタラクティブ（対話的、双方向的）なプログラムを書くのに向いています。例えば、操作性が重要なツールや、反応の良さが楽しさを左右するゲームなどは、C言語の得意分野です。
本章では、このようなインタラクティブなプログラムの開発に挑戦します。題材は、自動で生成した迷路を、プレイヤーを操作して脱出する、ゲームふうのプログラムです。迷路を作ったり解いたりといった、仕組みが面白い処理も紹介します。

本章の学習内容

①文字配列を使った複雑な処理
②再帰呼び出しを使った解答の探索
③端末制御ライブラリを使った入力と表示
④時間の計測

section
01 プログラムを設計する

まずはプログラムと道筋を設計しましょう。本章ではChapter17の手順を少し変えて、先に必要な技術について調べてから、何を作るのかを決めます。インタラクティブなプログラムを作るには、入力や表示について標準以外のライブラリが必要ですが、どんなライブラリを使うかによって、どんなプログラムが作れるかも変わってくるからです。

①必要な技術について調べる
②何を作るのかを決める
③完成までの段階を分ける

❖必要な技術について調べる

インタラクティブなプログラムとして、普段使っているツールや、遊んでいるゲームについて考えてみると、技術的には大まかに次のような種類に分けられます。

①CUIを使ったプログラム

CUI（シーユーアイ、Character User Interfaceの略）とは、キーボードからの入力と文字による出力を中心にしたユーザインタフェース（人間とコンピュータの間で情報をやりとりする方法）のことです。コマンドプロンプトやターミナル（端末）上で動作するプログラムは、CUIを使ったプログラムだといえます。こういったプログラムの中には、例えばテキストエディタのviやvim（Chapter1）のように、インタラクティブなプログラムもあります。

②GUIを使ったプログラム

GUI（ジーユーアイ、グイ、Graphical User Interfaceの略）とは、マウスやタッチなどの入力とグラフィックスによる出力を中心にしたユーザインタフェースのことです。例えばWebブラウザ・ワードプロセッサ・表計算・ペイントツール・サウンド編集ツールなど、GUIを使ったプログラムは数多くあります。

③リアルタイムな2D/3Dグラフィックスを使ったプログラム

スピードやレスポンスが重視されるゲームなどでは、②よりもリアルタイムな処理に向いた技術を利用します。例えば、グラフィックスを高速に描画できるライブラリを使ったり、ゲーム開発の基盤となるゲームエンジンのようなソフトウェアを使ったりします。

④Webブラウザ上で動くプログラム

Webブラウザ上でJavaScript（ジャバ・スクリプト）のようなプログラミング言語を使って、主にGUIを使ったプログラムを書く方法です。Webサーバ上で動作するプログラムと連携する場合も少なくありません。

さて、本書では上記の中から、①の方法を採用することにしました。①には次のような利点があります。

- 比較的簡単なプログラムで、面白い機能が実現できる。
- 同一のプログラムで、複数の環境（`Windows/macOS/Linux`）に対応しやすい。

②③は①に比べると難易度が高く、プログラムが長くなりがちです。また、同一のプログラムで複数の環境に対応するのも、①ほど簡単ではありません。また、④はWebブラウザ上で動作するプログラミング言語に向いた方法で、C言語向きではありません。そこで、本書では①を選びました。②③④のプログラミングも楽しいので、もし興味を持ったら、ぜひ挑戦してください。

さて、①のプログラムを実現するためのポイントは、端末制御ライブラリです。今回はUnix系のOSで古くから使われている、curses（カーシズ）というライブラリを利用します。cursesという言葉は「呪い」という意味ですが、ライブラリのcursesはcursor optimization（カーソルの最適化）に由来するようです。

テキストエディタのviを参考に、cursesは開発されました。cursesを使った有名なプログラムとしては、ローグ（Rogue）があります。ローグは自動生成される迷宮を探索するゲームで、ローグライクゲームと呼ばれるジャンル（例えばチュンソフトの「不思議のダンジョン」シリーズなど）の元祖です。

cursesを使うと、viやvimのようなテキストエディタや、ローグのようなゲームが作れます。どちらを作ることもできますが、迷路の処理は文字配列や再帰呼び出しの活用方法が面白いので、本章では迷路のプログラムを作ることにしました。

次は、どんなプログラムを作るのかを具体的に考えます。

❖何を作るのかを決める

迷路の自動生成を行うプログラムで、シンプルかつ楽しめそうな題材として、次のようなプログラムを考えてみました。このプログラムを応用して、ローグにあるような「モンスターとの戦闘」や「アイテムの入手」といった機能を追加することも可能でしょう。

・シンプルに迷路を脱出することを目的にします。
・ウィンドウ（コマンドプロンプトやターミナル）の大きさに合わせて、迷路を自動で生成します。
・スタートに配置されたプレイヤーをカーソルキーで操作し、ゴールに到達するまでの時間を競います。

作成したプログラムは次のような画面です。ウィンドウのサイズに合わせて迷路を作るので、大きなウィンドウで実行すると、広大な迷路で遊べます。

▼小さな迷路の例

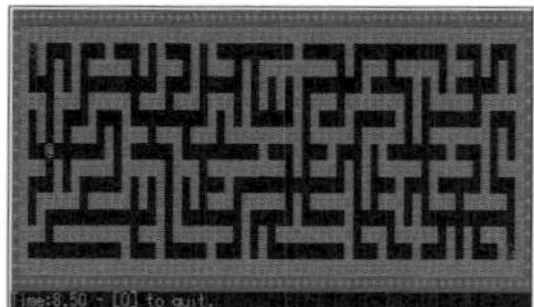

▼大きな迷路の例

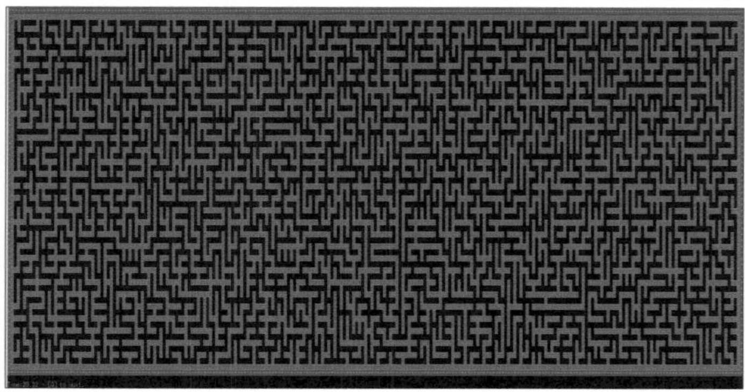

迷路の壁や穴(通路)などは、文字で表現します。壁は#、穴は空白、スタートはS、ゴールはGです。プレイヤーはローグに合わせて@(アットマーク)にしました。文字の種類や色は簡単に変更できるので、好みに合わせてプログラムを改造してみてください。

次は、プログラムを完成させるまでの道筋を考えます。

❖完成までの段階を分ける

今回のプログラムは、迷路を自動生成する処理と、cursesを使った処理がポイントです。そこで、まずは迷路を生成するだけのプログラムを書き、次にインタラクティブな操作に対応したプログラムを書きます。また、仕組みが面白いので、迷路を自動で解くプログラムも書いてみましょう。

①迷路を塗る

まずは迷路を文字配列で表現し、全体を壁で塗りつぶして、画面に出力します。

②迷路を掘る

壁に穴を掘って通路を作り、迷路を生成して、画面に出力します。

③迷路を解く

生成した迷路を自動的に解いて、スタートからゴールまでの道筋を示します。

④迷路をcursesで表示する

cursesを利用し、迷路に色を付けて表示します。

⑤迷路を歩く

cursesを利用し、プレイヤーをカーソルキーで操作できるようにして、経過時間も表示します。

これでプログラムの設計と、道筋の設計ができました。迷路に穴を掘る方法や、cursesを使ったプログラムの書き方は、後ほど詳しく紹介します。

次はcursesの導入です。

❖cursesを導入する

cursesを使ったプログラムを開発できるように、cursesを導入します。Windows/macOS/Linuxについて個別に説明するので、お使いの環境に関する説明をお読みください。

●Windowsへの導入

Windowsの場合は、cursesと同様の機能を提供する、PDCursesをインストールします。

PDCurses
URL https://pdcurses.org/

PDCursesはPublic Domain Cursesの略です。本書では、作業を簡単にするために、本書のサンプルファイルにPDCursesのソースファイル一式を収録し、make（Chapter2）を使ってコンパイルできるようにしておきました。コンパイルの手順は次の通りです。

1. コマンドプロンプトで「**cd ¥Users¥ユーザ名¥Desktop¥CSample¥chapter19**」とEnterキーを入力し、chapter19フォルダをカレントディレクトリにします。プロンプトが「**C:¥Users¥ユーザ名¥Desktop¥CSample¥chapter19**」に変化したら成功です。
2. 「**mingw32-make**」とEnterキーを入力して、プログラムをコンパイルします。エラーが表示されずに、再びプロンプトが表示されたら成功です。
3. コンパイルで生成したファイルを削除したくなった場合には、「**mingw32-make clean**」とEnterキーを入力します。

PDCursesは「chapter19¥PDCurses-3.9」フォルダに展開してあります。上記の手順では、「chapter19¥PDCurses-3.9¥wincon¥Makefile」を、makeで処理してコンパイルします。

●macOSへの導入

macOSの場合、Clangを使うためにインストールしたCommand line tools for Xcode（Chapter1）に、cursesも含まれています。Clangをインストールしてあれば、追加の作業は不要です。

●Linuxへの導入

Linuxにcursesを導入する方法は、ディストリビューション（配布形態）によって異なります。例えばUbuntu（ウブンツ）の場合には、ターミナルで「**`sudo apt install -y libncurses-dev`**」を実行します。

section
02 迷路を作る

設計と準備ができたところで、プログラムを書き始めましょう。まずは迷路を生成します。

❖迷路を塗る

最初は迷路の全体を壁で塗りつぶすプログラムです。本書のサンプルファイル(Chapter2)に収録されたプログラムを、次のようにコンパイルし、実行してみてください。インライン関数(Chapter11)を使うので、最適化を行う-O2オプションを指定します(static inlineなので、-O2を指定しなくてもリンクエラーにはなりません)。

▼実行例

```
> gcc -o maze maze.c fill.c -O2
> maze
usage: maze width height    ← 使い方: maze 幅 高さ
> maze 70 15                ← 幅70文字以下、高さ15文字以下の迷路を生成
++++++++++++++++++++++++++++++++++++++++++++++++++++++++++++++++++++++
+####################################################################+
+####################################################################+
+####################################################################+
+####################################################################+
+####################################################################+
+####################################################################+
+####################################################################+
+####################################################################+
+####################################################################+
+####################################################################+
+####################################################################+
+####################################################################+
+####################################################################+
++++++++++++++++++++++++++++++++++++++++++++++++++++++++++++++++++++++
```

幅と高さを指定すると、周囲を「+」(枠)で囲み、内部を「#」(壁)で埋めた、迷

路の原型を出力します。周囲を+にするのは、穴を掘るときに、迷路の範囲内かどうかを判定しやすくするためです。

上記の実行例では、掲載しやすくするために横長のサイズを指定しましたが、好きなサイズで実行してみてください。穴を掘る都合で、迷路の幅と高さは指定した値に一致するとは限りませんが、指定した値以下で最大のサイズになります。幅の下限は9文字、高さの下限は7文字です。

今回書いたプログラムは次の通りです。ファイル名は「fill」(フィル、埋める)および「maze」(メイズ、迷路)にしました。

▼作成するプログラム

ファイル名	種類	概要
fill.h	ヘッダファイル	迷路を表す構造体を定義
fill.c	ソースファイル	迷路を作成・破棄・出力する関数を定義
maze.c	ソースファイル	main関数を定義

以下がプログラムです。ヘッダファイルについては、インクルードの重複への対策として「#pragma once」を書いています(Chapter16)。**fill.cのnew_maze関数において、迷路をどんな文字配列で表しているのかを読み解いて**みてください。

▼fill.h

```
#pragma once

// 迷路を表す構造体
typedef struct {

    // 幅、高さ
    int width, height;

    // 迷路の文字配列を指すポインタ
    char* map;
} MAZE;

// 迷路を作成・破棄・出力する関数の宣言
MAZE* new_maze(int width, int height);
void delete_maze(MAZE* maze);
void print_maze(MAZE* maze);
```

▼fill.c

```
#include <stdio.h>
#include <stdlib.h>
#include "fill.h"

// 2個の整数のうち大きな方を返すインライン関数（Chapter11）の定義
static inline int max(int x, int y) { return x>y?x:y; }

// 迷路を作成する関数
MAZE* new_maze(int width, int height) {

    // 幅と高さを調整
    int w=(max(width, 9)-3)/2*2+4, h=(max(height, 7)-3)/2*2+3;

    // 迷路を表す文字配列のメモリを確保（Chapter14）
    char* m=malloc(w*h+1);

    // 文字配列の末尾をヌル文字にする
    m[w*h]='\0';

    // 全体を壁（#）にする
    for (int p=0; p<w*h; p++) m[p]='#';

    // 右端を改行にする
    for (int y=0; y<h; y++) m[w-1+w*y]='¥n';

    // 周囲を枠（+）にする
    for (int x=0; x<w-1; x++) m[x]=m[x+w*(h-1)]='+';
    for (int y=1; y<h-1; y++) m[w*y]=m[w-2+w*y]='+';

    // 迷路を表す構造体のメモリを確保
    MAZE* maze=malloc(sizeof(MAZE));

    // 複合リテラル（Chapter12）を使って、幅・高さ・文字配列を設定
    *maze=(MAZE){w, h, m};

    // 作成した迷路を指すポインタを返す
    return maze;
}

// 迷路を破棄する関数
```

```
void delete_maze(MAZE* maze) {

    // 迷路を表す文字配列のメモリを解放
    free(maze->map);

    // 迷路を表す構造体のメモリを解放
    free(maze);
}

// 迷路を出力する関数
void print_maze(MAZE* maze) {

    // 迷路の文字配列は右端が改行、末尾はヌル文字なので、
    // そのまま文字列として出力できる
    puts(maze->map);
}
```

▼maze.c

```
#include <stdio.h>
#include <stdlib.h>
#include "fill.h"

// main関数
int main(int argc, char* argv[]) {

    // コマンドライン引数の個数が違う場合は、使い方を出力して終了
    if (argc!=3) {
        printf("usage: %s width height\n", argv[0]);
        return 1;
    }

    // コマンドライン引数で指定された幅と高さで、迷路を作成
    MAZE* maze=new_maze(atoi(argv[1]), atoi(argv[2]));

    // 迷路を出力
    print_maze(maze);

    // 迷路を破棄
    delete_maze(maze);
}
```

迷路は1次元の文字配列で表します。迷路は2次元なので、配列も2次元にした方が扱いやすいかというと、必ずしもそうではありません。多次元配列の代わりに1次元配列を使う方法（Chapter8）と同様に、今回は2次元配列ではなく1次元配列を使います。

迷路の文字配列は次のような構造です。この例では、左上が最初の要素（添字0）で、右下が最後の要素（添字90）です。要素の添字は、左から右に向かって1ずつ増加し、上から下に向かって10ずつ（横方向の要素数ずつ）増加します。

▼迷路を表す文字配列の構造

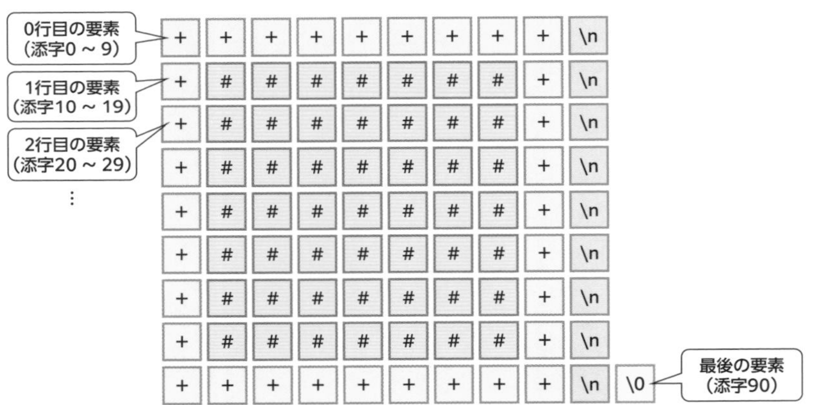

迷路の周囲は「+」（枠）、内部は「#」（壁）です。後で穴を掘る都合上、壁の個数は縦横とも奇数にします。また、右端は「\n」（改行）に、末尾は「\0」（ヌル文字）にしてあります。この構造にすると、上記の「fill.c」で定義しているprint_maze関数のように、puts関数（Chapter2）を1回呼び出すだけで、とても簡単に迷路を出力できます。for文を使って1文字ずつ出力する…といった手間がかかりません。

次は壁に穴を掘って、迷路に通路を作ります。

❖迷路を掘る

迷路を自動生成する方法としては、以下の穴掘り法と壁作り法がよく知られています。どちらの方法を使っても、スタートからゴールに至る道筋が一通りになるような迷路が作れます。

● **穴掘り法**

最初に全体を壁で埋めておき、穴を掘って通路を作る方法です。

● **壁作り法（壁伸ばし法）**

最初に周囲を壁で囲んでおき、周囲から壁を伸ばして通路を作る方法です。

どちらの方法を使ってもよいのですが、本書では穴掘り法を使ってみます。前回のプログラムで、全体を壁で埋めるところまでは準備しました。次は以下のような手順で、穴を掘って通路を作ります。

1. スタートに穴を掘ります。今回は左上（左上端にある壁の、すぐ右下にある壁）がスタートです。
2. 上下左右をランダムに選んで、穴を掘りながら進みます。2歩（2文字）ずつ進みます。
3. 選んだ方向にもう穴があったら、穴掘りを中止します。既存の通路につないでしまうと、道筋が一通りでなくなってしまうからです。
4. 格子点（縦横とも2文字間隔の点）の中から、穴になった格子点を一つ選びます。
5. 手順2に戻り、4で選んだ格子点から穴を掘って進みます。
6. 全ての格子点が穴になったら、迷路の完成です。

▼穴の掘りかた

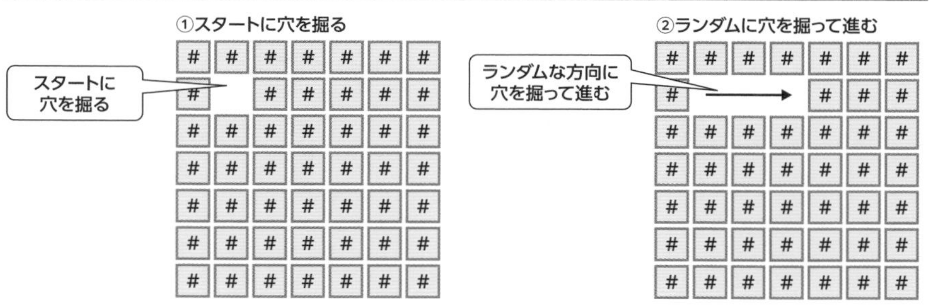

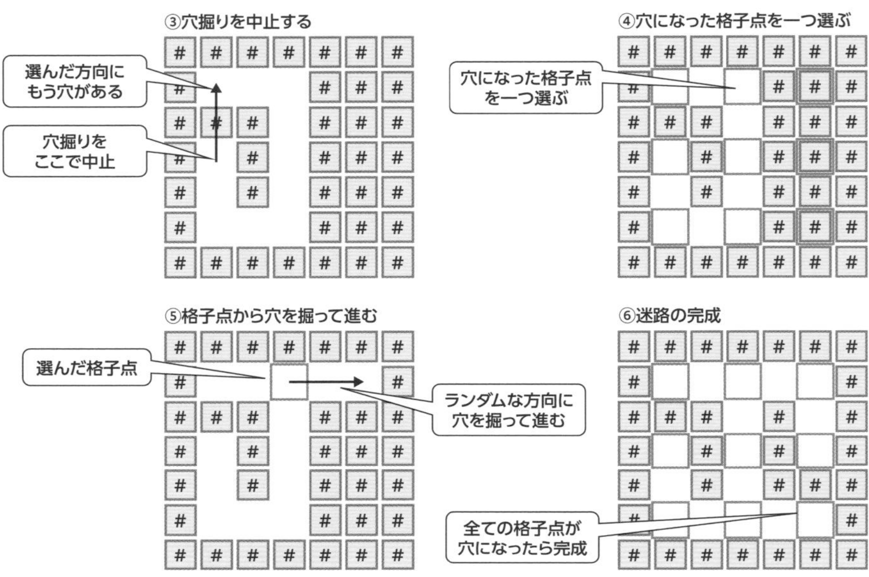

上記の穴掘り法を使ってプログラムを書いてみました。次のようにコンパイルして実行してみてください。

▼実行例

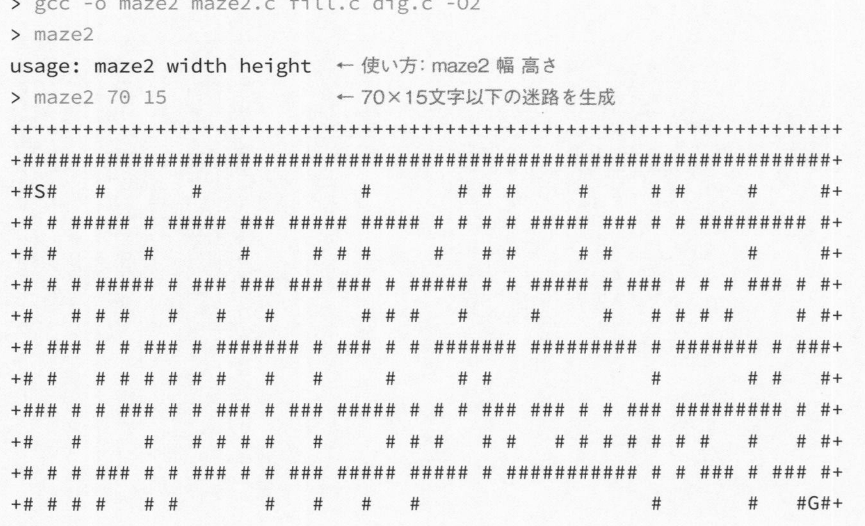

```
> gcc -o maze2 maze2.c fill.c dig.c -O2
> maze2
usage: maze2 width height   ← 使い方: maze2 幅 高さ
> maze2 70 15               ← 70×15文字以下の迷路を生成
+++++++++++++++++++++++++++++++++++++++++++++++++++++++++++++++++++++
+###################################################################+
+#S#   #       #             #       # # #     #     # #     #     #+
+# # ##### # ##### ### ##### ##### # # # # ##### ### # # ######### #+
+# #       #       #     # # #     #   # #     # #           #     #+
+# # # ##### # ### ### ### ### # ##### # # ##### # ### # # # ### # #+
+#   # # #   #   #   #       # # #   #     #     #   # # # #     # #+
+# ### # # ### # ####### # ### # # ####### ######### # ####### # ###+
+# #   # # # # # #   #   #     #     # #             #       # #   #+
+### # # ### # # ### # ### ##### # # # ### ### # # ### ######### # #+
+#   #     #   # # # #   #     # # #   # #   # # # # # # #   #   # #+
+# # # ### # # ### # # ### ##### ##### # ########### # # ### # ### #+
+# # # #   # #       #   #   #   #                   #       #   #G#+
```

```
+###########################################################################+
+++++++++++++++++++++++++++++++++++++++++++++++++++++++++++++++++++++++++++++
```

幅と高さを指定すると、迷路を自動生成して出力します。Sがスタート、Gがゴールです。乱数を使うので、実行するたびに違った形の迷路ができます。色々なサイズの迷路を作って、遊んで(解いて)みてください。

今回書いたプログラムは次の通りです。ファイル名は「dig」(ディグ、掘る)にしました。

▼作成するプログラム

ファイル名	種類	概要
dig.h	ヘッダファイル	迷路を掘る関数を宣言
dig.c	ソースファイル	迷路を掘る関数を定義
maze2.c	ソースファイル	main関数を定義

以下がプログラムです。**迷路を掘るときに、どんな方法で上下左右に進むのかを読み解いて**みてください。

▼dig.h

```
#pragma once
#include "fill.h"

// 迷路を掘る関数の宣言
void dig_maze(MAZE* maze);
```

▼dig.c

```
#include <stdlib.h>
#include "dig.h"

// 迷路を掘る関数
void dig_maze(MAZE* maze) {

    // 迷路の幅・高さ・文字配列へのポインタを、
    // プログラムを簡潔にするために、名前が短い変数に代入
    int w=maze->width, h=maze->height;
    char* m=maze->map;
```

```
    // 右・左・下・上へ進むときに、文字配列の添字に加算する値
    int u[]={1, -1, w, -w};

    // 左上のスタートを穴にする
    m[2+2*w]=' ';

    // 全ての格子点が穴になるまで繰り返す
    for (int n=1; n<(w-4)/2*(h-3)/2; ) {

        // 格子点を左上から右下に向かって順に調べる
        for (int y=2; y<h-2; y+=2) {
            for (int x=2; x<w-3; x+=2) {

                // 現在の位置(x, y)に対応する添字pを計算
                int p=x+y*w;

                // 現在の位置が壁ならば次の格子点へ
                if (m[p]=='#') continue;

                // 進む方向をランダムに決めて、
                // 2歩先が壁である限り繰り返す
                for (int v; v=u[rand()%4], m[p+v*2]=='#'; n++) {

                    // 1歩先と2歩先を穴にして、2歩進む
                    m[p+v]=m[p+v*2]=' ';
                    p+=v*2;
                }
            }
        }
    }

    // 左上のスタートをSに、右下のゴールをGにする
    m[2+2*w]='S';
    m[(w-4)+(h-3)*w]='G';
}
```

迷路を上下左右に進む処理のポイントは、dig.cで宣言している配列「u」です。uは「{1, -1, w, -w}」で初期化しますが、これらは迷路の文字配列において、右・左・下・上に進むときの添字の変化に相当します。例えば、添字に1を加算すれば右に、-1を加算すれば左に進みます。また、迷路の幅(1行分の要素数)に相当するwを使っ

て、添字に「w」を加算すれば下(1行後)に、「-w」を加算すれば上(1行前)に進みます。この方法を使うと、X座標(左右)とY座標(上下)を別々に処理するよりも、簡単に文字配列の中を移動できます。

以下はmain関数の定義です。迷路の生成には乱数を使うので、最初にsrand関数を呼び出して、乱数の種を設定します(Chapter18)。

▼maze2.c

```
#include <stdio.h>
#include <stdlib.h>
#include <time.h>
#include "fill.h"
#include "dig.h"

// main関数
int main(int argc, char* argv[]) {

    // 現在時刻を使って、乱数の種を設定
    srand(time(NULL));

    // コマンドライン引数の個数が違う場合は、使い方を出力して終了
    if (argc!=3) {
        printf("usage: %s width height\n", argv[0]);
        return 1;
    }

    // コマンドライン引数で指定された幅と高さで、迷路を作成
    MAZE* maze=new_maze(atoi(argv[1]), atoi(argv[2]));

    // 迷路に穴を掘る
    dig_maze(maze);

    // 迷路を出力
    print_maze(maze);

    // 迷路を破棄
    delete_maze(maze);
}
```

次は迷路を自動的に解くプログラムを書いてみましょう。

section 03

迷路を解く

迷路を自動的に解くプログラムは、関数の再帰呼び出し(Chapter11)を使って書けます。まずはプログラムを動かしてみてください。生成した迷路を出力した後に、迷路の解答をo(小文字のオー)で示します。

▼実行例

```
> gcc -o maze3 maze3.c fill.c dig.c solve.c -O2
> maze3
usage: maze3 width height  ← 使い方: maze3 幅 高さ
> maze3 70 15              ← 70×15文字以下の迷路を生成
+++++++++++++++++++++++++++++++++++++++++++++++++++++++++++++++++++++
+###################################################################+
+#S      # #   #   # #     #   #   # #       # # #   #     #   #   #+
+# ##### # # # ### # ### # # # ### # # ### ### # ### # ### ### # ###+
+#   #       #         # #   #       # # #   #     # #   #         #+
+# # ####### # ######### # ########### # # # ### ### ### # ##### # #+
+# #   #   # #   #   #   # #   #   #     # #     #   #   # # #   # #+
+### ##### ######### # # # # ### ### ### ### ### # # # ### # # ### #+
+# #       #     # # # # #     # #   #   # #   # # #     # #   #   #+
+# # ### # # # # # # # ### # ### ### # # # # ### # ##### # ####### #+
+#   # # # # # #       #   #         # # # # # #   # #   #       # #+
+### # # # # ########### # ### # ### # # # # # # ### ### ### ##### #+
+#     # #             # # #   # #   # #   #   #       # #     #  G#+
+###################################################################+
+++++++++++++++++++++++++++++++++++++++++++++++++++++++++++++++++++++
↑ 生成した迷路
+++++++++++++++++++++++++++++++++++++++++++++++++++++++++++++++++++++
+###################################################################+
+#S      # #   #   # #  ooo#   #   # #ooooo  # # #   #ooooo#   #   #+
+#o##### # # # ### # ###o#o# # ### # #o###o### # ### #o###o### # ###+
+#ooo#       #         #o#o  #       #o# #ooo#     # #ooo#ooooooooo#+
+# #o####### # #########o#o###########o# # #o### ### ###o# ##### #o#+
+# #o  #   # #   #   #ooo#o#   #   #ooo  # #ooooo#ooo#ooo# # #   #o#+
+###o##### ######### #o# #o# ### ###o### ### ###o#o#o#o### # # ###o#+
+# #ooooooo#ooooo# # #o# #ooo  # #  o#   # #   #o#o#ooo  # #   #  o#+
+# # ### #o#o# #o# # #o### #o### ###o# # # # ###o#o##### # #######o#+
```

```
+#     # # #o#o# #ooooooo#   #ooooooooo# # # # #ooo# #   #       #o#+
+### # # #o#o########### # ### # ### # # # # # # ### ### ### #####o#+
+#     # #ooo          # # #   # #   # #   #   #       # #     #  G#+
+###################################################################+
+++++++++++++++++++++++++++++++++++++++++++++++++++++++++++++++++++++
↑ 迷路の解答
```

迷路は次のような方法で解きます。前述のように関数の再帰呼び出しを使います。

1. スタート（左上）から開始します。
2. 上下左右（プログラムでは右左下上）を順に調べて、1歩（1文字）先が穴（空白）ならば、足跡（o）を付けながら2歩（2文字）進みます。
3. 進んだ先で2と同じ処理を行います（再帰呼び出しを使います）。
4. 上下左右を調べたけれども、ゴールに到達しなかった場合は、足跡を消しながら戻ります（呼び出し元に戻ります）。
5. ゴールに到達したら完了です（呼び出し元に戻ります）。

▼迷路の解きかた

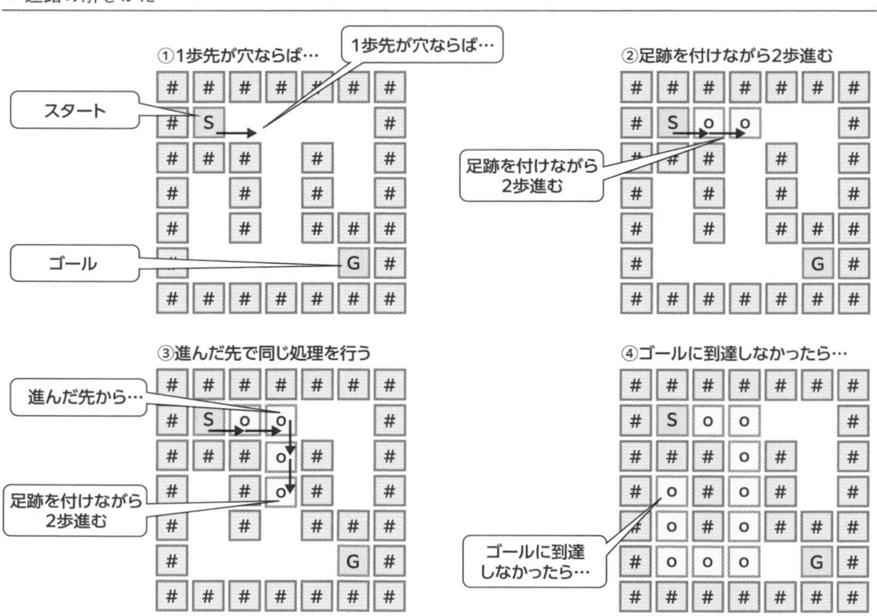

上記の方法を使って、次のようなプログラムを書きました。ファイル名は「solve」(ソルブ、解く)にしました。

▼作成するプログラム

ファイル名	種類	概要
solve.h	ヘッダファイル	迷路を解く関数を宣言
solve.c	ソースファイル	迷路を解く関数を定義
maze3.c	ソースファイル	main関数を定義

以下がプログラムです。**再帰呼び出しした関数が、どのような戻り値を返すのかを読み解いて**みてください。

▼solve.h

```
#pragma once
#include "fill.h"

// 迷路を解く関数の宣言
void solve_maze(MAZE* maze);
```

▼solve.c

```
#include "solve.h"

// 再帰呼び出し（Chapter11）で迷路を解くstatic関数（Chapter16）
// pは現在の位置に対応する文字配列の添字
static int solve(MAZE* maze, int p) {

    // プログラムを簡潔にするために、
    // 迷路の幅と文字配列へのポインタを、名前が短い変数に代入
```

```
    int w=maze->width;
    char* m=maze->map;

    // 右・左・下・上へ進むときに、文字配列の添字に加算する値
    int u[]={1, -1, w, -w};

    // 4方向について順に調べる
    for (int i=0; i<4; i++) {

        // p1は1歩先の添字、p2は2歩先の添字
        int p1=p+u[i], p2=p1+u[i];

        // 1歩先が穴ならば…
        if (m[p1]==' ') {

            // 1歩先に足跡を付ける
            m[p1]='o';

            // 2歩先がゴールならば、1を返して呼び出し元に戻る
            if (m[p2]=='G') return 1;

            // 2歩先に足跡を付ける
            m[p2]='o';

            // 2歩先の位置を指定して、再帰呼び出しを行う
            // 再帰呼び出し先でゴールに到達したら1が返ってくるので、
            // 自分も1を返して呼び出し元に戻る
            if (solve(maze, p2)) return 1;

            // ゴールに到達しなかったら、1歩先と2歩先の足跡を消す
            m[p1]=m[p2]=' ';
        }
    }

    // ゴールに到達しなかったので、0を返して呼び出し元に戻る
    return 0;
}

// 迷路を解く関数
void solve_maze(MAZE* maze) {
```

```
    // スタートの位置を指定して、再帰呼び出し用のsolve関数を呼び出す
    solve(maze, 2+maze->width*2);
}
```

再帰呼び出しを行うのは、solve.cで定義しているsolve関数です。迷路を2歩（2文字）進むたびに、現在の位置に対応する添字（引数のp）を変えながら、solve関数自身を再帰呼び出しします。solve関数の戻り値は、ゴールに到達した場合は1、ゴールに到達しなかった場合は0です。solve関数は、1を受け取った場合は足跡を消さずに呼び出し元に戻り、0を受け取った場合は足跡を消して別のルートを調べます。

再帰呼び出し用のsolve関数と、他のソースファイルから呼び出すためのsolve_maze関数を分けたのは、solve関数に渡す文字配列の添字を計算するのが少し複雑だからです。solve_maze関数は引数がmaze（迷路を表す構造体を指すポインタ）だけなので、簡単に呼び出せます。solve関数は、solve.cの中だけで使う関数なので、static関数（Chapter16）にしました。

以下はmain関数の定義です。迷路を生成して出力し、次に迷路を解いてから再び出力します。

▼maze3.c

```
#include <stdio.h>
#include <stdlib.h>
#include <time.h>
#include "fill.h"
#include "dig.h"
#include "solve.h"

// main関数
int main(int argc, char* argv[]) {

    // 現在時刻を使って、乱数の種を設定（Chapter18）
    srand(time(NULL));

    // コマンドライン引数の個数が違う場合は、使い方を出力して終了
    if (argc!=3) {
        printf("usage: %s width height\n", argv[0]);
        return 1;
```

```
    }

    // コマンドライン引数で指定された幅と高さで、迷路を作成
    MAZE* maze=new_maze(atoi(argv[1]), atoi(argv[2]));

    // 迷路に穴を掘って出力
    dig_maze(maze);
    print_maze(maze);

    // 迷路を解いて出力
    solve_maze(maze);
    print_maze(maze);

    // 迷路を破棄
    delete_maze(maze);
}
```

これで迷路を自動で生成するプログラムと、自動で解くプログラムができました。実行例とはサイズを変えて、もっと大きな迷路を出力しても面白いので、ぜひ遊んでみてください。次はcursesを使って、迷路の中を歩くプログラムを書きましょう。

section

04 迷路を歩く

cursesを使って、迷路の中を歩くプログラムを作ります。まずは迷路を色付きで表示するプログラムを書きましょう。

❖迷路に色を付けて表示する

cursesを使うと、画面上の指定した座標に、指定した色で文字を表示できます。この機能を使って、迷路を色付きで表示します。

まずはプログラムをコンパイルし、動かしてみてください。簡単でおすすめなのは、chapter19フォルダをカレントディレクトリにしてから、mingw32-make（Windows）またはmake（macOS/Linux）を実行する方法です。makeを使わない場合は、次のようにコンパイルします。

Windowsの場合は、ソースファイルに加えて、cursesのライブラリファイル（pdcurses.a）も指定することに注目してください。「-I」はヘッダファイルをインクルードするディレクトリを指定するオプションです。

▼コンパイル（Windows）

```
> gcc -o walk walk.c fill.c dig.c stage.c PDCurses-3.9¥wincon¥pdcurses.
a -I PDCurses-3.9 -O2
```

macOS/Linuxの場合は、cursesライブラリをリンクするために、「-lcurses」オプションを指定します。「-l」はライブラリ名を指定してリンクするオプションです。

▼コンパイル（macOS/Linux）

```
> gcc -o walk walk.c fill.c dig.c stage.c -lcurses -O2
```

コンパイルができたら、次のようにプログラムを実行してください。迷路を歩くプログラムなので、ファイル名は「walk」（ウォーク、歩く）にしました。

```
> walk
```

実行すると、コマンドプロンプト(Windows)やターミナル(macOS/Linux)のサイズに合わせて、色付きの迷路が表示されます。コマンドプロンプトやターミナルのサイズを変更すれば、好きなサイズの迷路を表示できます。

▼迷路に色を付けて表示

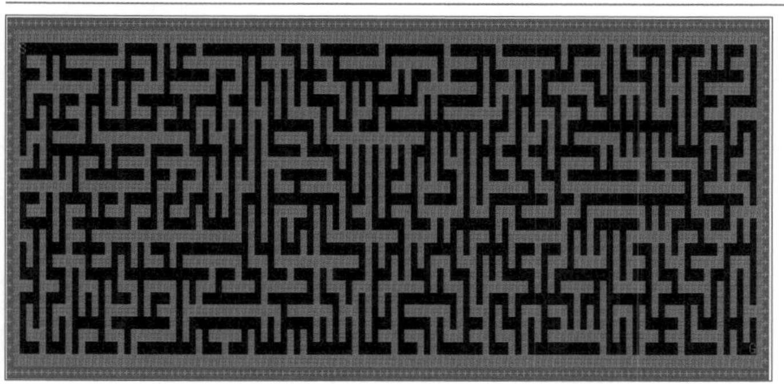

プログラムを終了するには、Qキーを押してください。「Q」はQuit(クイット、やめる)の略です。

文字を色付きで表示するには、次のようなcursesの関数を使いました。cursesの機能については、PDCursesのマニュアルなどが参考になります。

PDCursesのマニュアル

URL https://pdcurses.org/docs/MANUAL.html

▼文字を色付きで表示するための関数

関数名	機能
init_pair	前景色と背景色のペア(組)を作成
attrset	前景色と背景色を設定
mvaddch	指定した座標に文字を表示
mvaddstr	指定した座標に文字列を表示

上記の関数以外に、cursesを初期化したり、画面を更新したりするための関数を使います。各関数の機能については、プログラムのコメントを参照してください。

今回書いたのは次のようなプログラムです。ゲームのステージを作るので、ファイル名は「stage」(ステージ)としました。

▼作成するプログラム

ファイル名	種類	概要
stage.h	ヘッダファイル	文字を表示する関数と、 ステージを作成・破棄する関数を宣言
stage.c	ソースファイル	文字を表示する関数と、 ステージを作成・破棄する関数を定義
walk.c	ソースファイル	main関数を定義

以下がプログラムです。**文字の色を変えるには、どこを改造すればよいのかを読み解いて**みてください。

▼stage.h

```
#pragma once
#include "fill.h"

// 文字を表示する関数の宣言
void add_char(int x, int y, int c);

// ステージを作成・破棄する関数の宣言
MAZE* new_stage();
void delete_stage(MAZE* maze);
```

▼stage.c

```
#include <curses.h>
#include <stdio.h>
#include <stdlib.h>
#include <time.h>
#include "dig.h"
#include "stage.h"

// 文字を表示する関数
void add_char(int x, int y, int c) {

    // 前景色・背景色を設定
    attrset(COLOR_PAIR(c%COLOR_PAIRS));

    // 指定した座標に文字を表示
    mvaddch(y, x, c);
```

```
}

// ステージを作成する関数
MAZE* new_stage() {

    // cursesライブラリを開始
    if (!initscr()) {
        puts("initscr failed.");
        exit(1);
    }

    // カーソルキーなどの入力を可能にする
    keypad(stdscr, TRUE);

    // キーの入力待ちを無くす
    timeout(0);

    // カーソルを非表示にする
    curs_set(0);

    // 入力した文字を非表示にする
    noecho();

    // カラー表示を開始
    start_color();

    // 色のペアを初期化（前景色は白、背景色は黒）
    for (int i=0; i<COLOR_PAIRS; i++) {
        init_pair(i, COLOR_WHITE, COLOR_BLACK);
    }

    // このプログラムで使う文字について、色のペアを設定
    init_pair('+', COLOR_CYAN, COLOR_BLUE);
    init_pair('#', COLOR_MAGENTA, COLOR_RED);
    init_pair('S', COLOR_GREEN, COLOR_BLACK);
    init_pair('G', COLOR_GREEN, COLOR_BLACK);
    init_pair('W', COLOR_YELLOW, COLOR_BLACK);

    // 現在時刻を使って、乱数の種を設定
    srand(time(NULL));
```

```
    // 画面の幅と高さで、迷路を作成
    // getmaxx(stdscr)は画面の幅、getmaxy(stdscr)は画面の高さを取得
    MAZE* maze=new_maze(getmaxx(stdscr), getmaxy(stdscr)-1);

    // 迷路に穴を掘る
    dig_maze(maze);

    // 画面を消去
    erase();

    // 迷路を表示
    char* m=maze->map;
    for (int y=0, p=0; m[p]; y++, p++) {
        for (int x=0; m[p]!='\n'; x++, p++) add_char(x, y, m[p]);
    }

    // 画面を更新
    refresh();

    // 作成した迷路を指すポインタを返す
    return maze;
}

// ステージを破棄する関数
void delete_stage(MAZE* maze) {

    // 迷路を破棄
    delete_maze(maze);

    // cursesライブラリを終了
    endwin();
}
```

文字の色を変えるには、stage.cでinit_pair関数の引数を変更します。例えばCOLOR_WHITEは白、COLOR_BLACKは黒です。他には、BLUE（青）、RED（赤）、MAGENTA（紫）、GREEN（緑）、CYAN（水色）、YELLOW（黄）が使えます。好みの色に変更してみてください。

以下はmain関数の定義です。getchはcursesの関数で、キーボードから1文字を入力します。getchar関数(Chapter9)とは異なり、入力した文字を画面に表示せず、Enterキーの入力も不要になるように設定できます。

▼walk.c

```
#include <curses.h>
#include "stage.h"

// main関数
int main(void) {

    // ステージを作成
    MAZE* maze=new_stage();

    // qを入力するまで繰り返す
    while (getch()!='q');

    // ステージを破棄
    delete_stage(maze);
}
```

次はいよいよ、迷路を歩くプログラムを書きます。

❖プレイヤーを操作して迷路を歩く

プレイヤーを操作して、迷路の中を歩くプログラムを書きましょう。まずはプログラムを動かしてみてください。makeを使わない場合は、次のようにコンパイルします。

▼コンパイル(Windows)

```
> gcc -o walk2 walk2.c fill.c dig.c stage.c PDCurses-3.9¥wincon¥pdcurses.a -I PDCurses-3.9 -O2
```

▼コンパイル(macOS/Linux)

```
> gcc -o walk2 walk2.c fill.c dig.c stage.c -lcurses -O2
```

コンパイルができたら、次のようにプログラムを実行してください。コマンドプロンプトやターミナルのサイズに合わせて、迷路が表示されます。

▼実行例

```
> walk2
```

スタート(S)にいるプレイヤーの@を、カーソルキーで上下左右に操作して、ゴール(G)を目指してください。viやvimと同じく、Hキー(左)、Jキー(下)、Kキー(上)、Lキー(右)でも移動できるので、viやvimにおけるカーソル移動の練習にも使えます!

画面の左下には、起動時からの経過時間が表示されます。ゴールに到達すると時間が止まるので、短い時間で到達することを目指して遊んでみてください。Qキーを押すと、途中で終了できます。

▼迷路を歩く

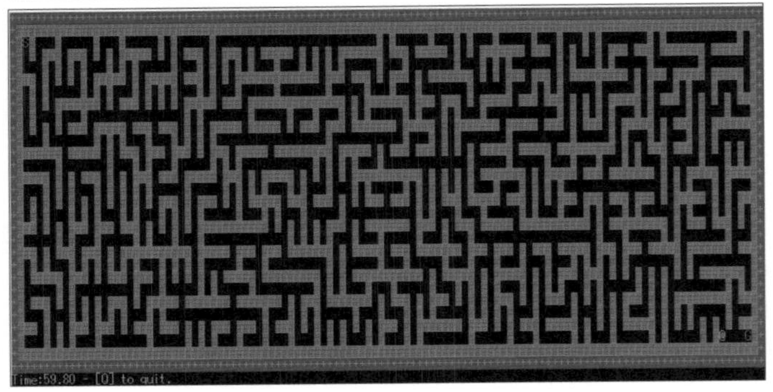

経過時間の取得には、標準ライブラリのtime.hで宣言されている、clock(クロック)関数を使いました。一般にclock関数は、1秒単位の時刻を取得するtime関数(Chapter18)よりも、細かい単位で時間を取得できます。

clock関数

```
clock()
```

clock関数は、プログラムがプロセッサ(CPU)を使用した時間を、clock_t型で返します。clock関数の戻り値を、time.hで定義されているCLOCKS_PER_SECで除算すると、秒単位の時間が得られます。プロセッサの使用時間は、実際の経過時間とは一致しない場合があるのですが、clock関数はどの環境でも簡単に使えるので、今回のプログラムではclock関数を使いました。

clock関数が返す時間は、開始値が0とは限りません。そこで、ある時点からの経過時間を取得するには、次の方法を使います。

①時間の計測を開始する際に、clock関数を呼び出し、戻り値を変数に格納します。
②経過時間を表示する際に、再びclock関数を呼び出し、①で格納した値との差分を求めます。

以下が迷路を歩くプログラムです。**プレイヤーを上下左右に移動する仕組みを読み解いて**みてください。

▼walk2.c

```
#include <curses.h>
#include <stdio.h>
#include <stdlib.h>
#include <time.h>
#include "stage.h"

// 迷路の中を歩く関数
void walk(MAZE* maze) {

    // x, yは現在の位置、wは迷路の幅、mは迷路の文字配列
    int x=2, y=2, w=maze->width;
    char* m=maze->map;

    // プロセッサの使用時間を取得し、開始時間とする
    clock_t start=clock();

    // qを入力するまで繰り返す
    for (int c; (c=getch())!='q'; ) {

        // プレイヤーを消去
        add_char(x, y, m[x+w*y]);

        // 古い位置を保存
        int ox=x, oy=y;

        // キー入力に応じて、新しい位置を計算
```

```
        // 条件が成立した場合、式の値が1になることを利用（Chapter6）
        x+=(c==KEY_RIGHT || c=='l')-(c==KEY_LEFT || c=='h');
        y+=(c==KEY_DOWN || c=='j')-(c==KEY_UP || c=='k');

        // 新しい位置が壁ならば、古い位置に戻す
        if (m[x+w*y]=='#') x=ox, y=oy;

        // プレイヤーを表示
        add_char(x, y, 'W');

        // ゴールでなければ…
        if (m[x+w*y]!='G') {

            // 経過時間を求める
            double t=(double)(clock()-start)/CLOCKS_PER_SEC;

            // 経過時間を表示するための文字列を作成
            char s[1000];
            sprintf(s, "Time:%.2f - [Q] to quit.", t);

            // 文字列を表示
            attrset(COLOR_PAIR(0));
            mvaddstr(getmaxy(stdscr)-1, 0, s);
        }

        // 画面を更新
        refresh();
    }
}

// main関数
int main(void) {

    // ステージを作成
    MAZE* maze=new_stage();

    // 迷路を歩く
    walk(maze);

    // ステージを破棄
    delete_stage(maze);
```

```
}
```

プレイヤーは次の手順で移動します。移動先が壁の場合に、古い位置に戻すことがポイントです。

❶プレイヤーを消去します。
❷プレイヤーの古い位置を保存します。
❸キー入力に応じて、プレイヤーの新しい位置を計算します。
❹新しい位置が壁ならば、プレイヤーを古い位置に戻します。
❺プレイヤーを表示します。

walk2.cにおいて、プレイヤーの新しい位置を計算する処理に注目してください。if文を使ってキー入力を判定してもよいのですが、条件が成立したときに式の値が1になることを利用し、座標(xやy)からこの値を加減算することで、if文を省いてプログラムを簡潔にしています。

本章ではインタラクティブなプログラムというテーマで、自動生成した迷路を歩いて脱出する、ゲームふうのプログラムを作成しました。迷路を作る処理は文字配列を使う練習に、迷路を解く処理は再帰呼び出しの練習になります。もし処理の仕組みが難しいと感じたら、紙に簡単な絵を描きながら、手作業でプログラムの動きを再現してみるのがおすすめです。

index

記号・数字

!= ……212
" ……71
#define ……206,573
#endif ……573
#ifndef ……573
#include ……66
#pragma ……569
% ……112
%% ……112
%d ……97
%e ……107
%f ……102
%g ……107
%lu ……181
%o ……100
%s ……109
%x ……99
& ……130,135,464
() ……54,345
-O2 ……400
* ……467
, ……71
/**/ ……81
// ……80,83
: ……228
; ……71
? ……228
[] ……284,285
\ ……75
\' ……75
\" ……75
\\ ……75
\0 ……75,323
\n ……97,320
^ ……130,140
_Alignas ……444
_Alignof ……441
_Bool ……218
_Generic ……408
{} ……54,345,449
| ……130,138
~ ……130,132
¥ ……75
< ……212
<< ……142
<= ……212
<> ……54
<circle> ……642
<rect> ……642
<title> ……642
= ……192
== ……212
> ……212
-> ……485
>= ……212
>> ……145
0x ……99
2の補数 ……159
7-Zip ……45

A

alignas ……445
aligned_alloc ……504
alignof ……442
AND ……135
ANSI C ……34
argc ……492
argv ……492,500
ASCII ……56,312
atoi ……495

B

BCPL ……26
bool ……219
break ……230,266
B言語 ……26

C

C++ ……30
case ……230
char ……315
chmod ……100

Clang……35,43
clock……676
clock_t……676
CLOCKS_PER_SEC……676
closedir……599
const……204
continue……268
CPU……19
CR……320,537
CR+LF……537
CSV……621
CUI……648
curses……649
C言語……27
Cコンパイラ……173

❖ D

default……230,409
delete……506
diff……61
DIR*……599
dirent.h……596
do while……260
double……128

❖ E

else……221,223
else if……225
EOF……546
error……85
exit……496
extern……577,578
extern宣言……579

❖ F

false……219
fatal error……85
fc……61
fclose……534,536
fgetc……546
fgets……329,537
FILE*……533
fmax……625
fmin……625
fmod……117
fopen……532,535
for……245
fprintf……555
FPU……189
fputc……548
fputs……541
fread……552
free……505
fscanf……555
fwrite……552

❖ G

GCC……35,43
gcc……57
getch……675
getchar……318
goto……269
GUI……648

❖ I

i……249
IEEE 754……104
if……221
inline指定子……399
int……70
ISO C……34

❖ K

K&R……32
k-means……620

❖ L

LF……320,537
Linux……26

❖ M

macOS……26
main……68
make……568,670
Makefile……64
malloc……503
math.h……625
memcpy……301

MinGW …… 44
mingw32-make …… 670
MinGW-w64 …… 44

◆ N

NB言語 …… 27
new …… 506
nil …… 470
NOT …… 132
NULL …… 469
nullptr …… 470

◆ O

Objective-C …… 30
opendir …… 599
OR …… 138

◆ P

PDCurses …… 652
POSIX …… 596
pow …… 625
printf …… 56,96,109
putchar …… 318
puts …… 56,71

◆ Q

qsort …… 527

◆ R

rand …… 623,634
RAND_MAX …… 634
readdir …… 599
realloc …… 504,511
restrict …… 592
return …… 56,345
rewind …… 630

◆ S

scanf …… 198,316
signed …… 182,315
size_t …… 332
sizeof …… 180,292
sprintf …… 602
srand …… 623,634
static …… 385
static inline …… 401
static関数 …… 401,583
static指定子 …… 583
static変数 …… 586
stdalign.h …… 442
stdarg.h …… 395
stdbool.h …… 219
stdin …… 330
stdio.h …… 68
strcmp …… 337
strcpy …… 334
strcpy_s …… 334
string.h …… 301
strlen …… 332
strtol …… 495
struct …… 415
struct dirent* …… 599
SVG …… 622
switch …… 230

◆ T

time …… 634
time.h …… 634
true …… 219
typedef …… 419,449

◆ U

Unicode …… 312
union …… 448
Unix …… 26
unsigned …… 182,315
UTF-8 …… 42,56

◆ V

vi …… 40
vim …… 40
Visual Studio …… 35
Visual Studio Code …… 41
VLA …… 307
void …… 70,345
void* …… 504
volatile …… 592

W

warning……86
while……258
WinMerge……62

X

Xcode……35
XOR……140

あ

アセンブラ……22
アセンブリ言語……21
値……96
値渡し……348
アドレス……169,293,460
アドレス演算子……198,464
穴掘り法……658
アライメント……441
アライメント要件……441
アロー演算子……485
暗黙の変換……124,184

い

インクリメント……238
インクリメント演算子……238
インクルード……66
インクルードガード……573
インタプリタ……23
インデント……55,71
インライン関数……399

う

ウォーニング……39

え

エスケープシーケンス……75
エラー……38,85
演算子……96,116
演算子オーバーロード……416
エンディアン……450

お

オーバーロード……408
オブジェクト……416
オブジェクトファイル……37,567

か

改行コード……320
階乗……390
開発環境……35
可視化……622
仮想関数……526
仮想関数テーブル……526
型……70,124
型変換……124
壁作り法……658
可変長配列……307
可変長引数……395
仮引数……348
環境変数……000
関係演算子……212
関数……68,344
関数の宣言……352
関数の定義……69,344
関数の呼び出し……344
関数ポインタ……522
関数マクロ……402
間接演算子……467
カンマ演算子……278

き

偽……218
キーワード……165
記憶域期間……376
機械語……21
擬似乱数……634
キャスト……124
共用体……448
局所変数……376

く

クイックソート……527
空文……250
クラスタリング……620
繰り返し文……245
グローバル変数……379

け

警告……38,85
継承……416

結合性 123
言語処理系 24

こ

降順 527
高水準言語 22
構造体 414
構造体型 428
構造体型の配列 431
構造体タグ 415
構造体名 415
後置 238
コーディング規約 72
コーディングスタイル 72
誤差 104
コマンドライン 492
コマンドライン引数 492,543
コメント 80
コメントアウト 83
コンパイラ 23
コンパイル 23,37
コンパイルエラー 38

さ

再帰呼び出し 390,664
最適化 155
三項演算子 228
算術演算子 116
算術型 116
算術シフト 158
算術変換 125

し

式 96
式文 71
識別子 165
指数表記 106
実行ファイル 37,567
実数 102
実引数 348
指定子 385
自動記憶域期間 376
シフト演算子 130
条件演算子 228
条件式 245
昇順 527
省略記号 395
ショートサーキット 217
初期化 167,297
初期化節 245
書式文字列 96
処理系 24
処理系定義の動作 148,157
真 218
真偽値 218
真偽値型 218

す

スコープ 174,376
スタック 357
スタックオーバーフロー 360
ステートメント 71
ストレージ 19

せ

整数型 180
整数定数 96
整数定数式 284
静的記憶域期間 379
整列 527
接尾辞 190
宣言 164,173,465
選択文 212
前置 238

そ

総称選択 407
双方向リスト 463
ソースコード 36
ソースファイル 36
ソート 527
添字 285
添字演算子 285,476

た

大域変数 379
代入 192
代入演算子 192

多次元配列……303
多重ループ……248
ダブルポインタ……497
単項演算子……117
単精度……104
単方向リスト……463
端末制御ライブラリ……649

ち

中間コード……25

て

定義……173
低水準言語……22
定数……204
テキストエディット……40
テキストファイル……532
デクリメント……238
デクリメント演算子……238

と

等価演算子……212
動的メモリ確保……503

な

長さ修飾子……113

に

二項演算子……116

ぬ

ヌル……323
ヌルポインタ……469

ね

ネスト……175

は

バイエンディアン……451
倍精度……105
倍精度浮動小数点数……128
排他的論理和……140
バイトオーダー……450
バイナリファイル……532
配列……282
派生……416
バッファ……318,331
バッファオーバーフロー……331
パディング……436
反復式……245

ひ

比較演算子……212
引数……69,344
左結合……123
左シフト……142
ビッグエンディアン……450
ビット演算子……130
ビットフィールド……455
評価……153
評価順序……153
標準C……34
標準出力……68
標準入出力……68
標準入力……68
標準入力ストリーム……330
標準ライブラリ……120

ふ

ファイルスコープ……379
ファイルポインタ……533,541
フォール・スルー……233
ブーリアン型……218
ブール型……218
複合代入演算子……194
複合リテラル……367,426
副作用……242
複文……174
符号付き……182,315
符号なし……182,315
プッシュ……357
浮動小数点数……102
浮動小数点数型……180
浮動小数点定数……102
フラグ……112
プリプロセッサ指令……66
プログラマ……18
プログラミング……18

プログラミング言語……18
ブロック……174
ブロックスコープ……376
プロトタイプ……353
文……71
分割コンパイル……566
分岐……235

❖ へ

ヘッダファイル……67,354,568
別名……419
変換指定……97
変換指定子……113
変数……164

❖ ほ

ポインタ……460
ポップ……357
ポリモーフィズム……416

❖ ま

マイナーバージョン……577
マクロ……206
マシン語……21
マルチバイト文字……314
丸め……118

❖ み

右結合……123
右シフト……145
未規定の動作……148,153
未定義の動作……148

❖ む

無限ループ……251,262

❖ め

メジャーバージョン……577
メモ帳……40
メモリ……19,169
メモリの解放……505
メモリリーク……530
メンバ……415,449
メンバ関数……416
メンバ変数……416

❖ も

文字……321
文字エンコーディング……312
文字コード……312
文字定数……312
文字配列……326
文字列リテラル……71,321
戻り値……69,344

❖ ゆ

ユークリッドの互除法……392
優先順位……120

❖ よ

要素……282
要素数……284

❖ ら

ライブラリ……67,120
ラベル……230,269
乱数……623,634
乱数の種……623,634
ランダムアクセス……294

❖ り

リトルエンディアン……450
リンク……37
リンクエラー……38
リンケージ……589

❖ る

ループカウンタ……249
ループ変数……249

❖ れ

レジスタ……169
列挙型……207
列挙定数……207

❖ ろ

ローカル変数……376
ローグ……649

ロケール……158
ロケール固有の動作……158
論理演算子……215
論理シフト……158
論理積……135
論理和……138

わ

ワーニング……39
ワイド文字……314

本書サポートページ

https://isbn2.sbcr.jp/11682/ 

・本書をお読みいただいたご感想を上記URLからお寄せください。
・上記URLに正誤情報、サンプルダウンロードなど、本書の関連情報を掲載しておりますので、あわせてご利用ください。
・本書の内容の実行については、すべて自己責任のもとで行ってください。内容の実行により発生した、直接・間接的被害について、著者およびSBクリエイティブ株式会社、製品メーカー、購入された書店、ショップはその責を負いません。

著者紹介

松浦 健一郎（まつうら けんいちろう）
東京大学工学系研究科電子工学専攻修士課程修了。研究所において並列コンピューティングの研究に従事した後、フリーのプログラマ＆ライター＆講師として活動中。企業や研究機関向けのソフトウェア、ゲーム、ライブラリ等を受注開発している。司 ゆきと共著でプログラミングやゲームに関する著書多数（本書で37冊目）。

司 ゆき（つかさ ゆき）
東京大学理学系研究科情報科学専攻修士課程修了。大学で人工知能（自然言語処理）を学び、フリーランスとなる。研究機関や企業向けのソフトウェア開発や研究支援、ゲーム開発、書籍や研修用テキストの執筆、論文や技術記事の翻訳、学校におけるプログラミングの講師を行う。

著者Webサイト「ひぐぺん工房」 https://higpen.jellybean.jp/
※本書のQ&Aも掲載しています。

C言語［完全］入門

2022年6月30日　初版第1刷発行
2024年3月14日　初版第2刷発行

著者　松浦健一郎　司ゆき

発行者　小川 淳
発行所　SBクリエイティブ株式会社
〒105-0001 東京都港区虎ノ門2-2-1
https://www.sbcr.jp/

印刷　株式会社シナノ
カバーデザイン　米倉英弘（株式会社 細山田デザイン事務所）
制作　クニメディア株式会社

落丁本、乱丁本は小社営業部にてお取り替えいたします。
定価はカバーに記載されています。

Printed in Japan ISBN978-4-8156-1168-2